Zu diesem Buch

Ulrich Gregor und Enno Patalas sind als Filmhistoriker ein Begriff. Ihre »Geschichte des Films«, von Kennern als Standardwerk hochgeschätzt, ist nicht nur ein Handbuch für Cinéasten. Jeder, der im Kino oder Fernsehen auf klassische Filme und wichtige Regisseure trifft, kann hier sein Verständnis des Einzelwerks vertiefen und Zusammenhänge erkennen lernen. Gregor und Patalas bewerten Filme nach ihrer künstlerischen Eigenart, beschreiben darüber hinaus aber, wie sich in ihnen die gesellschaftlichen Verhältnisse einer Epoche abbilden. Auch der filmästhetisch weniger Geschulte findet so einen unmittelbaren Zugang zum Wesen des Films. Durch die akribische Dokumentation und das ausgefeilte Register hat das Buch, bei aller Lesbarkeit, die Verläßlichkeit eines Nachschlagewerkes.

Ulrich Gregor, geboren 1932 in Hamburg, ist Direktor der Internationalen Filmfestspiele Berlin, verantwortlich für das Internationale Forum des Neuen Films. Enno Patalas: Leiter der Filmabteilung im Münchner Stadtmuseum. 1957 bis 1971 Redakteur der Zeitschrift »Filmkritik«. Veröffentlichte 1963 eine »Sozialgeschichte der Stars«, 1974 zusammmen mit Frieda Grafe »Im Off. Filmartikel«.

Ulrich Gregor/Enno Patalas

Geschichte des Films

2 1940—1960

Rowohlt

Umschlagentwurf Werner Rebhuhn

(Foto aus: Alain Resnais »Letztes Jahr in Marienbad« 1961,
Neue Filmkunst Walter Kichner, Göttingen)

36.–38. Tausend Februar 1984

Veröffentlicht im Rowohlt Taschenbuch Verlag GmbH,
Reinbek bei Hamburg, Januar 1976
© C. Bertelsmann Verlag GmbH, München, 1973
Gesamtherstellung Clausen & Bosse, Leck
Printed in Germany
980-ISBN 3 499 16194 X

Inhaltsverzeichnis

1940-1949

Der Zweite Weltkrieg war für den Film in vielen Ländern eine Periode des Aufbruchs. Eine wirtschaftliche Voraussetzung dafür war, daß die europäischen Länder – Achsenmächte und von diesen besetzte Staaten, aber auch Neutrale und selbst Alliierte – durch die Anfangserfolge Deutschlands der Vorherrschaft Hollywoods entzogen wurden. Der deutsche und der italienische Film vermochten nicht, die Importlücke zu füllen; so gewann die einheimische Produktion überall da an Gewicht, wo sie vom Besatzungsregime nicht geradezu unterdrückt wurde.

Zugleich vermittelte der Krieg den Filmgestaltern mannigfache Impulse. Auf beiden Seiten der Front sahen sich Autoren und Regisseure, zumal der jüngeren Generation, nachdrücklich mit der Wirklichkeit konfrontiert; der Kriegsdokumentarfilm wurde zur Schule vieler Cinéasten in Italien wie in Großbritannien, der Sowjetunion und den Vereinigten Staaten. Auch in den Spielfilmstudios beschäftigten sich die verantwortungsbewußten Regisseure nun intensiver mit der sozialen und politischen Realität, als dies in den dreißiger Jahren möglich gewesen wäre. Der Geist des Widerstands gegen den Faschismus inspirierte die besten Filme, die teilweise noch unter Diktatur und Fremdherrschaft, vor allem aber unmittelbar nach der Befreiung entstanden. In ihnen wurde nicht nur die Überwindung des Faschismus propagiert; aus ihnen sprach ein neues soziales Bewußtsein, die Einsicht in den Zusammenhang zwischen allgemeinem und individuellem Schicksal und in die Notwendigkeit politischen Engagements.

Die Ansätze zu einem neuen, politisch-aktivistischen Realismus entfalteten sich in den einzelnen Ländern in Abhängigkeit von den Wechselfällen des Krieges. In England prägte der Geist der »Schlacht von Britannien« die Filme des Jahres 1941; in der Sowjetunion und den Vereinigten Staaten, die 1941 erst in den Krieg eintraten, begannen 1942 vor allem Dokumentarfilme sich mit dem Zeitgeschehen zu beschäftigen, der Spielfilm folgte zögernd; 1944 inspirierte die Résistance die ersten französischen und italienischen Widerstandsfilme. Unmittelbar nach Kriegsende spiegelten eine Vielzahl von Filmen in den meisten Ländern das Erlebnis des Krieges und die Konsequenzen wider, die die Autoren und Regisseure aus ihm gezogen hatten.

Zur selben Zeit aber setzte auch der Gegenschlag gegen den Aufbruch der Kriegsjahre ein. Die Wiederherstellung der amerikanischen Vorherrschaft auf dem europäischen Markt bedeutete zugleich die Rückkehr zu den Formeln der Traumfabrik. In den westeuropäischen Ländern erschwerte die Rückkehr zu den Gesetzen der »freien Wirtschaft« die Entstehung außergewöhnlicher Filmwerke; die soziale Restauration lähmte den politischen Aktivismus der Filmgestalter und führte zu staatlichen Pressionen. In der Sowjetunion beendete die Shdanow-Ära die relative Liberalität der Kriegsjahre. In den Vereinigten Staaten schalteten die Verhöre vor dem Senatsausschuß zur »Untersuchung unamerikanischer Umtriebe« nicht nur die pronunciert »linken« Filmgestalter aus, sondern diffamierten zugleich alle irgend sozialkritisch orientierten Autoren und Regisseure.

Die Geburt des italienischen Neorealismus

Im ersten Jahrzehnt nach Mussolinis Machtergreifung 1922 führte der italienische Film ein provinzielles Dasein. Das Publikum war des Divenkults und der konventionellen historischen Verfilmungen müde geworden und begann, die amerikanischen Filme zu bevorzugen. Große italienische Filmtrusts gingen in Konkurs; die jährliche Produktion sank gegen Ende der zwanziger Jahre auf etwa zehn Spielfilme ab. Bekannte Regisseure der Stummfilmzeit wie Genina und Gallone gingen nach Frankreich und Deutschland, von wo sie erst in den dreißiger Jahren zurückkehrten. 1924 wurde eine staatliche Firma für Wochenschau- und Kurzfilmproduktion gegründet, die *Luce*; sonst zeigte sich der Faschismus jedoch vorerst desinteressiert am Film. Einen gewissen Aufschwung erfuhr die Produktion erst wieder mit der Einführung des Tonfilms.

Allmählich begriff jedoch auch Mussolini die Bedeutung des Films für die faschistische Propaganda. 1931 begann man, Subventionen für die Filmindustrie zur Verfügung zu stellen, über deren Verteilung ab 1934 eine *Direzione Generale per la Cinematografia* zu wachen hatte; diese Behörde war direkt dem Propagandaministerium unterstellt. Sie koordinierte das Produktions- und Verleihwesen, verschärfte allerdings auch die Zensur. Mit hohen Geldprämien für »künstlerisch wertvolle« Filme sollte der Versuch einer ideologischen Lenkung der Filmproduktion unternommen werden: tatsächlich kamen diese Preise nur den offiziellen Propagandawerken wie denen Geninas und Gallones zugute. Zur weiteren Beflügelung der italienischen Filmindustrie wurde 1937 die *Cinecittà* gegründet, ein riesiges Produktionszentrum, dessen Verwaltung Mussolinis Sohn Vittorio übernahm. Schon 1935 entstand in Rom eine Ausbildungsstätte für den Filmnachwuchs, das *Centro Sperimentale di Cinematografia*; hier herrschte jedoch – ebenso wie in den offiziell geförderten studentischen Filmklubs – keineswegs ein faschistischer Geist, so daß das *Centro Sperimentale* zu einer Anregungsquelle des Neorealismus werden konnte.

Durch alle diese Hilfsmaßnahmen stieg die Filmproduktion bis 1939 auf über achtzig Filme jährlich an. Die Zensur ebenso wie die Richtlinien der Subventionierung drängten allerdings die Produzenten und Regisseure immer mehr in die Richtung unverbindlicher, in gehobenem Milieu spielender Unterhaltungsfilme: es begann die »Ära der weißen Telefone«. Auch an importierten Filmen wurden entscheidende Änderungen vorgenommen: der Deserteur aus Carnés *Quai des brumes* verwandelte sich in einen unschuldigen Urlauber, und Clairs *A nous la liberté* erhielt in Italien den Titel *A me la libertà* (Für mich die Freiheit).

Trotz aller Anstrengungen gelang es dem italienischen Faschismus aber nicht, die Filmindustrie völlig gleichzuschalten. Um die angestrebten Produktionszahlen zu erreichen, mußten auch kleine und unabhängige Firmen herangezogen werden. So bewahrte sich der italienische Film auch unterm Faschismus eine gewisse thematische Vielseitigkeit; in den letzten Jahren des Regimes konnten sogar Filme entstehen, die bereits den neorealistischen Stil der Nachkriegszeit vorwegnahmen.

Die Kriegsereignisse und die alliierte Invasion Italiens setzten der Produktion fast aller Filme ein vorläufiges Ende. Die bombardierten Filmateliers der Cinecittà dienten 1944 als Flüchtlingsunterkunft. Staatliche Aufsicht und Monopole waren zusammengebrochen. Schon die äußere Situation zwang Italiens Regisseure, mit den Traditionen des faschistischen Films zu brechen und sich der Wirklichkeit zuzuwenden; hinzu kamen die Impulse der Widerstandsbewegung und die Anregungen der oppositionellen Kritik aus den letzten Jahren. So wurde ein neuer Stil geboren. Die Filme des italienischen Neorealismus, der bedeutendsten filmischen Bewegung der Nachkriegszeit überhaupt, entstanden in einem Klima der legislativen Freiheit, aber auch der totalen finanziellen Unsicherheit. Dieser Umstand wirkte sich ihnen künstlerisch zum Vorteil aus. Während aber Rossellinis *Roma città aperta* 1945 noch ein großer Publikumserfolg wurde, so begegneten schon die nächsten neorealistischen Filme erheblichen Schwierigkeiten. Das Publikum bevorzugte bald wieder unverbindliche, kommerzielle Produktionen; die Werke de Sicas und Viscontis konnten nur mittleren oder geringen Erfolg verzeichnen. Staatliche Maßnahmen auf dem Gebiet der Wirtschaft und der Zensur brachten den neorealistischen Filmen weitere Nachteile.

Ab 1947 berief man sich wieder auf das faschistische Zensurgesetz von 1923, das auch nach 1945 in Kraft geblieben war und dessen Artikel »staatsfeindliche« und »klassenkämpferische« Tendenzen sowie die »Gefährdung der öffentlichen Sicherheit« unter Verbot stellten. 1947 wurde auch ein *Zentralbüro für das Kinowesen* geschaffen, das dem Ministerpräsidenten direkt unterstand. Entscheidende Einflußmöglichkeiten auf die Filmproduktion waren damit in die Hand des Unterstaatssekretärs im Ministerpräsidentenamt gelegt. Alle diese Umstände übten einen erheblichen Druck auf Produzenten und Regisseure neorealistischer Filme aus, der sich nach 1950 noch verstärken sollte. »Der filmische Neorealismus war der zugänglichste und deshalb ›gefährlichste‹ Ausdruck der sozialrevolutionären Bewegung, die aus der Résistance hervorgegangen war: nichts natürlicher, als daß die zur Herrschaft gelangten Kräfte der Konservation mit allen Mitteln versuchten, ihm den Garaus zu machen« (H. Hinterhäuser[1]).

Wirtschaftlich betrachtet, entwickelte sich die Produktion der Nachkriegsjahre freilich günstig: 1944 wurden in Italien dreizehn Filme hergestellt, 1945 schon fünfundzwanzig, und bis 1949 steigerte sich die Produktion auf vierundneunzig Filme jährlich.

Regisseure der dreißiger Jahre: Blasetti und Camerini

Zwischen 1920 und 1930 konnte man kaum von einer Existenz des italienischen Films sprechen: die geringe Produktion wurde von schwülstigen Historiendramen und Neuauflagen alter Erfolgsfilme bestimmt. In die allgemeine Stagnation gelangte erst zu Beginn der Tonfilmzeit wieder etwas Bewegung mit dem Auftreten zweier neuer Regisseure: Mario Camerini und Alessandro Blasetti; ihre Filme sollten die italienische Filmproduktion bis zum Beginn des Krieges bestimmen.

Mario Camerini (geb. 1895) entwickelte einen heiteren, rhythmisch beschwingten Komödienstil, der ihn in die Nähe René Clairs rückte; seine Filme, die meist in der Welt des Kleinbürgertums spielten, waren frei von jedem faschistischen Propagandapathos. Camerini arbeitete zunächst als Assistent von Augusto Genina und drehte seinen ersten interessanten Film 1929 mit *Rotaie* (Schienen), einem von deutschen Kammerspielfilm beeinflußten psychologischen Drama. Die Schienen der Eisenbahn verkörpern symbolisch die Attraktionskraft der »großen Welt«, der ein junges Paar aus ärmlichen Verhältnissen verfällt; der Film mündet freilich in eine konformistische Moral, die Zufriedenheit in kleinen Verhältnissen empfiehlt. Seinen eigentlichen Stil fand Camerini in *Gli Uomini, che mascalzoni!* (Die Männer, welche Flegel!, 1932). Ein junger Garagenangestellter (Vittorio de Sica in einer seiner ersten und bis heute besten Rollen) scheut vor keinem Wagnis zurück, um seiner Angebeteten zu gefallen: er radelt unentwegt neben ihrer Straßenbahn her oder unternimmt mit ihr einen Ausflug im »geliehenen« Auto eines Kunden. Camerini gab seiner Komödie durch ein Leitmotiv musikalische Struktur; er wußte amüsant beobachtete Nebenfiguren und Episoden nonchalanter Komik vor einen authentisch beobachteten Hintergrund zu stellen. So sympathisch der Film sich in seiner ironischen Leichtigkeit auch gab, so unverbindlich blieb er aber letztlich in seinem Gehalt; Camerinis Realismus beschränkte sich auf Genremalerei und Oberflächenschilderung.

In *Darò un millione* (Ich gebe eine Million, 1934) sucht ein lebensmüder Millionär nach einem Exempel menschlicher Güte und findet die Inkarnation seiner Hoffnungen in einem einfachen Mädchen (das Drehbuch zu diesem Film schrieb Cesare Zavattini), während *Il Signor Max* (Der Herr Max, 1937) einen Zeitungsverkäufer durch Verwechslungen in die Welt der reichen Leute aufsteigen, aber wieder in sein Milieu zurückfinden läßt. Wenn im letzteren Film die gehobene Gesellschaft auch mit einigem Spott bedacht wird, so sucht Camerini doch nie die kritische Polemik. Seine Filme treiben ein freundliches Spiel mit den sozialen Gegensätzen und vertrauen im übrigen auf die Herzensgüte der »kleinen Leute«. In *Grandi magazzini* (Die großen Läden, 1939) siedelte Camerini eine seiner üblichen Intrigen im Warenhausmilieu an; zwischen seinen Komödien drehte er auch einen Propagandafilm, der die Afrika-Politik des Regimes verteidigte: *Il Grande appello* (Der große Ruf, 1936).

Besaßen Camerinis Filme immerhin noch Stilempfinden und ironische Distanz zu ihren Personen, so fehlten diese Merkmale einer ganzen Flut konformistischer Unterhaltungsfilme, die nach dem Vorbild von Camerinis Werken verfertigt wurden. Komödien aus der Welt der »weißen Telefone« oder ungarische Operetten bestimmten das Gros der Produktion zwischen 1938 und 1943; ihr gepflegter Irrealismus bildete das Gegenstück zur Propagandarhetorik der »offiziellen« Filme.

Das Werk Alessandro Blasettis zeigt keine so einheitliche Entwicklungslinie wie das Camerinis, sondern ist voller Gegensätze und Widersprüche. Alessandro Blasetti (geb. 1900) begann als Journalist und Begründer einer Filmzeitschrift. Schon in seinem ersten Film *Sole* (Sonne, 1929), der in malerischen Bildern die harte Arbeit süditalienischer Bauern festhielt, und erst recht mit *Terra madre* (Mutter Erde, 1931) befand Blasetti sich in Übereinstimmung mit den Thesen des Mussolini-Regimes; *Terra madre* illustrierte das gerade aktuelle Thema der »Rückkehr zur Erde«. Blasetti schmückte in seinen Filmen den Mythos der Arbeit und der Erde aus, ohne dabei freilich eine dezidiert faschistische Haltung einzunehmen; er verarbeitete lediglich Überzeugungen, die in weiten Kreisen des Bürgertums vorhanden waren.

1860 (1932), ein Film über das Risorgimento, Italiens Einigungsbewegung, und Garibaldis Befreiungszug durch Sizilien, ist vielleicht Blasettis interessantestes Werk; es beweist aber die Zweideutigkeit seiner politischen Position. Der Film unterstreicht den demokratischen Charakter des Risorgimento: aus freien Stücken entschließen sich die Bürger, Garibaldis »Zug der Tausend« zu unterstützen. Zum Helden seines mit

Laiendarstellern gedrehten Films machte Blasetti einen sizilianischen Hirten, eine Figur aus dem untersten sozialen Milieu, ohne sie doch im geringsten zu idealisieren. Fragwürdig erscheint dagegen in *1860* die Gestalt eines sizilianischen Priesters, der im wallenden weißen Talar die Rolle eines Freiheitsherolds im Kampf gegen die schweizer Besatzungstruppen spielt und flammende Reden mit oratorischen Gesten begleitet; neben dieser herrischen Führergestalt trat sogar Garibaldis Figur in den Hintergrund. Die Bildgestaltung in *1860*, die expressive Fotografie der sizilianischen Landschaft erinnern gelegentlich an den Eisenstein von *¡Que viva Mexico!*

1935 verschrieb sich Blasetti mit *La Vecchia guardia* (Die alte Garde), einer Verherrlichung von Mussolinis Marsch auf Rom, völlig dem Faschismus. Später wich er in historische Sujets aus, die er mit Pomp und unter Aufbietung verschwenderischer Dekors in Szene setzte: *Ettore Fieramosca* (1938) und *La Coronna di ferro* (Die eiserne Krone, 1941).

Durch seine Preis- und Subventionspolitik förderte das Mussolini-Regime die Produktion von Filmen, die sich für die faschistische Propaganda ausnutzen ließen. Zu ihnen gehörten etwa Geninas *Lo Squadrone bianco* (Die weiße Schwadron, 1936), ein Film über Mussolinis Krieg in Libyen, Geninas *L'Assedio dell' Alcazar* (Der Kampf um den Alcazar, 1939), der ein Hohelied auf die Franco-Truppen sang, oder *Luciano Serra pilota* (Der Pilot Luciano Serra, 1938), ein von Goffredo Alessandrini gemeinsam mit Vittorio Mussolini hergestellter Film über den Abessinien-Krieg. Prominentestes Werk dieser Gattung aber war *Scipione l'Africano* (Scipio der Afrikaner, 1937) von Carmine Gallone. Aus Anlaß des Äthiopien-Krieges unter großem Aufwand und viel Statisterie verfertigt, versuchte sich dieser Film mit peinlichem Resultat an einer Verschmelzung altrömischer und faschistischer Afrika-Politik.

Kalligraphen und Dokumentaristen

Während die Fanfaren der faschistischen Propaganda sich im Film immer lauter vernehmen ließen und auch die Flut der verlogenen Unterhaltungs- und Historienfilme zunahm, zog sich eine Reihe ambitionierter Regisseure auf die Position eines strengen Formalismus zurück. Das bedeutete gegenüber den Ansprüchen des Regimes eine Art innerer Emigration: Indem man die Autonomie der filmischen Form betonte, verweigerte man sich dem faschistischen Dogma. Diese Entwicklung hat eine Parallele im Aufblühen der »hermetischen« Lyrik und der »Kunstprosa« in der italienischen Literatur unterm Faschismus. Die formalistischen Tendenzen einiger italienischer Regisseure um 1940 – Castellani und Lattuada, der von der Kritik zur Regie gekommene Chiarini, Soldati und Poggiolo – fanden ihre Anwendung in zahlreichen Literaturbearbeitungen. Man widmete sich vor allem der Literatur des 19. Jahrhunderts und übte sich in intellektuellen, optisch und dramaturgisch ausgefeilten Adaptationen. Die fast ausschließliche Sorge dieser Schule um graphische Strukturierung des Bildes brachte ihr den Namen »Kalligraphismus« ein.

Besonders die Debütanten Renato Castellani (geb. 1913) und Alberto Lattuada (geb. 1914) trieben in ihren ersten Filmen – Castellani in *Un Colpo di pistola* (Ein Pistolenschuß, 1942, nach Puschkin), Lattuada in *Giacomo l'idealista* (Giacomo der Idealist, 1942) – einen ausgesprochenen Kult des »schönen Bildes«: preziöse Landschaftsbilder standen neben Aufnahmen raffinierter Dekors; die literarischen Vorlagen waren diesen Filmen meistens nur Vorwand für eine melancholische Ausschmückung der Vergangenheit. Mario Soldati (geb. 1906), selbst Schriftsteller, verfilmte in ähnlichem Stil mit *Piccolo mondo antico* (Kleine alte Welt, 1941) einen erfolgreichen Roman des katholischen Schriftstellers Antonio Fogazzaro. Luigi Chiarinis *Via delle cinque lune* (Die Straße der fünf Monde, 1942) machte aus dem veristischen Roman von Matilde Serao eine Serie romantischer Gravüren. Im allgemeinen war die Opposition der »Kalligraphen« jedoch wenig fruchtbar; das Formstreben dieser Regisseure geriet in Gefahr, zum Selbstzweck zu werden, sie endgültig von der Wirklichkeit zu isolieren.

Auf diese Gefahren der »kalligraphischen« Strömung begann die italienische Kritik, namentlich in der (oppositionellen) Zeitschrift *Cinema*, bereits selbst aufmerksam zu machen. Näher an der Wirklichkeit als die »Kalligraphen« schien ein anderer Flügel des italienischen Films zu stehen: der Film der »Dokumentaristen«.

Die Regisseure, die man gemeinhin der dokumentarischen Richtung des vorneorealistischen Films zurechnet, de Robertis und der junge Rossellini, stehen in einer nicht recht entschiedenen Zwischenposition zwischen faschistischem Engagement und Bemühung um authentische Wirklichkeitserfassung. De Robertis' und Rossellinis erste Filme offenbarten durchaus propagandistische Intentionen. Francesco de Robertis (geb. 1902), ursprünglich Chef der Filmsektion im Marineministerium, realisierte 1940 *Uomini sul fondo* (Männer auf dem Grund): Italienische Rettungsmannschaften bergen die Besatzung eines untergegangenen U-Boots. Der Film kümmerte sich wenig um Psychologie, sondern beschrieb mit der nüchternen Technik des Dokumentarfilms den dramatischen Vorgang der Rettung; die Personen, zum großen Teil von Laiendarstellern gespielt, blieben anonym. De Robertis weitere Filme, *Alpha Tau* (1941) und *Uomini del cielo* (Menschen des Himmels, 1943), waren Kriegsfilme, die Mussolini huldigten und den Krieg als Stätte menschlicher Bewährung feierten.

Roberto Rossellini (geb. 1906), der als Dokumentarfilmregisseur begann und am Drehbuch zu Alessandrinis *Luciano Serra pilota* mitarbeitete, begab sich zunächst auf eine ähnliche Bahn wie de Robertis, dem er auch beim Drehbuch zu *Uomini sul fondo* assistierte. Rossellinis erster Spielfilm, *La Nave bianca* (Das weiße Schiff, 1942), noch in Zusammenarbeit mit de Robertis hergestellt, beschrieb in dokumentarischer Manier das Leben an Bord eines Lazarettschiffs; Rossellini suchte durch formale Kunstgriffe, durch Montagen und Großaufnahmen in die Wirklichkeit einzudringen und sie zu interpretieren. *Un Pilota ritorna* (Ein Pilot kehrt zurück, 1943) zollte freilich dem Kriegsoptimismus Tribut, und Rossellinis drittes Werk aus der Kriegszeit, *L'Uomo della croce* (Der Mann mit dem Kreuz, 1943) war ein reiner Propagandafilm, der von den Heldentaten eines italienischen Armeekaplans an der russischen Front berichtete. Rossellinis vor 1945 gedrehte Filme besitzen in seinem Gesamtwerk nur untergeordnete Bedeutung, und doch spiegeln sie bereits die Persönlichkeit ihres Regisseurs: es gelang ihm schon in diesen frühen Filmen, intuitiv die Wahrheit des Augenblicks zu erfassen und realistisch zu gestalten, nicht aber, sein Thema reflektiv zu bewältigen und sich etwa vom ideologischen Gehalt faschistischer Sujets zu distanzieren.

Die Ursprünge des Neorealismus

Von größerer Bedeutung für die Vorbereitung des Neorealismus als die Filme Camerinis oder de Robertis waren die in den letzten Kriegsjahren entstandenen Werke de Sicas, Blasettis und Viscontis. Vor allem zählte im Prozeß der künstlerischen Bewußtwerdung, die der italienische Film 1945 bereits hinter sich gebracht hatte, die Aktion einiger junger Kritiker, die in den Zeitschriften *Cinema* und *Bianco e nero* ihre Opposition zu den Kulturidealen des Faschismus zum Ausdruck brachten und sich für einen neuen Realismus einsetzten, der seine wesentlichen Impulse aus dem literarischen Verismus Giovanni Vergas beziehen sollte. Bereits 1943 wurde der Ausdruck »neo-realismo« von dem Kritiker Umberto Barbaro in der Zeitschrift *Film* gebraucht – allerdings angewendet auf Carné. Die junge Kritik verfolgte präzise Ziele: sie strebte danach, den Film nicht nur der konkreten, alltäglichen Wirklichkeit, sondern auch der Gesellschaft anzunähern, ihn zu einem Spiegel ihrer sozialen Verfassung zu machen. In *Cinema* und *Bianco e nero* weckte man die Erinnerung an realistische Stummfilme wie *Sperduti nel buio* und diskutierte die Werke französischer und sowjetischer Regisseure, die immer noch nach Italien gelangten; daneben verbreitete man die Kenntnis filmästhetischer Grundbegriffe. Eine Reihe dieser jungen Kritiker – Antonioni, de Santis, Lizzani, Pietrangeli – gingen nach 1945 selbst zur Filmregie über, und nirgendwo läßt sich das Zusammenwirken von Vertretern der Theorie und der künstlerischen Praxis bei der Ausbildung einer neuen Kunstform so gut beobachten wie in der Entstehung des Neorealismus.

Antonio Pietrangeli schrieb 1942 in *Bianco e nero:* »Die Bestimmung und der natürliche Ursprung des Films liegen ausschließlich in der Realität mit allen ihren Abstufungen, bis zu jener durchdringendsten, fühlbarsten Ebene, der der Wahrheit[2].« Und bereits 1943 publizierte die Zeitschrift *Cinema*, wenn auch noch in vorsichtiger, dem Regime nicht direkt widersprechender Einkleidung, eine Art Manifest des Neorealismus:

»1. Nieder mit der naiven und manierierten Konventionalität, die den größten Teil unserer Produktion beherrscht.

2. Nieder mit den phantastischen oder grotesken Verfertigungen, die menschliche Gesichtspunkte und Probleme ausschließen.

3. Nieder mit jeder kalten Rekonstruktion historischer Tatsachen oder Romanbearbeitungen, wenn sie nicht von politischer Notwendigkeit bedingt ist.

4. Nieder mit jeder Rhetorik, nach der alle Italiener aus dem gleichen menschlichen Teig bestehen, gemeinsam von den gleichen edlen Gefühlen entflammt und sich gleichermaßen der Probleme des Lebens bewußt sind[3].«

Jene Ablehnung der faschistischen Rhetorik, die aus den Kritiken und Manifesten der oppositionellen Filmzeitschriften sprach, zeigte sich gegen Ende des Krieges auch in einigen Filmen von Blasetti, de Sica und Visconti, die im Widerstand gegen die Zensur zustande kamen.

Alessandro Blasetti gestaltete in *Quattro passi fra le nuvole* [*Lüge einer Sommernacht,* auch *Vier Schritte in die Wolken,* 1942) ein zwar harmloses, aber doch realistisches Thema aus der Gegenwart: Ein kleiner Handlungsreisender begegnet im ländlichen Autobus einem Mädchen, das ihn bittet, für kurze Zeit ihren Ehemann zu spielen, damit sie ihrem Vater unter die Augen treten könne. Der erschrockene Reisende willigt halb wider Willen ein und findet sich in die schwierigsten Situationen versetzt, aus denen er schließlich entrinnen kann – aber nur, um zu Hause dem grauen und monotonen Alltag wieder zu begegnen. Die Handlung bedient sich traditioneller Elemente der Dialektkomödie: breit und folkloristisch ausgespielt wird etwa die Autobusfahrt unter gemeinsamem Gesang und starkem Alkoholgenuß. Bemerkenswert war aber nicht nur die Beweglichkeit und Spontaneität der Regie, sondern überhaupt der Umstand, daß hier ein bewußt durchschnittlicher, völlig unattraktiver Held im Mittelpunkt der Handlung stand und daß sein trister und eintöniger Alltag (das morgendliche Aufstehen in der Mietskaserne) zudem ausführliche Darstellung erfuhr.

Ein ähnlicher Realismus in Regie, Kameraarbeit und Typenzeichnung wie bei Blasetti fand sich auch in einem Film de Sicas: *I Bambini ci guardano* (Die Kinder sehen uns an, 1943). Vittorio de Sica (geb. 1902) begann seine Filmkarriere als Schauspieler in den dreißiger Jahren. Seine ersten in eigener Regie gedrehten Filme waren *Maddalena zero in condotta* (Magdalena: Betragen ungenügend, 1940), *Teresa Venerdì* (1941) und *Un Garibaldino al convento* (Ein Garibaldiner im Kloster, 1942) – Filme, die in einer Schule, einem Waisenhaus und einem Pensionat spielten und de Sicas spezifisches Interesse an der Welt der Kinder und Jugendlichen erkennen ließen. In diesem Themenkreis bewegt sich auch *I Bambini ci guardano*; hier wird ein kleiner Junge das Opfer einer scheiternden Ehe. Das berichtet der Film mit gefühlvoller Anteilnahme: Der Junge, den die Eltern nicht brauchen können, wird zu einer Großmutter abgeschoben; in der Sommerfrische trifft sich die Mutter mit ihrem Liebhaber, was der Junge beobachtet, worauf er verstört fortrennt und fast unter einen Zug gerät; schließlich gibt ihn sein Vater in eine katholische Fürsorgeanstalt, wo er klein und armselig hinter riesigen Portalen verschwindet. Ein gewisser larmoyanter Affekt ist durchweg in diesem Film zu spüren. De Sicas Plädoyer bedeutete jedoch im Regime des Faschismus, das den Bereich der Familie mit heiliger Verklärung zu umgeben pflegte, eine gewagte Kritik an den Grundlagen der Gesellschaft. Der Realismus des Films überzeugt auch jenseits seines Thesengehalts überall da, wo indifferentes Alltagsleben sich ins fiktive Geschehen eindrängt – wenn etwa eine resolute Frau den Mann beim Abschied vom Zugfenster wegschiebt; oder wenn die neugierige Nachbarin sich unter Vorwänden in die Wohnung der Mutter einschleicht, um dort zu spionieren. Das Drehbuch zu *I Bambini ci guardano* schrieb Cesare Zavattini, ein Autor, der auch schon Blasetti die Idee für *Quattro passi fra le nuvole* geliefert hatte. Cesare Zavattini (geb. 1902) hatte sich zunächst mit literarischer und journalistischer Arbeit beschäftigt; fortan sollte er bei allen Filmen de Sicas als Drehbuchautor mitwirken.

In ihrem künstlerischen Rang werden *Quattro passi fra le nuvole* und *I Bambini ci guardano* von Luchino Viscontis *Ossessione* (Von Liebe besessen, 1942) überragt. Dieser Film formulierte im voraus ein Hauptthema des Neorealismus: die Verbundenheit des Menschen mit seinem sozialen Milieu und mit der Natur. Luchino Visconti (geb. 1896), Abkömmling einer alten mailänder Aristokratenfamilie, kam nach vorübergehender Theaterarbeit in Frankreich mit dem Film in Berührung: er assistierte Jean Renoir bei den Dreharbeiten zu *Les Bas-fonds* und *Une Partie de campagne*. Diese Assistentenzeit sollte für Visconti von Bedeutung werden: der Einfluß des französischen Vorkriegsrealismus ist in *Ossessione* deutlich spürbar. Zur Grundlage seines Films machte Visconti einen Kriminalroman des Amerikaners James M. Cain: *The Postman Always Rings Twice* (Die Rechnung ohne den Wirt). In dieser Wahl sprach sich die Begeisterung für die amerikanische Literatur aus, welche die italienischen Schriftsteller und Intellektuellen während des faschistischen Regimes beherrschte; in der amerikanischen Literatur, in den Werken Hemingways, Faulkners

271

und Steinbecks fand man jene Themen, jene Aufrichtigkeit und Unmittelbarkeit auch in der Darstellung des Sozialen, die der Faschismus der italienischen Literatur versagte.

Visconti diente die Intrige des amerikanischen Romans im Grunde nur als Vorwand, um eine authentisch italienische Geschichte zu erzählen. An einer Landstraße im Po-Delta befindet sich eine ärmliche Benzinstation mit Trattoria, die ein behäbiger Kneipier bewirtschaftet. Der Wirt, der als sangesfreudiger Kleinbürger und häuslicher Tyrann gekennzeichnet wird, engagiert eines Tages einen Landstreicher, Gino, als Mechaniker. Gino verliebt sich in Giovanna, die Frau des Wirts; beide beschließen, den Mann umzubringen. Aber nach der Durchführung des Plans zerstreiten sie sich. Bei einem Autounfall kommt Giovanna ums Leben, und Gino wird von der Polizei verhaftet. Hinter der kriminalistischen Intrige, die Visconti Gelegenheit zum Ausmalen von Tragik und Verhängnis im Stil des französischen Vorkriegsrealismus gab, zeichnete sich ein veristisches Panorama italienischen Provinzlebens ab. *Ossessione* öffnete zum erstenmal den Blick für die zeitgenössische Wirklichkeit eines Italien, das sich ganz unrhetorisch, fern aller offiziellen Klischees, in trübseliger Beschränktheit offenbarte. Visconti wählte den Dekor der ungepflegten Provinzhäuser, der Landstraßen und Volksfeste, der Plätze von Ancona und Ferrara, der Sandbänke und Flußdeiche, nicht nur als pittoresken Hintergrund; vielmehr verkettet der Film Milieu und Natur mit der Persönlichkeit seiner Helden. Viscontis Charaktere leben in und aus der norditalienischen Landschaft, die von ihren harten und rauhen Seiten her gesehen wird. Die langen Kamerafahrten und Schwenks, in denen diese Landschaft sich entfaltet und die an die Stelle einer dissoziierenden Montage treten, hatte Visconti von Renoir übernommen. Die Verbundenheit der Personen mit ihrem Milieu wird etwa in der Szene deutlich, als Giovanna, in ihrer unaufgeräumten Küche zwischen Bergen von Geschirr sitzend, aus einem Teller Suppe löffelt und dabei Zeitung liest: blitzartig offenbart die Bewegung der sich entfernenden Kamera Schalheit und Misere einer Existenz, die nur das Besitzstreben kennt. Visconti schrieb damals: »Der Film, der mich interessiert, ist ein anthropomorpher Film ... Das Gewicht des menschlichen Daseins, seine Gegenwart ist das einzige, was die Bilder wahrhaft zu beherrschen vermag ... Die momentane Abwesenheit des Menschen verwandelt jedes Ding in ein lebloses Objekt[4].«

Die stete Bezogenheit von Natur und Milieu auf die soziale Existenz des Menschen gibt Viscontis Realismus in *Ossessione* seine Tiefe. Dieser Realismus war von Anfang an durch Reflexion hindurchgegangen. So gewannen alle Gegenstände doppelte Bedeutung: einmal als Bestandteil eines realen Milieus, zum anderen als Assoziationspunkte von Bedeutungen, die über die Handlung hinausführen. Die endlosen Asphaltstraßen der Gegend bestimmen ein »Klima«; zugleich aber erscheinen sie als Öffnung in die Zukunft, als Verheißung der Freiheit. Letztlich ist *Ossessione* ein Film über den Konflikt von Freiheit und bürgerlicher Gebundenheit. Als Repräsentant eines freiheitlichen Daseins ersann Visconti die – in Cains Roman nicht auftauchende – Figur eines rätselhaften Wanderschauspielers, des »Spagnolo«. Die wenigen Worte über die Freiheit, die im Verlauf des Films fallen, gewinnen einen symbolischen und prophetischen Klang, der den Rahmen der Handlung transzendiert.

Mit *Ossessione* hatte sich Visconti als eines der bedeutendsten Talente im italienischen Film erwiesen. Hätte er die Produktion von *Ossessione* allerdings nicht zum Teil aus eigenen Mitteln finanziert, so wäre der Film kaum beendet worden. Sofort nach seiner Fertigstellung wurde er von der faschistischen Zensur verboten; erst fünfzehn Jahre später kam er stark verstümmelt in den Verleih; die im Ausland gezeigten Kopien reduzierten den Film gar auf die Hälfte seiner Spieldauer und zerstörten ihn damit vollends.

Roberto Rossellini

Nach 1945 wurde die italienische Filmkunst zur Avantgarde aller europäischen Länder, die den Krieg durchgemacht hatten. Im Neorealismus, im Kino der ungeschminkten Wirklichkeitserfassung und der dokumentarischen Kamera, fand das Nachkriegseuropa seinen repräsentativen Stil. Filme wie *Paisà* (1946) oder *Sciuscià* (1946) spiegelten die Realität des Daseins mit der Intensität der gelebten Erfahrung; im durchschnittlichen Schicksal, in der alltäglichen Begebenheit vermochten die Werke Rossellinis und de Sicas zugleich die Situation der Allgemeinheit sichtbar zu machen. Ihre Universalität und Menschlichkeit, ihre tiefe Verwurzelung in der historischen und sozialen Wirklichkeit der Zeit brachten den frühen neorealistischen Filmen ungewöhnlichen Erfolg auch außerhalb der Grenzen Italiens.

Aber der lebendige Atem der Wirklichkeit, der diese Filme durchzog, die engagierte, kritische Haltung, die aus ihnen sprach, entstand nicht allein aus dem Zufall der historischen Stunde. Es ist eine unzutreffende Vereinfachung, wenn man – wie es gelegentlich geschieht – die Entstehung des Neorealismus nur aus der Zerstörung der Filmateliers und dem Zwang, auf der Straße zu filmen, ableiten will; diese Deutung ist jener – nicht weniger naiven – verwandt, die die Geburt der russischen Montagetechnik in den zwanziger Jahren aus dem Mangel an Filmmaterial und der daraus resultierenden Technik des Aneinanderklebens kurzer Filmstreifen erklären möchte. Die Theorie des Neorealismus war schon lange vor 1945 formuliert worden; bezeichnend ist dabei, daß diese Theorie zunächst aus der konsequenten Ablehnung faschistischer Kulturdoktrinen entstand. Aus dem Kampf gegen den Faschismus bezog der Neorealismus seine entscheidenden Impulse. Die Widerstandsbewegung war in Italien die Haupttriebkraft einer politischen und kulturellen Erneuerung; sie intendierte nicht nur eine Befreiung des Landes vom Regime des Faschismus und der Okkupation, sondern eine grundlegende Erneuerung seiner politischen und intellektuellen Strukturen. In der Resistenza lebte die Hoffnung auf Befreiung des Menschen von jeder gesellschaftlichen Ungerechtigkeit und Diskriminierung überhaupt. In der Verbannung und im Widerstandskampf formte sich Schriftstellern wie Carlo Levi und Elio Vittorini eine neue Idee des Menschseins: die ursprüngliche Bestimmung des Menschen erblickten sie darin, die »Beleidigung der Welt« zu tilgen.

Diese moralische Haltung war der gemeinsame Nenner der neorealistischen Bewegung. Sie drängte von vornherein über die Grenzen der einzelnen Kunstgattungen hinaus; neorealistische Impulse zeigten sich außer im Film und in der Erzählkunst auch in der Lyrik und der Malerei. Die neorealistische Kunst suchte die Wahrheit nicht aus der Rekonstruktion, sondern aus den Ereignissen selbst sprechen zu lassen; sie strebte danach, der Darstellung individuellen Schicksals einen kollektiven, verbindlichen Sinn abzugewinnen.

Den Neorealismus »reinster« Ausprägung, bei der scheinbar allein die Wirklichkeit die Ereignisse auf der Leinwand dirigiert, repräsentieren die ersten Nachkriegsfilme Rossellinis, *Roma città aperta* (*Rom, offene Stadt*, 1945) und *Paisà* (1946).

Roma città aperta ist auch thematisch ein Film des Widerstands. Rossellini exemplifizierte in diesem Werk die Union der Widerstandskräfte quer durch alle ideologischen Lager: Der kommunistische Widerstandskämpfer Manfredi, der vor der SS auf der Flucht ist – Zeitpunkt der Handlung sind die letzten Monate deutscher Herrschaft in Rom –, findet Unterstützung und Hilfe bei Don Pietro, einem katholischen Priester, der sich gleichfalls dem Kampf für Wahrheit und Recht verpflichtet fühlt. Dritte Hauptperson des Films ist Pina (Anna Magnani in der Rolle, die ihren Ruf begründete), die Verlobte eines Freundes und Mitkämpfers von Manfredi. Alle drei kommen durch die Deutschen um. Rossellinis künstlerische Leistung bestand darin, den Stoff seines Films in wenigen Episoden zu konzentrieren, die in ihrer Kürze und im scheinbar zufälligen Nebeneinander die Tragik eines geschichtlichen Augenblicks festhalten. Die Szene vom Tod Pinas etwa, in die dramatische Bildfolge einer deutschen Razzia eingeschoben, wird zu einem Spiegelbild kollektiven Geschicks, das in seiner lapidaren Darbietung erschüttert. Die tragischen Episoden des Films wirken nicht nur deshalb so überzeugend, weil sie sich gleichsam »am Rande« des Geschehens ereignen, von keiner Dramaturgie herbeigeführt, sondern weil Rossellini sie mit komischen und grotesken Szenen im Gleichgewicht hält; in der bewußten Gegenüberstellung einzelner Szenen, in den Kontrastüberblendungen und in einer Fotografie, die den einzelnen immer in eine »objektive« Umgebung hineinstellt, zeigt sich freilich doch, wenn auch versteckt, die Hand des Regisseurs.

Charakteristisch ist aber Rossellinis Bemühung um Objektivität der Vorgänge und Personen. Sogar die Helden bewahren, obwohl sie in ihren privaten Beziehungen gezeigt werden, einen Rest Anonymität; beobachtete »Typen« wie ein materialistischer Sakristan, Hausfrauen vor gestürmten Bäckerläden, zwei alte Frauen in einer Pension, geben dem Film einen dokumentarischen Hintergrund. Mit Absicht überspringt Rossellini entscheidende Bindeglieder der Handlung (etwa ein Telefongespräch, durch das die Widerstandskämpfer verraten werden); solche Ellipsen bestimmen den chronikartigen Stil des Films. Auch die Schlußszene von *Roma città aperta*, die Erschießung des Priesters, mündet wieder auf die objektive Welt – die Jungen, die die Hinrichtung beobachtet haben, kehren nach Rom zurück, dessen Häusermeer sich in der Ferne abzeichnet.

Der objektiven Kraft und dem Pathos, die aus vielen Szenen dieses Films sprachen, standen freilich unbewältigte Elemente der Handlung entgegen. Die Figur einer Gestapo-Agentin, die ihre Informationen mit Rauschgift bezahlt, war noch dem Inventar herkömmlicher Kinodramatik entnommen. Rossellini erfaßte die historische Situation in ihrer lebendigen Gegenwärtigkeit; aber der Blickwinkel des Tragischen, unter dem er das Geschehen seines Films betrachtete, verschloß ihm den Blick für die Zukunft. So konnte man später, aus historischer Distanz, *Roma città aperta* als einen Film ansehen, der die Blindheit der Resistenza gegenüber den in ihrem Kern vorhandenen Widersprüchen bestätigt. Tatsächlich wird die Aktionseinheit zwischen Priester und Kommunist von Rossellini als problemlos und selbstverständlich dargestellt.

Seine konsequente Verkörperung fand Rossellinis Neorealismus erst in *Paisà*. Die Geschichte des alliierten Vormarsches in Italien wird hier in sechs Episoden aufgelöst, zwischen denen Wochenschauaufnahmen vermitteln, während ein Sprecher im Nachrichtenstil über den Fortgang der militärischen Operationen berichtet. Schon aus seiner episodenhaften Struktur ergibt sich der Chronikcharakter des Films. Rossellinis Stil entspricht am ehesten dem amerikanischen Roman von Dos Passos und Hemingway. Hier wird nicht analysiert oder kommentiert, sondern »rohe« Wirklichkeit wiedergegeben; der Autor ist scheinbar abwesend; die Realität äußert selbst ihren Sinn im unerwartet brutalen, schockartigen Kontrast widersprechender Momente. Im Auseinanderbrechen der Wirklichkeit in absurde und unversöhnliche Aspekte offenbart sich der Krieg, aber weniger in seiner historischen Bedeutung als vielmehr in seiner momentanen, gleichsam punktuellen Erfahrung. Nebeneinandergesetzt, ergeben die einzelnen Segmente des Geschehens eine tragische, undurchdringliche Wirklichkeit.

So in der sechsten Episode: die Partisanen des Po-Deltas sterben einen sinnlosen, grausamen Tod; einer nach dem anderen klatschen die gefesselten Körper ins Wasser; ein aufbegehrender amerikanischer Gefangener bricht im Feuer der deutschen Wachmannschaften zusammen. Unmittelbar darauf verkündet ein Sprecher: »Dies geschah im Winter 1944. Einige Wochen später kam der Frühling nach Italien, und der Krieg in Europa wurde für beendet erklärt.« Ein wesentlicher Bestandteil dieser letzten Episode ist die weite Landschaft des Po-Deltas und der flache, geradlinige Horizont, den die Kamera stets auf gleicher Höhe festhält. Gegenüber der Monotonie der Landschaft wirkt der Krieg um so revoltierender und grausamer. Namentlich die Sequenz des im Fluß dahintreibenden toten Partisanen erschüttert. Ihr stummes Pathos resultiert nur aus formalen Mitteln: aus den Einstellungen auf die Wasseroberfläche, den Geräuschen von Wind und Wellen, den parallelen Bewegungen der Leute am Ufer.

Rossellini glückten in *Paisà* einige der besten Momente neorealistischer Filmkunst; auch die Episode mit dem betrunkenen Neger, der auf einem Trümmerberg in Neapel von seiner Rückkehr in die Heimat und seinem triumphalen Empfang zu Hause fabuliert, gehört zu den Höhepunkten des Films. Wie wenig jedoch im Grunde Rossellinis Konzept, die Wirklichkeit bloß zu beobachten, aber nicht zu interpretieren, die gleichmäßige Gestaltung eines Films zu garantieren vermochte, das bewiesen einzelne klischeehafte Züge in *Paisà* – etwa in der Episode vom Amerikaner, der ein Mädchen, das er beim Einmarsch in Rom kennenlernt, Monate später als Prostituierte wiederfindet. Fragwürdig erscheint auch die Episode im Franziskanerkloster, an der Federico Fellini mitarbeitete. Die Preisung franziskanischer Einfalt, des bescheidenen und zurückgezogenen Lebens als einer Art Alternative zum Kriegsgeschehen, mutet in diesem Film seltsam anachronistisch an. Hinter der absurden, tragischen, undurchschaubaren Wirklichkeit deutet sich hier als einziges Heil für den Menschen der Zugang zu Gott an.

Bis auf eine Ausnahme sind alle Darsteller aus dem Film Laien. Rossellini ging bei den Dreharbeiten zu *Paisà* improvisatorisch vor; später definierte er seine Regiemethode: »Da ich in echten Interieurs und Exterieurs drehe, ohne sie vorher zu überprüfen, kann ich meine Regie nur in Abhängigkeit von dem jeweiligen Dekor improvisieren. Die linke Seite des Drehbuchs bliebe also leer, wenn ich eines schriebe. Ich wähle meine Statisten an Ort und Stelle vor den Dreharbeiten aus; bevor ich sie nicht gesehen habe, kann ich keinen Dialog schreiben, der nicht theatralisch und falsch klänge. Die rechte Spalte bliebe also auch leer. Ich glaube an die Inspiration des Augenblicks[5].« Rossellinis intuitiver Kontakt zur Wirklichkeit war zugleich seine Stärke und seine Schwäche. Durch ihn vermochte er in *Roma città aperta* und *Paisà* einen objektiv-phänomenologischen Realismus auszubilden, der jede Situation in der Totalität ihrer Bezüge erfaßt. Dieser Realismus konnte sich wohl in einer Epoche des Umbruchs und der Erschütterungen bewähren, in einer Zeit, da die Erinnerung an die tragischen Ereignisse des Krieges noch frisch war und die historische Bedeutung jedes Vorgangs sich dem Oberflächenblick erschloß.

Aber Rossellinis improvisatorische Methode zeigte sich kaum einer fremden oder fremd gewordenen Realität gewachsen. Der in Deutschland gedrehte Film *Germania anno zero (Deutschland im Jahre null,* 1947) fixierte zwar dokumentarisch die zerstörte Kulisse des Berlin von 1947 mit seinen überfüllten Straßenbahnen und Schwarzmärkten. Dazu aber erdachte Rossellini eine Geschichte, die mehr der Literatur als der Wirklichkeit entstammte: Ein blasser, introvertierter Knabe bringt seinen bettlägerigen Vater um, weil ein homosexueller Nazi-Professor ihn in der Ideologie Nietzsches geschult hat; danach stürzt der Knabe sich von einer Ruine. Die Personen des Films sollen Mitleid erwecken; die Situation des Nachkriegs-Berlin wird von einem apokalyptischen Blickwinkel her gesehen, ohne daß dieser Standpunkt aus der dargestellten Wirklichkeit Überzeugungskraft gewinnt.

Rossellinis Abwendung vom Stil seiner ersten Filme bestätigen seine späteren Werke *Stromboli, terra di Dio (Stromboli,* 1949), *Francesco, giullare di Dio* (Franziskus, der Gaukler Gottes, 1950), *Europa 51*(1952) und *Viaggio in Italia (Liebe ist stärker,* 1953). Rossellini ergab sich in ihnen katholischer Mystik und psychologischem Subjektivismus; Milieu und Gesellschaft sanken zum Dekor irrational gesehener Vorgänge ab. In *Stromboli* findet eine junge Frau angesichts eines Vulkans, von dem mythische Bedrohung ausgeht, zum Glauben; in *Viaggio in Italia* ist es das Erlebnis einer katholischen Prozession, das die entfremdeten Ehegatten wieder miteinander versöhnt. *Francesco, giullare di Dio* schildert mit historischem Kolorit das Leben des heiligen Franziskus und *Europa 51* die Tragödie einer Frau, die sich nach dem Tode ihres Kindes zur Heiligen berufen fühlt und deshalb für irrsinnig erklärt wird.

Rossellinis Dilemma bestand darin, daß er mit seinem intuitiven Blick eine Wirklichkeit nicht mehr erfassen konnte, die sich nur mehr der reflektiven Gestaltung erschloß; die Fähigkeit zur Analyse, die die gewandelte Situation verlangte, ging ihm ab. Neuerdings hat Rossellini die alten Themen der Kriegs- und Widerstandszeit wieder aufgegriffen – in *Il Generale delle Rovere (Der falsche General,* 1959) und *Era notte a Roma* (Es war Nacht in Rom, 1960). Doch auch hier vermochte er keinen anderen Standpunkt zu den Ereignissen zu gewinnen als den der ersten Nachkriegsjahre. Das erklärt den unbefriedigenden Eindruck, den diese Filme hinterlassen: der Chronikstil, den Rossellini in ihnen wieder zu beleben sucht, hat seine Gültigkeit heute verloren. *Vanina Vanini* (1961) schließlich, eine dekorative Stendhal-Verfilmung, bewies nur, daß Rossellini auf dem Gebiet des historisch-literarischen Films erst recht nicht zu Hause war.

Vittorio de Sica und Cesare Zavattini

Auf die Situation von 1945 reagierte das »Tandem« Vittorio de Sica und Cesare Zavattini mit einer Variante des neorealistischen Stils, die scheinbar derjenigen Rossellinis glich – in der Verwendung von Laiendarstellern, im dokumentarischen Blick auf die Wirklichkeit, in der Objektivierung des Einzelschicksals. Tatsächlich unterscheiden sich aber de Sicas Filme von denen Rossellinis in mehrfacher Hinsicht. Einmal thematisch: während Rossellini in *Roma città aperta* und *Paisà* sich an die Begebenheiten von Krieg und Widerstandskampf hielt und seine Personen direkt in die großen Konflikte der Geschichte hineinstellte, bewies de Sica in *Sciuscià* (1946) und *Ladri di biciclette (Fahrraddiebe,* 1948) eine Vorliebe für Situationen und Schicksale des Nachkriegsalltags; gleichwohl verstanden es auch seine Filme, die einzelne, unscheinbare Begebenheit auf das sozial Typische, auf die in ihnen verborgene allgemeine Bedeutung hin durchsichtig zu machen.

An allen Filmen de Sicas ist Zavattini als Drehbuchautor entscheidend beteiligt; man hat es hier mit einem ähnlichen Fall kongenialer Zusammenarbeit zu tun wie bei Carné und Prévert. Zavattini schrieb: »Meine fixe Idee ist es, den Film zu ›entromantisieren‹. Ich möchte die Menschen lehren, das tägliche Leben, die vertrauten Ereignisse mit der gleichen Leidenschaft zu betrachten, mit der sie ein Buch lesen[6].« Besonders der Begriff der Alltäglichkeit stand im Zentrum von Zavattinis Ideen: »Der Neorealismus hat gelehrt, daß der Film... kleinste Fakten ohne die geringste Einmischung der Phantasie erzählen muß, um in ihnen das zu suchen, was sie an menschlicher, geschichtlicher oder sonstwie determinierender Bedeutung enthalten[7].« Bestimmte Zavattini, der sich zum führenden Theoretiker des Neorealismus entwickeln sollte, wesentlich die Grundhaltung von de Sicas Filmen gegenüber der Realität, so äußerte sich die Persönlichkeit ihres Regisseurs in einem bestimmten menschlichen Engagement, einer gefühlsbetonten Anteilnahme des Films am Schicksal seiner Helden – eine Eigenschaft, die de Sicas Stil von dem »phänomenologischen«, kühleren Realismus Rossellinis unterscheidet.

In *Sciuscià* (1946), dem Film über die römischen Schuhputzerjungen, spürt man noch deutlich den de Sica von *I Bambini ci guardano*. *Sciuscià* macht die Unmenschlichkeit einer egoistischen und grausamen Nachkriegsgesellschaft, in der jeder nur aufs eigene Fortkommen bedacht ist, durch die Geschichte zweier Jungen sichtbar; in diese Geschichte allerdings sind mythisch-poetische Elemente verwoben, die nicht ganz im Realismus der Hintergrundzeichnung aufgehen. Zwei Schuhputzerjungen, Pasquale und Giuseppe, träumen davon, ein weißes Pferd zu besitzen; endlich kaufen sie es von den Einkünften ihrer Schwarzmarktgeschäfte. Eines Tages werden sie verhaftet; im Jugendgefängnis trennt man sie voneinander; einer wähnt sich vom anderen verraten. Später entsteht zwischen ihnen ein Streit wegen des Pferdes, und Pasquale bringt Giuseppe um.

Das Thema des weißen Pferds in *Sciuscià* ist von deutlichem Symbolismus. Statt seines Hufetrappelns ertönt im Film eine leise Musik; das Pferd steht stellvertretend für die Träume und Hoffnungen der Jungen. Diese Ebene des Films wird – auch in der Fotografie – mit poetischen Mitteln der Stilisierung angedeutet. Im Gegensatz dazu steht die kraß realistische Beschreibung des Jugendgefängnisses, wo sture Bürokratie, Gefühllosigkeit und Sadismus Triumphe feiern. Den Protest gegen die Behandlung der Kinder weitet der Film zu einer scharfen Anklage gegen die Gesellschaft aus. Deutlich spürt man die Identifikation der Filmautoren mit ihren Helden: In *Sciuscià* wird die Welt ganz durch die Augen halberwachsener Kinder, mit ihrer Sensibilität und ihrer Einbildungskraft gesehen. Andererseits gelingt es dem Film, seiner Erzählung objektive Gestalt zu verleihen und immer wieder Szenen einzufangen, die scheinbar ohne Arrangement, ohne Mithilfe der Regie zustande gekommen sind – etwa die Episoden vom Schwarzmarkt oder die Beschreibung einer unter katholischem Patronat stattfindenden Filmvorführung, die einige Jungen zur Flucht ausnutzen.

De Sicas und Zavattinis *Ladri di bicyclette* (*Fahrraddiebe*, 1948) gelten, einer verbreiteten Meinung zufolge, als das Meisterwerk des Neorealismus schlechthin. Tatsächlich scheint in diesem Film die Ästhetik des italienischen Nachkriegsfilms exemplarische Gestalt zu finden. Eine banale Fabel, scheinbar zufällig dem Alltag entnommen, wird zum Gleichnis von der Situation des einzelnen in der Gesellschaft, die ihn erbarmungslos verstößt, sobald er sich nicht mehr aus eigenen Kräften erhalten kann. Ricci, ein beschäftigungsloser Arbeiter, erhält endlich eine Anstellung als Plakatkleber; er muß dazu aber ein eigenes Fahrrad stellen. Schon nach einer Stunde Arbeit (er klebt Rita-Hayworth-Plakate) wird es ihm gestohlen. Nach einer langen Suche, bei der Ricci einige Freunde und sein kleiner Sohn Bruno helfen, findet er den Dieb, muß ihn aber, da er ihm nichts beweisen kann und von einer aufgehetzten Menge bedroht wird, wieder laufen lassen. De Sica gab dem Konflikt keine Lösung: nach dem mißglückten Diebstahl eines fremden Fahrrades, der Ricci fast die Verhaftung einträgt, verschwinden Vater und Sohn in der anonymen Menge.

Mit einem entlarvenden Blick entdeckte de Sica die Mitleidlosigkeit und Fremdheit der Welt. Der Verzweiflung Riccis tritt Indifferenz und Mißtrauen entgegen: Indifferenz des Polizeibeamten, Indifferenz der Arbeitsvermittler, Mißtrauen des Fahrradhändlers, bei dem Ricci sein Rad zu entdecken glaubt und der protestierend erklärt: »Wir sind hier alle ehrlich!« Fremd und beziehungslos in seiner objektiven Gegenwart wirkt auch das zur Handlung kontrastierende Rundgeschehen – so, wenn eine Gruppe deutscher Seminaristen sich lustig plaudernd im Regen neben den entmutigten Ricci stellt. Polemisch akzentuiert der Film die Klassengegensätze der Gesellschaft: etwa in der fragwürdigen Mildtätigkeitsszene oder im Restaurant, als neben dem Sohn Riccis ein »feiner«, vornehm speisender Knabe sitzt. Und doch ist Ladri di biciclette keineswegs ein marxistischer Film. Man kann de Sicas Werk auch als einen Film über die Verlorenheit des Individuums ansehen: Kontrastszenen – ein vorbeifahrender Lastwagen mit einer lärmenden Fußballmannschaft – betonen immer wieder die Einsamkeit des Helden; es ist dies eine Einsamkeit, die wohl gesellschaftlich begründet wird, aber nicht eigentlich die Struktur der umgebenden Welt durchsichtig macht (die Welt bleibt im Gegenteil bei de Sica letztlich rätselhaft und undurchschaubar), sondern vom Zuschauer affektiv erlebt wird; seine Indignation findet sich in die Bahn des Mit-Leidens gelenkt. Die untergründige Sentimentalität in Ladri di biciclette tritt heute, da man einen größeren Abstand zu diesem Werk gewonnen hat, deutlicher hervor. Die private Ebene des Films – das Verhältnis Vater–Sohn mit seinen Spannungen und Vertrauenskrisen – und die gesellschaftliche greifen nicht dialektisch ineinander ein, sondern das Soziale wird allein in seiner individuellen Dimension genutzt.

Die heimlichen Schwächen eines Films wie Ladri di biciclette gehen letztlich auf innere Widersprüche der Ästhetik Zavattinis zurück. Zavattini vertritt den Standpunkt einer extremen dokumentarischen Sachlichkeit; seiner Meinung nach verwirklicht der Neorealismus sich erst dann ideal, wenn jede filmische oder romanhafte Fiktion zurücktritt, um auf der Leinwand dem Leben selbst Platz zu machen. Nach Zavattini sollte die Kunst auf Imagination verzichten und sich statt dessen von der Wirklichkeit leiten lassen, um ihre aktuelle Aufgabe zu erfüllen. »Die wichtigste Neuerung des Neorealismus scheint mir darin zu bestehen, erkannt zu haben, von welchem enormen Reichtum die Wirklichkeit ist und daß es genügt, sie zu beobachten«, schrieb Zavattini [8]. Seine Auffassungen haben in der Geschichte des Neorealismus viel Verwirrung gestiftet, denn sie schienen ein Rezept zu verheißen: daß die Verwendung von Laiendarstellern und das Zurückgreifen auf reale Ereignisse allein schon den neorealistischen Stil ausmachten. Als System betrachtet, war Zavattinis Ideen nur zeitbedingte Gültigkeit beschieden, wenngleich ihre Grundpostulate, die »soziale Aufmerksamkeit« und die »Erkenntnis der Korrelativität alles Existierenden«, auch weiterhin Gültigkeit beanspruchen dürfen. Um die »Fakten sprechen zu lassen«, konnte Zavattini jedoch auf die erfundene Fabel nicht verzichten; und so wurde die von der dokumentarischen Haltung scheinbar ausgeschlossene Subjektivität hintenherum wieder eingelassen: auch ein Film wie *Ladri di biciclette* ist voller fiktiver Momente. Zavattinis und de Sicas künstlerische Position litt darunter, daß sie Erfindung und Objektivität nicht in ein dialektisches Verhältnis zu bringen vermochte, sondern sie einander nur gegenüberstellte. Weitaus »objektiver« als *Ladri di biciclette* sollte ein so »erfundener« Film wie Viscontis *La Terra trema* (Die Erde bebt, 1948) wirken.

Von Vergano zu Visconti

Neben Rossellini und de Sica (Visconti sollte erst 1948 wieder einen Film drehen) tat sich in den ersten Nachkriegsjahren eine Reihe junger Regisseure hervor; Zampa, Vergano, de Santis drehten Filme, die, ohne Meisterwerke zu sein, doch die Positionen des Neorealismus zum Ausdruck brachten.

Aldo Vergano (1891–1957), der schon 1931 am Drehbuch von Blasettis *Sole* mitgearbeitet hatte, realisierte mit *Il Sole sorge ancora* (Die Sonne geht noch auf, 1946) einen Widerstandsfilm, der sich stilistisch am Vorbild Rossellinis orientierte, sein Thema aber mit besonderem Scharfblick für Klassengegensätze behandelte. Während die Großgrundbesitzer in einem italienischen Dorf mit der deutschen Besatzung kollaborieren, treten die Landarbeiter der Resistenza bei. *Il Sole sorge ancora* besaß jene historisch-soziale Dimension, die den Filmen Rossellinis fehlte. Seiner kommunistischen Sympathien wegen konnte Vergano in Italien später nur noch wenige Filme drehen, von denen keiner besondere künstlerische Bedeutung besitzt.

Giuseppe de Santis (geb. 1917) war in der faschistischen Zeit einer der prominentesten Kritiker der Zeitschrift *Cinema*; 1942 assistierte er Visconti bei *Ossessione* und 1946 Vergano bei *Il Sole sorge ancora*. Sein erster selbständiger Film, *Caccia tragica* (Tragische Jagd, 1947), bewies schon die für de Santis auch späterhin typische Mischung von neorealistischen und spektakulären Elementen. Im Po-Delta ist der Lastwagen einer Kooperative beraubt worden, der einen hohen Geldbetrag, den Erlös aus der Ernte eines Jahres, zurückbringt. Die Arbeiter der Kooperative fahnden selbständig nach den Banditen (zu denen eine italienische Faschistin und ein Deutscher gehören) und umzingeln sie in einem Haus. *Caccia tragica* verherrlicht in filmisch wirksamen, aber auch auf Effekt berechneten Passagen die kollektive Aktion der Bauern; dramatisch werden die aufgeregten Beratungen in der Kooperative und die im Lkw flüchtenden Banditen vom Film ineinandermontiert. Spürbar ist das Bemühen, individuelle Handlung immer wieder mit politischem und sozialem Geschehen zu verschmelzen; trotzdem schimmert in *Caccia tragica* mehr als einmal die Struktur des Reißers durch. *Riso amaro* (Bitterer Reis, 1949) kombiniert eine sozialkritische Reportage über die Lage ausgebeuteter Reisarbeiterinnen in Piemont mit einer melodramatischen Liebesgeschichte, die vornehmlich auf die Reize der attraktiven Silvana Mangano zugeschnitten war. In *Non c'è pace tra gli ulivi* (Vendetta, 1950) erzählt de Santis eine Geschichte vom Klassenkampf auf dem Dorfe: Ein Landbesitzer bereichert sich durch die Verwirrungen des Krieges; gegen seine Intrigen bewährt sich aber die Solidarität der Hirten.

Alberto Lattuada (geb. 1914), ursprünglich ein »Kalligraph«, wandte sich nach 1945 der Aktualität zu und realisierte *Il Bandito* (Der Bandit, 1946), einen Film mit veristischer Ausgangsposition (ein italienischer Kriegsgefangener kehrt in seine Heimat zurück), aber einer stark melodramatischen Fabel. Ähnlich zwiespältig gab sich *Senza pietà* (*Ohne Gnade*, 1947): Vor dem Hintergrund des amerikanisch-italienischen Schwarzmarktes von Livorno spielt sich ein konventionelles Herzensdrama mit reißerischem Ausgang ab. *Senza pietà* gehört zu den wenigen italienischen Nachkriegsfilmen, die den künstlerischen Charakter der Fotografie betonen und sich der raschen Montage bedienen. Lattuada blieb dem Neorealismus jedoch stets nur äußerlich verbunden; sein eigentliches Gebiet waren Literaturverfilmungen: Hier brachte er es mit *Il Delitto di Giovanni Episcopo* (*Das Verbrechen des Giovanni Episcopo*, 1947, nach d'Annunzio), *Il Mulino del Po* (*Die Mühle am Po*, 1948, nach dem Roman von Ricardo Bacchelli) und *Il Capotto* (*Der Mantel*, 1952, nach Gogol) zu beachtlichen Leistungen; besonders *Il Capotto* fesselte durch die traumhafte und doch realistische Gestaltung des gogolschen Sujets. Einen scharf sozialkritischen Film schuf Lattuada mit *La Spiaggia* (*Der Strand*, 1954): Eine Prostituierte wird erst von der Gesellschaft geächtet, dann aber rehabilitiert, weil sie sich am Arm eines Millionärs zeigt.

Einen freundlichen, humoristischen, den Effekt nicht verabscheuenden Neorealismus vertritt Luigi Zampa. Zampa (geb. 1905) hatte schon während des Krieges einige Filme gedreht. Sein großer Erfolg wurde *Vivere in pace* (*In Frieden leben*, 1946), die tragikomische Geschichte eines italienischen Bauern, der durch die Maschen des Krieges schlüpfen möchte, indem er sich mit jedermann gut stellt, und doch noch im letzten Moment des Krieges unter deutschen Kugeln fällt. Dieser Film verdankt seinen großen Erfolg Zampas regionalistisch gefärbtem Humor, seinem Sinn für Dramatik und Groteske, aber auch seiner Neigung zur bequemen Lösung von Problemen. Zampas bester Film war *Anni difficili* (*Kritische Jahre*, 1947, nach einem Roman von Vitaliano Brancati), die Geschichte eines sizilianischen Beamten, der Faschist wird, um seine Anstellung zu behalten, sie nach der Befreiung aber verliert. Der Film zeichnet eine Reihe kritischer und polemischer Gesellschaftsporträts; die Vergangenheit betrachtet er mit beißender Ironie. *Processo alla città* (*Das Lied vom Verrat*, 1952) beschäftigte sich mit der Camorra, der neapolitanischen Unterwelt. In *Anni facili* (*Leichte Jahre*, 1953), der wieder auf Sizilien spielt und eine ähnliche, nur zeitlich später situierte Geschichte erzählt wie *Anni difficili*, wandert ein antifaschistischer Lehrer aus Not ins Gefängnis, während ein ehemaliger Mussolini-Anhänger wieder große Geschäfte macht. In neuerer Zeit scheint Zampa sich unverbindlichen Komödien ergeben zu haben: *Ladro lui, ladra lei* (*Er ein Dieb, sie eine Diebin*, 1957).

Den Höhepunkt des italienischen Nachkriegsfilms aber repräsentiert ein Film jenes Regisseurs, der den Neorealismus selbst einleitete: Luchino Viscontis *La Terra trema* (*Die Erde bebt*, 1948). Visconti drehte seinen Film unter sizilianischen Fischern und plante, ihm zwei andere Teile anzufügen, die unter den Bauern und Schwefelarbeitern Siziliens spielen sollten; zu dieser Trilogie ist es freilich nie gekommen.

Visconti legte *La Terra trema* Giovanni Vergas Roman *I Malavoglia* zugrunde. Aber in den Stoff des veristischen Romanciers brachte er eine neue Dimension: die Gestalt des jungen Fischers 'Ntoni, bei Verga eine Nebenfigur, wird zur Hauptperson von *La Terra trema*. Während 'Ntoni bei Verga nur ein vages Unbehagen an der Misere seiner Lebensverhältnisse spürt, wird er bei Visconti zum Initiator einer Revolte gegen die ausbeuterischen Fischgroßhändler. Er macht sich mit seiner Familie selbständig und fährt auf eigene Rechnung zum Fischen aus; aber ein Unwetter zertrümmert seinen Kahn. 'Ntoni muß sich den Grossisten wieder unterwerfen; doch in seiner Niederlage erkennt er die Möglichkeit zukünftiger Befreiung, wenn die Fischer im Kollektiv handeln würden. Auf paradoxe Weise bestätigt sich in *La Terra trema* nicht nur die gesellschaftliche Determiniertheit menschlicher Existenz, sondern auch die Verantwortlichkeit des Menschen für sein eigenes Schicksal, die die Neorealisten in der historischen Erfahrung entdeckt hatten.

Mit *La Terra trema* wandelte sich der rohe Neorealismus der ersten Nachkriegsfilme zum Stil. In Viscontis Film war die Realität nicht im gleichen Sinn dokumentarisch eingefangen, unmittelbar dem Stoff der gelebten Erfahrung entrissen wie bei de Sica oder Rossellini. Zwar sind Fischer des sizilianischen Dorfes Acitrezza die Akteure von *La Terra trema*, und die Dialoge des Films wurden auf sizilianisch improvisiert (später mußten sie der Verständlichkeit halber doch ins Italienische übertragen werden). Trotzdem ist jede Geste, jede Gruppierung der Darsteller, jede Einstellung und jede Kamerabewegung durch die Imagination Viscontis hindurchgegangen – durch eben jene Imagination, die Zavattini so entschieden aus dem Film verbannen wollte. Das zeigen etwa die Szenen vom nächtlichen Fischfang: Die Barken mit den brennenden Lampions schieben sich auf dem schwarzen Wasser aneinander vorbei wie nach dem Plan einer Choreographie, während Glocken ertönen und Schreie durch die Dunkelheit hallen. Menschen tauchen in einem Fenster auf wie in einem Gemälde, und in immer neuen Schwenks und Fahrten enthüllt die Kamera den Strand des kleinen Fischerdorfes, die spitzen Felsen, die den Hafen einsäumen, und das Meer. Während eines Sturms, als die Männer mit dem Boot auf See sind, stehen die schwarz eingehüllten Frauen wie Nornen auf den Felsen des Ufers und starren aufs Meer hinaus; und André Bazin hat bemerkt, daß die Fischer aus *La Terra trema* nicht mit Lumpen bekleidet, sondern »drapiert sind wie die Prinzen der Tragödie[9]«.

Doch in alledem spricht sich weder fragwürdiger Ästhetizismus aus noch das Verbergen sozialer Konflikte unter einer dekorativen Oberfläche; wenige Filme vermochten ihrem Geschehen eine so beispielhafte soziale Transparenz zu geben wie *La Terra trema*. Vielmehr zeigt sich in der sorgfältig überlegten ästhetischen Form des Films, in seinem langsamen und epischen Rhythmus, der Abstand des Autors von seinem Werk. Gerade in den raffiniertesten, malerisch ausgewogenen Einstellungen dieses Films gewinnt sein Geschehen soziale und menschliche Tiefe – etwa in der Szene zwischen 'Ntonis Schwester Mara und dem Maurer Nicola, als Mara ihm erklärt, daß eine Heirat wegen des Unglücks, das die Familie ereilt hat, nun nicht mehr möglich sei; oder in der Diskussion 'Ntonis mit seinem Bruder Cola vor dem Spiegel: kunstvoll umkreist die Kamera die beiden, kontrastiert die Gesichter mit ihren Spiegelbildern, während 'Ntoni vergebens seinen Bruder zu überzeugen sucht, daß es nicht anderswo, sondern an Ort und Stelle zu kämpfen gelte. Diese Szene, ein virtuoses Meisterstück der »inneren«, auf Schnitte verzichtenden Montage, fasziniert und rückt gleichzeitig den Zuschauer in eine Distanz, aus der heraus er die tiefere Bedeutung des Geschehens begreift. In *La Terra trema* realisiert sich vollendet die ästhetische Einheit des Besonderen und des Allgemeinen: 'Ntoni, der Protagonist des Films, ist zugleich eine Gestalt aus der zeitgenössischen Realität Siziliens und der Vertreter ungezählter Generationen von Gebrochenen und Niedergebeugten, deren Dasein er durch seine Rebellion einen neuen Sinn gibt.

La Terra trema konnte nach seiner Uraufführung keinen Erfolg verzeichnen. In Venedig erhielt der Film 1948 lediglich den zweiten Preis – nach Laurence Oliviers *Hamlet*. Visconti mußte sein Werk, das ursprünglich fast drei Stunden lang war, beträchtlich kürzen; auch dann noch sah sich der Film praktisch auf eine Karriere in den Filmklubs beschränkt.

Evasion und Engagement im französischen Film

1940 brachten die Kriegsereignisse Frankreichs Filmproduktion zum Erliegen. Erst gegen Ende des Jahres begann Marcel Pagnol in südfranzösischen, zur »nichtbesetzten Zone« gehörenden Filmateliers die Arbeit an einem neuen Film. Währenddessen hatten die deutschen Besatzungsbehörden bereits die französische Filmindustrie unter ihre Kontrolle gebracht; das *Filmreferat der Propagandaabteilung* organisierte die Gleichschaltung des französischen Films. Zur besseren Beaufsichtigung der Produktion, gleichzeitig aber auch zur Erzielung finanzieller Profite, gründeten die Deutschen in Frankreich eine Tochtergesellschaft der *Ufa,* die *Continental;* diese Gesellschaft setzte die Koproduktionspolitik der *Tobis* fort. Die *Continental* produzierte während der vierjährigen Okkupationszeit dreißig Filme (von zweihundertzwanzig insgesamt) während die größten französischen Produzenten – *Pathé* und *Gaumont* – im gleichen Zeitraum nur vierzehn bzw. zehn Filme herstellten. Die meisten Filme der *Continental* waren Komödien und Polizeidramen belanglosen Inhalts; doch debütierten bei dieser Firma immerhin Regisseure wie Decoin und Clouzot.

Alle im besetzten Frankreich aufgeführten Filme mußten die doppelte Zensur einer deutschen *Filmprüfstelle* und des deutschen Militärbefehlshabers durchlaufen, während über die Spielpläne der zunächst unbesetzten südfranzösischen Zone die Zensoren der Vichy-Regierung wachten; diese Instanzen übten ein strenges Regime aus, konnten jedoch nicht verhindern, daß sich in indirekter oder allegorischer Form »subversive« Inhalte in die Filme einschlichen.

Paradoxerweise trugen Krieg und Besatzungszeit zur wirtschaftlichen Prosperität des französischen Films bei. Nicht nur stieg während des Krieges, wie in den meisten Ländern Europas, die Zahl der Kinobesucher erheblich (von 1938 bis 1943 in Frankreich auf das Doppelte); auch der Boykott der deutschen Filme, die als einzige ausländische Konkurrenz (neben wenigen italienischen Streifen) vorhanden waren, ließ die Einnahmen der Produzenten emporschnellen. Zum erstenmal seit 1914 gingen neun Zehntel der Kino-Einnahmen an die einheimische Filmindustrie.

1944 kam die Filmproduktion durch die zunehmende Aktivität der Résistance, die Material- und Stromzufuhren für die Industrie unterband, wiederum zum Erliegen; auch die Besucherfrequenz der Kinos sank. Nach der Befreiung von Paris im August 1944 installierte die Résistance ein nationales Verwaltungszentrum des Films in Paris, die *Direction générale du cinéma,* an dessen Spitze der durch seine wissenschaftlichen Dokumentarfilme renommierte Jean Painlevé berufen wurde. Dieses Zentrum gab ab September eine neue Wochenschau heraus, *France Libre Actualités* (Neuigkeiten des freien Frankreichs). Die Produktion von Spielfilmen wurde wegen des chronischen Strommangels erst wieder 1945 aufgenommen. Aus dem letzten Jahr der Okkupationszeit datiert noch die Gründung der pariser Filmhochschule, des *IDHEC.*

Nach der Befreiung bestand die größte Sorge der französischen Filmproduzenten in der Zurückdrängung der amerikanischen Konkurrenz. Ein franko-amerikanischer Filmvertrag schrieb den französischen Kinos Mindestspielzeiten für französische

Filme vor. 1946 wurden schon wieder etwa hundert Filme hergestellt; ein Gesetz über die Subventionierung der Filmindustrie kam den Produzenten zu Hilfe. Trotzdem bestimmten wirtschaftliche Schwierigkeiten und Risiken die meisten Produzenten der Nachkriegsjahre, kommerziell gängige und traditionelle Themen in ihren Filmen zu bevorzugen.

Erzwungene Wirklichkeitsferne

Während der Okkupationszeit sorgten die Zensurinstanzen der deutschen Militärverwaltung und der Pétain-Regierung dafür, daß der französische Film sich von politisch verfänglichen Themen fernhielt. Dem »dekadenten« Vorkriegsfilm, zu welchem man namentlich das Werk Carnés rechnete, suchte man jetzt Filme entgegenzusetzen, die die »neuen Werte« Arbeit, Familie, Vaterland (im Gegensatz zu den traditionellen Werten Freiheit, Gleichheit, Brüderlichkeit) propagierten. Jedoch entstanden – abgesehen von wenigen Kurzfilmen mit offen faschistischer Haltung – kaum Werke, die die Pétain-Ideologie zum Ausdruck brachten. Nur in einem Film der *Continental*, Henri Decoins *Les Inconnus dans la maison* (Die Unbekannten im Haus, 1942), nach einem Roman von Simenon, mischten sich Propagandatöne: als Verantwortlichen einer kriminellen Verschwörung entlarvt der Film den Sohn eines offenbar »nichtarischen« Händlers. Ein anderer Film, *La Loi du printemps* (Das Gesetz des Frühlings, 1942, Regie Daniel Norman), propagierte das Ideal der Familie mit so viel Geschick, daß der Film sich gegen seine eigenen Absichten kehrte.

In seiner überwiegenden Mehrheit verhielt sich der französische Film jedoch ablehnend zum Vichy-Regime. Da fast alle Anspielungen auf die Gegenwart von der Zensur verboten wurden, flüchteten sich die Filmschaffenden in legendäre oder phantastische Sujets. Die realistische Vorkriegstradition des französischen Films machte in den vierziger Jahren einem neuen Stil ästhetizistischer Wirklichkeitsferne Platz, in welchem es einige Regisseure nichtsdestoweniger zu bedeutenden Leistungen brachten. Symptomatisch für diese Entwicklung waren Carnés Filme aus der Kriegszeit.

Carné – der einzige der großen Vorkriegsregisseure, der Frankreich verblieb, nachdem René Clair, Duvivier und Renoir in die USA emigriert waren – dachte zunächst an die Verfilmung eines utopischen Sujets aus dem Jahre 4000. Als dieser Plan scheiterte, griff Carné zu einer »zeitlosen« mittelalterlichen Legende, die Jacques Prévert und Pierre Laroche in die Form eines Drehbuchs brachten: *Les Visiteurs du soir (Satansboten*, 1942, auch *Die Nacht mit dem Teufel)*. Auf einem mittelalterlichen provençalischen Schloß treffen zwei geheimnisvolle reisende Sänger ein, Gilles und Dominique, die sich bald als Abgesandte des Teufels entpuppen. Gilles jedoch verliebt sich in die Tochter des Schloßherrn, was sein Kontrakt ihm untersagt. Darauf erscheint der Teufel persönlich, bringt Gilles ins Gefängnis und raubt ihm seine Erinnerung; als auch das seine Liebe zu Anne nicht zerstören kann, verwandelt er die beiden jungen Leute zu Statuen; aber unter dem Stein schlagen ihre Herzen weiter.

Les Visiteurs du soir bedient sich des barocken Erzählstils der alten Romanzen. Für eine Weile bleibt im Film die irdische Zeit stehen – alle Personen erstarren in ihrer momentanen Bewegung, während die Abgesandten des Jenseits ihr Spiel treiben. Dekors und Aufnahmetechnik orientieren sich an mittelalterlichen Buchmalereien. Aber unter der Oberfläche einer sorgfältig rekonstruierten vergangenen Welt fand sich wieder das alte Thema Carnés und Préverts: der Konflikt zwischen der reinen Liebe und dem Schicksal als jenseitiger Instanz. Der Film löste den Konflikt idealistisch: gegenüber den Kräften des »Bösen« blieb das »Gute«, wenn auch nur in symbolischer Form, siegreich. Daneben verarbeitete Carné ein altes Motiv aus Film und Literatur: nur mit Müdigkeit und Widerwillen versehen die Agenten des Jenseits ihr Amt; ganz ähnlich klang es in Fritz Langs *Der müde Tod* und in Cocteaus *Orphée* an. Der dekorative Stil des Films gab seiner Phantastik Distanz und Kühle. Trotzdem fand *Les Visiteurs du soir* im Frankreich der Okkupationszeit eine aktuelle Deutung: im unbeugsamen Widerstand des Mädchens Anne gegen den Teufel erblickte man eine Parallele zum Widerstand der Franzosen gegen die Besatzung.

Les Enfants du paradis (Die Kinder des Olymp), 1943 begonnen und wegen der Kriegsereignisse erst 1945 fertiggestellt, situiert seine Geschichte zwar in einer uns näherliegenden Epoche, dem 19. Jahrhundert; doch auch diese Zeit sieht der Film durchaus historisch: Seine Personen sind Schauspieler und Pantomimen, deren reale Existenz sich mit ihrem Bühnendasein vermischt; Kunst und Leben durchdringen sich. Die erste Einstellung zeigt einen Vorhang, der langsam in die Höhe geht, gleichsam den Blick auf eine imaginäre Bühne freigebend, auf der die Helden des Films als Akteure ihres eigenen Schicksals auftreten. Seine Intrige bezieht der Film, dessen Drehbuch und Dialoge wieder Jacques Prévert verfaßte, aus literarischen Bereichen: Der melancholische Mime Baptiste wird von Nathalie geliebt, einer bescheidenen Schauspielerin; er selbst aber liebt die geheimnisvolle Garance. Nach vielen Jahren, inzwischen schon mit Nathalie verheiratet, begegnet er noch einmal Garance und verläßt ihretwegen Frau und Kind; doch Garance verschwindet im undurchdringlichen Gewühl des Karnevals, mit dem der Film auch begann.

Intensität gewinnt *Les Enfants du paradis* durch die ästhetische Perfektion seiner Machart. Die eingeschobenen Pantomimen, die Jean Louis Barrault als Meister der expressiven Geste und der Körperbeherrschung zeigen, resümieren in sich die Fabel des Films und transponieren sie auf eine poetische Ebene. Im Grunde formen die drei Protagonisten des Films – Garance, Baptiste und sein Rivale Frederick Lemaître – das klassische Trio der italienischen Komödie: Colombine, Pierrot und Harlekin; der Film spielt bewußt mit dieser Analogie. Die Personen faszinieren durch eine Aura von Geheimnis; in ihren Beziehungen scheint Schicksalhaftigkeit zu walten. Alles zeugt in diesem Film von Geschmack, Intelligenz und musikalischem Formgefühl; und doch kann man sich des Gefühls nicht erwehren, daß *Les Enfants du paradis* seiner literarischen Konzeption nach eigentlich ins 19. Jahrhundert gehört. Der sublimierte Traditionalismus dieses Films ist namentlich in den deutschen Filmclubs oft als Offenbarung zukünftiger Filmkunst mißverstanden worden – wobei allerdings eine geheime Vorliebe für »Zeitlosigkeit« mitspielen mag.

Les Enfants du paradis brachte Carné und Prévert einen großen Prestigeerfolg ein; die dreieinhalbstündige Spieldauer ihres zweiteiligen Films mußten sie allerdings gegen den Verleiher in einem Prozeß verteidigen. Aber Carnés weitere Filme, in denen sich seine Vorliebe für Traum und Irrealität verstärkt bemerkbar machte, vermochten nicht zu befriedigen. *Les Portes de la nuit* (Die Pforten der Nacht, 1946) erzählt eine realistische Geschichte aus dem Paris von 1945 in gewollt symbolischem Stil: ein Clochard, der an allen Handlungsknotenpunkten geheimnisvoll auftaucht, repräsentiert das »Schicksal«. Nach dem totalen Mißerfolg dieses Films mußte Carné drei Jahre auf ein neues Sujet warten. *La Marie du port* (Die Marie vom Hafen, 1949) war ein Liebesdrama aus dem Hafen- und Schiffermilieu ohne große künstlerische Bedeutung. Höhere Ambitionen sprachen dagegen aus *Juliette ou la clé des songes* (Juliette oder der

Schlüssel der Träume, 1951): Ein junger Mann träumt im Gefängnis einen seltsamen Traum von seiner Geliebten; er begegnet ihr in einem Land, dessen Menschen ihr Gedächtnis verloren haben. Der Film, der großen Wert auf plastische Schönheit der Bilder legt, häuft Symbole und vermischt Traum und Realität. Doch auch hier geht das Traumhafte – ganz im Gegensatz etwa zu Buñuel – aus literarischer Abstraktion hervor; dem Film fehlt die Beziehung zur Wirklichkeit, seine Personen bleiben Konstruktionen.

Nach einer handwerklich sauberen und milieuechten, aber extrem überzeichneten Zola-Bearbeitung, *Thérèse Raquin* (1953), beschleunigte sich der Niedergang Carnés: das fatalistische Element sank in seinen Filmen zum sentimentalen Klischee ab. *L'Air de Paris (Die Luft von Paris*, 1954) und *Le Pays d'où je viens* (Das Land, aus dem ich komme, 1956) waren kommerzielle Produktionen, *Les Tricheurs (Die sich selbst betrügen*, 1958) und *Terrain vague (Gefährliches Pflaster*, 1960) zwei verzweifelte Versuche, die Lebensprobleme der »modernen Jugend« zu dramatisieren, besiegelten Carnés künstlerisches Fiasko.

Im erzwungenen Irrealismus der Kriegszeit entdeckten zwei andere Persönlichkeiten des französischen Films eine ihnen wesensverwandte Seite – Delannoy und Cocteau. Jean Delannoy (geb. 1908) trat bereits gegen Ende der dreißiger Jahre mit kommerziellen Filmen hervor. *Pontcarral* (1942) war die Geschichte eines napoleonischen Soldaten, der auch nach dem Zerfall des Imperiums den vergangenen Idealen die Treue hält – in diesem Film erblickte man wiederum Anspielungen auf die aktuelle Situation Frankreichs. Wirkliches Renommee trug Delannoy aber erst ein Film ein, zu dem Jean Cocteau Drehbuch und Dialoge lieferte: *L'Eternel retour (Der ewige Bann,* 1943); auch in Zukunft sollte Delannoy stets der Regisseur fremder Drehbücher bleiben (wie etwa in dem Sartre-Film *Les Jeux sont faits – Das Spiel ist aus,* 1947). *L'Eternel retour* versetzt die Legende von Tristan und Isolde in eine mythisch verklärte Gegenwart: Tristan erscheint als sportlicher junger Adliger mit betont nordischem Profil, Isolde als eine blauäugige und blondhaarige Nathalie; ihrem Glück stellt sich ein böser, dämonischer Zwerg in den Weg. *L'Eternel retour* ist ein Film von prätentiöser ästhetischer Gestaltung und heimlich faschistischer Grundhaltung (die Opposition zwischen dem edlen Menschentum von Tristan und Isolde und dem »untermenschenartigen« Zwerg), der zudem gegen Ende in einem fatalen Sentimentalismus schwelgt; trotzdem konnte er wegen seiner Feierlichkeit und seiner »schönen« Fotografie Ruhm erlangen. Delannoys spätere Bearbeitung eines Romans von André Gide, *Symphonie pastorale (Und es ward Licht,* 1946), verflachte Gides psychologischen Konflikt zu einem Melodrama mit idealisierten Personen und »edlen« Bildern. Die gleiche fragwürdige Mischung von Sentimentalität und Spiritualismus charakterisiert Delannoys spätere Filme, etwa *Dieu a besoin des hommes (Gott braucht Menschen,* 1950), *La Minute de vérité (Geständnis einer Nacht,* 1952) oder *Chiens perdus sans colliers (Wie verlorene Hunde,* 1955).

Jean Cocteau, der schon 1930 mit *Le Sang d'un poète* seine ersten Versuche im Film unternommen hatte, schrieb nach *L'Eternel retour* auch die Dialoge für Robert Bressons Film *Les Dames du Bois de Boulogne*. Aber erst 1946 drehte er einen Film in eigener Regie: *La Belle et la bête (Es war einmal)*. Cocteau widmete seinen Film denen, »die sich noch etwas kindliche Frische bewahrt haben, und denen, die des sogenannten wirklichen Lebens müde sind ...[10]«. Aus einer Kindergeschichte des 18. Jahrhunderts machte er ein Märchen um den Mythos von Liebe und Tod: Ein Prinz ist in die Gestalt eines gräßlichen Ungeheuers verzaubert; um ihn zu befreien, muß ein anderer das Ungeheuer töten, der dann selber »la bête« wird. Cocteau brillierte in *La Belle et la bête* durch das Arrangement geheimnisvoll schöner und zugleich schrecklicher Bilder – Dekor und Natur verschmolzen zu einer einzigen, übernatürlichen Welt; das Ungeheuer besaß sogar eine Art menschlicher Ausstrahlungskraft. Die Phantastik des Films trat mit weniger philosophischem Anspruch auf als in *Le Sang d'un poète* und erlaubte daher dem Zuschauer, sie als Märchen zu goutieren.

1948 verfilmte Cocteau sein eigenes Stück *Les Parents terribles (Die schrecklichen Eltern)*; es entstand eine stilistisch bemerkenswerte Adaptation, die das Drama zu intensivieren und über sich selbst hinauszuführen verstand. 1949 brachte Jean Pierre Melville Cocteaus Roman *Les Enfants terribles (Die schrecklichen Kinder)* auf die Leinwand. Aber Cocteaus charakteristischstes Filmwerk sollte *Orphée* (1950) werden. Der Film erweckte die Personen aus Cocteaus 1926 geschriebenem Bühnenstück wieder zum Leben, doch in veränderter Umgebung. Im Mittelpunkt von *Orphée* stehen die gleichen Mythen wie in *Le Sang d'un poète:* die Vorstellung vom mehrfachen Tod, den der Dichter sterben muß, um in die Ewigkeit einzugehen; der Spiegel als symbolischer Zugangsweg zu einer anderen Welt. Cocteau verschmolz diese Mythen mit der Orpheus-Legende und mit ironischen Anspielungen auf die moderne Situation des Dichters. Die »Prinzessin« ist der »Tod Orphées«; sie verliebt sich entgegen ihrer Mission in Orphée und läßt durch ihre Abgesandten, geheimnisvolle Motorradfahrer, Orphées Frau Eurydike töten. Orphée jedoch gelangt ins Jenseits und vermag seine Frau zurückzubringen; der »Tod« muß sich einer schrecklichen Strafe unterziehen.

Mit spielerischem Vergnügen an der Mystifizierung des Zuschauers kombinierte Cocteau technische Elemente der Gegenwart (Morsen, Radiosprüche) mit Surrealismen; sein Film ist eine Anthologie sämtlicher nur denkbarer Filmtricks: Rückwärts- und Negativaufnahmen, Zeitlupe, Montage usw. Wie immer bei Cocteau geht auch hier das Unwirkliche stets aus dem Arrangement metaphorischer Bilder hervor; in vielen Einstellungen schlägt sich ein ästhetizistischer Schönheitskult nieder, der nicht frei von Selbstgefälligkeit ist. Inneren Zusammenhang geben dem disparaten, literarisch beeinflußten Werk noch am ehesten die bemerkenswerten Leistungen der Darsteller, allen voran Maria Casarès'. 1960 drehte Cocteau *Le Testament d'Orphée (Das Testament des Orpheus)*, in dem er alle seine alten Ideen noch einmal vom ironischen Blickpunkt betrachtet und nunmehr als Organisator des surrealen Geschehens auch persönlich in Erscheinung tritt.

Debütanten der Kriegsjahre

In den Jahren der Okkupation traten einige jüngere Regisseure mit ihren ersten Werken hervor. Zu ihnen gehören Robert Bresson und Henri-Georges Clouzot; der eine sollte sich zum größten Stilisten des französischen Nachkriegsfilms, der andere zum Verfertiger subtiler Kriminaldramen entwickeln.

Robert Bresson (geb. 1907) beschäftigte sich zunächst mit Malerei, verfaßte daneben aber auch einige Filmdrehbücher. Nach seiner Rückkehr aus deutscher Kriegsgefangenschaft begegnete er dem Pater Bruckberger, der ihm einen Film über die Schwestern des Bethanienordens vorschlug, jenes Ordens, der entlassenen weiblichen Strafgefangenen ein Refugium zu geben sucht. Robert Bresson schrieb ein Drehbuch über das schwierige Thema; in den Mittelpunkt stellte er den Konversionsprozeß einer Frau, die ihren Liebhaber umgebracht hat und durch das Beispiel einer Nonne, die sich für sie opfert, zum Glauben und zur Einsicht gelangt. Jean Giraudoux verfaßte die Dialoge zu *Les Anges du péché (Das Hohelied der Liebe*, 1943). Bressons Film hält sich jeder naiven Erbaulichkeit fern; sein eigentliches Drama ist psychologischer Natur und spielt sich hinter den Ereignissen ab. Mit äußerster Zurückhaltung und formaler Disziplin wußte Bresson sein Thema zu behandeln. »Wir treiben die Liebe zum Stil bis zur Manie«[11]: dieser Ausspruch charakterisiert Bressons Werk überhaupt. Aus diesem Film, dessen Dekors ganz in schwarzen und weißen Flächen gehalten sind, spricht das Streben, jedes überflüssige Detail aus dem Bild zu tilgen, jede Einstellung und jede Kamerabewegung strenger Notwendigkeit zu unterwerfen.

Bressons nächster Film, *Les Dames du Bois de Boulogne* (Die Damen vom Bois de Boulogne, 1945), trug eine mehr weltliche Färbung, zeigte aber die gleiche formale Eigenart wie *Les Anges du péché*. Diesmal lag dem Film, dessen Dialoge Cocteau lieferte, eine Episode aus Diderots Roman *Jacques le fataliste* zugrunde, die Bresson in die Gegenwart transponierte. Hélène, eine junge Witwe beschließt, sich an ihrem Liebhaber Jean zu rächen, der sie nicht mehr liebt: Sie bringt ihn mit einem jungen Mädchen zweifelhaften Lebenswandels zusammen, in das Jean sich verliebt. Nach vollzogener Hochzeit informiert Hélène ihren einstigen Liebhaber über die Vergangenheit seiner Braut; aber Jean verzeiht dieser. Wieder abstrahierte Bresson sein Drama von allen Äußerlichkeiten, aber auch von allen sozialen Elementen, die bei Diderot noch vorhanden waren; ihm kam es darauf an, das psychologische Drama des Films in äußerster Reinheit und Zugespitztheit zu interpretieren. Jedes Detail des Films ist der Analyse seiner Helden untergeordnet; dabei befleißigen sich Regie und Kamera großer Feinfühligkeit. Über Gesichter hinweghuschende Licht- und Schattenreflexe, kurze, betonte Worte zwischen Auf- und Abblenden des Bildes, eine komplementär zum Wort stehende Musik lassen die innere Dynamik des Geschehens hervortreten. Dem Stil des Films entspricht ganz die distanzierend kühle, aber scharfe und prägnante Darstellung Maria Casarès'. Nur bleibt die Fabel des Films letztlich doch privat und unverbindlich – dieser Eindruck wird gerade durch das formale Abstraktionsprinzip Bressons erzeugt.

Ein ganz anderes Temperament als Bresson ist Clouzot. Henri-Georges Clouzot (geb. 1907) betätigte sich in seiner Jugend als Journalist, Regieassistent und Autor von Stücken und belanglosen Drehbüchern. Eine Krankheit zwang ihn für mehrere Jahre ins Sanatorium. 1942 debütierte er mit einem geschickt gemachten Kriminalfilm: *L'Assassin habite au 21 (Der Mörder wohnt Nr. 21)*. Doch erst *Le Corbeau* (Der Rabe, 1943), bis heute wohl Clouzots bester Film, trug persönliche Züge. *Le Corbeau* ging auf die authentische Affäre eines anonymen Briefschreibers zurück, der eine ganze Stadt in Aufruhr versetzt hatte. Ein neuinstallierter Kleinstadtarzt erhält einen anonymen Brief, der ihn beschuldigt, ein Verhältnis mit der Frau seines Kollegen zu unterhalten. Diesem Brief folgen andere, an die Honoratioren des Städtchens gerichtete anonyme Schreiben, unterzeichnet mit »Der Rabe«. Plötzlich breiten sich überall Mißtrauen und Haß aus; Verfehlungen treten zutage; eine Woge kollektiver Hysterie überschwemmt das eben noch friedliche Städtchen. Clouzot lieferte in *Le Corbeau* eine erbarmungslos bittere, gesellschaftskritische und psychoanalytische Studie französischer Kleinstadtmentalität. Strenge und Präzision der Beobachtung bestimmen den Stil des Films; zu seinem Realismus gesellt sich die Vorliebe für düster-phantastische Details, für makabre Schattenwirkungen und Kontraste, eine Besessenheit, grausame und diabolische Aspekte des Alltagslebens hervorzukehren, die sonst unter der Oberfläche der Konventionen verborgen bleiben. Dieser Grundhaltung sollte Clouzot auch in seinen späteren Filmen treu bleiben; allerdings brachte sie ihn im Laufe seiner Entwicklung von der kritischen Gesellschaftsanalyse mehr und mehr zur kriminalistischen Stilübung.

Le Corbeau fand zu seiner Zeit in Frankreich einen recht kritischen Widerhall. Die Résistance empörte sich über einen Film, der den Durchschnittsfranzosen als haßerfüllten und ressentimentbeladenen Spießbürger hinstellte. Die illegale Zeitschrift *Lettres Françaises* denunzierte *Le Corbeau* als einen Film, der die Meinungen der Nazis über Frankreich bestätige. Andere Kritiker empfanden *Le Corbeau* dagegen als Herausforderung gegen den offiziellen Optimismus der Vichy-Regierung. Nach der Befreiung wurde der Film jedoch sofort zurückgezogen und erst drei Jahre später wieder aufgeführt.

Clouzots nächster Film war *Quai des orfèvres (Unter falschem Verdacht,* 1947). Aus einem unbedeutenden Sujet, den Mesaventuren einer Frau, die es zum Film treibt, schuf Clouzot ein kriminalistisch gewürztes Werk, dessen stärkste Momente in seiner Personenzeichnung lagen. Clouzot sind in dem Mustergatten und Klavierspieler Maurice, dem müden, ironisch-sarkastischen Polizeikommissar Antoine und in der dubiosen Figur des Tattergreises Brignon ausgezeichnete psychologische Porträts geglückt, die dem Film eine menschliche Ausstrahlung geben, die *Le Corbeau* nicht besaß. Daneben übt der Film scharfe Kritik an den polizeilichen Vernehmungsmethoden, die als Mischung von Erpressung und Folter gekennzeichnet werden. Clouzots filmtechnisches und dramaturgisches Geschick, sein raffiniertes Ausspielen von Gags und Pointen verleihen auch diesem Film formalen Rang. Eine Anzahl von Unwahrscheinlichkeiten und Klischee-Elementen der Handlung (der kleine Sohn des Polizeikommissars, der sentimentales Mitleid erweckt, das Happy-End) aber lassen *Quai des orfèvres* doch unter das Niveau von *Le Corbeau* absinken. In *Manon* (1949) scheiterte Clouzot an der Aufgabe, ein Panorama der durcheinandergeratenen französischen Nachkriegsgesellschaft mit der Intrige des Romans von Abbé Prévost zu vereinen. Die Charaktere gewannen keine Konsistenz, und das tragisch gemeinte Ende der Liebenden in der israelischen Wüste schlug in melodramatische Lächerlichkeit um.

Heimliches Engagement

Neben den phantastisch-irrealen Filmen entstand im Frankreich der Besatzungszeit auch eine Reihe von Werken, die eine Darstellung der Gegenwart in den Grenzen des Möglichen unternahmen und in verschlüsselter Form politisches Engagement äußerten. Zu den Regisseuren dieser Richtung, die sich der realistischen Vorkriegstradition verpflichtet fühlten, gehörten Jean Gremillon und Louis Daquin, in gewisser Weise auch Jacques Becker.

Jean Gremillon (1901–1961), ursprünglich Musiker, begann noch in der Stummfilmzeit mit dem impressionistischen Dokumentarfilm *Tour au large* (Fahrt ins Weite, 1926) und mit *Gardien de phare* (Leuchtturmwärter, 1928). Stilistisch ins Genre der »schwarzen Filme« fielen *Gueule d'amour* (Eine Fresse zum Verlieben, 1937) und *L'Etrange Monsieur Victor* (Der seltsame Herr Victor, 1938). Den Realismus von Milieu und Umgebung, den diese Filme offenbarten, entwickelte Gremillon zu besonderer Perfektion in *Remorques* (Schleppkabel). Der 1939 begonnene und wegen der Kriegsereignisse erst 1941 beendete Film spielt in einem bretonischen Hafen unter der Besatzung eines Seenotschleppers. Das Meer ist hier allgegenwärtig, es determiniert das Drama, scheint mit schicksalhafter Macht begabt; Gremillon suchte dem Geschehen durch eine sorgfältig ausgearbeitete musikalische Partitur, die auch Geräusche verwendete, innere Tiefe zu geben.

Lumière d'été (*Weibergeschichten*, 1942) wurde zu Gremillons subtilstem Film. In der psychologischen Analyse mehrerer Personen, die sich auf einem Schloß zusammenfinden und dort ein makabres Kostümfest feiern, in der Überkrezung der Beziehungen und im Konflikt der Leidenschaften mochte man Parallelen zu *La Règle du jeu* erblicken. Auch Gremillon beschrieb mit seinen Personen eine Gesellschaft der Libertinage und der Privilegien. Zum Höhepunkt des Films wird die Szene, in der die Gäste aus dem Schloß nach einem Autounfall, noch angetan mit ihren Kostümen, sich plötzlich unter die Arbeiter eines Staudammes versetzt sehen. Zwei Welten prallen hier aufeinander; eine sensible und expressive Fotografie gibt gerade dieser Szene symbolisches Gewicht. Aber auch jenseits der politischen Allegorik war *Lumière d'été* ein Werk von persönlicher Handschrift und abgewogener Gestaltung.

In *Le Ciel est à vous* (Der Himmel gehört euch, 1943) widmete sich Gremillon einem scheinbar bescheidenen Thema: Ein Mechaniker und seine Frau sind von der Leidenschaft zur Privatfliegerei besessen. Mit einem Flugzeug, das ihr Mann eigenhändig konstruiert hat, bricht die Frau einen Rekord für Langstreckenflug. Gremillon charakterisiert seine Helden als Durchschnittsbürger; sie sind frei von Pathos oder Glorienschein. Gerade in ihrer alltäglichen Existenz aber vermochte der Film ihnen Leben und Profil zu geben. Das Thema der Fliegerei hatte in diesem Film nur symbolische Bedeutung – es war beispielhaft gemeint für ein Hinauswachsen über sich selbst, für ein Engagement. So wurde der Film auch verstanden. Gremillons künstlerisches Verdienst war es dabei, die »große Sache« überzeugend mit dem Lebenshorizont der Alltäglichkeit verschmolzen zu haben.

Nach der Befreiung drehte Gremillon *Le Six juin à l'aube* (Im Morgengrauen des sechsten Juni, 1945), einen dokumentarischen Montagefilm über die Landung der alliierten Truppen in der Normandie. Der Regisseur stellte Aufnahmen vom Herbst 1944, die noch die rauchenden Trümmer des Krieges zeigten, Bilder vom nächsten Frühling gegenüber; die Grundstruktur des Films bestimmte eine von Gremillon selbst komponierte Musik. *Le Six juin à l'aube* hielt Gremillon selbst für eins seiner wichtigsten Werke; leider wurde es vom Produzenten auf fast die Hälfte seiner Spieldauer zusammengeschnitten.

Gremillon hatte sich mit diesem Film den Ruf eines »schwierigen Regisseurs« erworben; seine nächsten Filmprojekte, namentlich eines über die Revolution von 1848, scheiterten am Widerstand kommerzieller und staatlicher Stellen. *Pattes blanches* (*Tödliche Leidenschaft*, 1949) gab ihm nur Gelegenheit zu einer Stilübung. Ein nichtiges Drehbuch lag auch *L'Etrange Madame X* (*Sündige Liebe*, 1950) zugrunde; interessanter dagegen war *L'Amour d'une femme* (Die Liebe einer Frau, 1954): Eine junge Ärztin steht zwischen der Liebe zu ihrem Beruf und der Zuneigung zu einem Mann; als Rahmen der Geschichte wählte Gremillon die rauhe Umgebung einer Insel vor der Bretagne. Der auf jede Ausschmückung und Sentimentalität verzichtende Film wurde wiederum ein Mißerfolg. Bis zu seinem Tod sollte Gremillon nur noch im Kurzfilm Beschäftigung finden.

Eine ähnliche realistische Grundeinstellung wie Gremillon besaß auch Louis Daquin (geb. 1908). Daquin war zunächst Assistent bei verschiedenen Regisseuren, vor allem bei Gremillon. Er debütierte 1941 mit *Nous les gosses* (Wir Gören), einer frisch und lebendig inszenierten Geschichte aus dem pariser Schülermilieu; Daquins Film unterstrich den Geist der Solidarität unter den Schülern. In *Premier de cordée* (Erster in der Seilmannschaft, 1944) kämpft ein Bergführer mit dem Schwindelgefühl und besiegt es schließlich; auch dies war ein Film aktivistischer Haltung, der nur in seiner Psychologie nicht ganz zu überzeugen vermochte.

Nach *Les Frères Bouquinquant* (Die Brüder Bouquinquant, 1947) ging Daquin, dessen soziales Interesse mit der Zeit immer deutlicher hervortrat, zusammen mit seinem Szenaristen Vladimir Pozner ein vielversprechendes Thema an: *Le Point du jour* (Tagesanbruch, 1948) sollte der »erste französische Film über die Arbeit der Menschen[12]« sein. Der Film, in einem nordfranzösischen Bergwerk spielend, besaß insofern für die Nachkriegszeit Bedeutung, als hier tatsächlich ein konsequenter Realismus angestrebt wurde. Mehrere Handlungslinien überschneiden sich: Ein junger, unerfahrener Ingenieur kommt ins Bergwerk und muß sich seine Anerkennung erkämpfen; die Verlobte eines Arbeiters will nicht ihren Beruf aufgeben, wie der Mann es wünscht; ein polnischer Grubenarbeiter strebt in seine Heimat zurück. Das Drehbuch bemühte sich, lauter »typische« Menschen in alltäglichen Situationen vorzustellen; bis zu einem gewissen Grade gelang es dem Film auch, ihre Schicksale mit dem dokumentarisch beschriebenen Bergwerksbetrieb zu verknüpfen. Indessen schränkte die vorschnelle Lösung aller Konflikte die Glaubwürdigkeit des Geschehens ein.

Maître après Dieu (Herr nach Gott, 1950) war die bemühte, aber allzusehr am Bühnenoriginal klebende Verfilmung eines Stückes von Jan de Hartog, das den Irrweg eines jüdischen Schiffes um die ganze Welt beschreibt. Daquins humanitäres Pathos, sein Wille zur politischen Aussage ließen ihn mehrere Jahre hindurch in Frankreich keine Arbeit mehr finden. 1954 drehte er in Österreich eine scharf pointierte Bearbeitung von Maupassants *Bel Ami* und 1959, wieder in Frankreich, *La Rabouilleuse (Die im Trüben fischen)*, nach Balzac.

Jacques Becker (1906–1960) verkörperte im französischen Kriegs- und Nachkriegsfilm die Tendenz des unbeteiligten, präzis beobachtenden Realismus. Becker war lange Jahre hindurch Assistent von Jean Renoir und begann 1942 mit *Dernier atout* (Der letzte Trumpf), einem Kriminalfilm, der in einem imaginären südamerikanischen Land spielte. Sein nächstes Werk stand jedoch der zeitgenössischen Wirklichkeit viel näher und sollte zu einem der besten Filme der Okkupationszeit werden: *Goupi mains rouges (Eine fatale Familie, 1943)*. Nach einem Roman von Pierre Véry zeichnet dieser Film das Porträt einer bäuerlichen Familie – der »Goupis« – und ihrer Mitglieder, vom hundertjährigen »Goupi l'Empereur« bis zu »Goupi-Monsieur«, dem in Paris aufgewachsenen Enkel. Becker registrierte die typischen Details des bäuerlichen Lebens ebenso wie die Eifersüchteleien und Ressentiments, die unter den Goupis herrschen.

Falbalas (1945) erwies Beckers handwerklich-stilistisches Talent; diesmal spielte die Handlung im Milieu der pariser Haute Couture. In *Antoine et Antoinette (Zwei in Paris, 1947)* beschrieb Becker mit Verve und Beobachtungsgabe den Alltag eines jungen Ehepaares in Paris. Die Geschichte eines verlorenen und wiedergefundenen Lotteriebilletts diente dem Film als Vorwand, um ein lebendiges Panorama von der Welt der kleinen Angestellten zu zeichnen. Becker zeigte sich hier wieder als präziser Milieubeobachter und als intelligenter Dramaturg; ein »Prisunic«, die Metro-Station, die Wohnung des Paars, Straßen und Plätze von Paris waren die Schauplätze dieses realistischen Films. *Rendez-vous de juillet (Jugend von heute, 1949)* spielte unter der Nachkriegsjugend von St-Germain-des-Prés. Becker untersuchte ihre Verhaltungsweisen, ihre Ambitionen und Träume; die Kamera folgte den Protagonisten in Jazzkeller, auf Partys und in Schauspielschulen.

Neorealistische Ansätze

Viele französische Intellektuelle und Filmschaffende kämpften in den Reihen der Widerstandsbewegung, unter ihnen Gremillon, Daquin, Becker, Painlevé. Kameraleute der Résistance improvisierten noch während der Kämpfe in Paris einen Dokumentarfilm, *La Libération de Paris* (Die Befreiung von Paris, 1944), der in den wenigen funktionierenden Kinos der Hauptstadt vorgeführt wurde und großen Erfolg hatte. Ein anderer Film jedoch wurde zum künstlerischen Dokument der französischen Résistance: René Cléments *La Bataille du rail* (Die Schienenschlacht, 1945).

René Clément (geb. 1913) drehte vor und während des Krieges eine Reihe von Dokumentarfilmen, zuletzt für die französische Eisenbahngesellschaft *SNCF*. Daher übertrug ihm die neugegründete *Coopérative générale du Cinéma Français* nach der Befreiung einen Dokumentarfilm über den Widerstandskampf der Eisenbahner gegen die deutsche Besatzung. *La Bataille du rail* sollte ursprünglich nur etwa halbe Spielfilmlänge besitzen; aber die Qualität der schon gedrehten Aufnahmen bestimmte die Produzenten, den Film zu abendfüllender Länge auszuweiten. An den ersten Teil, der die Organisation des Widerstandsnetzes demonstriert und mit der Szene einer Geiselerschießung endet, fügte man zwei weitere Episoden an – den Überfall auf einen Panzerzug und die Befreiung. In Form einer Chronik präsentiert *La Bataille du rail* die Ereignisse; aus kurzen, lapidar, oft schockartig nebeneinandergesetzten Bildern und Sequenzen entsteht das kollektive Drama der Résistance. Die Akteure dieses Dramas – der Fahrdienstleiter, der die Züge umdirigiert, der Lokomotivführer, der Verfolgte in seinem Tender versteckt und ins unbesetzte Gebiet schmuggelt, der Streckenarbeiter, der mit der Bohrmaschine einen Waggon anbohrt – bleiben anonym; und doch sagen ihre einfachen Gesichter und unheroischen Gesten alles über die Motive ihres Kampfes aus. Viele Szenen sind von brennender Gegenwärtigkeit und echt selbst in komischen Nuancen: so die Ansprache eines deutschen Offiziers vor französischen Eisenbahnern, die von einem Arbeiter roh und ungehobelt übersetzt wird. Seinen tragischen Höhepunkt erreicht der Film in der Erschießungsszene mit dem schrillen Heulen der Dampfpfeifen und der Großaufnahme dessen, auf den sich als letzten die Gewehre richten – eine Sequenz, die den Ereignissen nichts hinzufügt und aus der doch zerreißende Bitterkeit spricht. Auch in der Szene des Panzerzugs alternieren die schärfsten Kontraste: eben noch atmet die Natur romantischen Frieden; im nächsten Moment werden die Partisanen erbarmungslos niedergemacht und zermalmt. *La Bataille du rail* gehört zu jenen Filmen, die die Ereignisse der jüngsten Vergangenheit mit der Intensität des unmittelbar Erlebten spiegeln, die die Brüderlichkeit der Menschen entdecken und sich um einen Stil unverbrüchlicher Authentizität bemühen: zu den Filmen des Neorealismus, der im Nachkriegsitalien seine Blüte fand. Kaum je hat in der Geschichte des französischen Films ein Werk bei allem Verzicht auf dramaturgische Anordnung und Raffinement eine so starke Ausstrahlungskraft und Menschlichkeit erreichen können wie *La Bataille du rail*; dieser Film ist bis heute der wahrhaftigste und erschütterndste in Cléments Schaffen geblieben.

Einen Vorläufer besaß *La Bataille du rail* im französischen Film allerdings doch: Das war André Malraux' dokumentarischer Spielfilm aus dem Spanienkrieg, *L'Espoir* (Die Hoffnung). Malraux hatte diesen Film 1938 in Barcelona nach Kapiteln seines gleichnamigen Romans realisiert, er wurde aber erst 1945 öffentlich aufgeführt. Auch *L'Espoir* erweckt in seiner improvisierten Machart den Eindruck, die Kamera sei Zeuge realer Ereignisse gewesen; die Personen bleiben anonym. Malraux konzentriert die Dramatik des Krieges in flüchtig skizzierten Situationen: Ein Auto rast in den Schuß einer Kanone hinein; ein verwirrter Bauer dirigiert die Besatzung eines republikanischen Flugzeugs zu ihrem Ziel; ein langer Trauerzug windet sich durch eine felsige Berglandschaft. Plötzlicher Bildkontraste bediente sich Malraux, um die Tragik eines Augenblicks fühlbar zu machen: im Moment des Sterbens fotografiert die Kamera für Sekunden auffliegende Vögel und eine weite Landschaft.

Der auf durchgehende Handlung und erfundene Charaktere verzichtende Stil von *La Bataille du rail* fand ein Echo in einigen anderen Filmen, die das Thema des Widerstandes behandelten: etwa in Gremillons *Le Six juin à l'aube* oder in Le Chanois' *Au Cœur de l'orage* (Im Herzen des Gewitters, 1946), einem Montagestreifen über die Kämpfe der Résistance im Vercors. Auch André Michels *La Rose et le réséda* (Rose und Reseda, 1945), ein Film über die französische Résistance, der sich von einem Gedicht Louis Aragons inspirierte, und *La Bataille de l'eau lourde* (Die Schlacht um das schwere Wasser, 1948), eine französisch-norwegische Koproduktion von Titus Vibe Muller, Jean Dréville und Yves Ciampi, gehören in das Genre der dokumentarischen Gegenwartsfilme.

Wie in Italien kamen auch in Frankreich die Impulse zu einer künstlerischen Erneuerung des Films aus der Widerstandsbewegung. Doch fanden diese Anregungen keine rechte Entwicklung. Sie brachten ein einziges Meisterwerk hervor: *La Bataille du rail*; aber dieser Film machte in seinem Ursprungsland nicht Schule. Daß sich im Frankreich von 1945 nicht wie in Italien ein Neorealismus entwickelte, hängt mit dem stärker intellektuell und literarisch gebundenen Charakter des französischen Filmschaffens zusammen, vielleicht aber auch mit dem Umstand, daß sich die französische Résistance vornehmlich gegen den äußeren Feind richtete und nicht im gleichen Maße eine innere Erneuerung der Gesellschaft anstrebte wie in Italien.

Jedenfalls wiesen sogar jene Filme der Nachkriegszeit, die auf die Ereignisse der jüngsten Vergangenheit zurückgegriffen, überwiegend traditionalistische Züge auf, soweit sie nicht überhaupt zur Gattung des Melodrams gehörten. Das zeigte sich an René Cléments nächstem Film nach *La Bataille du rail: Le Père tranquille* (Der friedliche Vater, 1946, in Zusammenarbeit mit Noël-Noël gedreht). Der Komiker Noël-Noël verkörpert hier einen geruhsamen, scheinbar ganz seiner Orchideenzucht hingegebenen Familienvater, der in Wirklichkeit Chef eines Widerstandsnetzes ist. Der Film spielt höchst subtil mit der Doppeldeutigkeit der Worte und Situationen, karikiert nicht zuletzt auch die übereifrigen und rhetorisch begeisterten Nationalisten, die prompt einem Vichy-Agenten ins Netz gehen. So realistisch sich dieser Film aber zeigt, so deutlich ist er in seiner Psychologie und Charakterzeichnung dem Vorkriegsfilm verhaftet. Die Geschehnisse werden sichtbar als intelligente Rekonstruktion, nicht in ihrer erlebten Gegenwärtigkeit. Zu den bemerkenswerteren französischen Widerstandsfilmen gehören ferner Henri Calefs *Jericho* (1946), der die Atmosphäre einer nordfranzösischen Stadt unter der Besatzung beschreibt, *Le Bataillon du ciel* (Das Bataillon des Himmels, 1946) von Alexander Esway, und *Le Silence de la mer* (Das Schweigen des Meeres, 1948), Jean Pierre Melvilles Verfilmung einer berühmten Erzählung von Vercors. Aber alle diese Filme behandeln ihr Thema vom herkömmlich individuell-psychologischen Standpunkt aus. *Le Silence de la mer* ist sogar ein literarisch verfeinertes Kammerspiel.

In der dokumentarischen Strömung stand dagegen ein Außenseiterfilm, der heute fast vergessen ist: George Rouquiers *Farrebique* (1946). Rouquier (geb. 1908) war während des Krieges mit Dokumentarfilmen hervorgetreten und hat auch seither nur Dokumentarfilme gedreht: *Le Sel de la terre* (Das Salz der Erde, 1950), einen Film über die Camargue, und *Lourdes et ses miracles (Das Wunder von Lourdes,* 1955), einen kritischen Essay über Lourdes und seinen Wunderkult. Rouquiers großes Vorbild ist Robert Flaherty; die Ästhetik des amerikanischen Dokumentaristen spricht auch aus *Farrebique.* Rouquier beschreibt den Alltag einer Bauernfamilie in einem südfranzösischen Dorf, in dem er selbst groß geworden ist. Die Bauern spielen sich selbst; der Film zeigt die realen Dekors ihres Lebens. Handlungselemente werden nur angedeutet – etwa eine Verlobung, die Aufteilung des Besitzes, der Tod des Großvaters; sonst bestimmt der Rhythmus der Natur und der Wechsel der Jahreszeiten den Fluß der Erzählung. *Farrebique* ist eigentlich ein Poem über die Natur; soziale Erwägungen spielen in diesem Film eine geringe Rolle, und das Leben der Bauern scheint außerhalb der Zeit zu stehen. Die fehlende Geschichtlichkeit von Rouquiers Film distanziert ihn letztlich von Filmen neorealistischer Haltung wie *La Bataille du rail.*

Rückkehr zur Tradition

Nach der Befreiung profitierte der französische Film kaum von den gebotenen Möglichkeiten, von den Themen, die sich eigentlich aufdrängen mußten. Statt dessen schoben sich traditionelle Filmgenres wieder in den Vordergrund – etwa der »film noir«.

Bezeichnend für diese Rückentwicklung zur Tradition sind die Nachkriegsfilme von Allégret. Yves Allégret (geb. 1907) setzte nach 1945 das fort, was Carné vor dem Krieg begründet hatte: die Linie des düster-pessimistischen, »schwarzen« Films; nur gaben sich seine Werke äußerlich realistischer als die poetischen Studiofilme Carnés; um so mehr aber verrieten sie die Zeitbezogenheit des Genres. Yves Allégret ist der Bruder von Marc Allégret (geb. 1900), einem Routinier der Roman- und Theaterverfilmungen, als dessen gelungenstes Werk *Entrée des artistes* (Künstlereingang, 1938) mit Louis Jouvet gelten darf. Yves Allégret assistierte zunächst bei verschiedenen Regisseuren, so bei Renoir. Sein erster bemerkenswerter Film, *Les Démons de l'aube* (Die Dämonen des Morgens, 1946), schildert die Landung französischer Truppen in Südfrankreich gegen Kriegsende. Schon hier machte sich die Vorliebe für ein bestimmtes Milieu und eine bestimmte Atmosphäre bemerkbar, der Yves Allégret in *Dédée d'Anvers* (Schenke zum Vollmond, 1947) weiter nachgeben sollte. Dieser Film erzählt eine melodramatische Hafengeschichte vor schwarz ausgemaltem Hintergrund. Simone Signoret spielt eine Prostituierte mit reiner Seele; sie lebt in der Gewalt eines Zuhälters von abgrundtiefer Gemeinheit. Auf einem Schiff »von fern« trifft der schweigsame und edle Marcello Pagliero ein. Schon scheint sich für Simone Signoret das Glück abzuzeichnen; doch das Leben läßt es nicht zu: der Zuhälter bringt Pagliero um. *Dédée d'Anvers* beschreibt ein Milieu von so konsequenter Melancholie und Düsterkeit, daß man den Manierismus des Films fast bewundern mag. Pittoresk und lebendig sind dabei die Hintergrundspersonen: amerikanische Matrosen, Hafenarbeiter auf ihren Fahrrädern, die Dauergäste einer heruntergekommenen Pension.

Einen symbolischen Handlungsort wählte sich Allégret auch für seinen nächsten Film, *Une si jolie petite plage* (Ein so hübscher kleiner Strand, 1948): ein winterlich verregnetes, kümmerliches Nordseebad. Dort hat ein junger Mann eine elende und unterdrückte Jugend verbracht; nachdem er zum Mörder seiner Geliebten wurde, kehrt er an diesen Ort zurück, um sich schließlich das Leben zu nehmen. Allégret malte ein Panorama der Hoffnungslosigkeit, das sich aus lauter charakteristischen Details zusammensetzte – der deprimierenden Kulisse einer verkommenen Gastwirtschaft, einer quietschenden Pumpe, einem im Winde klappernden Fensterflügel, den gehässigen Bemerkungen der Wirtin.

In *Manèges (Eine Frau im Sattel,* 1950) schildert Allégret kleinbürgerliche Geldgier und Niedrigkeit; die Personen des Films sind habgierige Ungeheuer wie in Stroheims *Greed.* Wegen ihrer pessimistischen Grundhaltung hat man *Dédée d'Anvers, Une si jolie petite plage* und *Manèges* als eine Trilogie ansehen wollen, die »die Ungerechtigkeit und die soziale Heuchelei, die Habgier, die korrumpierende Kraft des Geldes, die Einsamkeit der Außenseiter und die Unmöglichkeit der Liebe« denunziert[13]. Ob allerdings eine solche moralische Intention den Filmen Allégrets zugrunde liegt, scheint recht fraglich, denn in ihrer Analyse sozialer Zusammenhänge dringen sie nicht sehr tief; vielmehr spiegeln sie, wie schon bei Carné, ein Lebensgefühl, dessen Authentizität darf man bei Allégret schon in Zweifel ziehen.

Allégret schien mit *Les Miracles n'ont lieu qu'une fois (Einmal nur leuchtet die Liebe,* 1950) eine Wendung zum Realismus zu vollziehen. Aber *La Jeune folle (Die junge Irre,* 1952) und vor allem *Les Orgueilleux (Die Hochmütigen,* 1953) bewiesen doch wieder, daß es ihm in erster Linie um die artistische Ausmalung des Makabren und Verworfenen geht. In *Les Orgueilleux* wartet eine Europäerin in einer epidemieverseuchten mexikanischen Hafenstadt auf ihre Abreise. Das Nebeneinander von tropisch faulender Atmosphäre, einer unheimlichen Krankheit, der unverständlichen Sprache, des Mißtrauens und der Feindseligkeit verdichtet sich zu einem Klima der Fatalität und der Todesnähe, das suggestiv spürbar gemacht wird; doch bleibt die Milieuschilderung allzusehr Selbstzweck; der Film kokettiert mit der Abgründigkeit. *La Meilleure part* (Der beste Teil, 1955) spielt unter den Arbeitern eines Staudamms und gibt sich realistisch-humanitär, während *La Fille de Hambourg (Das Mädchen aus Hamburg,* 1958) in einem klischeehaften Pessimismus versinkt. Yves Allégret scheint von seinen Anfängen an so sehr in den Grenzen einer subjektiven Weltanschauung befangen, daß er aus der Wirklichkeit keine neuen Anregungen für seine Filme zu gewinnen vermag.

Dem Klischee des »schwarzen« Films verfiel sogar ein so engagierter Regisseur wie René Clément. Schon *Les Maudits (Das Boot der Verdammten,* 1947), ein Unterseebootdrama um die Flucht von SS-Führern aus Norwegen, häufte äußerliche Spannungsmomente an und gefiel sich in Ausmalung von Düsterkeit; aber *Au-delà des grilles (Die Mauern von Malapaga,* 1949) war buchstäblich eine Kopie der alten Carné-Filme. Daneben besaß dieser Film einen, wenn auch nur äußerlichen Anflug von Neorealismus, der sich aus der Mitarbeit Zavattinis am Drehbuch erklären läßt. In Genua trifft ein blinder Passagier ein, der einen Mord begangen hat. Bei einer Frau und ihrer Tochter verbringt er drei glückliche Tage; doch dann trifft ihn das Verhängnis. Gabin spielte seine alte Rolle vom asozialen Außenseiter, und Clément stellte ihn in das symbolische Milieu von *Quai des brumes* mit seinen Hafengittern und engen Gassen.

Das bedeutendste Talent der ersten Nachkriegsjahre im französischen Film war neben René Clément Claude Autant-Lara. Autant-Lara (geb. 1903) debütierte im Film als Dekorateur bei Marcel L'Herbier und als Assistent von René Clair. Bereits in den zwanziger Jahren drehte er zwei Avantgardefilme: *Fait divers* (Zeitungsnotiz, 1923) und *Construire un feu* (Wie man ein Feuer macht, 1927). Aber erst viel später vermochte Autant-Lara sich endgültig durchzusetzen: mit *Le Mariage de chiffon* (Die Lumpenhochzeit, 1941), einer bittersüßen Geschichte aus der »belle époque«, *Lettres d'amour* (Liebesbriefe, 1942) und *Douce* (Irrwege der Herzen, 1943), dem subtil erzählten Eifersuchtsdrama zwischen einer jungen Erbin und ihrer Gouvernante. *Douce* durchleuchtete die gehobene Gesellschaft des fin de siècle mit ironischem Scharfblick.

Schien Autant-Lara nach diesen drei Filmen auf Genrestoffe aus dem 19. Jahrhundert festgelegt, so fand er nach *Sylvie et le fantôme* (Sylvie und das Gespenst, 1945) zu seinem Meisterwerk in *Le Diable au corps* (Stürmische Jugend, 1947). Der Film ging auf den gleichnamigen Roman von Raymond Radiguet zurück. Im Ersten Weltkrieg verliebt sich François, ein Gymnasiast, in Marthe, die Frau eines Soldaten; ihrer Liaison, aus der ein Kind hervorgeht, bereitet der Tod Marthes ein Ende. Marthes Begräbnis findet mitten im Freudentaumel der Siegesfeiern statt.

Bei Radiguet lag der Akzent auf der anarchistischen Verteidigung individuellen Glücks gegenüber den Tabus der Gesellschaft; der Krieg gab nur eine allmählich zurücktretende Handlungskulisse ab. Die Szenaristen des Films, Pierre Bost und Jean Aurenche – sie sollten für lange Jahre das eiserne Rückgrat der französischen Filmproduktion bilden –, gaben diesem Stoff aber eine Orientierung, die mehr den historischen Erfahrungen der Zeit entsprach. Im Film Autant-Laras ist das Thema der Liebe ständig auf die gesellschaftlichen Bedingungen bezogen, unter denen sie sich vollzieht. Schon in der Rahmenhandlung, aus der sich das eigentliche Geschehen als Rückblende entwickelt, kommt das zum Ausdruck: scharf kontrastiert der nationale Begeisterungstaumel mit der Trauer des Begräbnisses und den langsam ersterbenden Glockentönen, die die Rückblende einleiten. Gegenüber dem Lazarettbetrieb und den Greueln der Verwundungen nimmt sich die Liebe von François und Marthe »verboten« aus; der Kriegszustand und das erstickende chauvinistische Klima, das er provoziert, drängen die beiden in die Isolierung, wie auch die Abwesenheit von Marthes Mann den Konflikt überhaupt erst auslöst. Die Kriegsmentalität der Bürger macht sie den beiden zu Feinden: hämisch kommentieren Angler am Rande eines Teiches die Unbekümmertheit des rudernden Paares. Auch den Vater von François – der in dicken Büchern einen unauffindbaren Fehler sucht – und die häusliche Tafelrunde charakterisiert der Film als Vertreter einer Ordnung, gegen die die beiden sich vergehen.

Die Dialektik zwischen dem individuellen Gefühl und den sozialen Gegebenheiten durchzieht als Hauptthema den ganzen Film. Doch setzt Autant-Lara – im Gegensatz zu Carné – hier keine »ewigen« Fronten; der Film steht seinen Personen durchaus kritisch distanziert gegenüber, betont etwa die Schwäche und Unzulänglichkeit des jugendlichen Helden und die widerspruchsvolle Unentschiedenheit von Marthe. Die Personen aus *Le Diable au corps* sind realistisch gezeichnet, ohne jede leitbildhafte Stilisierung. Was in dem Film als Romantizismus erscheinen mag – die abendlichen Szenen an der Anlegebrücke mit ihren weichen Bildern und schaukelnden Lichtreflexen –, das bleibt formal in der Kontrolle, hat seinen berechneten Platz in der Architektur des Ganzen. Genau abgestimmt und berechnet sind auch die zahlreichen ingeniösen Kamerabewegungen, die einzelne Aspekte der Handlung verknüpfen, vom Objekt zur Totale überleiten. Einzelne Bewegungen der Kamera korrespondieren miteinander: so der Schwenk über das Bett der Liebenden auf das erlöschende Kaminfeuer zum Fenster, in dem sich schon der neue Morgen abzeichnet, und zurück zum Zimmer; die gleiche Bewegung, doch nur zur Hälfte, kehrt später wieder, als Marthe gestorben ist. Dabei spielt Autant-Lara auch die emotionalen Inhalte einzelner

Szenen aus: besonders spürbar wird das in dem Lärmhintergrund der Beerdigungs-
szene, der die Gefühlsverwirrung des Protagonisten spiegelt. Man könnte hier an den
Karnevalshintergrund der Schlußszene von *Les Enfants du paradis* denken; aber in
der scheinbaren Analogie zeigt sich gerade der Unterschied der beiden Filme: der Kar-
neval bei Carné ist eine Allegorie, eine den Ereignissen gegenübergestellte Kulisse;
die Schlußszene von *Le Diable au corps* dagegen führt den Konflikt wieder in seine
historischen und politischen Koordinaten zurück, verschmilzt noch einmal die psychologische und soziale Dimension des Dramas.

In *Le Diable au corps* bewies Autant-Lara, daß er über den »allgemeinen« Pessimismus Carnés oder Yves Allégrets hinausgekommen war. Dieser Film, wiewohl formal und thematisch fest in der französischen Tradition stehend, zeigte gesellschaftliche Einsicht und zwang den Zuschauer zur Stellungnahme; darin verarbeitete er die
Lektionen des Krieges. Den gesellschaftskritischen, engagierten Charakter von
Autant-Laras Film verstanden jene Kritiker sehr wohl, die *Le Diable au corps* nach
seiner Premiere angriffen, weil er die »Familie, das Rote Kreuz und selbst die Armee[14]«
lächerlich mache und den Ehebruch verteidige. Seine nonkonformistische Position bestätigte Autant-Lara auch in *Occupe-toi d'Amélie* (Kümmere dich um Amélie, 1949),
der Bearbeitung einer Komödie von Georges Feydau im historischen Milieu des fin
de siècle; doch besaß dieser Film nicht den besonderen Rang von *Le Diable au corps*.

Der britische Dokumentarismus

Der Krieg traf die britische Filmindustrie mitten in ihrer schwersten Krise. Luftangriffe, Beschlagnahme der Studios zu kriegswichtigen Zwecken und Personalmangel reduzierten die Produktion weiter: von hundertdrei Filmen (1939) auf schließlich nur siebenunddreißig (1944). Zugleich führte aber der Krieg zu einem vermehrten Kinobesuch. Die Filmtheater blieben selbst während der deutschen Luftangriffe geöffnet und erfüllten eine wichtige Funktion bei der Stärkung des kollektiven Widerstandswillens. Dabei gewannen die einheimischen Filme einen Vorsprung vor den amerikanischen Importen, die, weit entfernt vom Kriegsgeschehen hergestellt, weniger den besonderen Bedürfnissen des Publikums auf der Insel Rechnung trugen.

Ein Strukturwandel bahnte sich in der britischen Filmwirtschaft an, als 1939 und 1941 der Besitzer eines Getreidekonzerns, Joseph Arthur Rank, die beiden Theaterringe *Odeon* und *Gaumont-British* aufkaufte, denen zusammen über sechshundert Kinos angehörten, darunter die meisten Großkinos. Rank dehnte seine Monopolstellung innerhalb weniger Jahre auch auf den Produktions- und Verleihsektor aus und erwarb über die Hälfte aller Atelierbetriebe. Schließlich sicherte er sich auch erheblichen Einfluß in den Dominions und, im Zuge des Vormarsches der Alliierten, auch auf dem Kontinent. Zum erstenmal wurde auch das Monopol des amerikanischen Kapitals in Hollywood gefährdet: Rank besaß vorübergehend ein Drittel des Aktienkapitals der *Universal*, einer der fünf Konzernfirmen.

Die Erfolgsformel Kordas – teure Filme für den internationalen Markt – wurde durch den Kriegsausbruch, den Verlust des internationalen Marktes und die Mangelwirtschaft im eigenen Land unbrauchbar. Rank versuchte daher, den speziellen Bedürfnissen des britischen Publikums zu entsprechen. Darauf gründete er seine Vormachtstellung auf dem britischen Markt. Als er aber seine Expansion über die Küsten der Insel hinaus begann, stellte er sich auf »kosmopolitische« Filme um. Dabei machte er dieselben bitteren Erfahrungen wie vor dem Kriege Alexander Korda: die teuren Filme konnten in England selbst nicht amortisiert werden und wurden im Ausland von den amerikanischen Filmen geschlagen. An Filmen wie *Caesar and Cleopatra* (1945) verlor Rank Millionen. Politischer Druck kam hinzu und zwang ihn, seine Anteile an ausländischen Unternehmen wieder zu veräußern. Auch in England selbst reduzierte er schließlich seine Aktivitäten wieder auf ein bescheidenes Maß. Alexander Korda, aus Hollywood zurückgekehrt, wiederholte ebenfalls seine Fehler aus den dreißiger Jahren. Zunächst produzierte er einige der besseren realistischen Filme der Nachkriegszeit, dann erlag er aber erneut der Versuchung zur Großfilmproduktion und besiegelte damit seinen wirtschaftlichen Ruin. Der gesetzlich festgelegte Anteil einheimischer Filme an den Kinospielplänen wurde von der britischen Regierung ab 1950 wieder herabgesetzt – eine Maßnahme, die nur dem wirtschaftlichen Niedergang der Produktion Rechnung trug.

Der dokumentarische Spielfilm im Kriege

Im Gegensatz zu den uniformen, kosmopolitischen und extrovertierten Spielfilmen der Korda-Schule von 1933 bis 1939 zeigten die der Rank-Produktion bis 1944 individuelles Profil. Rank stellte die einzelnen Produktionsgruppen seines Konzerns unter die Leitung eigenwilliger Studiochefs, wie Michael Balcon und Michael Powell, und ließ ihnen weitgehende Unabhängigkeit. Zum erstenmal gewann unter ihrer Ägide der britische Spielfilm nationale Züge, zum erstenmal wandte er sich der zeitgenössischen Realität zu und ließ sich auf politische Fragestellungen ein. In keinem anderen Land Europas war der Spielfilm so wenig darauf vorbereitet, sich mit der Wirklichkeit zu beschäftigen, aber in keinem anderen Land begegnete er seiner neuen Aufgabe auch mit ähnlichem Ernst. Während der deutsche und der italienische Film unterm Diktat der Propaganda standen, der französische von der Besatzung zur Unverbindlichkeit gezwungen wurde, der amerikanische und der sowjetische noch ihr Friedensprogramm fortsetzten, wurde der britische bereits von den Zeitumständen gezwungen, sich mit dem Krieg auseinanderzusetzen, ohne daß ihm dazu vorgeformte Antworten geliefert wurden.

Natürlich benötigte eine so kommerziell orientierte Filmproduktion wie die britische einige Zeit für die Umstellung. 1940 und noch 1941 trat das Thema Krieg durchweg in melodramatischer Verkleidung auf; aktuelle Vorkommnisse drapierten nur äußerlich die traditionellen Formeln des Kriminal- und Spionagefilms, so in Michael Powells *Contraband* (Konterbande, 1940) und *49th Parallel* (49. Breitengrad, 1941), Carol Reeds *Night Train to Munich* (Nachtzug nach München, 1940) und Anthony Asquiths *Freedom Radio* (Freiheitssender, 1941). Nach einem Überblick über die Produktionspläne des Jahres konstatierte Paul Rotha 1940[15] mit Bitterkeit: »Von allen diesen Filmen handelt nur einer von den einfachen Leuten. Aber warum *Liebe in der Stempelstelle*, wo heute *Liebe im Luftschutzkeller* vielleicht passender wäre? Die ganze Nation verteidigt die Treppenstufen vor der Haustür, unsere Führer planen (hoffentlich) den Angriff – sind da dies die einzigen Filmstorys, die wir in der schwersten Stunde unserer Geschichte finden können?«

Erst 1942 und 1943 entstanden Filme, die auf die herkömmlichen Spannungs- und Rühreffekte weitgehend verzichteten und der Realität des Krieges entgegentraten. In geringerem Maß gilt das freilich für eine Gruppe von Filmen, die sich die Glorifizierung individueller Tatkraft angelegen sein ließen. Zwar verschwiegen auch diese Filme nicht Strapazen und Gefahren des Kampfes, aber ihr dramaturgisches Arrangement ließ diese gering erscheinen gegenüber dem Triumph, den die gelungene Aktion bedeutete. Die meisten dieser Filme kennzeichnet ein konservativer Grundzug, der bis zur heimlichen Verklärung der Klassenordnung geht: der herrschenden Schicht werden Führertugenden attestiert, die Vertreter des Volkes ironisiert – so etwa in Noel Cowards und David Leans *In Which We Serve* (Wofür wir dienen, 1942) und Anthony Asquiths *We Dive at Dawn* (Wir tauchen bei Morgengrauen, 1943).

Anders steht es um die Filme, deren Regisseure von John Griersons Dokumentarfilmschule der dreißiger Jahre entweder beeinflußt waren oder direkt von ihr herkamen. In ihnen besitzen die Details der Schilderung des Kampfes oft eine Eindringlichkeit, die sich gegen die zeitgebundene Ideologie durchsetzt. Diese dokumentarischen Spielfilme bilden eine Schule, deren Regisseure sich oft nur durch Nuancen voneinander unterschieden.

Mit drei Filmen war Charles Frend (geb. 1909) der fruchtbarste unter den Regisseuren dieser Gruppe. Frend hatte zehn Jahre als Cutter gearbeitet, ehe er mit *The Big Blockade* (Die große Blockade, 1941) sein Regiedebüt absolvierte. Seine Ausbildung verriet sich in *The Foreman Went to France* (Der Vorarbeiter ging nach Frankreich, 1942) und *San Demetrio, London* (1943). In beiden Filmen werden eindringlich die Schrecken des Krieges vergegenwärtigt, im einen die Leiden der Zivilbevölkerung während des Vormarsches der deutschen Truppen in Frankreich, im anderen das Grauen, dem sich die Besatzung eines Handelsschiffes im U-Boot-Krieg ausgesetzt sieht. Auch die obligaten Happy-Ends vermögen sie nicht zu bagatellisieren. Später versuchte sich Frend an verschiedenen anderen Themen, aber nur mit *The Cruel Sea* (Der große Atlantik, 1952), ebenfalls einer Beschwörung des Seekriegs, erreichte er die Qualität seiner Kriegsfilme wieder.

Harry Watt (geb. 1906) wechselte mit *Nine Men* (Neun Männer, 1942) von der Dokumentarfilmgruppe des Informationsministeriums ins Spielfilmstudio über. Es ist der echteste unter den Spielfilmen, die das Thema des Wüstenkrieges behandeln; seine Schwächen liegen jedoch bei der Charakterisierung der Personen und der Schauspielerführung. Watt ist der einzige Regisseur der Schule, der nach dem Krieg dem Dokumentarspielfilm treu blieb, vor allem mit *The Overlanders* (Das große Treiben, 1946), einer Schilderung des Trecks, mit dem 1941 die nordaustralischen Züchter ihre Rinder vor der drohenden japanischen Invasion in Sicherheit zu bringen suchten. In den folgenden Jahren nahm Watt seine Zuflucht zu exotischen Themen.

Die Filme von Michael Powell (geb. 1908) zeigen ein merkwürdiges Schwanken zwischen Dokumentarismus und Phantastik. Sein bedeutendster Vorkriegsfilm, *The Edge of the World* (Der Rand der Welt, 1937), stand in der Tradition von Flahertys *Man of Aran*. *One of Our Aircraft is Missing* (Eins unserer Flugzeuge wird vermißt, 1942) basierte auf der effektvoll arrangierten Story vom Absturz und der Rettung einer Bomberbesatzung, wurde aber von ihm mit viel Sinn für authentische Details realisiert. Später entwickelte sich Powell, zusammen mit seinem Partner Emeric Pressburger, zum Spezialisten für aufwendige Farbfilm-Revuen, wie *The Red Shoes* (Die roten Schuhe, 1948) und *The Tales of Hoffmann* (Hoffmanns Erzählungen, 1951).

Thorold Dickinson (geb. 1906) tat sich ebenfalls mit artifiziellen Spielfilmen hervor, wie mit *Gaslight* (Gaslicht, 1940); zuvor hatte er als Dokumentarist im Spanischen Bürgerkrieg gearbeitet (*Spanish A. B. C.*, 1938). Im halbdokumentarischen Stil inszenierte Dickinson *Next of Kin* (Nächste Verwandte, 1942), einen Antispionage-Film. Nach dem Kriege kehrte er nur noch sporadisch ins Filmatelier zurück; in Israel rekonstruierte er mit *Hill 24 Doesn't Answer* (Höhe 24 antwortet nicht, 1954) eine Episode aus dem jüdischen Befreiungskampf. Auch Carol Reed gab mit einem Film, *The Way Ahead* (Der Weg vor uns, 1944) ein Gastspiel beim Kriegsspielfilm. Seine Darstellung eines Truppentransportes von England nach Nordafrika besitzt die besten Tugenden der Schule: Solidarität mit denen, die die Strapazen des Krieges zu tragen haben, und Präzision in der Wiedergabe des Grauens. Die Bitterkeit verdichtet sich in der Schlußeinstellung: die Überlebenden des Transportes verschwinden, dem unsichtbaren Gegner entgegenmarschierend, im Sandsturm der tunesischen Wüste.

Bis auf den letzten entstanden alle diese Filme innerhalb von zwei Jahren, 1942 und 1943. Schon 1944 wandte der britische Film sich allgemein von zeitgebundenen Themen ab, teilweise dank der neuen Weltmarktspolitik Ranks, teilweise infolge eines gewissen Überdrusses beim Publikum. Lediglich Dokumentarfilme, die außerhalb der Industrie entstanden, befaßten sich noch direkt mit dem Frontgeschehen; Spielfilme deuteten allenfalls, und auch dies nur vereinzelt, die Auswirkungen des Krieges auf das Privatleben der Zurückgebliebenen an. In der künstlerischen Geschichte des britischen Spielfilms blieb die dokumentarische Richtung ohne Folgen. Die Regisseure, die auf ihren Stil fixiert blieben, wurden zu Außenseitern des Filmbetriebs, dem sich die anderen ganz und gar verschrieben. Das Versagen der Schule war ein doppeltes: ein künstlerisches und gesellschaftliches. Keiner ihrer Vertreter unternahm es, den an der Thematik des Krieges erprobten Stil weiterzuentwickeln und ihn der Nachkriegszeit anzupassen, wie es in Italien dem Neorealismus gelang. Das sozialistische Experiment der Labour-Regierung von 1945 blieb ohne Einfluß auf den Spielfilm: erst sehr viel später begannen jüngere Regisseure vom englischen Proletariat Kenntnis zu nehmen.

Humphrey Jennings und der Kriegsdokumentarfilm

Durch die Arbeit der Filmabteilungen des *Empire Marketing Board* und des *General Post Office* war der britische Dokumentarfilm geistig auf die Aufklärungsarbeit vorbereitet, die nach Kriegsausbruch zu bewältigen war. Die Zeitschrift der *GPO Film Unit* forderte, der Dokumentarfilm solle eine breitere organisatorische Basis erhalten; zögernd setzte sich diese Auffassung auch durch. Schließlich wurde die *GPO*-Gruppe als *Crown Film Unit* dem Informationsministerium unterstellt und mit größeren Mitteln ausgestattet. Die Filmabteilungen der Streitkräfte erweiterten ebenfalls ihre Aktivität und traten mit großen Reportagen hervor. Endlich konnten auch private Unternehmen mit staatlicher Unterstützung Dokumentarfilme herstellen. In den letzten drei Kriegsjahren erlangte der Dokumentarfilm in Großbritannien eine · publizistische Bedeutung und ein künstlerisches Niveau, wie er es ähnlich in keinem anderen Land zu irgendeiner Zeit erreicht hat.

Zwei Tendenzen lassen sich in den Jahren zwischen 1940 und 1945 unterscheiden. Die eine führte über die bloße Dokumentation hinaus zur Rekonstruktion wirklicher Vorgänge mit den Mitteln des Spielfilms, die auch die Darstellung individueller psychologischer Verhaltensweisen ermöglichte. Die andere blieb der Dokumentation treu, stellte sie aber in den Dienst weitgespannter Überblicke und Analysen.

Harry Watt hatte schon vor dem Kriege mit *North Sea* den Schritt zur Rekonstruktion getan. Im ersten Kriegsjahr realisierte er zunächst, noch für das *GPO*, einige reine Reportagen, die das politische Klima des Landes zu dieser Zeit einfingen: *The First Days* (Die ersten Tage, 1939), *London Can Take It* (London kann es ertragen, 1940) und *Squadron 992* (Staffel 992, 1940). In *Target for Tonight* (Ziel für heute nacht, 1940), dem ersten langen Kriegsdokumentarfilm, ließ er Angehörige der R. A. F. sich selbst spielen: Hinter den eleganten Wochenschaubildern von Bombern, Kondensstreifen und Einschlägen machte er die Anstrengungen und die Todesfurcht der Besatzungen sichtbar. Während Watt mit *Nine Men* zum Spielfilm überwechselte, setzten andere Regisseure die Linie seines Films fort. Die Strapazen der Matrosen von Handelsschiffen, die sich wehrlos den Angriffen deutscher U-Boote ausgesetzt sehen, schilderten Jack Holmes in *Merchant Seamen* (Handelsmatrosen, 1941) und Pat Jackson in *Western Approaches* (Von Westen her, 1944). Mehr noch als Watt und mehr auch als Charles Frends thematisch verwandter Spielfilm *San Demetrio, London* machten sie die besondere Unmenschlichkeit eines Krieges deutlich, in dem der einzelne machtlos einer anonymen Maschinerie der Vernichtung ausgesetzt ist.

Die bedeutendste Gestalt unter den britischen Dokumentaristen, wahrscheinlich so-

gar unter den britischen Regisseuren überhaupt, war indessen Humphrey Jennings
(1907–1950). Jennings, ein surrealistischer Maler und Dichter, trat Griersons Mann-
schaft 1934 bei. Ein Experimentalfilm, *Birth of a Robot* (Geburt eines Roboters,
1936), den er mit Len Lye zusammen realisierte, ließ seine weitere Entwicklung nicht
voraussehen, ebensowenig *Speaking from Amerika* (Ich spreche aus Amerika, 1939),
ein Lehrfilm über das transatlantische Fernsprechsystem. In *Spare Time* (Freizeit,
1939) zeigte sich Jennings zum erstenmal als der poetische Schilderer des proletarischen und kleinbürgerlichen England. Hier beschreibt er mitfühlend, doch ohne Beschönigung, welchen Gebrauch die Arbeiter einer nordenglischen Industriestadt von
ihrer Freizeit machen. Nach Kriegsausbruch arbeitete er an *The First Days* und *London Can Take It* mit und drehte selbst *Spring Offensive* (1940), einen Film über die
Regeneration des Bodens.

Sieben Filme drehte Jennings dann in alleiniger Regie bis Kriegsende. Die besten
von ihnen waren dem Thema gewidmet, das nirgends sonst, auch nicht in den besten
Dokumentarfilmen anderer Regisseure, eine so zwingende Gestaltung erfahren hat:
die Bewährung des englischen Volkes im Zweiten Weltkrieg. *Words for Battle*
(Worte für die Schlacht, 1941), *Heart of Britain* (Britanniens Herz, 1941) und *Listen
to Britain* (Hört Britannien, 1941) waren kürzere Reportagen, die einen Querschnitt
durch die Vielfalt der vom Krieg geprägten Lebensäußerungen des englischen Volkes
gaben. Bei zwei weiteren Filmen beschränkte er sich auf die Darstellung kleiner Gruppen: der Bewohner eines Dorfes, das von deutschen Truppen zerstört wird (Lidice war
das Vorbild), in *The Silent Village* (Das stille Dorf, 1943); Mitglieder einer Feuer-
wehreinheit beim Einsatz während eines deutschen Luftangriffes zeigt *Fires Were
Started* (Brände sind ausgebrochen, 1943). Nach der kommerziell getönten *Story of Lilli
Marlene* (1944) kehrte Jennings mit *A Diary for Timothy* (Ein Tagebuch für Timothy,
1945) zum Querschnittfilm zurück und zeigte das England der letzten Kriegsmonate.

Es scheint, als hätte Jennings den Krieg nötig gehabt, um sein Talent entfalten zu
können. Indessen war er weit davon entfernt, den Krieg zu verklären: die einfachen
Feuerwehrleute und Tommys in seinen Filmen zwang er zur Verteidigung der eigenen Lebensart. Sie sind alle keine Kämpfernaturen. Jennings verlangte ihnen nie eine
heroische Geste ab, vielmehr spürte er in ganz beiläufigen spontanen Äußerungen die
Eigenschaften auf, die die Gefahr bei ihnen zum Vorschein gebracht hatte: den Sinn
für Solidarität und die Selbstverständlichkeit, mit der einmal für richtig erkannte
Dinge getan werden müssen. Über der Beobachtung des individuell Besonderen ging
Jennings nicht der Sinn für das sozial und national Typische verloren. Ebenso hin-
derte die Sympathie für seine Gestalten ihn nicht, deren Schwächen zu sehen: Jen-
nings' Porträts werden dadurch charakterisiert, daß in ihnen die Sympathie für jede
Kreatur durchdrungen wird von dem Blick für ihre Grenzen und für das, was diese
Grenzen setzt. Dies ist es auch, was seine Filme über die thematisch verwandten von
Watt, Jackson, Frend usw. hinaushebt: niemals erscheint in ihnen eine Gestalt nur als
Symbol einer Gruppe oder einer Verhaltensweise. Diese besondere Humanität hat
Jennings auch davor bewahrt, den Feind zu verteufeln. Er bleibt für die Feuerwehrleute
von *Fires Were Started* und selbst für die Dörfler in *The Silent Village* fast anonym.
Und in *A Diary for Timothy* gab Jennings zu bedenken, daß in englischen Konzert-
sälen während des Krieges deutsche Komponisten gespielt wurden. In diesem Film,
seinem besten neben *Fires Were Started*, versuchte er, über den Krieg hinauszuweisen.
Die Beschwörung der kollektiven Solidarität der Kriegszeit verwandelte er hier in
eine Forderung für die Zukunft: dieselben Kräfte, die sich in der Niederringung des

Faschismus bewährt hatten, sollten die Völker auch bei der Lösung der Friedensprobleme einsetzen.

Formal sind Jennings' Filme der britischen Dokumentar-Tradition verpflichtet. Die assoziative Form von *Words for Battle*, *Listen to Britain* und *A Diary for Timothy* weist auf Basil Wrights *Song of Ceylon* zurück. Wie dort werden hier räumlich und zeitlich getrennte Phänomene durch Montage, Text und Musik miteinander verknüpft, ihr innerer Zusammenhang sichtbar gemacht. Während aber Wright einer akademischen Betrachtungsweise verhaftet blieb, ließ Jennings den moralischen Sinn eines historischen Momentes aufscheinen, ebenso wie Eisenstein im *Panzerkreuzer Potemkin* und Rossellini in *Paisà*. Entsprechendes gilt für die Rekonstruktionen in *The Silent Village* und *Fires Were Started*, die wohl an die Erfahrungen von *North Sea* und *Target for Tonight* anknüpfen, aber außer der materiellen Realität auch eine moralische darstellen. In *A Diary for Timothy* wurde Jennings' Moralismus geradezu formbestimmend: das »Tagebuch«, das Bild und Kommentar hier bilden, wendet sich an einen Neugeborenen. Mittels dieser Form reflektiert Jennings, teils skeptisch-melancholisch, teils polemisch fordernd, über den Widerstandsgeist der Kriegsjahre, den er zuvor naiv gefeiert hatte und den er nun hinschwinden sah.

Mit der kollektiven Willensanstrengung und der Hochstimmung des Widerstandes schwand der Nährboden, aus dem Jennings' Filme bis 1945 entsprungen waren. Die vier Filme, die er bis zu seinem frühen Tod noch drehen konnte, geben keinen Hinweis darauf, ob er je für die Realität der Friedensgesellschaft eine ebenso verbindliche Gestalt gefunden hätte wie für die des Krieges: *A Defeated People* (Ein besiegtes Volk, 1945) blieb als Reportage über das geschlagene Deutschland noch der Kriegsthematik verhaftet; *The Cumberland Story* (1947), *Dim Little Island* (Trübe kleine Insel, 1949) und *Family Portrait* (Familienporträt, 1950) stehen formal zwar ihren Vorbildern aus der Kriegszeit nicht nach; das Bild, das sie vom England der Labour-Periode und der konservativen Restauration zeigen, bleibt aber oberflächlich und unpersönlich.

In einer den Querschnittfilmen von Jennings verwandten Form realisierten Carol Reed und Garson Kanin die britisch-amerikanische Koproduktion *The True Glory* (Der wahre Ruhm, 1945), einen breit angelegten Bericht über die letzten Kriegsmonate, dem der aus vielen individuellen Zeugnissen zusammengesetzte Kommentar persönliche Intimität und eine unaufdringliche Tendenz mitteilte. Andere aus Wochenschauaufnahmen montierte Feldzugsreportagen, so Roy Boultings *Desert Victory* (Wüstenkrieg, 1943) und John Moncks *Tunesian Victory* (Tunesischer Sieg, 1943), legten den Hauptwert auf die Darstellung strategischer Aspekte.

Wie *A Diary for Timothy* und in geringerem Maße auch *The True Glory* suchte Paul Rothas *World of Plenty* (Welt der Fülle, 1943) das durch den Krieg belebte politische Verantwortungsbewußtsein der Massen für die Probleme des Friedens zu mobilisieren. Dabei ging es ihm indessen weniger um den moralischen Appell als um die Darstellung der zu erwartenden materiellen Probleme und einiger praktischer Lösungsmöglichkeiten. Die Kombination von Dokumenten, grafischen Trickdarstellungen, Interviews und einem vielstimmigen Kommentar setzte die Bemühungen der amerikanischen Vorkriegs-Monatsschauen *March of Time* fort und wurde vorbildlich für spätere Fernsehprogramme. Während sie bei Vorläufern und Nachfolgern aber zumeist nur der Apologie und allenfalls der Deutung des Bestehenden dienten, entwickelte Rotha mit ihrer Hilfe eine filmische Rhetorik, die eine praktische Zukunftspolitik propagierte. In *Land of Promise* (Land der Verheißung, 1945) und *The World is Rich* (Die Welt ist reich, 1947) setzte Rotha nach dem Kriege diese Linie fort.

In den frühen Nachkriegsjahren steht der zuletzt genannte Film fast allein. Sein Autor konstatierte 1947 [16]: »Kein Film des Kalibers von *Desert Victory, Target for Tonight* und *Western Approaches* ist seit dem Kriege in England produziert worden« – eine Feststellung, die auch zehn Jahre später noch nichts von ihrer Aktualität verloren hatte. Das *Central Office of Information*, das 1946 einen Teil der Aufgaben des Informationsministeriums übernommen hatte, beschnitt die Aktivitäten der ihm unterstellten *Crown Film Unit*, bis diese im Januar 1952 von der neuen konservativen Regierung aufgelöst wurde. Mit dem Ende der traditionsreichen Gruppe fand das reichste Kapitel in der Geschichte des Dokumentarfilms seinen Abschluß.

Rückkehr zur Bürgerlichkeit

Von 1944 an ließ der Spielfilm sich auch in England wieder die nachdrückliche Ablenkung des Publikums von allen aktuellen Problemen angelegen sein. Kostümfilme und Reißer kamen wieder in Mode, Adaptationen anerkannter Romane und Bühnenstücke gab man den Vorzug gegenüber Originalstoffen; Authentizität wurde weniger angestrebt als effektvolles Arrangement.

Hatte die schöpferische Methode des dokumentarischen Spielfilms auch minder originellen Regisseuren gestattet, Filme von bleibendem Wert zu schaffen, so gelangen während der Nachkriegsjahre nur wenigen Regisseuren Gestaltungen von künstlerischem Rang. Unter ihnen ragten Carol Reed, David Lean und Laurence Olivier hervor.

Carol Reed (geb. 1906), ein früherer Bühnenschauspieler und Theateragent, inszenierte seinen ersten Film, *Midshipman Easy*, 1934. Insgesamt neun Filme drehte er bis zum Kriegsausbruch. *Bank Holiday* (Bankfeiertag, 1938) zeichnete sich in einigen quasidokumentarischen Passagen durch die lebendige Beschreibung des englischen Volksfeiertages aus. Aber erst Reeds letzter Vorkriegsfilm, *The Stars Look Down* (Die Sterne blicken herab, 1939), etablierte ihn als die große Regiehoffnung des englischen Films. Bei seinem Erscheinen erregte der Film durch sein mutiges Eintreten für die Verstaatlichung der Kohlengruben und die Realistik seiner Gestaltung Aufmerksamkeit. Mehr als die artifiziell ausgeleuchteten Interieurs des Films haben die Außenaufnahmen mit ihrer sorgfältigen Rekonstruktion des waliser Bergreviers der Zeit standgehalten. Während des Krieges übte sich Reed wieder in diversen kommerziellen Genres, im politischen Thriller *(Night Train to Munich* – Nachtzug nach München, 1940) und im sentimentalen Historienbild *(Kipps, 1941, The Young Mr. Pitt* – Der junge Mr. Pitt, 1942), ehe er für die *Army Kinematograph Unit* einen Kurzdokumentarfilm, *The New Lot* (Der neue Posten), drehte. Früchte dieser Tätigkeit waren der Spielfilm *The Way Ahead* und der Dokumentarfilm *The True Glory*, die zu den besten Hervorbringungen der beiden Schulen des britischen Kriegsfilms gehören. Wie diese mit dem Kriegsende folgenlos hinschwanden, so blieb auch im Schaffen Reeds seine Teilnahme an ihnen eine Episode.

Die drei Filme, die Reed zwischen 1947 und 1949 inszenierte, *Odd Man Out (Ausgestoßen*, 1947), *The Fallen Idol (Kleines Herz in Not*, 1948) und *The Third Man (Der dritte Mann*, 1949), brachten ihm weltweites Prestige ein, machten aber zugleich seine Grenzen sichtbar. *Odd Man Out* und *The Third Man* sind Thriller mit einem vagen Zeitbezug und modisch-philosophischen Akzenten, aber auch *The Fallen Idol*, der wie *The Third Man* Graham Greene zum Autor hat, ist auf metaphysisch getönte Spannung angelegt. Stimmung und Stil dieser Filme orientieren sich am »schwarzen« Realismus des Vorkriegsfilms, an Carné, Ford und Lang. Ihre Helden sind Einsame wie die von *Quai des brumes, The Informer* und *Fury:* ein verfolgter irischer Freiheitskämpfer in *Odd Man Out,* ein Penizillin-Schieber in *The Third Man –* auch das Kind in *The Fallen Idol* kann man hinzurechnen. Sie alle manifestieren ein existentielles Gesetz, das sie in einen Gegensatz zur übrigen Welt bringt. Die Kritik an der Gesellschaft ist schematisch: sie trifft alle »anderen«. Die Helden umgibt eine symbolträchtige Atmosphäre: Johnny McQueen in *Odd Man Out* wird durch ein Glockenspiel jede Viertelstunde an die Vergänglichkeit alles Irdischen erinnert, und als er stirbt, bedeckt Schnee die Stadt »wie ein Leichentuch«; eine Katze begleitet den ersten Auftritt Harry Limes in *The Third Man,* bei dem er sich obendrein noch durch einen tiefen Schatten ankündigt; das Riesenrad im Prater vertritt Auf und Ab seines Schicksals, und die eisernen Stangen eines Abflußgitters trennen ihn am Ende von der Freiheit.

In seinen späteren Filmen wiederholt Reed Themen und Formen seiner drei Nachkriegsfilme, ohne deren stilistische Konsistenz je wieder zu erreichen. *The Outcast of the Islands (Der Verdammte der Inseln,* 1951) versetzte die Thematik von *Odd Man Out* nach Insulinde, und *The Man Between (Gefährlicher Urlaub,* 1953) suchte die Atmosphäre des Wien von *The Third Man* im gespaltenen Berlin wiederzufinden. Die weiteren Filme Reeds sind kommerzielle Produkte, die sich den Gesetzen ihrer Gattungen unterwerfen, so die Wunderbeschwörung *A Kid for Two Farthings (Voller Wunder ist das Leben,* 1955), der Zirkusfilm *Trapeze (Trapez,* 1956) und die Kriegsromanze *The Key (Der Schlüssel,* 1958). In *Our Man in Havana (Unser Mann in Havanna,* 1959) erneuerte Reed die Zusammenarbeit mit Graham Greene, aber dem Resultat mangelte die Geschlossenheit früherer Filme des Tandems.

David Lean (geb. 1908) hatte lange Jahre als Cutter gearbeitet – u. a. bei Asquiths *Pygmalion* und Watts *One of Our Aircraft is Missing –,* ehe er 1942 zum erstenmal, gemeinsam mit Noel Coward, Regie führen durfte. *In Which We Serve* war von allen britischen Kriegsfilmen der konservativste: er feierte die Bewährung der herkömmlichen Klassenordnung unterm Druck des Krieges. Ebensowenig wie dieser Film ließ *This Happy Breed* (Diese glückliche Brut, 1943), eine Familienchronik aus dem alten England, für die Zukunft des Regisseurs hoffen. *Blithe Spirit (Geisterkomödie,* 1944) führte Lean wieder mit Coward zusammen: hier bewährte sich sein Sinn für altväterischen Dekor und lieferte einem trocken-ironischen Spiel mit dem Übersinnlichen die Folie.

In *Brief Encounter (Begegnung,* 1945) trug die Kollaboration Leans mit dem Bühnenautor ihre beste Frucht. Was dem Drama der Liebe zwischen zwei bereits verheirateten Provinzlern, einer bürgerlichen Hausfrau und einem Arzt, die ursprüngliche Eindringlichkeit bewahrt hat, ist der Reichtum an Schattierungen, den Lean aus einem Minimum an Handlung und Schauplätzen herausholt: psychologische Nuancen im Verhalten der beiden Protagonisten, optische in dem kleinstädtischen Milieu. Der Film huldigt in seinem Verlauf wohl dem Konformismus seiner Helden, die gegen die Konvention nur heimlich sich auflehnen, und dann um so sicherer unter ihre Fittiche zurückzukehren; in seinem optischen Duktus und im Spiel seiner Darsteller, die sich bewegen wie in Käfigen, verrät er aber genug von der Not des Individuums, das seine besseren Möglichkeiten nur schattenhaft erfährt. Jahre später, mit *Summer Madness (Traum meines Lebens,* 1955), einer Art Remake von *Brief Encounter,* in Farbe und vor der Kulisse Venedigs, enthüllte Lean das Doppelgesicht des älteren Films: hier fehlt der Stachel ganz; den zu kurz gekommenen Frauen wurde nur noch die sentimentale Aufforderung zur Resignation angeboten.

Zwei Filme drehte Lean unmittelbar nach dem Kriege nach Vorlagen von Charles Dickens: *Great Expectations* (*Geheimnisvolle Erbschaft*, 1946) und *Oliver Twist* (1947). Auch hier tendiert das Arrangement zur Apologie der sozialen Ordnung: die dickenssche Sozialkritik wird in eine stimmungsvolle Beschwörung des viktorianischen England eingetaucht und dergestalt neutralisiert. Es bleibt ein Panorama dikkensscher Typen, von denen aber noch die schlimmsten, abgelöst vom gesellschaftlichen Hintergrund, als bloß pittoreske Kobolde erscheinen.

Wie Reed wurde Lean in den weiteren Jahren zum Imitator seiner großen Erfolge und schloß immer verhängnisvollere Kompromisse mit der Industrie. *The Passionate Friends* (*Die große Leidenschaft*, 1948) und *Summer Madness* griffen auf *Brief Encounter* zurück; *Hobson's Choice* (*Herr im Haus bin ich*, 1953) erinnerte an die Dickens-Filme und zeichnete mit »liebevoller Ironie« das Bild eines viktorianischen Familientyrannen. *The Sound Barrier* (*Der unbekannte Feind*, 1952) stimmte eine Hymne auf britischen Unternehmungsgeist an. Vollends triumphierte mit *The Bridge on the River Kwai* (*Die Brücke am Kwai*, 1957) in Lean der Apologet britischer Lebensart über den Sitten- und Menschenschilderer von einst.

Laurence Olivier (geb. 1907) inszenierte seinen ersten Film 1944, als er bereits ein renommierter Bühnenschauspieler und -regisseur war und fünfzehn Jahre Filmerfahrung als Darsteller hinter sich hatte. Auch später arbeitete er hauptsächlich auf den Bühnen in New York, London und Stratford und stand häufiger vor einer Kamera als dahinter. Auch in den von ihm selbst inszenierten Filmen spielte er die Hauptrolle. Die Filmregie bedeutete für ihn keine von der Theaterarbeit wesentlich verschiedene Tätigkeit, sondern deren »Fortsetzung mit anderen Mitteln«: im Film sah er ein technisches Mittel, mit dessen Hilfe er gewisse Probleme lösen konnte, die sich ihm auf der Bühne gestellt hatten. Seine Filme bilden eine Auseinandersetzung mit der Guckkastenbühne, ähnlich wie andere Regisseure des 20. Jahrhunderts sie im Theater geführt haben.

Am deutlichsten ist das bereits an seinem ersten Film, *Henry V* (*Heinrich V.*, 1944), zu erkennen. Der Film beginnt mit einer Kamerafahrt über das (im Modell) dargestellte London Shakespeares, die auf dem Hof einer elisabethanischen Herberge endet: eben hier beginnt eine Aufführung von *Henry V*. Nicht das Stück zeigt eigentlich der Film, sondern eine Aufführung. Deren Rahmen sprengt Olivier aber wiederum, indem er die Schlacht von Azincourt realistisch in freier Natur rekonstruieren ließ. Er folgte damit der Aufforderung Shakespeares an seine Zuschauer, sich die Schlacht vorzustellen. Ohne auch nur den Wortlaut des Stückes zu verletzen, stellte Olivier in den Kontext der Theateraufführung außerordentlich »filmische« Sequenzen hinein, die keine Bühne der Welt zu zeigen imstande wäre. In anderen Szenen, in denen er ebenfalls den Bühnenraum aufhob, kopierte Olivier die Illustrationen alter Stundenbücher mit ihren verschobenen Perspektiven, ihren emailartigen Farben, ihren stilisierten Gesten. Aus alledem resultiert ein Realismus, der bühnentechnische Beschränktheit und historische Distanz berücksichtigt und doch wieder aufhebt, indem er sie reflektiert.

In *Hamlet* (1948) konnte Olivier nicht dem Beispiel seines ersten Filmes folgen. Diesmal suchte er Shakespeares Text wie ein Filmskript zu lesen. Er baute um die Helden ein konkretes Elsinore, das an einem wirklichen Meer liegt. Die Akribie, mit der die Dekors ausgeführt sind und von der Kamera registriert werden (Olivier arbeitete mit Tiefenschärfe), steht nicht selten dem Text im Wege. Da zudem die notwendigen Kürzungen diesem Stück mehr Gewalt antun als den anderen von ihm verfilmten und er selbst zugegebenermaßen ein schlechterer Hamlet als Heinrich V. oder Richard III. ist, wurde dies Oliviers schwächster Shakespeare-Film. In *Richard III.* (1955) strebte er dagegen keine »filmische« Transposition an; er suchte keine raffinierten Kamerawirkungen wie in *Hamlet*, und der Ausbruch in die Landschaft des Schlachtfeldes erfolgt mit geringerer Vehemenz als in *Henry V.* Der Zuschauer darf sich wieder wie im Theaterparkett fühlen, wenn er auch mit einem idealen Operngucker ausgestattet ist, der die Darsteller behutsam heranholt, wann immer Gestik und Mimik an Interesse gewinnen. Einige wortlose Sequenzen gehören mehr ins Reich der Pantomime als des Films; sie bilden visuelle Pointen des szenischen Dialogs. Ein Paradestück schauspielerischen Talents und dekorativen Geschmacks lieferte Olivier mit seinem ersten Film, der nicht Shakespeare zum Autor hat, mit *The Prince and the Showgirl* (*Der Prinz und die Tänzerin*, 1957), der Verfilmung eines Stückes von Terence Rattigan.

Mit den repräsentativen Filmen von Reed, Lean und Olivier, die fast ausnahmslos zwischen 1944 und 1949 entstanden, setzte eine Reaktion gegen die Strömung der Kriegsjahre ein. Hatte es zwischen 1942 und 1944 den Anschein gehabt, als wende sich der britische Film unter dem Druck des Krieges den bisher ignorierten Schichten und ihren realen Sorgen zu, so vollzog sich nun eine totale Verbürgerlichung, die die Themen der Filme und ihre Helden ebenso ergriff wie die Perspektive, aus der sie dargestellt wurden. Unbürgerliche Existenzen erschienen bei Reed und Lean wieder ausschließlich unterm Aspekt des Pittoresken, als anarchische Außenseiter der »guten« Gesellschaft. Psychologischer Analyse wurden bei Lean nur Angehörige des Bürgertums gewürdigt. Und Oliviers Filme beriefen sich auf das Bildungsgut der Besitzenden.

Stagnation und Aufbruch im übrigen Europa

Die anfänglichen Erfolge der deutschen Armeen und der schließliche Sieg der Alliierten veränderten zweimal grundlegend die Struktur der Filmwirtschaft in Europa. Zunächst wurde die Vormachtstellung der amerikanischen Verleihagenturen auf dem Kontinent gebrochen. Davon profitierten nicht nur die Industrien der Achsenmächte, sondern auch die ihrer kleineren Verbündeten, die der Neutralen und bis zu einem gewissen Grade auch die einiger besetzter Länder. Die Jahresproduktion Deutschlands, Italiens, Schwedens, Ungarns, Spaniens und der Schweiz stieg während des Krieges beträchtlich über den Höchststand der Vorkriegszeit; Frankreich, Dänemark und Norwegen konnten ihre Produktionsstärke behaupten. Stark gedrosselt wurde freilich die tschechische Produktion, und völlig zum Erliegen kamen die polnische, belgische und niederländische.

In Deutschland fand der fortschreitende Konzentrations- und Verstaatlichungsprozeß 1942 seinen Abschluß, als in der *Ufa-Film GmbH (Ufi)* alle Unternehmen der Filmwirtschaft, ausgenommen lediglich Einzelunternehmen der Theaterbranche, zusammengefaßt und zu Reichseigentum erklärt wurden. Gleichzeitig wurde noch das System der direkten politischen Kontrolle ausgebaut. Die politisch für wichtig erachteten Filme wurden zumeist im unmittelbaren Auftrag des Propagandaministeriums hergestellt, das auch kleinste Details der Gestaltung bereits im Drehbuchentwurf festlegte und in den Herstellungsprozeß eingriff.

Die sowjetische Filmproduktion wurde durch den deutschen Überfall schwer getroffen. Zwar konnten die Studios von Moskau, Leningrad, Odessa und Kiew nach Taschkent, Stalinabad und Alma-Ata verlegt werden, aber die Spielfilmproduktion kam hier erst langsam wieder in Gang. In den ersten Kriegsmonaten wurden im wesentlichen nur Wochenschauen, Kurz- und Dokumentarfilme hergestellt. Die Produktion von Spielfilmen sank bis 1945 auf neunzehn Streifen im Jahr ab.

Nach Kriegsende konnten die amerikanischen Konzerne – nach einem harten Konkurrenzkampf mit dem Briten J. A. Rank – ihre Hegemonie zumindest in den von den Truppen der westlichen Alliierten besetzten Ländern wiederherstellen. Nur in Dänemark setzte sich die einheimische Produktion gegen die Hollywood-Importe zur Wehr; sie wurde aber durch einen Rohfilmboykott besiegt. In Deutschland kamen die Ufi-Betriebe unter alliierte Treuhandschaft. In der sowjetisch besetzten Zone wurde als halbstaatliche Monopolfirma die *Defa* geschaffen, der man den größten Atelierkomplex der *Ufi* zur Verfügung stellte. In den westlichen Besatzungszonen wurde das *Ufi*-Vermögen blockiert und gleichzeitig eine Unzahl von Produktionslizenzen erteilt, was mehrere Jahre hindurch die Ausbildung einer funktionsfähigen Produktion unmöglich machte. Die Zensurpolitik der Besatzungsmächte war widersprüchlich: während etwa in der britischen und amerikanischen Zone nur »reeducation«-Filme hergestellt werden durften, verbot die französische Militärregierung gerade die Produktion von Filmen mit politischer Thematik.

In den von sowjetischen Truppen besetzten osteuropäischen Ländern wurde die Filmwirtschaft verstaatlicht (so in Polen und der Tschechoslowakei) oder den politischen Parteien übertragen (in Ungarn) und so vom Primat kommerzieller Erwägungen befreit. Andererseits wurden die Direktiven der kommunistischen Parteien erst wirksam, als der Staatsapparat endgültig in ihre Hand geriet. Die Filmproduktion der Sowjetunion selbst hatte nach dem Kriege nicht nur unter wirtschaftlichen Schwierigkeiten, sondern auch unter der Zensur zu leiden. Im Zeichen des Stalin-Kults wurde die während des Krieges gelockerte Kontrolle der Filme und Drehbücher wieder verschärft. 1946 wurden vier Filme vom Zentralkomitee scharf gerügt, und ihre Aufführung wurde untersagt. Eine Kampagne gegen »reaktionäre Ästheten« und »Kosmopoliten« in der Filmindustrie erreichte 1949 ihren Höhepunkt.

Deutschland: Hitler und die Folgen

Während der Kriegsjahre folgten die repräsentativen deutschen Spielfilme weiterhin den Formeln des nationalistisch-autoritären Films der Vorkriegszeit und der Weimarer Republik. Das Leben »großer Männer« wurde in heroischer Stilisierung dargeboten, der Krieg als Chance zur Bewährung und männliches Abenteuer verherrlicht. Auch die Dokumentarfilme wurden vollständig propagandistischen Absichten untergeordnet. Eine besondere Bedeutung erlangte die *Deutsche Wochenschau*, die als Monopolunternehmen gleich nach Kriegsbeginn die bestehenden Wochenschauen ablöste. In Zeiten militärischer Siege erreichten einzelne Ausgaben eine Laufzeit von einer halben bis zu einer dreiviertel Stunde. Aus Aufnahmen der Wochenschauberichter wurden abendfüllende Reportagen kompiliert: so *Feuertaufe* (1940) über den Polenfeldzug, und *Blitzkrieg im Westen* (1940) über die Besetzung Frankreichs, Belgiens und der Niederlande. Ähnlich wie in Leni Riefenstahls Parteitagsfilm wurde hier das ganze Geschehen nach dem Schlagwort »Führer und Gefolgschaft« gemodelt: Hitler inmitten seiner Generäle, über den Kartentisch gebeugt, erschien als Zentrum des Geschehens; marschierende Truppen, rollende Panzer und herabstürzende »Stukas« wurden zu anonymen Instrumenten des übermächtigen Führerwillens; Trickdarstellungen abstrahierten sie weiter zu Pfeilen, die über die Landkarten Europas vorstießen.

Auch auf dem Gebiet des »unpolitischen« Unterhaltungsfilms, der weiterhin zur Beschwichtigung des Volkes verordnet wurde, zeigten sich kaum Ansätze, die zu einer Überwindung der prinzipiellen Verlogenheit hätten führen können. Gelegentliche »Kühnheiten«, etwa in *Die Abenteuer des Barons Münchhausen* (1943, Buch Erich Kästner), blieben auf den Dialog beschränkt; die Form wurde auch hier von der Platitüde beherrscht.

Ein einziger junger Regisseur bewies schon während der Kriegsjahre im Thematischen wie im Formalen den Willen, die befohlene Alternative von Propaganda und unverbindlicher Unterhaltung zu überwinden. Helmut Käutner (geb. 1908) zeigte sich in den Filmen, die er zwischen 1939 und 1945 drehte, von den verschiedensten Stileinflüssen berührt. In *Romanze in Moll* (1943) suchte er sich den »poetischen Realismus« des französischen Vorkriegsfilms zu eigen zu machen. Die psychologische Akribie, das Schwelgen in Tristesse, die stark aufgetragene Symbolik: dies alles stand zwar in spürbarem Gegensatz zu dem offiziellen Optimismus, offerierte als Antwort darauf aber lediglich den resignierenden »Rückzug nach innen«. In *Große Freiheit Nr. 7* (1944) und in *Unter den Brücken* (1945), dem besten Film des Regisseurs, gaben banale Liebesgeschichten Anlaß zur diskreten Verklärung des ungebundenen Lebens. Der Milieuschilderung – des hamburger Hafens in *Große Freiheit Nr. 7*, des Lebens von Kanalschiffern in *Unter den Brücken* – sind lyrische Glanzlichter aufgesetzt, die die Umwelt der Liebenden wie im Spiegel ihrer wechselnden Stimmungen erscheinen läßt. Wirksamer als in *Romanze in Moll* wirkt hier die Fixierung aufs Private als Protest gegen den totalen Anspruch der »Volksgemeinschaft«.

Der Ausgang des Krieges befreite den deutschen Film von der Kunstdiktatur des »Dritten Reichs«, nicht aber vom Konformismus und von der Sterilität seiner Autoren und Regisseure. Sofern diese sich überhaupt aktuellen Themen zuwandten, ließen sie sich die sentimentale Apologie jener politischen Passivität angelegen sein, die sie selbst an den Tag gelegt hatten. Der »kleine Mann« wurde zu einer stehenden Figur in ihren Filmen: er ist allemal unschuldiges Opfer der Diktatur, des Krieges, der Bürokratie, des Besatzungsregimes. Hier erschien bereits die Schablone, an die sich später jeder westdeutsche Film über die Nazi-Zeit halten sollte: hier Nazis, dort Anti-Nazis, zwischen ihnen aber die »Reinen«, die sich schmeicheln, ihre Hände nicht beschmutzt zu haben.

Käutners erster Nachkriegsfilm, *In jenen Tagen* (1947), der auch sein bester blieb, hatte gleichwohl an dieser Ideologisierung teil. Sieben Episoden aus der Zeit der Hitler-Herrschaft schildern das Verhalten einer jüdischen Geschäftsfrau und ihres »arischen« Mannes, einer alten Adligen und ihres Dienstmädchens, zweier Landser und anderer Menschen, die sich der Macht des totalitären Regimes konfrontiert sehen. Mit sicherem Blick fürs Detail und warmer Sympathie beobachtete Käutner hier wiederum das Wirken intimer menschlicher Beziehungen. Eben dies legte den Film aber auf die Darstellung rein privaten Verhaltens fest: aktive Antifaschisten schildert er lediglich als hilfsbedürftige Opfer, nicht aber als diejenigen, die allein konsequent auf Hilfe bedacht waren; politische Abstinenz erscheint als selbstverständlicher Aspekt der Menschlichkeit, die die Gestalten des Films beweisen. Wo das Grauen der Epoche sichtbar wird, gerät Käutners mitfühlende Sympathie zur Sentimentalität. Verräterisch ist die Flucht ins Symbol immer dann, wenn auf Politik angespielt wird: wenn die Handlung in ein Gestapo-Gefängnis führt, schwenkt die Kamera ab auf die SS-Runen im Nummernschild eines Autos.

Auch Wolfgang Staudte (geb. 1906), der vor 1945 nur einige blasse Unterhaltungsfilme gedreht hatte, versagte sich in *Die Mörder sind unter uns* (1946) eine politische Interpretation des Zeitgeschehens. Ein von Schuldgefühlen belasteter Kriegsheimkehrer will seinen einstigen Vorgesetzten, der für Geiselerschießungen verantwortlich ist, eigenhändig richten, überwindet aber seine Vergeltungsgelüste und »findet so zu sich selbst zurück«. Statt der Einsicht in politisches Versagen und individuelle Schuld wird so dem Vergeben und Vergessen das Wort geredet. Der introspektiven Attitüde der Erzählung entspricht der unrealistische, entfernt vom Expressionismus beeinflußte Stil: eine silhouettenhafte, von Schlaglichtern punktuell aufgehellte Ruinenlandschaft symbolisiert eher den Seelenzustand des Helden, als daß sie das Deutschland von 1945 zeigte.

In einem symbolträchtigen Quasi-Expressionismus sah auch Wolfgang Liebeneiner die angemessene Form für *Liebe 47* (1949), die verharmlosende Adaption von Wolfgang Borcherts Hörspiel *Draußen vor der Tür*. Zu liebenswürdig-ironischen Kabarettmätzchen verkamen expressionistische Formen schließlich in Staudtes *Die seltsamen Abenteuer des Fridolin B.* (1947), Käutners *Der Apfel ist ab* (1948) und R. A. Stemmles *Berliner Ballade* (1948).

1949 endlich markierten zwei Filme der *Defa* das Reifen politischer Einsichten und einer ihnen adäquaten Stilkonzeption. Erich Engel (geb. 1891) fand für die Darstellung eines Justizverbrechens der weimarer Zeit in *Affäre Blum* einen satirisch pointierten realistischen Bildstil, wie er sich später in Staudtes *Der Untertan* noch überzeugender an einem Thema aus der deutschen Vergangenheit bewähren sollte. Staudte selbst unterzog in *Rotation* das Verhalten des deutschen Kleinbürgers und Proletariers einer kritischen Prüfung. Sein Held, ein anfangs erklärt unpolitischer Schriftsetzer, erkennt während des »Dritten Reichs« die Fragwürdigkeit seines Verhaltens und wird zum Widerständler. Daß dieser Prozeß nicht abstrakt bleibt, bewirkt Staudtes besonderer Realismus: er spiegelt ständig subjektives Verhalten am objektiven Geschehen und setzt es so der Kritik aus. In der Fähigkeit, Besonderes in Allgemeines umschlagen zu lassen, zeigt sich hier Staudtes stärkste Begabung.

Bis 1949 konnte der deutsche Film noch – im Guten wie im Schlechten – als Einheit angesehen werden. Erst als die Gründung der Bundesrepublik und der DDR die deutsche Teilung besiegelten, wurde auch der deutsche Film in zwei Lager gespalten: während sich im Osten propagandistische Monotonie ausbreitete, paßte der Film sich im Westen der herrschenden Konsumideologie an.

Die Erneuerung des schwedischen Films

Die ganzen dreißiger Jahre hindurch wurde das Gesicht des schwedischen Films durch wirklichkeitsferne Salonstücke bestimmt, »Cocktail-Filme«, wie Rune Lindström sie nannte, selbst einer der Wortführer der 1940 anhebenden Erneuerungsbewegung. Die Abschnürung der amerikanischen Importe und die Stärkung der einheimischen Filmproduktion schufen 1940 die wirtschaftliche Basis für eine künstlerische Renaissance; wichtiger aber war, daß angesichts einer drohenden deutschen Invasion ein größerer Ernst die Filmschaffenden und das Publikum ergriff. Von Bedeutung für die Richtung, die der schwedische Film einschlagen sollte, war der Eindruck, den die Werke des französischen Vorkriegsfilms hinterließen: durch sie wurden die jungen schwedischen Regisseure auf die verschütteten Quellen der Filmkunst im eigenen Lande aufmerksam gemacht; durch die Filme Carnés und Duviviers hindurch entdeckten sie Sjöström und Stiller.

Zwei Filme kündigten 1940 die Erneuerung an: Alf Sjöbergs *Med livet som insats* (Sie setzten ihr Leben ein) und Anders Henrikssons *Et brott* (Ein Verbrechen). *Sie setzten ihr Leben ein* war ein psychologisches Drama, das den historischen Freiheitskampf der Esten zum Hintergrund hatte: Das Thema bedeutete eine Anspielung auf den Widerstandskampf der skandinavischen Brudervölker gegen Deutsche und Russen. Zugleich setzte der Film sich durch seine formale Ambition – er griff zurück auf den »klassischen« schwedischen und deutschen Film – deutlich ab von der Banalität des übrigen zeitgenössischen Filmschaffens. *Ein Verbrechen*, die Adaptation eines Bühnenstücks, schilderte den Verfall einer Familie, den der Aufstand der Söhne gegen den tyrannischen Patriarchen besiegelt. Der stilistisch von Carné beeinflußte Film leitete eine Serie düster-pessimistischer Filme ein, deren bevorzugtes Thema der Generationskonflikt bildete.

Mit *Sie setzten ihr Leben ein* kehrte ein Regisseur ins Filmstudio zurück, der am Ausgang der Stummfilmzeit bereits als stärkste Potenz des schwedischen Films gelten konnte. Alf Sjöberg (geb. 1903), ein Bühnenschauspieler, hatte in *Den starkaste* (Der

Stärkste, 1929) eine Robbenfängergeschichte aus dem hohen Norden Norwegens erzählt, die sich durch Realistik der Milieubeschreibung und »russischen« Montagestil auszeichnete. Während des folgenden Jahrzehnts hatte Sjöberg sich als Bühnenregisseur durch Shakespeare-, Shaw- und Gogol-Inszenierungen einen Namen gemacht; auch später arbeitete er abwechselnd für Film und Bühne. Mit *Himlaspelet* (*Himmelsspiel*, 1942) knüpfte er an die Tradition des mystischen Naturfilms an. Im Stil eines Mysterienspiels – das Drehbuch basierte auf einem Stück des jungen Autors Rune Lindström, der auch die Hauptrolle des Films spielte – wird die Odyssee eines Bauern geschildert, der auf der Suche nach himmlischer Gerechtigkeit den Propheten, Gottvater, Maria und anderen biblischen Figuren begegnet. Sie alle erscheinen in vertrauter Gestalt: Gottvater als Landpfarrer gekleidet, Salomon in prächtiger Uniform. Die biblischen Bezüge gehen auf in der wirklichkeitsnahen Darstellung des ländlichen Lebens, die die Tradition des skandinavischen Naturfilms sinnvoll belebt. Der Montagestil – der lebhafte Wechsel von Einstellungsart und -perspektive, die intensive visuelle Metaphorik, die kühnen Ellipsen, durch die etwa das Altern des Helden umschrieben wird – verrät das Studium der Russen, das auch Sjöbergs weitere Filme nicht verleugnen.

Sjöbergs *Hets* (Raserei, 1944) war ein psychopathologisches Generationsdrama mit politischen Akzenten. Ein sadistischer Gymnasiallehrer treibt ein junges Mädchen in den Tod und wird selbst von einem Schüler, dem Freund des Mädchens, entlarvt. Die thematische Parallele zum deutschen Film der weimarer Zeit – von *Das Kabinett des Dr. Caligari* bis *Der Blaue Engel* – unterstreicht die expressionistische Licht-Schatten-Komposition; zugleich wird sie politisch aktualisiert: jener Lehrer, eine Mischung aus Dr. Caligari und Professor Unrat mit Namen Caligula, trägt die Züge Heinrich Himmlers.

Das Drehbuch zu diesem Film stammte von dem jungen Autor Ingmar Bergman (geb. 1918). Bergman, Sohn eines Geistlichen, hatte bereits als Student eine Theatergruppe geleitet und dann als Bühnenregisseur schnell Karriere gemacht. Die Beschäftigung mit den nordischen Klassikern wie mit den modernen Franzosen, vor allem Anouilh und Camus, hinterließ in seinen Filmen sichtbare Spuren. Während seiner ganzen weiteren Laufbahn widmete er sich dem Theater (und dem Hörspiel) ebenso intensiv wie dem Film, und dies als Regisseur wie als Autor. Die fünf Filme, die er nach seinem Erfolg als Szenarist bis 1948 als Regisseur drehte, bezeichnen seine Lehr- und Entwicklungsjahre. In ihnen beschäftigte er sich immer wieder mit Generationskonflikten und Pubertätskrisen: in *Kris* (Krise, 1945) streiten sich die wirkliche und die Adoptivmutter um ein minderjähriges Mädchen; in *Det ragnar på vår kärlek* (Es regnet auf unsere Liebe, 1946) begegnet ein junges Paar der Feindschaft der Erwachsenen; ein tyrannischer Kapitän terrorisiert in *Skepp till Indialand* (Schiff nach Indien, 1947) seinen buckligen Sohn ebenso wie seine Matrosen; auch der Liebe des blinden Jungen in *Musik i mörker* (Musik im Schatten, 1947) zu einem sozial niedriger gestellten Mädchen widersetzen sich die Erwachsenen; in *Hamnstad* (Hafenstadt, 1948) sucht ein junges Mädchen dem unheilvollen Einfluß seiner Mutter zu entrinnen. In diesen Filmen präsentierte sich Bergman als Sprecher einer neuen Generation, die in der Literatur durch den Lyriker und Romancier Stig Dagerman, der sich später das Leben nahm, vertreten wurde. »Aggressiv hochmütig gegenüber der älteren Generation«, so hat man sie beschrieben, »zynisch gegenüber der Wirksamkeit humanistischer Ideale und stark beeinflußt in ihren Schriften von den Lehren der Tiefenpsychologie und der radikalen Soziologie, waren sie imstande, aus ihrer müden Kapitulation

311

vor Pessimismus und Resignation eine Art Philosophie zu machen« (R. Waldekranz[17]). Auch Bergman übte keine Kritik, sondern verwarf; seine frühen Filme zeugen nicht von kritischem Bewußtsein, sondern von existentiellem Ekel. Formal ließen sie seine späteren Werke schwerlich voraussahnen: recht wahllos kopierten sie so unterschiedliche Vorbilder wie Carné und Rossellini, ihr Rhythmus war schwerfällig, dick aufgetragene Symbolik und penetrante Licht-Schatten-Effekte kennzeichneten sie als unausgereifte Jugendwerke.

Unter den älteren Regisseuren profitierte vor allem Gustaf Molander (geb. 1888), ein ehemaliger Mitarbeiter Sjöströms und Stillers, von dem Auftreten jüngerer Kräfte. In den dreißiger Jahren hatte er den modischen Salonstücken durch sein handwerkliches Können eine elegante Oberfläche verliehen. Jetzt stellte er sein Talent in den Dienst Rune Lindströms, dessen Adaptation von Kaj Munks Bühnenstück *Ordet* (Das Wort, 1943) er verfilmte, und Ingmar Bergmans, von dem er die Drehbücher zu *Kvinna utan ansikte* (Frau ohne Gesicht, 1947) und *Eva* (1948) schreiben ließ.

Die Faszination durch die Natur, älteste und solideste Konstante des Schweden-Films, bestimmt auch das Werk des Dokumentaristen Arne Sucksdorff (geb. 1917). Die Begegnung des Menschen mit der Natur, das Thema der meisten seiner zahlreichen Kurzfilme, birgt für ihn ein tragisches Moment: im verändernden Zugriff auf die Natur erfährt der Mensch sich selbst, verliert er aber auch seine Unschuld. Das wird freilich nur angedeutet; rudimentäre Elemente von Aktion sind in den meisten seiner Filme eingebettet in eine lyrisch-impressionistische Beschwörung idyllischer Natur: eines sommerlichen Waldes in *En sommarsaga* (1941), der nordschwedischen Ebene in *Vinden från Väster* (Westwind, 1942) oder einer Vogelinsel in der Ostsee in *Trut* (Die Möwe, 1944). In *Människor i stad* (Rhythmus einer Stadt, 1946) übertrug seine Methode impressionistischer Naturbeobachtung auf die Schilderung Stockholms. In seinen ersten programmfüllenden Filmen, *Det stora äventyret (Das große Abenteuer*, 1953) und *En djungelsaga (Dschungelsaga*, 1957) suchte Sucksdorff naive Menschen im Gleichklang mit der Natur zu zeigen – Kinder im Norden Schwedens und Eingeborene in Zentralindien. Spielhandlung und Naturschilderung, die hier oft gewaltsam zusammengezwungen werden mußten, gingen in *Pojken i trädet (Die Wilderer vom Teufelsmoor*, 1961) ineinander auf. Hier erzählt Sucksdorff die Ballade eines Jungen, der in der Natur seine Freiheit zu realisieren sucht und, als er die Unmöglichkeit dieses Vorhabens erkennt, sich das Leben nimmt.

Die Stunde der kleinen Länder

Bis zum Zweiten Weltkrieg verließen die talentierten Cineasten aus den kleineren Ländern Europas zumeist ihre Heimat und suchten in den Ateliers von Beverly Hills, Babelsberg, Billancourt oder Denham ihr Glück. Der Ungar Korda, der Tscheche Machaty und der Holländer Ivens folgten darin dem Dänen Dreyer und den Schweden Sjöström und Stiller.

In der Tschechoslowakei hatte Carl Junghans den Stummfilm *Takový je život* (So ist das Leben, 1929) gedreht, der thematisch und formal zum Kreis der deutschen Milieufilme von Lamprecht und Jutzi gehörte. Gustav Machaty (geb. 1902) drehte zur selben Zeit *Erotikon* (1929), eine Vorstudie zu seinem späteren Film *Extase* (1933), der eine Reputation gewann wie kein anderer tschechischer Film, freilich ebensosehr wegen der Aktaufnahmen seiner Darstellerin Hedy Kiesler-Lamarr als um seiner künstlerischen Meriten willen. Eine handlungsarme Ehegeschichte – eine sexuell vernachlässigte junge Frau betrügt ihren älteren Mann – wurde in eine Atmosphäre sensueller Exaltation getaucht: symbolische Anspielungen im Dekor und in beiläufigen Vorgängen, fotografische Weichzeichnung, assoziative Montage und das Fehlen fast jeglichen Dialogs trugen dazu bei, den dargestellten Konflikt aufs Biologische zu reduzieren und diesem eine schicksalhafte Macht zuzuschreiben.

Ungarn schickte talentierte Filmleute in alle Welt – die Brüder Korda, King Vidor, George Cukor und viele andere –; seine eigene Produktion zeichnete sich indessen durch extreme Belanglosigkeit aus. Lediglich Georg Hoellerings *Hortobagy*, ein Dokumentarspielfilm vom bäuerlichen Leben in der Pußta, ragte aus der Masse der »Limonadenfilme« heraus.

Aus den Niederlanden kam während der dreißiger Jahre der Dokumentarist Joris Ivens (geb. 1898), der ebenfalls den größten Teil seiner Filme im Ausland realisieren mußte. Ivens hatte mit Kurzfilmen nach der Art Ruttmanns und Cavalcantis begonnen, *De brug* (Die Brücke, 1927) und *Regen* (1929): Impressionen, mit ausgeprägtem Sinn für grafische Wirkungen fotografiert und in nuanciertem Rhythmus geschnitten. Während die Gefahr des Nazismus wuchs, begann Ivens sich auch in seinen Filmen politisch zu engagieren. Zusammen mit dem Belgier Henri Storck schilderte er in *Borinage* (1933) einen Grubenarbeiterstreik; in *Nieuwe gronden* (Neuer Boden, 1934) kritisierte er aus aktuellem Anlaß die Methode, »Überproduktion« durch die Vernichtung lebenswichtiger Waren zu bekämpfen. Mit *The Spanish Earth, The Four Hundred Millions* und *Power and the Land* leistete Ivens einen wesentlichen Beitrag zur amerikanischen Dokumentarfilmbewegung. Die Kriegsjahre sahen ihn in der Sowjetunion. Als niederländischer Filmreferent für Hinterindien brach er mit der Regierung, als diese sich den indonesischen Unabhängigkeitsbestrebungen widersetzte, und schilderte in *Indonesia Calling!* (Indonesien ruft!, 1946) eine Solidaritätsaktion australischer Hafenarbeiter, mit der diese die Unabhängigkeitsbewegung unterstützten. In allen diesen Filmen hatte Ivens seine Gestaltungskraft keinesfalls der Agitation geopfert: seine Stellungnahmen für die Sache der belgischen Grubenarbeiter, der spanischen Republikaner, der Chinesen und der Indonesier ließen sein leidenschaftliches Gefühl für den einzelnen erkennen. Ähnlich wie Humphrey Jennings zeichnete er das Bild eines Volkes oder einer Gruppe im Porträt des einzelnen, wie Jennings suchte er den Moment selbstloser Anstrengung zu erfassen. Von *Borinage* bis *Indonesia Calling!* führte er Tagebuch über seine Begegnungen mit den Kämpfern des Widerstands – gegen soziale, wirtschaftliche, politische und militärische Unterdrückung. In den folgenden Jahren verschrieb sich Ivens vornehmlich der Apologie des Sowjetsystems. Mit *La Seine a rencontré Paris* (Die Seine ist Paris begegnet, 1957), einem panegyrischen Filmpoem auf Paris mit Versen von Jacques Prévert, kehrt er zum lyrischen Stil seiner frühen Filme zurück.

Während des Krieges lastete auf den Filmkünstlern der besetzten Länder der Druck der Zensur, die nur vergleichsweise unverbindliche Äußerungen zuließ. In Dänemark konnte Carl Th. Dreyer mit *Dies irae* seinen ersten Film seit zehn Jahren realisieren. In Ungarn verwandelte Istvan Szöts in *Emberek a Havason* (Menschen in den Bergen, 1942) eine kolportagehafte Blut-und-Boden-Geschichte in ein authentisches Dokument vom Leben im ungarischen Siebenbürgen.

Unmittelbar nach Kriegsende erschienen in den meisten kleineren Ländern einzelne Filme, in denen die Erinnerung an das eben vergangene Geschehen unmittelbaren Ausdruck fand. Auch mittelmäßige Regisseure, denen weder zuvor noch später

Filme von Interesse gelangen, wie Géza Radvanyi und Leopold Lindtberg, wurden von dem kollektiven Leid und der Aufbruchsstimmung der Befreiung mitgerissen.

In den befreiten Ländern befaßten sich die repräsentativen Filme mit dem Krieg, der Widerstandsbewegung und dem Elend der unmittelbaren Nachkriegszeit. Ihr Stil ähnelt durchweg dem der italienischen; und wie die Italiener stießen sie auch bald über den engeren Kreis der Kriegsthemen vor und unterzogen die allgemeineren sozialen Verhältnisse einer kritischen Betrachtung.

In Polen schuf Wanda Jakubowska (geb. 1907) aus eigener Erfahrung heraus *Ostatni etap* (Letzte Etappe, 1948), eine bittere dokumentarische Chronik aus dem Frauenlager von Auschwitz. Aleksander Ford (geb. 1907) schilderte in *Ulica graniczna* (Grenzstraße, 1947) den Aufstand des Warschauer Ghettos. In der Tschechoslowakei drehte Otakar Vavra (geb. 1911) *Nema barikada* (Die stumme Barrikade, 1945) über den prager Aufstand vom Mai 1945, ein Gegenstück zu Fords *Grenzstraße*. Karel Stekly wandte sich in *Sirena* (Sirene, 1947) den sozialen Kämpfen der Vorkriegszeit zu; der Film schilderte einen Streik in der Kohlenstadt Kladno. Bereits während des Krieges waren in den Trickfilmstudios der *Prag*-Film und der Bata-Schuhwerke in Zlin (später Gottwaldov) die Grundsteine zur Entwicklung des Zeichen- und Puppenfilms gelegt worden, die gleich nach Kriegsende einsetzte: Jiří Trnka (geb. 1912) realisierte zunächst mehrere Zeichenfilme, von denen die satirischen, *Dárek* (Das Geschenk, 1946) und *Perak a SS* (Perak und die SS, 1946), am besten gelangen. Danach wandte Trnka sich dem Puppenfilm zu und realisierte *Spaliček* (Das tschechische Jahr, 1948) und *Čisaruv slavik* (Der Kaiser und die Nachtigall, 1947). Gleichzeitig stellten Karel Zeman seine pädagogische *Prokouk*-Serie und Hermina Týrlová die ersten ihrer Puppenfilme für Kinder her. In Ungarn folgte Géza von Radvanyi (geb. 1907) mit *Valahol Europaban* (Irgendwo in Europa, 1946) Ekks *Der Weg ins Leben* und beschrieb die Schicksale vagabundierender Jugendlicher, die durch den Krieg ihre Eltern verloren hatten. *Talralatnyi fold* (Ein Stück Land, 1948) von Frigyes Ban (geb. 1902) behandelte hingegen den »Klassenkampf auf dem Dorf« im Ungarn der Vorkriegszeit.

Der Aufbruch zum Neorealismus in den osteuropäischen Ländern blieb indessen eine Episode. Mit der Verfestigung der kommunistischen Herrschaft unter Stalins Regime verfiel auch der Film der Stagnation. Erst Stalins Tod brachte eine Lockerung der Fesseln.

In Dänemark entstand aus dem Geist der Widerstandsbewegung Bodil Ipsens und Lau Lauritzens *Der röde enge* (Die Erde wird rot sein, 1945). Zwei Dokumentaristen, Bjarne und Astrid Henning-Jensen verfilmten mit Erfolg Martin Andersen-Nexös sozialkritischen Roman *Ditte Meneskebarn* (Ditte Menschenkind, 1946). In der Schweiz beschrieb Leopold Lindtberg (geb. 1902) mit *Die letzte Chance* (1947) den Leidensweg von Flüchtlingen verschiedener Nationalität, die von Italien über die Alpen ziehen, um in der Schweiz vor dem Zugriff der deutschen Truppen sicher zu sein.

Film unter Stalin

Die Produktion der sowjetischen Spielfilmstudios wurde schon eine Woche nach Kriegsausbruch auf die Herstellung agitatorischer Kurzfilme umgestellt, die zumeist aktuelle Themen behandelten und sowohl die Moral der Bevölkerung wie die der Armee heben sollten. Diese Kurzfilme, für die Szenaristen und Regisseure neue dramaturgische Formeln entwickelten, erschienen in monatlichen Folgen als *Bojewyje kinosborniki* (Kriegsfilmsammlungen) auf der Leinwand. Viele Episoden dieser Sammlungen, von denen zwischen 1941 und 1942 insgesamt zwölf Folgen erschienen, griffen das Thema des Widerstandskampfes auf; andere widmeten sich aktuellen satirischen Sujets. So drehte Kosintzew eine Szene, in der Napoleon Hitler ein Warnungstelegramm schickt *(Vorfall im Telegrafenbüro, Sammlung Nr. 2)*; die Gestalt des braven Soldaten Schwejk fand Eingang in einen Sketch Jutkewitschs *(Schwejk im Konzentrationslager, Sammlung Nr. 7)*. Jutkewitsch drehte 1943 im Groteskstil der FEKS-Zeit eine abendfüllende Satire, die Schweijk als jugoslawischen Partisanen vorstellt, dem im Traum ein marionettenhafter Hitler begegnet: *Nowije pochoshdenija Schwejka* (Die neuen Abenteuer Schwejks). Hatte dieser Film auch nichts mit Bert Brechts Drama *Schwejk im zweiten Weltkrieg* zu tun, so adaptierte Pudowkin 1941/42 für die Kriegsfilmsammlungen Brechts Szenenfolge *Furcht und Elend des dritten Reiches*; doch dieser Film, der *Die Mörder machen sich auf den Weg* heißen sollte, wurde als zu sanft erachtet und gelangte niemals zur Aufführung.

Schon seit Hitlers Machtergreifung 1933 hatten sowjetische Regisseure eine Reihe kritischer Filme über die Entwicklung in Deutschland gedreht, die meist die Rolle der kommunistischen Partei als Widerstandszentrum gegen den nazistischen Terror betonten. Auf diese Filme, die während der Zeit des deutsch-sowjetischen Paktes nicht aufgeführt worden waren, griff man jetzt wieder zurück. Hierher gehören *Konvejer smerti* (Das Fließband des Todes, 1933) von Iwan Pyrjew, *Professor Mamlock* (1938), nach dem gleichnamigen Drama Friedrich Wolfs von A. Minkin und Herbert Rappoport, einem ehemaligen Assistenten von G. W. Pabst, *Bolotnyje soldati* (Die Moorsoldaten, 1938) von Alexander Matscheret und *Semja Oppengejm* (Die Familie Oppenheim, 1938), nach dem Roman Feuchtwangers von Grigori Roschal. *Die Moorsoldaten*, in einem deutschen Konzentrationslager spielend, war der schärfste dieser Filme, die ihr Publikum vor den Gefahren des Hitler-Regimes warnen wollten.

Die eigentlichen Leistungen des sowjetischen Films der ersten Kriegsjahre lagen jedoch auf dem Gebiet der Wochenschau und des Dokumentarfilms. Die ersten großen Dokumentarfilme über die Ereignisse des Krieges waren 1942 *Rasgrom nemjetzkich woisk pod Moskwoi* (Die Niederlage der deutschen Armee bei Moskau), zusammengestellt von Leonid Warlamow und Ilja Kopalin, und *Leningrad w borbe* (Leningrad im Kampf), eine Chronik aus der langen und harten Belagerungszeit Leningrads, hergestellt von einem Kollektiv unter Leitung von Roman Karmen. Am 13. Juni 1942 unternahm man ein Experiment, das auf eine Anregung Maxim Gorkis zurückging und 1940 bereits einmal durchgeführt worden war: Zweihundertvierzig Operateure, über die verschiedensten Orte der Sowjetunion und über alle Abschnitte der Front verteilt, filmten einen Tag lang alles, was ihnen irgend wichtig erschien. 1940 hieß der so entstandene Film *Djen nowowo mira* (Ein Tag in der neuen Welt); 1942 nannte man ihn *Djen woini* (Ein Tag des Krieges) – er entwarf ein »unanimistisches«, aber scharfes und realistisches Querschnittsbild vom Krieg zwischen Arktis und Schwarzem Meer und von den Anstrengungen des Hinterlandes. Zu bedeutenden Leistungen gelangten auch Leonid Warlamow und seine Kameramänner in dem Dokumentarfilm *Stalingrad* (1943) sowie Juli Raisman und Jelisaweta Swilowa mit *Berlin* (1945), einem Film, der die letzten Phasen des Krieges aufzeichnete. Die Dokumentarfilme aus der Kriegszeit fanden jenen unmittelbaren Kontakt zur Realität wieder, der dem Spielfilmschaffen der vergangenen Jahre verlorengegangen war; sie rehabilitierten das Gestaltungsmittel der Montage, das den rohen Wochenschauaufnahmen einen neuen Sinn und neue Dimensionen verlieh; sie »unterschieden sich von der Wochenschau ebenso, wie ein Leitartikel oder Aufsatz in einer Zeitung sich vom Nachrichtentext in der nächsten Spalte unterscheidet« (Pudowkin [18]). Auch Dowshenko drehte in Zusammenarbeit mit seiner Frau, Julja Solnzewa, während des Krieges mehrere Dokumentarfilme.

Von 1942 an reflektierte auch der sowjetische Spielfilm die Erfahrungen des Krieges. 1942 erschien Donskois Verfilmung von Nikolai Ostrowskis Roman *Kak sakaljalas stal* (Wie der Stahl gehärtet wurde). Obwohl Film und Roman einen Stoff aus dem Bürgerkrieg behandelten, hob Donskoi den Anteil des Helden an der Verteidigung der Ukraine gegen die deutsche Interventionsarmee von 1918 so deutlich hervor, daß die Parallelen zur Gegenwart nicht übersehen werden konnten. Pyrjews *Sekretar raikom* (Der Sekretär des Distriktkomitees, 1942) und Pudowkins *Wo imja rodini* (Im Namen der Heimat, 1943) waren die ersten »Widerstandsfilme«. Pudowkin verfilmte das Bühnenstück *Russische Menschen* von Konstantin Simonow, das vom Widerstand einer abgedrängten Armeeabteilung und von ihrer Verbindung mit einer Partisanengruppe berichtet; Stück und Film wurden an der Front oft vor Soldaten gezeigt, die vor ganz ähnlichen Situationen wie die fiktiven Personen stehen sollten. Ermlers *Ona saschtschischtschajet rodinu* (Sie verteidigt ihre Heimat, 1943) zeichnet das Bild der heroischen Partisanenführerin Genossin P., die Mann und Kind durch die Deutschen verliert und buchstäblich mit dem Beil gegen die Invasoren vorgeht. Die Pathetik dieses und anderer Filme über den Widerstand des russischen Volkes muß man aus der Epoche verstehen, in der sie gedreht wurden; daß in ihnen die Deutschen scharf negativ und karikierend gezeichnet werden, darf nicht verwundern.

Mark Donskois Film *Raduga* (Der Regenbogen, 1944) gehört zu den bedeutendsten künstlerischen Zeugnissen der europäischen Widerstandsbewegung. *Der Regenbogen* beschreibt das Leben eines russischen Dorfes unter der deutschen Besatzung. Der deutsche Ortskommandeur tyrannisiert die Bevölkerung mit Hilfe eines Kollaborateurs; um Getreideablieferungen zu erzwingen, werden Geiseln verhaftet und erschossen. Donskoi nuancierte die Porträts der Deutschen; dennoch sprach leidenschaftliche Empörung gegen das Unrecht aus seinem Film. Neben heroischen und tragischen Szenen stehen scheinbar zufällige, unbedeutende Episoden, in denen sich doch der Schrecken des Krieges konkretisiert: etwa die namenlose Angst zweier Kinder vor einem deutschen Soldaten, der ein Glas Milch verlangt, mit seinem Bajonett herumfuchtelt und schließlich aus Ärger in eine Kuckucksuhr schießt. Subtil auch das Porträt des Kollaborateurs: ein schwächliches Männlein verliest mit krächzender Stimme und furchtsamen Seitenblicken über seine Stahlbrille Anordnungen des deutschen Kommandeurs. Auch die weiße, winterliche Landschaft mit ihren kahlen und fernen Horizonten wird in das Drama einbezogen.

Lew Arnschtams *Soja* (1944) und Victor Eisimonts *Shila-byla djebotschka* (Es war einmal ein Mädchen, 1944) sind gleichfalls Widerstandsfilme, die bei aller thematischen Bitterkeit eine poetische Qualität besitzen. Michail Romms *Tschelowjek Nr. 217* (Mensch 217, 1945) dagegen schildert voller Schärfe und Düsterkeit das Sklavendasein einer russischen »Fremdarbeiterin« in Deutschland. 1945 beschäftigten sich auch Abram Rooms *Nashestwije* (Invasion), Donskois *Nepokorennije* (Die Unbeugsamen) und Lukows *Eto bylo w Donbase* (Es geschah im Donbas) mit dem Widerstand, und Gerassimow rühmte in seinem zweiteiligen Film *Molodaja gwardija* (Die junge Garde, 1947, nach dem Roman Alexander Fadejews) den Heroismus einer kleinen Komsomolgruppe, die Deportationen verhindert und russische Gefangene befreit.

Unter den Filmen, die das Kriegsgeschehen an der Front behandelten, ragte vor allem Friedrich Ermlers 1946 beendeter *Welikij perelom* (Der Wendepunkt) hervor. Ermler sieht die Schlacht von Stalingrad – ohne daß der Name der Stadt einmal fällt – aus der Perspektive des Generalstabes. Weniger das reale Kampfgeschehen als das zähe Ringen der Offiziere um die Richtigkeit ihrer Entscheidungen macht die Dramatik dieses Films aus; der Zuschauer wird ins Nervenzentrum einer historischen Schlacht versetzt.

Schon lange vor Kriegsbeginn machte sich in der sowjetischen Kunst eine Aufwertung der Tradition bemerkbar. Nationale, historische Stoffe wurden in der sowjetischen Literatur bereits seit 1934 aktuell. Die Hinwendung zum Patriotismus, im Gegensatz zur Idee des proletarischen Internationalismus, war einerseits verursacht durch das konservative innere Klima, ebenso aber auch durch die politische Isolierung der Sowjetunion in Europa und durch die Bedrohung, die von Hitler-Deutschland ausging. Im Film manifestierten sich die historisch-patriotischen Tendenzen zum erstenmal in Wladimir Petrows zweiteiligem *Pjotr pjerwyj* (Peter der Große, Teil I 1937, Teil II 1939). Petrow (geb. 1896) trat 1934 mit *Grosa* (Gewitter) hervor, der stilvollen Verfilmung eines sozialkritischen Dramas von Alexander Ostrowski mit Schauspielern des moskauer Künstlertheaters. Aus *Peter der Große* machte Petrow ein formal eklektisches, historisch-biographisches Epos, in dessen Mittelpunkt Zar Peter als militärisches Genie, weit vorausschauender, aber volksnaher Politiker und humanistischer Menschenfreund stand – ganz so, wie man sich in der stalinistischen Epoche das Porträt eines Herrschers wünschte. Wladimir Petrow widmete seinen späteren Film *Kutusow* (1944) dem russischen General, der Napoleon aus Moskau vertrieb und dessen Armee vernichtete; Höhepunkt des Films war die rekonstruierte Schlacht an der Beresina.

Auch Wsewolod Pudowkin drehte in den vierziger Jahren vornehmlich historisch-biographische Filme. *Minin i Posharskij* (Minin und Posharski, 1939) verherrlichte zwei Führergestalten aus dem russischen Krieg gegen Schweden und Polen 1612; in ähnlich patriotischer Manier stellte Pudowkin in *Suworow* (1940) die Gestalt des russischen Feldherrn dar, der noch im Alter mit seiner Armee den St. Gotthard bezwang und Napoleon eine Niederlage beibrachte. Von allen Tonfilmen Pudowkins war *Suworow* in der Sowjetunion der größte Erfolg beschieden. *Admiral Nachimow* (1946) dagegen, einen Film über den russischen Helden des Krim-Krieges 1854/56, traf – zusammen mit dem zweiten Teil von Eisensteins *Iwan der Schreckliche* – der Bannstrahl der Partei. Pudowkin wurde der »Verzerrung der historischen Wahrheit« angeklagt und mußte seinen Film noch einmal drehen, wobei diesmal die Gestalt des Protagonisten die gewünschten heldischen Züge annahm.

Erfüllten die historischen Filme während des Krieges eine präzise ideologische Aufgabe, so zeichneten sie sich doch kaum durch besonderen künstlerischen Rang aus. Nur Sergej Eisenstein überschritt die Grenzen des historischen Genres. Sein zweiteiliger *Iwan grosnyj* (Iwan der Schreckliche, Teil I 1944, Teil II 1946) sollte nicht nur zum hervorragendsten Werk des sowjetischen Films in den vierziger Jahren werden, sondern auch Eisensteins Laufbahn krönen. Zwar war *Iwan der Schreckliche* wie die anderen Historienfilme ein monumentales Epos, das Personen und Ereignisse in legendenhafte Ferne rückte. Jede Alltäglichkeit lag Eisenstein fern. »Iwans Person sollte etwas Majestätisches ausstrahlen; das brachte uns dazu, majestätische Formen anzuwenden. Wir ließen den Darsteller in gemessenem Ton sprechen, oft zur Begleitung von Musik[19].« Indessen brachte Eisenstein keine unreflektierte Heldengestalt auf die Leinwand (wie noch in *Alexander Newski*). Er wies sowohl die überlieferte Auffassung vom blutrünstigen Schreckgespenst Iwan wie das in der Sowjetunion neuerdings propagierte Bild von Iwan als großem russischen Patrioten und weisem Staatslenker zurück. Eisenstein ließ an der Figur Iwans die Problematik jeden Herrschertums sichtbar werden, das in guter Absicht zu autoritären Maßnahmen greift.

Ein Leitmotiv des Films ist die Einsamkeit Iwans, die ihn zu selbstquälerischen Grübeleien neigen läßt, eine Einsamkeit, die der Film aber nicht zur herrscherlichen Aura verklärt, sondern als psychologisches und politisches Problem interpretiert. Die prekäre Situation Iwans verdeutlicht sich schon in der feierlichen Inthronisierungsszene: mit der hehren Atmosphäre und dem malerischen Hintergrund der Kirche kontrastieren die boshaften Blicke, die Bojaren und ausländische Gesandte austauschen. Iwans neue, gegen die Feudalaristokratie gerichtete Politik entfremdet ihm auch seine besten Freunde, Kurbsky und Kolitschew, und läßt sie zu Verrätern oder Feinden werden. Eine teuflisch-skurrile Tante, die ihren schwachsinnigen Sohn Wladimir auf den Thron bringen möchte, spinnt Gift- und Mordpläne; auch auf die engsten Untergebenen scheint kein Verlaß. Die Atmosphäre allseitigen Mißtrauens und Verdachts, recht eigentlich das Grundelement dieses Films, erreicht ihren Höhepunkt auf einem makabren Bankett: Maskentänzer führen ein allegorisches Schauspiel vor, das auf die Ermordung der Bojaren durch Iwan Bezug zu nehmen scheint. In dieser Szene bricht die Ambivalenz von Iwans Regime hervor: ein verhängnisvoller Kreislauf des Bösen deutet sich an, in den der Zar wider seinen Willen hineingezogen wird. Iwan scheint plötzlich zwei Gesichter zu besitzen; menschliche und dämonische Züge gehen in seinem Bild eine eigenartige Mischung ein.

In den labyrinthischen Interieurs des Kreml bewegen sich die Gestalten des Films oft an ernsten und nachdenklichen Ikonen-Bildern vorbei, die wie aus einer jenseitigen Welt das Geschehen zu betrachten und zu richten scheinen. Die Spiegelung des Geschehens an Gemälden und Wandfresken verleiht dem Film eine mythische Dimension, wie sie auch schon in *Alexander Newski* vorhanden war. Aber erst in *Iwan der Schreckliche* kristallisierte sich der Stil des späteren Eisenstein zur Meisterschaft. In die strenge Komposition der Bilder wurden diesmal auch die Schauspieler integriert – charakteristisch ist die schräge, halb gebückte Pose, in der Iwan meistens erscheint, seinen Herrscherstab diagonal von sich abgewinkelt (Nikolai Tscherkassow, wohl der größte russische Filmschauspieler, verkörpert den Zaren). Extreme Helldunkelkontraste, bizarre Schattenmalerei und stilisierte, übersteigerte Gesten der Schauspieler – sie erinnern manchmal an das japanische Kabuki-Theater – geben den starr und in Kontrasten montierten Einstellungen des Films einen phantastischen und traumhaften Charakter; in der Verschmelzung mit der Musik Prokofiews erreicht das Geschehen Tiefe und Gewalt.

Nicht von der Hand zu weisen sind die Einwände jener Kritiker, die dem Film bei aller Qualität seiner Einzelszenen mangelnde Einheit vorwerfen. Tatsächlich ist Eisensteins letztes Filmwerk ein Fragment geblieben. Schon zu Beginn der Dreharbeiten hatte der Regisseur den Plan gefaßt, den beiden Teilen von *Iwan der Schreckliche* einen dritten Teil hinzuzufügen. Während der zweite Teil eine Art tiefenpsychologischer Studie von Iwans Persönlichkeit darstellt, sollte der dritte Teil ein Film der Massenbewegungen und der Außenaufnahmen sein und wieder in Beziehung zum ersten Teil treten. Auch hatte Eisenstein den dritten Teil in Farbe geplant – schon im zweiten Teil ist die Szene des Banketts farbig gehalten. Aber wie nicht anders zu erwarten, mußte Eisensteins ambivalente Darstellung Iwans als Kritik an Stalin erscheinen. Im September 1946 erschien eine Resolution des Zentralkomitees, die neben Lukows *Das große Leben*, Kosintzew-Traubergs *Einfache Leute* und Pudowkins *Admiral Nachi-*

mow auch den zweiten Teil von Eisensteins *Iwan der Schreckliche* wegen »künstlerischer Fehler« verurteilte. Über Eisensteins Film wußte die Resolution zu sagen, daß er eine falsche Interpretation der Geschichte gäbe, Iwan nicht fortschrittlich, sondern schwach und unentschlossen zeichne, als einen Charakter von der Art Hamlets; die fortschrittliche Leibwache Iwans, die »Opritschniki«, erschiene dagegen als eine degenerierte Bande wie der Ku-Klux-Klan[20]. Eisenstein veröffentlichte wenig später eine Selbstkritik, in der er zugab, die »erzieherische Aufgabe der Kunst« vernachlässigt und private Details im Charakter Iwans überbetont zu haben. Später empfing Stalin Eisenstein zu einem Gespräch, in dem vereinbart wurde, daß Eisenstein trotzdem den geplanten dritten Teil seiner Trilogie fertigstellen und mit einigen Szenen des zweiten Teils kombinieren sollte. Aber Eisenstein blieb dazu keine Zeit mehr; er starb im Februar 1948. Der zweite Teil von *Iwan der Schreckliche* blieb bis 1958 unaufgeführt.

Bereits seit 1930, erst recht aber in den Kriegs- und Nachkriegsjahren, manifestierte sich in allen Zweigen der sowjetischen Kunst ein Kult um die Person Stalins, der mythologische Proportionen annahm.

Schon in den Filmen der dreißiger Jahre waren Anspielungen auf Stalin häufig; Stalin-Bilder und -Statuen gaben den Hintergrund wichtiger Szenen ab. In den *Lenin*-Filmen Michail Romms bildete Stalin den eigentlichen Gravitationspunkt des Geschehens. Sarchis und Cheifiz' Film *Tschlen prawitelstwa* (Mitglied der Regierung), 1940), die heroisch stilisierte Lebensgeschichte einer Bauersfrau, die von der Kolchosenführerin zur Abgeordneten des Obersten Sowjets aufsteigt, gipfelt in einer Apotheose Stalins: In der Schlußszene soll die Heldin eine Rede vor den versammelten Abgeordneten halten. Unsicher liest sie die Sätze von ihrem Manuskript ab. Da betritt Stalin das Auditorium. Brausender Jubel, die Abgeordneten erheben sich von ihren Sitzen; der Rednerin entgleitet ihr Manuskript, ihr Gesicht verklärt sich, und plötzlich vermag sie frei zu sprechen. In *Oborona Zarizina* (Die Verteidigung von Zarizyn, 1942) von Sergej und Georgi Wassiliew erschien zum erstenmal die Figur Stalins als genialer Feldherr: Stalin allein rettet Zarizyn (das spätere Stalingrad) im Bürgerkrieg vor der konterrevolutionären Armee, indem er die anarchistische Selbstverwaltung der roten Regimenter durch straffe, autoritäre Disziplin ersetzt. Noch deutlicher zeichnete Wladimir Petrow in seinem zweiteiligen Film *Stalingradskaja bitwa* (Die Schlacht von Stalingrad, 1950) das Porträt Stalins als eines gottgleichen Führers. Das chaotische und unübersehbare Frontgeschehen kontrastiert mit der olympischen Abgeschiedenheit von Stalins Studierzimmer: ganz allein lenkt er hier souverän und unfehlbar die Kriegsoperationen, während der Marschall Wassiljewski nur als Befehlsempfänger und Jasager in Erscheinung tritt.

Doch zum eigentlichen filmischen Hagiographen Stalins entwickelte sich der grusinische Regisseur Michail Tschiaureli (geb. 1894), ein ehemaliger Bildhauer. Tschiaureli war zu Beginn der Tonfilmzeit mit formal eigenwilligen Filmen hervorgetreten, die eine Neigung zum bizarren Detail erkennen ließen: *Posledni maskarad* (Die letzte Maskerade, 1934), *Arsen* (1937). In *Welikoje sarewo* (Die große Morgenröte, 1938) erschien der hölzerne Michail Gelowani in der Rolle Stalins, die er von nun an bis zum Tode des Diktators fast ununterbrochen spielen sollte. Trat jedoch Stalin in den Filmen der dreißiger Jahre meist nur als weiser Pädagoge und Menschenfreund auf, so erhielt seine Gestalt in Tschiaurelis *Kljatwa* (Der Schwur, 1946) und *Padjenije Berlina* (Der Fall von Berlin, 1949, zwei Teile) jene transzendente Qualität, die ihn vom Übermenschen zum Gott verwandelte. *Der Schwur* (gemeint ist der Schwur,

319

den Stalin am Grabe Lenins leistete) war ganz und gar dem Leben und Wirken Stalins in zwei Dekaden sowjetischer Geschichte gewidmet. Die religiösen Züge, mit denen das Verhältnis Lenin – Stalin in diesem Film verklärt wird, sind nicht zu übersehen. In einer Szene wandelt Stalin allein durch einen verschneiten Park; da spricht die Stimme Lenins zu ihm. Stalin hebt den Kopf: und ein vom Himmel herabfallender Sonnenstrahl vergoldet seine Stirn. Ein andermal hat ein Traktor mitten auf dem Roten Platz eine Panne. Ergebnislos macht sich der Fahrer an dem Motor zu schaffen. Da kommen Stalin und seine Mitarbeiter des Weges; Bucharin macht mit teuflischer Stimme den Vorschlag, man solle Traktoren lieber in Amerika einkaufen. Stalin blickt nur kurz in den Motor, entdeckt sogleich den Fehler und fährt selbst drei Runden auf dem Roten Platz. Gottgleich erscheint auch Stalin in seiner weißen Uniform am Ende des Films *Der Fall von Berlin*, um der von Krieg und Schlachten ermüdeten Welt »eine Botschaft der Weisheit und des Friedens« zu bringen.

Die Verschärfung des ideologischen Kurses in den ersten Nachkriegsjahren und das Offenbarwerden erster Spannungen zwischen den ehemaligen Kriegsalliierten gebar nicht nur ein bisher unbekanntes Anklageklischee der Kritik, nämlich den Vorwurf des »Kosmopolitismus«, sondern auch ein neues filmisches Genre: den antiwestlichen, insbesondere antiamerikanischen Film. Diese Filme leiteten die Epoche des kalten Krieges ein; in ihrem Schematismus und ihren stereotypen Charakteren sind sie charakteristische Erzeugnisse der Stalin-Zeit.

Die ersten Nachkriegsjahre bezeichnen einen künstlerischen Tiefpunkt in der Entwicklung des sowjetischen Films, für den vor allem die doktrinäre Beaufsichtigung des Kunstschaffens durch die Partei verantwortlich war. In die Direktiven der Parteiorgane an die Künstler mischte sich ein drohender Ton: »Die Kunstschaffenden müssen begreifen, daß diejenigen von ihnen, die weiter nachlässig und unverantwortlich arbeiten, leicht von der fortschrittlichen sowjetischen Kunst über Bord gespült und ausrangiert werden können«, hieß es in der Direktive des Zentralkomitees zum Film *Das große Leben* von Leonid Lukow (1946)[21]. Die Chance, »über Bord gespült zu werden«, ermutigte kaum zu anderen als konformistischen oder schönfärberischen Werken.

Alessandro Blasetti
**Quattro passi fra le nuvole
(Lüge einer Sommernacht)**

1942

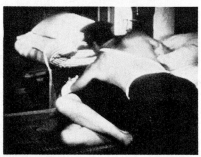

Luchino Visconti
Ossessione
(Von Liebe besessen)
1942

Roberto Rossellini
Paisà
1946

Vittorio de Sica
**Ladri di biciclette
(Fahrraddiebe)**
1948

René Clément
**La Bataille du rail
(Die Schienenschlacht)**
1945

Claude Autant-Lara
**Le Diable au corps
(Stürmische Jugend)**
1947

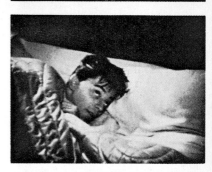

Jean Cocteau
**La Belle et la bête
(Es war einmal)**
1946

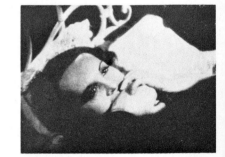

Henri-Georges Clouzot
Le Corbeau
(Der Rabe)
1943

Carol Reed
Odd Man Out
(Ausgestoßen)
1947

Laurence Olivier
**Henry V
(Heinrich V.)**
1944

Helmut Käutner
Unter den Brücken
1945

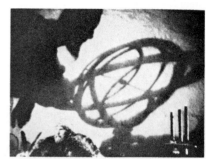

Sergej M. Eisenstein
Iwan grosni — Teil I
(Iwan der Schreckliche)
1944

Orson Welles
Citizen Kane
1941

William Wyler

The Best Years of Our Lives
(Die besten Jahre unseres Lebens)

1946

Charles Chaplin
**The Great Dictator
(Der große Diktator)**
1940

Preston Sturges
**Sullivan's Travels
(Sullivans Reisen)**

1941

Wendung zur Wirklichkeit im US-Film

Die Struktur der amerikanischen Filmwirtschaft hatte sich am Ende der dreißiger Jahre so verfestigt, daß grundlegende Änderungen ohne schwere Erschütterungen von außen nicht mehr eintreten konnten. Fünf große und drei kleine Konzerne, untereinander durch gemeinsame Interessen verbunden, hatten den Markt praktisch unter sich aufgeteilt. Eine Untersuchung, die das Justizdepartement 1938 wegen fortwährender Verletzung der Antitrust-Bestimmungen einleitete, führte zwei Jahre später zu einem Abkommen zwischen den Konzernen und dem Ministerium: die Konzerne verzichteten auf das Block- und Blindbuchsystem, durch das den unabhängigen Theaterbesitzern unerwünschte und unbekannte Filme aufgezwungen werden konnten; das gemeinsame Monopol der Konzerne aber wurde nicht angetastet.

Der Krieg brachte Hollywood den vorübergehenden Verlust der kontinentaleuropäischen Märkte. Seine Auswirkungen konnten die Konzerne durch eine geschickte Planung auffangen. Sie orientierten ihre Erzeugnisse mehr an den Bedürfnissen des eigenen Marktes, intensivierten den Export nach Iberoamerika und drosselten die Produktion. Zwischen 1941 und 1945 sank die Zahl der jährlich produzierten Filme von fünfhundertsechsundvierzig auf dreihundertachtundfünfzig, die der von den Großfirmen hergestellten Filme von vierhundertsechs auf zweihundertdreißig. Das Potential Hollywoods wurde dadurch gesichert. Gleich nach Kriegsende konnte die *Motion Picture Export Association (MPEA),* die neugeschaffene Exportorganisation der Konzerne, den europäischen Markt mit den Erzeugnissen der Kriegsjahre eindecken. Lediglich der Aufschwung des Fernsehens ab 1947 verhinderte, daß die Produktion den Stand der Vorkriegsjahre wieder erreichte.

Auf die Situation der Filmkunst wirkten sich wirtschaftliche Vorgänge in diesem Jahrzehnt weniger folgenreich aus als die politische Entwicklung. Bereits in den dreißiger Jahren hatte eine gewisse Politisierung Hollywoods eingesetzt, die sich in der Filmgestaltung allerdings erst während der folgenden Dekade voll auswirkte. Zum Teil war sie nur ein Aspekt der allgemeinen Politisierung des kulturellen Lebens: nach der Krise und während der New-Deal-Periode setzte sich zunächst im Journalismus, dann auch im Theaterleben ein Geist sozialer Wachsamkeit durch; die Darstellung politischer Ereignisse und ihrer Hintergründe fand in die Massenpresse, auch in die Illustrierten, Eingang; Autoren wie Clifford Odets traten mit sozialkritischen Stücken hervor, die in Bühnen wie dem newyorker *Group Theatre* aufgeführt wurden. Autoren und Regisseure, die sich zuvor im Journalismus und am Theater bewährt hatten, fanden nun um 1940 in steigendem Maße auch den Weg nach Hollywood. Hier hatten überdies die Diskussion um die Zensur, das Eintreffen deutscher Emigranten und andere Ereignisse das geistige Klima beeinflußt. Nach dem Kriegseintritt der USA wurde eine Reihe von Hollywood-Regisseuren, besonders unter den jüngeren, zu den Filmabteilungen der Streitkräfte einberufen und mit der Herstellung von Reportagefilmen betraut. Viele von ihnen waren ohnehin politisch aufgeschlossen; die unmittelbare Begegnung mit dem Krieg verstärkte ihre Bereitschaft zum Engagement in öffentlichen Angelegenheiten. Einige Regisseure und Autoren versuchten nach dem Kriege, sich durch die Gründung eigener Produktionsgesellschaften die Basis für eine größere Freiheit zu verschaffen. Die meisten dieser Versuche scheiterten am Widerstand der Banken, die mit den großen Studios liiert waren. Andere Unabhängige aber, die sich teilweise schon vor dem Krieg selbständig gemacht hatten wie Samuel Goldwyn, konnten sich behaupten. Ihre Gesellschaften brachten einige der besten Filme der unmittelbaren Nachkriegszeit hervor.

Ihren schwersten Schlag erlitt die »Linke« des US-Films durch die Aktionen des 1938 eingesetzten Senatsausschusses zur »Untersuchung unamerikanischer Umtriebe«. Schon 1940 hatte Martin Dies, der erste Vorsitzende des Ausschusses, begonnen, Filmdarsteller und -autoren als Kommunisten zu verdächtigen. Die Angegriffenen setzten sich indessen zur Wehr und zwangen Dies, sie zu rehabilitieren. Im Oktober 1947, im Zeichen des einsetzenden »kalten Krieges«, begann der Ausschuß unter seinem neuen Vorsitzenden Parnell Thomas öffentliche Verhöre zur Feststellung »subversiver Wühlarbeit« in Hollywood. Ihr erklärtes Ziel war es, die Filmproduzenten zur Aufstellung »schwarzer Listen« zu veranlassen, durch die linksorientierte (nicht nur kommunistische) Filmschaffende von der Arbeit ausgeschlossen werden sollten. Als die Gesellschaften in der Tat darauf eingingen, erklärte sich der Ausschuß als »Gegenleistung« dazu bereit, die Verhöre einzustellen. Als erste verloren die als »unfreundliche Zeugen«, das heißt faktisch als Angeklagte, vor den Ausschuß zitierten Regisseure, Autoren und Produktionsleiter ihre Arbeit; im Lauf mehrerer Jahre wurden die – übrigens geheimen – Listen aber noch beträchtlich erweitert. Einige der Betroffenen prozessierten – mit unterschiedlichen Resultaten – gegen die Firmen, mit denen sie Kontrakte hatten. Viele zogen sich ganz vom Film zurück. Andere gingen außer Landes oder arbeiteten unter Pseudonymen weiter für kleinere Gesellschaften oder fürs Fernsehen. Die Hartnäckigsten beschäftigten sich mit Plänen zu unabhängigen Filmproduktionen außerhalb Hollywoods. Einige gaben aber auch öffentliche Loyalitätserklärungen ab, denunzierten einstige Gesinnungsgenossen und erkauften sich damit eine Rückkehr in die Ateliers.

Die Wirkung der Kampagne ging weit über den Kreis der unmittelbar Betroffenen hinaus. Auch die bislang politisch Unverdächtigen hüteten sich hinfort, durch kritische Meinungsäußerungen aufzufallen, und hielten vor allem ihre Filme auf der Linie totaler Unverbindlichkeit. Ein Zustand politischer Lähmung verbreitete sich in Hollywood, der erst nach dem Sturz von McCarthy zu weichen begann.

Die amerikanische Dokumentarfilmbewegung

Ein Ergebnis des zunehmenden Interesses an öffentlichen Angelegenheiten, das Amerika in der New-Deal-Periode erfaßte, war die amerikanische Dokumentarfilmbewegung der ausgehenden dreißiger und der vierziger Jahre. Am Anfang standen die isolierten Bemühungen einiger Filmenthusiasten. Ähnlich wie Grierson und Rotha in England verfügten Louis de Rochemont und Pare Lorentz, als sie ihre ersten Filme in Angriff nahmen, nur über geringe praktische Erfahrungen, dafür aber über eine profunde Kenntnis des Dokumentarfilms und der Avantgarde in Europa. Ihre Bestrebungen trafen sich mit der Bereitschaft einiger privater und staatlicher Institutionen, den Film in den Dienst der politischen Aufklärung zu stellen. Nach dem Kriegseintritt Amerikas finanzierten vor allem die Streitkräfte eine Reihe ambitiöser Projekte.

Eine charakteristische Strömung im amerikanischen Dokumentarfilm waren die aktuellen Serien. In ihnen erreichten die Methoden des modernen filmischen Journalismus einen Grad der Perfektion wie in keinem anderen Land. Seit der Einführung des Tons und dem Ausbruch der Krise erfreuten sich die Wochenschauen wachsender Aufmerksamkeit, der sie durch größere Fülle des Materials und dessen wirksamere Verarbeitung Rechnung trugen. Zu ihrer Ergänzung rief der Verlag der Zeitschriften *Time* und *Fortune* 1934 die Serie *March of Time* (Marsch der Zeit) ins Leben. Sie sollte die Wochenschauen in derselben Weise ergänzen wie in den Tageszeitungen der Kommentar den Nachrichtenteil. Sie sollte keine subjektive Meinung vortragen, sondern die aktuellen Ereignisse durch Informationen über Vorgeschichte und Hintergrund verständlich machen. Die Leitung wurde Louis de Rochemont übertragen, der zuvor bereits mit einer Kompilation aus Wochenschauaufnahmen, *Cry of the World* (Schrei der Welt, 1932), bekannt geworden war. Er entwickelte für *March of Time* eine Methode, die durch geschickte Kombination von Dokumentaraufnahmen, fotografierten Dokumenten, gestellten Szenen, Interviews, gezeichneten Darstellungen, Musik und Kommentar eine vielseitige und eindringliche Information ermöglichte.

Bald nach Pearl Harbor begann die Filmabteilung der Armee mit der Produktion der Serie *Why We Fight* (Warum wir kämpfen), deren einzelne Ausgaben jeweils Spielfilmlänge aufwiesen. Die ersten drei Nummern befaßten sich mit der Vorgeschichte des Krieges und den Kampfhandlungen bis zum amerikanischen Kriegseintritt: *Prelude to War* (Vorspiel zum Krieg), *The Nazis Strike* (Der Schlag der Nazis) und *Divide and Conquer* (Teile und erobere). Drei weitere schilderten den Kampf der Verbündeten: *The Battle of Britain* (Die Schlacht von Britannien), *The Battle of Russia* (Die Schlacht von Rußland) und *The Battle of China* (Die Schlacht von China). Die siebte Ausgabe, *War Comes to America* (Krieg kommt nach Amerika), analysierte die Entwicklung der amerikanischen Politik und der öffentlichen Meinung vom Isolationismus bis zum Kriegseintritt. Im Unterschied zu *March of Time* verzichtete *Why We Fight* auf gestellte Szenen und beschränkte sich auf authentisches Material, das aus allen erreichbaren Quellen, auch aus erbeuteten deutschen Wochenschauen, bezogen wurde. Für die Methoden seiner Aufbereitung griffen Frank Capra und seine Mitarbeiter (vor allem Anatole Litvak, Anthony Veiller und Eric Knight) außer auf *March of Time* auf Filme wie Harry Watts *Target for Tonight*, Riefenstahls *Triumph des Willens* und einzelne amerikanische Dokumentarfilme der Vorkriegszeit zurück.

Während die aus vorgegebenem Material kompilierten Serien an den aktuellen Stoff gebunden waren, nach publizistischen Gesichtspunkten gestaltet wurden und später nur ein gewisses methodologisches Interesse behielten, zeichneten sich andere Filme mit zumeist enger begrenzten Themen durch einen persönlicheren Stil aus. Pare Lorentz' *The Plow That Broke the Plains* (Der Pflug, der die Felder brach, 1936) erlangte für den amerikanischen Dokumentarfilm eine ähnliche Bedeutung wie Griersons *Drifters* für die britischen. Lorentz, zuvor ein renommierter Kritiker, drehte diesen Film über die von Sandstürmen heimgesuchten Gebiete der USA für die Farm-Sicherheits-Verwaltung, ebenso seinen zweiten, *The River* (Der Fluß, 1937), der sich mit der Hochwassergefahr an den Ufern der amerikanischen Ströme befaßte. In beiden Filmen weist die Form über den akuten Anlaß hinaus. Eine dynamische Montage, ein lyrischer Kommentar und die Musik zeitgenössischer amerikanischer Komponisten läßt sie als Hymnen an die amerikanische Landschaft und den Geist der Pioniere erscheinen.

Andere Dokumentaristen beschäftigten sich mit der aus Europa und Asien drohenden Kriegsgefahr. Der Niederländer Joris Ivens gründete mit einigen prominenten Intellektuellen, unter ihnen Dos Passos, Hemingway und MacLeish, eine Produktion, die *Contemporary Historians*. Für sie realisierte er *The Spanish Earth* (Die spanische Erde, 1937), einen Dokumentarspielfilm über die Kämpfe von Madrid, zu dem Hemingway den Kommentar schrieb, und, zusammen mit John Ferno, einen Film über China: *The Four Hundred Millions* (Die vierhundert Millionen, 1939). Einer anderen Gruppe, *Frontier Films*, gehörten Paul Strand, Leo Hurwitz und Irving Lerner an. Paul Strand hatte zuvor in Mexiko *Pescados* (Fische, 1935; auch bekannt als *Redes* – Netze) gedreht, die Geschichte einer Fischerrevolte. Die *Frontier Films* produzierten *Heart of Spain* (Herz Spaniens), *China Strikes Back* (China schlägt zurück) und einen kritischen Film über eine zurückgebliebene Landschaft in den USA selbst, *People of the Cumberland* (Leute des Cumberland). In *Native Land* (Heimatland, 1941) schilderten Strand und Hurwitz mehrere Fälle von sozialem Terror in den Vereinigten Staaten, Lynchjustiz und Ku-Klux-Klan. Die Schilderungen, in Spielfilmmanier inszeniert, basierten auf dem Bericht eines Senatsausschusses.

1938 wurde auf Lorentz' Betreiben nach englischem Vorbild ein *US Film Service* ins Leben gerufen, der die Bestrebungen der verschiedenen privaten Unternehmen koordinieren und ihnen staatliche Unterstützung zukommen lassen sollte. Drei Filme verdanken ihre Entstehung dem *USFS*: Lorentz beschrieb in *The Fight for Life* (Der Kampf ums Leben, 1939) die Not werdender Mütter in den Slums von Chicago; Ivens nahm in *Power and the Land* (Kraft und das Land, 1940) den Auftrag, für die Elektrifizierung der Landwirtschaft zu werben, zum Anlaß für eine kritische Studie über soziale Rückständigkeit auf dem Lande. Der pessimistischste Film der Gruppe, Flahertys *The Land*, besiegelte ihr Schicksal: der Kongreß löste die *USFS* wieder auf.

Die nach Amerikas Kriegseintritt von den Streitkräften engagierten Spielfilmregisseure konnten relativ unabhängig arbeiten und wurden mit erheblichen Mitteln ausgestattet. Dabei bewahrten vor allem William Wyler und John Huston ihren klaren Blick für die Realität, zuweilen radikaler, als es ihren Auftraggebern lieb war. William Wylers *Memphis Belle* (1944) stand dem thematisch verwandten britischen *Target for Tonight* nicht nach. Wyler schilderte darin die Empfindungen – weniger die Handlungen – einer Bomberbesatzung während ihres letzten Einsatzes; »alles ist gesehen, ausgeführt und erfahren wie aus dem Inneren des einen oder anderen der Männer im Flugzeug« (J. Agee [22]). Diese besondere, durch den Krieg geschärfte Empfindsamkeit sollte auch Wylers Hauptwerk, *The Best Years of Our Lives*, bestimmen, das er gleich nach seiner Demobilisierung in Angriff nahm.

John Huston zeigte in *The Battle of San Pietro* (Die Schlacht von San Pietro, 1944) die Eroberung eines kleinen Berges im Apennin. Weder im Bild noch im Text beschönigt der Film das Grauen des Krieges: zu Dutzenden fallen die GIs vor den Augen der Kameras; später werden ihre Leichen in Papiersäcke gesteckt und auf Lastwagen abtransportiert, während die »befreiten« Dorfbewohner wie Lemuren aus Erdlöchern auftauchen. Nachdem sie diesem Film einen patriotischen Vorspruch verpaßt und ihn mildernden Retuschen unterworfen hatten, gaben die militärischen Dienststellen einen weiteren Film von Huston überhaupt nicht zur öffentlichen Vorführung frei. In *Let There Be Light* (Es werde Licht, 1945) stellte Huston die psychischen Schäden dar, die eine Vielzahl von Soldaten in den Kämpfen davontrug. Mehr noch als die Darstellung physischer Verstümmelungen und selbst des Todes spiegelten die Aufnahmen geistesgestörter GIs das Grauen, das sie erlebt hatten.

Unmittelbar nach Kriegsende wurde die staatliche Filmproduktion nahezu wieder eingestellt. In den Nachkriegsjahren war Robert Flaherty fast der einzige, der – für *Louisiana Story* – private Geldgeber fand. Aber nicht nur akuter Geldmangel lähmte die amerikanische Dokumentarfilmbewegung. Sie war ideologisch getragen worden von einem demokratischen Optimismus, der die Einsicht in die drohenden politischen Gefahren mit der Überzeugung verband, daß diesen durch kollektive Anstrengungen der Gutgesinnten beizukommen sei. Die Erfolge des New Deal hatten Vertrauen geweckt in die Maßnahmen einer staatlichen Lenkung und die Möglichkeiten einer vernünftigen Planung. Die antifaschistische Solidarität im Abessinien-Krieg und im Spanischen Bürgerkrieg hatten einen unbestimmten Volksfront-Enthusiasmus hervorgerufen, in dem sich die Gegensätze zwischen Kommunisten, Sozialisten, Liberalen und Republikanern aufzuheben schienen. Der gemeinsame Kampf gegen die Achsenmächte erneuerte diese Solidarität noch einmal im internationalen Rahmen; dann paralysierten die Erstarrung der ideologischen Fronten, der kalte Krieg und schließlich der Korea-Krieg den Optimismus der Roosevelt-Ära. Die filmbegeisterte Jugend der Universitäten und Colleges, die in den späten vierziger Jahren unabhängige Filme realisierte, bezeigte kein Interesse für den Dokumentarfilm, sondern entschied sich für die subjektive Perspektive des Experimentalfilms.

Orson Welles

Wie kein anderes Ereignis markiert das Erscheinen von *Citizen Kane* den Beginn einer neuen Periode in der Geschichte der Filmkunst. Der erste Film von Orson Welles steht zugleich am Ende der großen Traditionen des Vorkriegsfilms, deren Summe er zieht, und am Beginn des Films der vierziger und fünfziger Jahre, dessen verschiedenste Merkmale in ihm vorweggenommen sind.

Orson Welles (geb. 1915) verfügte über keinerlei praktische Filmerfahrung, als die *RKO* mit ihm 1939 einen in der Geschichte Hollywoods einmaligen Vertrag abschloß: sie gab dem Vierundzwanzigjährigen carte blanche für jährlich einen Film, bei dem er nach Gutdünken als Produzent, Regisseur, Autor, Schauspieler oder alles in einer Person mitwirken sollte. Diese Chance verdankte Welles seinem Ruf als notorischer Alleskönner: er war auf verschiedenen Bühnen beiderseits des Atlantik aufgetreten, hatte ein Theaterfestival veranstaltet, zwei Theatertruppen gegründet, Shakespeare, Marlowe, Shaw, Büchner und Labiche auf der Bühne und im Funk eine Hörspielserie inszeniert. Eine Funkbearbeitung von H. G. Wells' utopischem Roman *Krieg der Welten* hatte eine Massenpanik hervorgerufen, die Welles das Hollywood-Engagement eintrug.

Die Herstellung von *Citizen Kane* (1941) wurde von den bei seinem Autor-Regisseur obligaten Skandalen begleitet: die Hearst-Presse, alarmiert durch die Nachricht, der Film sei eine Schlüsselgeschichte um Randolph Hearst, suchte seine Fertigstellung und Aufführung zu verhindern. In Wahrheit hatte Welles seine Titelfigur mit Zügen verschiedener Selfmademen ausgestattet: denen von Hearst, Rockefeller, Brulatour (dem Kodak-Besitzer) und – Orson Welles. Kane verkörpert die amerikanische Version des Erfolgsmenschen der kapitalistischen Ära; er widmet sich allem, was er tut, mit gleich großer Energie; er vertritt wechselnde Überzeugungen mit unverbrauchtem Elan; er gibt sich als Idealist oder Materialist, Egoist oder Altruist, wie die Situation es verlangt. Jede Meinung über ihn ist richtig, aber keine trifft seinen Kern. Er ist eine mächtige Gestalt, aber bar jeder Individualität, die gigantische Personifizierung des geistigen Mittelmaßes.

Der Film erzählt nun keinen Bildungs- und Entwicklungsroman, sondern nähert sich seinem Helden in mehreren Ansätzen von verschiedenen Seiten. Die Struktur des Films wird bestimmt von einer journalistischen Recherche: Ein Reporter wird ausgesandt, das »Geheimnis« zu ergründen, das hinter Kanes letztem Wort sich verbirgt; es lautete »Rosenknospe«. Am Ende, wenn er die Suche nach der Bedeutung des Wortes bereits aufgegeben hat, wird sie dem Zuschauer noch, wie in einem P. S., mitgeteilt: »Rosenknospe« hieß der Schlitten, mit dem der kleine Charles Forster spielte, als er aus dem Haus seiner Eltern fortgeholt wurde; der Vertreibung aus dem Paradies seiner Kindheit galt der letzte Gedanke des Magnaten. Längst aber ist der Auftrag. des Reporters in einer weiteren Frage aufgegangen: Was für ein Mensch war Charles Forster Kane? Der Reporter sieht die Memoiren des Vormunds ein, interviewt Kanes Geschäftsberater, seinen Jugendfreund, seine zweite Frau, seinen Majordomus. Jede neue Version stellt die vorige in Frage, zugleich setzt sich aus zahllosen Details das Bild eines Lebens zusammen.

Sowenig wie die Struktur des Filmganzen gehorcht die der einzelnen Episoden den Gesetzen herkömmlicher Filmdramaturgie. Wiederum werden keine Geschichten erzählt, sondern Erinnerungen referiert; Anekdote und Kommentar durchdringen einander dabei; das Erinnerungsbild ist tendenziös gefärbt. Welles handhabt die Mittel der filmischen Rhetorik mit einer nie zuvor oder später erreichten Meisterschaft: lange Zeitabläufe werden elliptisch umschrieben, das Bild kontrastiert ironisch mit dem Text oder eine Einstellung mit der folgenden, komplizierte Vorgänge werden in Metaphern gefaßt.

Man hat den Stil von *Citizen Kane* als eitle Demonstration filmischer Extravaganz bezeichnet. Wirklich brach hier Welles radikal mit dem Akademismus der dreißiger Jahre. Vor allem ging er vom herkömmlichen Verfahren der Montage ab, das eine Sequenz in eine Folge von Einstellungen mit wechselndem Objekt und wechselnder Distanz zum Objekt auflöst und dadurch Vorgänge und Gegenstände äußerlich dramatisiert. Welles ersetzte sie durch eine Art »Montage innerhalb des Bildes«. Dazu griff er auf die fotografische Tiefenschärfe zurück, die in der Frühzeit des Films, vor Entwicklung des Schnitts üblich gewesen, seither aber nur von Jean Renoir benutzt worden war. Sie läßt Hinter-, Mittel- und Vordergrund gleich scharf erscheinen und gestattet es, ganze Szenen in einer Einstellung ablaufen zu lassen. Das heißt nicht, daß die Einstellungsart nicht mehr differenziert werden kann: vielmehr müssen Totalen, Nah- und Großaufnahmen hier nicht durch Schnitte, Kamerabewegungen oder Wechsel der Schärfe getrennt werden, sondern können simultan erscheinen. So zeigte Welles etwa in einer Einstellung *halbnah* in ihrem Bett Kanes Frau, die eben einen Selbstmordversuch unternommen hat, *groß* am Bildrand das Glas, aus dem sie die giftige Lösung getrunken hat, und *total* die rückwärtige Zimmerwand mit der Tür, durch die Kane hereinkommt – alle drei Ebenen gleich scharf und damit gleich stark betont. Dies Verfahren kombinierte Welles noch mit dem Einsatz des Weitwinkelobjektives, das das Blickfeld der Kamera nach oben und unten erweitert, bei Innenaufnahmen also Decke und Fußboden gleichzeitig sichtbar macht, zugleich aber Bewegungen in der Achse des Bildfeldes deformiert. Zusammen mit einem expressiven, die Schatten betonenden Beleuchtungsstil führen diese Techniken in *Citizen Kane* zu einer wirksamen Verfremdung des Geschehens.

Die günstigen Bedingungen, unter denen Welles *Citizen Kane* realisieren konnte, fand er später nie wieder; er teilte mit Stroheim und Visconti das Los eines »auteur maudit«. Bei *The Magnificent Ambersons* (Die wundervollen Ambersons, 1942) – wie später bei *Touch of Evil* (*Im Zeichen des Bösen*, 1957) – akzeptierte er mittelmäßige Vorlagen; die Montage wurde ihm hier aus der Hand genommen. Ein dokumentarischer, dreiteiliger Episodenfilm über Südamerika, *It's All True* (Es ist alles wahr, 1943), wurde ins Archiv verbannt, und der Spielfilm *Journey into Fear* (Reise ins Land der Furcht, 1943) von einem anderen Regisseur beendet. Seinen nächsten Film, *The Stranger* (Der Fremde, 1946), drehte Welles nur, um sich für Hollywood wieder zu qualifizieren.

The Lady from Shanghai (*Die Lady von Schanghai*, 1947) konnte er dann auch nach eigenen Intentionen gestalten; *Macbeth* (1947) dagegen wurde wieder von fremder Hand montiert – Welles hatte Amerika inzwischen verlassen. In der Alten Welt – abwechselnd in Italien, Marokko, Spanien, Deutschland und Frankreich – konnte er in zehn Jahren ganze zwei Filme drehen, *Othello* (1952) und *Confidential Report* (*Herr Satan persönlich*, 1955), von denen der letzte wieder nicht von ihm selbst geschnitten wurde. In beiden Fällen zogen sich die Dreharbeiten, durch Geldmangel unterbrochen, über Jahre hin, Geldgeber, Mitarbeiter, Filmmaterial und Arbeitsbedingungen wechselten. Ein *Don Quijote* schließlich, in Mexiko gedreht, hat drei Jahre nach Beginn der Aufnahmen seine Premiere noch nicht erlebt.

In *The Magnificent Ambersons* setzte Welles seine Auseinandersetzung mit dem Typ des Unternehmers in der amerikanischen Gesellschaft des Spätkapitalismus fort. Im Niedergang und Aufstieg zweier Familien, einer feudalen in den Südstaaten und einer Industriellenfamilie im Norden, erfaßte er die ganze Epoche. Obwohl das Geschehen diesmal chronologisch fortschreitet, erscheint es auch hier in der Perspektive der Erinnerung. Wie in den einzelnen Episoden von *Citizen Kane* distanziert ein ironisch getönter Kommentar die Vorgänge; Ellipsen werden durch kunstvolle Bild- und Bild-Ton-Montage bewerkstelligt; Gestik und Mimik der Darsteller, Make-up, Kostüme und Dekor wandeln sich fortwährend gemäß der Historie und dem Alter der Protagonisten – alles zusammen läßt den Zuschauer den Fluß der Zeit deutlich empfinden und verleiht jeder Sequenz den Charakter wiederhergestellter Vergangenheit.

Der Verfall des frühbürgerlichen Begriffs der Persönlichkeit unterm Zwang der gesellschaftlichen Perfektion, den *Citizen Kane* und *The Magnificent Ambersons* darstellten, ist in *The Lady from Shanghai* in sein Stadium der Vollendung eingetreten. Er dokumentiert sich in einer Struktur, die vollends jeden Begriff von »Handlung« und »Held« abweist. Eine absichtlich triviale Kriminalstory gibt lediglich den Vorwand ab für ein surrealistisches Panorama der modernen Gesellschaft und ihrer Mythen. Das Geld, die Frau, die »Chance« – die Fetische Amerikas und des Spätkapitalismus erglänzen in ihrer schönsten Politur, aber die Fassade wird durchsichtig und offenbart perfekte Korruption. Jede Szene blendet falschen Schein und Fäulnis ineinander. So wie in einer Liebesszene im Tiefseemuseum hinter dem Paar vorsintflutliche Monstren sich bewegen, so lauert hinter der Idylle der Schrecken. Die Tendenzen der »Schwarzen Serie« wurden hier von Welles auf ihre Spitze getrieben. Die Ehe mit Rita Hayworth, dem Star der vierziger Jahre, ermöglichte es ihm, ihrem Mythos authentische Gestalt zu geben und um so sinnfälliger zu demontieren. Sie erscheint wie Kane als monströses Nichts; während der Reporter dort dessen Bild aber erst zu fixieren suchte, durchschaut der Ich-Erzähler in *The Lady from Shanghai* sein Idol und tötet es – in der berühmt gewordenen Schlußsequenz im Spiegelkabinett eines Vergnügungspalastes.

Mit diesem Film endet die experimentelle Periode in Welles' Werk als Regisseur. In seinen weiteren Filmen widmete er sich, zuweilen recht narzißhaft, der Darstellung überlebensgroßer, widersprüchlicher Charaktere, in denen der Konflikt zwischen »Gut« und »Böse«, »Rein« und »Unrein« mächtig tobt. Die Grundfigur des »Bürgers Kane« kehrt wieder in wechselnder Gestalt, als Macbeth, Othello, als der Waffenhändler Arkadin in *Confidential Report* und als der Polizist Quinlan in *Touch of Evil*. Die beiden Shakespeare-Filme stellen eher persönliche Variationen über ihre Vorlagen dar als getreue Adaptationen. Die Verse werden mit souverän erfundenen Bildfolgen, in denen der Einfluß des deutschen Expressionismus und des späten Eisenstein spürbar ist, zu einer spannungsvollen Einheit zusammengezwungen. In *Confidential Report* und *Touch of Evil* bilden wiederum, wie in *The Lady from Shanghai*, die kriminalistischen Vorlagen nur den Vorwand, um eine phantastisch-labyrinthische Welt zu zeichnen, die wie im Traum erfunden scheint und in der die Gestalten unserer Wirklichkeit als Schimären wiederkehren.

William Wyler

Neben Orson Welles war es William Wyler, der die Abkehr des amerikanischen Films vom traditionellen dramatischen Stil einleitete und in mancher Hinsicht den Film der fünfziger Jahre ankündigte. Freilich unterschied er sich nach Alter, Herkunft und Ausbildung wie nach Temperament und Begabung radikal von Welles.

William Wyler (geb. 1902), ein gebürtiger Elsässer, wurde von seinem Landsmann Carl Laemmle, dem Inhaber der *Universal*, 1920 nach Amerika geholt, zuerst ins Reklamebüro der newyorker Zentrale, dann als Regieassistent nach Hollywood. Er diente sich nur langsam empor, assistierte (u. a. bei Stroheim), inszenierte eine Reihe von Kurzspielfilmen, zumeist Western, die als Programmfüller dienten, und erwarb sich innerhalb der Gesellschaft einen Ruf als solider Handwerker. Aber erst die Filme, die er ab 1936 für den (wieder) unabhängigen Produzenten Samuel Goldwyn drehte, befreiten ihn aus der Routine. Diese Filme realisierte er entweder nach Vorlagen von bekannten zeitgenössischen Autoren oder in Zusammenarbeit mit diesen: *These Three* (Diese drei, 1936), *Dead End* (1937) und *The Little Foxes* (Die kleinen Füchse, 1941) basierten auf Vorlagen der Dramatikerin Lillian Hellman, *Dodsworth* (1936), *Jezebel* (1938) und *Wuthering Heights* (Stürmische Höhen, 1939) auf den gleichnamigen Romanen und Stücken von Sinclair Lewis, Owen Davis und Emily Brontë, *The Letter* (Der Brief, 1940) auf einer Novelle von Somerset Maugham.

Anders als John Ford, der vielen als der Gegenspieler unter seinen Zeitgenossen erscheint, unterwarf Wyler seine Stoffe nicht einer vorgefaßten Regiekonzeption. Er besaß keinen bestimmten Bildstil, vielmehr unterdrückte er jeden grafischen oder malerischen Effekt. Sein Bestreben ging dahin, Beziehungen zwischen Individuen ausschließlich durch ihr Verhalten selbst sichtbar zu machen. Er gestaltete nicht mit der Kamera, sondern vor ihr. Der Filmstreifen war für ihn eine sensible Membrane, die jedes Detail genau registriert. Durch die lange und eingehende handwerkliche Praxis gelangte Wyler zu ähnlichen Resultaten, wie Welles sie spotan in seinen ersten Filmen gefunden hatte. Auch Wyler optierte für die Tiefenschärfe und die »innere Montage«. Bei sechs Filmen arbeitete er mit Gregg Toland zusammen, dem Kameramann von *Citizen Kane*, der wie kein anderer verstand, die Tiefenschärfe zu handhaben.

Die Filme, die Wyler vor seiner Einberufung zur Filmabteilung der U. S. Air Force drehte, gehorchen der datierten Psychologie ihrer Vorlagen. Die Gestalten von Lewis, Hellmann, Brontë und Somerset Maugham handeln ihrem festumrissenen Charakter gemäß, der auf undialektische Weise abhängig ist von ihrem sozialen Milieu. Der Realismus dieser Filme ist statisch: er unterwirft sich einer Welt, in der sich nichts mehr zu ändern scheint.

Ohne den Dokumentarspielfilm *Memphis Belle* wäre *The Best Years of Our Lives* (*Die besten Jahre unseres Lebens*, 1946) nicht denkbar. Nach dessen Fertigstellung äußerte Wyler[23]: »Wir haben alle drei« – er sprach von Capra, Stevens und sich – »am Krieg teilgenommen. Er hat auf jeden von uns einen tiefen Einfluß ausgeübt. Ohne diese Erfahrung hätte ich meinen Film nicht so machen können, wie ich ihn gemacht habe. Wir haben gelernt, die Welt besser zu verstehen...« Das war die Sprache der Rossellini, Zavattini und de Sica. Mit den Augen seiner Helden, drei demobilisierter GIs, visierte er das Amerika von 1945 an: Während er und seine Helden die Höllen des Krieges kennengelernt hatten, war dieses Amerika in den Ordnungen und Vorstellungen der Vorkriegszeit erstarrt. Die Erlebnisse der drei werden einander ständig konfrontiert. Mit dem Wohlstandsmilieu, in das der Exsergeant und Bankier zurückkehrt, kontrastieren das Warenhaus, in dem der Excaptain als Verkäufer Arbeit findet, und die Elendsbaracke seiner Eltern; dazwischen steht die kleinbürgerliche Umgebung des armamputierten Matrosen, der penetrantem Mitleid begegnet. Wohl kommt der kritischen Intention des Films die Sehnsucht nach einer »positiven Antwort« in die Quere – die Doppelhochzeit am Schluß, die die beiden Junggesellen unter den Heimkehrern mit ihrem Geschick versöhnt, desavouiert die zuvor vermittelten Einsichten; aber diese Elemente wirken doch als Zutaten. Was das Drehbuch (nach einem aktuellen, aber mittelmäßigen Roman) an Klischees aufwies, wurde von Wylers Regie fast gänzlich aufgelöst. Die objektiv-gesellschaftlichen Zustände und die subjektiven Verhaltensweisen der Personen durchdringen einander bis in kleine Details. Sorgsam wird das Befremden in den Mienen der Zurückgebliebenen registriert, wenn sie den Heimkehrern begegnen. Zugleich entläßt die Kamera die Personen nie aus ihrer Umgebung: dank der Tiefenschärfe ist etwa das Warenhaus mit seinem ganzen enervierenden Betrieb peinlich gegenwärtig. Man überblickt das Gewirr der Kosmetiktische, der aufdringlichen Reklameschilder, der lärmenden Kunden, bis hin zum erhöhten Kontrollfenster, hinter dem der Manager thront. Wyler vermied es, das Geschehen durch die Hervorhebung von Details zu dramatisieren. Zuweilen verlegte er wichtige Vorgänge in den Hintergrund und ließ im Vordergrund eine Nebenhandlung ablaufen – in der Szene etwa, in der der Verkäufer seiner Freundin den Laufpaß gibt, weil ihr Vater die Verbindung als »nicht standesgemäß« ablehnt, sieht man ihn im Hintergrund einer Kneipe telefonieren, groß im Vordergrund aber eine Gruppe um einen Klavierspieler.

War Orson Welles ein Autor im vollen Wortsinn, so blieb Wyler ein Inszenator. Die Entdramatisierung, die Welles auch als Szenarist leistete, betrieb Wyler von der Regie her. Er inszenierte so, wie ein moderner Romancier schreibt: sein Stil läßt nicht den Autor, sondern den Gegenstand hervortreten. »Für Orson Welles«, schreibt André Bazin[24], dem die grundlegenden Einsichten in die Bedeutung der Regiemittel bei Wyler und Welles zu verdanken sind, »ist die Tiefenschärfe ein ästhetischer Selbstzweck; für Wyler bleibt sie den dramaturgischen Erfordernissen der Regie und vor allem der Klarheit der Erzählung untergeordnet.«

Es läßt sich schwer ausmachen, ob Wylers Niedergang, der ab 1949 einsetzt, nur das Ergebnis des um diese Zeit auf Hollywood lastenden politischen Druckes war – er selbst hat gelegentlich geäußert: »Heute würde man mir in Hollywood nicht erlauben, *The Best Years of Our Lives* zu machen. Das ist das unmittelbare Ergebnis der Tätigkeit des Komitees zur Untersuchung unamerikanischer Umtriebe.« Die Themen seiner späteren Filme, wie *Detective Story (Polizeirevier 21, 1951)*, *Roman Holiday (Ein Herz und eine Krone, 1953)*, *The Desperate Hours (An einem Tag wie jeder andere, 1955)*, *Friendly Persuasion (Lockende Versuchung, 1956)* und *Ben Hur (1959)* sind vom kommerziellen Kompromiß diktiert, und nur gelegentlich hebt Wylers Regie wenigstens für die Dauer einer Szene die Banalität der Vorlage auf.

Alfred Hitchcock

Wie das Werk Chaplins und Eisensteins gehört dasjenige Alfred Hitchcocks keiner Periode im besonderen an. Von den frühen zwanziger Jahren bis in die Gegenwart ist Hitchcock gleich aktuell geblieben. Dies freilich nicht, indem er, wie Chaplin, den sich verändernden Verhältnissen durch ständig erneuerte Reflexion gerecht geworden wäre, sondern im Gegenteil: indem er sich ewig gleichblieb. »Mein Vater malte immer dieselbe Blume«, läßt er die Heldin in *Rebecca* sagen, »er hielt dafür, daß ein Künstler, der seinen Gegenstand gefunden hat, kein anderes Verlangen kennt, als immer nur diesen darzustellen.«

1939 kam Hitchcock, nachdem er in England zehn Stumm- und fünfzehn Tonfilme gedreht hatte, nach Hollywood. Hier brachte er fast regelmäßig über zwei Jahrzehnte hindurch jährlich einen Film heraus – daneben drehte er Kurzspielfilme fürs Fernsehen und gab Kriminalanthologien und -magazine heraus. Die frühen amerikanischen Filme nehmen sich oft noch wie zaghafte Skizzen zu den späteren aus, so *Suspicion (Verdacht, 1942)*, oder folgen allzu skrupulös ihren Vorlagen, wie *Rebecca* (1940), die Adaptation des Bestsellers der Daphne du Maurier. Mit *Foreign Correspondent (Mord, 1940)* und *Saboteur (Saboteure, 1942)* sowie mit zwei Kurzfilmen leistete Hitchcock, sonst ein Widersacher jeglichen Engagements, einen oberflächlichen Beitrag zur antinazistischen Propaganda. Auch sonst berührten die Moden des Tages seine Produktion nur am Rande: die »amerikanische Komödie« à la Capra und Lubitsch in *Mr. and Mrs. Smith* (1941), der Kriegsfilm in *Lifeboat* (Rettungsboot, 1943), der Spionagefilm in *Notorious (Weißes Gift, 1946)*, die Psychoanalyse in *Spellbound (Ich kämpfe um dich, 1945)*, der Kostümfilm in *Under Capricorn (Sklavin des Herzens, 1949)*, der schwarze Humor in *Trouble with Harry (Immer Ärger mit Harry, 1955)*. Seine unveränderte Zuneigung indessen gehörte dem Thriller.

Hitchcocks Kriminalfilme unterscheiden sich auf charakteristische Weise von den anderen Produkten ihres Genres, als dessen »klassische« Vollendung man sie allzulange angesehen hat. Sie interessieren sich in der Regel nicht für den kriminellen Fall weder für seine Durchführung noch für seine Aufklärung (nicht selten brüskieren sie den Zuschauer nach einer Dreiviertelstunde durch die Mitteilung des wahren Tatbestandes) noch auch für seine psychologische oder soziologische Erklärung. »Das Verbrechen«, hat Hitchcock selbst erklärt[25], »ist der Stein, der in ein stehendes Gewässer geworfen wird.« Als stehendes Gewässer imaginiert der hartnäckige Konformist Hitchcock die soziale Ordnung: seine Helden leben durchweg in guten Verhältnissen um seine Heroinen ist eine Aura des Wohlbehütetseins wie um die Gestalten viktorianischer Romane; die Verbrechen stehen in keinem kausalen Zusammenhang mit der Welt, die er beschreibt. Sein heimlicher Konservativismus ist aber nur die unab lösbare Kehrseite seiner Thematik: eingebettet in eine friedvolle, statische Ordnung, erfahren seine Helden das Unheimliche, das ihnen zustößt, um so nachdrücklicher. Auf undurchschaubare Weise geraten sie in das Spannungsfeld eines Verbrechens, sei es, daß sie als Täter verdächtigt oder in eine Tat hineingedrängt, sei es, daß sie unwillentlich zu ihrem Zeugen werden.

Ein junges Mädchen muß erkennen, daß der bewunderte Onkel, der im Haus ihrer · Eltern Zuflucht gefunden hat, ein gesuchter Frauenmörder ist (Shadow of a Doubt – Schatten eines Zweifels, 1943); ein Mann verliert sein Gedächtnis und muß später befürchten, einen Mord begangen zu haben (Spellbound); unterm Einfluß kleiner Dosen Gift, die ihr im Frühstückskaffee verabfolgt werden, büßt eine Agentin nach und nach ihre Widerstandskraft ein (Notorious); ein Mann wird gedrängt, einen Mord zu begehen, weil man ihn sonst glaubwürdig eines anderen Mordes bezichtigen wird (Strangers on the Train – Ein Fremder im Zug, 1951); ein Priester wird eines Mordes verdächtigt, dessen wahrer Täter ihm die Tat gebeichtet hat (I Confess – Zum Schweigen verurteilt, 1952); um einen ahnungslosen Musiker schließt sich eine Indizienkette, die ihn scheinbar des wiederholten Raubüberfalls überführt (The Wrong Man – Der falsche Mann, 1955); ein Mann begegnet einer Frau, die er zuvor vermeintlich mit eigenen Augen sterben sah (Vertigo – Aus dem Reich der Toten, 1958). In jedem dieser Filme erfährt der Held an sich selbst oder an anderen die Zerbrechlichkeit der eigenen Identität: entweder wird er selbst gedrängt, ein anderer zu werden, oder er muß sehen, daß ein anderer nicht der ist, für den er ihn hielt. Unmerklich verschieben sich für ihn die Bezugspunkte seines Orientierungssystems. Das Vertraute erscheint ihm plötzlich fremd; seine nächsten Freunde und Verwandten sind nicht mehr, die sie waren; die alltäglichsten Verrichtungen wollen ihm nicht mehr gelingen. Dieser Zustand wird nicht erklärt; nichts relativiert den Schauer des Fatalen, der Hitchcocks Welt der Angeklagten erfüllt – nichts als die Gewißheit, daß am Ende alles wieder beim alten sein wird.

Hitchcocks Stil wächst unmittelbar aus seiner Thematik: er läßt aus der Anschauung des Alltäglichen unmerklich das Grauen aufsteigen. Vertraute Objekte, Telefone, Schmuckstücke, Flüssigkeiten, Brillen werden zu Boten des heraufziehenden Unheils: ein Telefon klingelt und kündet Mord (Dial M for Murder – Bei Anruf Mord, 1953); ein Ring verbindet die Unschuldige mit dem Mörder-Onkel (Shadow of a Doubt); Regen, der die Windschutzscheibe herabrinnt, verwandelt das Licht entgegenkommender Wagen in drohende Chiffren (Psycho, 1960). Dinge und Vorgänge, die im Handlungszusammenhang ohne Bedeutung sind, verwandeln sich durch die Einstellungsart oder die Kameraperspektive. Die Dusche einer Brause wirkt, von unten gesehen, wie eine Waffe (Psycho); der bekannte Vorgang der Abnahme von Fingerabdrücken nimmt, in Detailaufnahmen geschildert, die Exekution vorweg (The Wrong Man). Eine langsam und stetig gleitende Kamera gibt dem Zuschauer das Gefühl, keinen festen Boden unter den Füßen zu haben, ein Mittel, das Hitchcock in Großaufnahmen wie in Totalen verwendet. Der jähe Wechsel von horizontaler und vertikaler Perspektive terrorisiert den Zuschauer: unversehens blickt er in Abgründe (Psycho, Vertigo). Schreckensbilder, von denen die Helden besessen sind, werden ohne Ankündigung in den Kontext harmloser Alltagsvisionen einmontiert: die Erinnerung an einen kleinen Jungen, der sich auf Eisenstäben aufgespießt hat (Spellbound), oder an eine Straßenschlucht, über der der Held in Todesängsten hing (Vertigo).

Hitchcocks Filme stehen in der Tradition des britischen Schauerromans. So ist der Schrecken in ihnen nicht metaphysisch begründet wie bei den deutschen Romantikern und ihren Nachfolgern, den deutschen Filmexpressionisten (bei beiden hat Hitchcock im übrigen viel gelernt), sondern er erwächst aus den Erfahrungen des bürgerlichen Alltags. Andererseits ist er selten konkret wie in der amerikanischen »Schwarzen Serie«, die den Terror in seiner sozialen Gestalt zitiert. Hitchcocks Filme sind »für träumende Bürger geschaffen« (D. Kuhlbrodt[26]), aber deren Alpträume sind oft wahrer als der Schein der Sekurität, der sie beim Erwachen beruhigt. In den besten Hitchcock-Filmen ist die Bedrohung so intensiv beschworen, daß das Happy-End als Beschwichtigungsmanöver durchschaubar wird; kaum ein anderer Film hat so eindringlich die Not des Individuums beschrieben, das in den Mechanismus des modernen Polizeistaates gerät, wie *The Wrong Man*. Solchen Ernst leistet sich Hitchcock aber zumeist nur für ein paar Minuten. Sonst zeigt er sich bemüht, die Schrecken, die er ahnt, durch »angelsächsische Ironie« zu bannen.

Chaplin: das Ende Charlies

Mit zwei Filmen steht Charles Chaplin am Anfang und am Ende der Kriegs- und Nachkriegsperiode des amerikanischen Films. 1940 erschien *The Great Dictator (Der große Diktator)*, 1947 *Monsieur Verdoux*. Dazwischen lagen die Erfahrungen des Krieges und persönliche Erlebnisse, die zusammen Chaplin die Einsicht vermittelten, daß Hitler nicht nur in Europa regierte. *The Great Dictator* war ein direktes Pamphlet gegen das Unrechtsregime des Faschismus, *Monsieur Verdoux* die indirekte Denunziation des viel weiter und tiefer gehenden Unrechts, das im Faschismus nur vorübergehende Gestalt gewonnen hatte.

In den Filmen der zwanziger Jahre hatte der Held der Chaplin-Filme den »alten Charlie« in sich überwunden, den aggressiven Egoisten, den asozialen, amoralischen Misanthropen. In *The Great Dictator* und in *Monsieur Verdoux* steht der alte Charlie wieder auf; inzwischen aber hat er die Lektionen des Lebens begriffen und sich zunutze gemacht. Als faschistischer Diktator und als Massenmörder verkörpert er das pervertierte Prinzip der individuellen Autonomie.

Chaplin war auf mehrfache Weise dazu prädestiniert, Hitler zu spielen, überhaupt einen Hitler-Film zu gestalten. Nicht zufällig hatte man schon früher die Ähnlichkeit der Charlie-Maske mit dem Diktator viel bewitzelt. Das kleine eitle Bärtchen war bei Charlie wie bei Hitler Zeichen einer tiefen Unsicherheit im menschlichen Kontakt, die – bei beiden – durch eine schier übermenschliche Anstrengung zur Selbstbehauptung kompensiert wurde. Was beim alten Charlie noch unmittelbare Reaktion auf die Unterdrückung war, hat sich bei Hynkel in *The Great Dictator* zum System der Unterdrückung ausgebildet. Wenn Charlie in *The Bank* (1915) einem Angestellten einen Briefumschlag hinhält, damit dieser ihn anleckt, übt er damit spontan, was er als Hynkel in *The Great Dictator* routinemäßig tut, aber der Vorgang ist fast genau derselbe. Hynkel ist die Verabsolutierung der aggressiven Tendenzen des frühen Charlie. Er liebt keine Frau – anders als der Held von *The Gold Rush* und *City Lights*, aber gleich dem frühen Charlie will er sie haben: seine Sekretärin umklammert er und grunzt sie an – komisch und abschreckend zugleich. Erotischen Charme entfaltet er beim Tanz mit der Weltkugel, mit der er kokettiert wie Charlie mit den Mädchen. Der jüdische Friseur, Hynkels Gegenspieler, gleicht dagegen dem gereinigten Charlie von *The Gold Rush*, *The Circus*, *City Lights*, fast schon dem Calvero von *Limelight*, der eher das Leid der Welt auf sich nimmt, als unrecht zu tun.

Chaplin spielte sowohl den Diktator wie den jüdischen Friseur. In sinnfälliger Weise charakterisierte er sie aber als Gegenbilder. Der Friseur bleibt stumm, bis auf die Rede, die er am Ende des Films hält. Er teilt sich mit durch Gestik und Mimik, die Ausdrucksmittel des unreflektierten Gefühls. Hynkel hingegen redet fast ununterbrochen; seine Gesten (denen Hitlers an Hand von Wochenschauaufnahmen parodierend nachgebildet) beschränken sich auf solche der Verachtung, des Hasses und der Angst. Er spricht mit gutturaler Stimme ein unverständliches Abrakadabra, das wie eine barbarische Parodie des Deutschen wirkt, aus dem nur dunkel verständliche Wendungen wie »Demokratia – Schtunk! Libertad – Schtunk! Frei sprechen – Schtunk!« sich abheben und das in stoßweisem Röcheln erstirbt.

Mit *The Great Dictator* verfolgte Chaplin 1940 eine aktuelle politische Absicht: die Diktatoren lächerlich zu machen. In den Passagen, die nur dieser Absicht dienen – die Tortenschlacht zwischen Hynkel-Hitler und Napaloni-Mussolini etwa –, hat dieser Film schnell seinen Sinn verloren und sogar ins Gegenteil verkehrt. *Monsieur Verdoux* dagegen ist so zeitlos gültig wie *The Kid* oder *City Lights*, obwohl auch dieser Film aus akuten Erfahrungen entstand – allgemeinen ebenso wie persönlichen.

Monsieur Verdoux ist die Geschichte eines alternden Bankangestellten in Frankreich, der durch die Wirtschaftskrise sein Geld verliert und nun, um seiner gelähmten Frau und seinem Sohn ein angenehmes Leben zu ermöglichen, sich auf ein anderes Geschäft verlegt: den Mord. Er tötet mehrere Frauen, nachdem er sie dazu gebracht hat, ihm ihr Geld zu vermachen. Nachdem er längst seine Familie verloren und seinem »Geschäft« entsagt hat, wird er gefaßt. Willig, aber ohne zu bereuen, läßt er sich hinrichten.

In Verdoux sind die beiden Wesen Charlies wieder vereint, aber nicht in der naiven Spontaneität Charlies, der in einem Moment gut und im nächsten böse sein konnte, ohne daß es ihm selbst bewußt wurde. Verdoux übt eine Art kontrollierter Schizophrenie. Er ist einmal ganz der Charlie aus *City Lights*, der sich voll Liebe und Mitgefühl seiner kranken Frau – aus der Blinden ist eine Gelähmte geworden – widmet; und dann ist er ein kleiner Hynkel, der seine Opfer verbrennt, wie es dessen historisches Vorbild tat. Verdoux ist der Antimythos: Luzifer, der gefallene Engel. Nicht aus Sadismus ist er zum Mörder geworden; nachdem er sich aber zu diesem »Geschäft« entschlossen hat, übt er es so perfekt aus, wie es sich für einen Geschäftsmann ziemt. »Charlie ist dem Wesen nach ein sozial Nicht-Adaptierter, Verdoux ein Über-Adaptierter«, definierte André Bazin den Unterschied zwischen Charlie und Verdoux[27]. Genau das besagt Verdoux' Äußeres: so elegant wie Charlie vergebens zu sein sich bemühte, ist Verdoux wirklich; Charlies rührend fadenscheinigen Anspruch, als »Gentleman« zu erscheinen, übererfüllt Verdoux; wie Charlies gestutztes Bärtchen, Stöckchen, Melone, Frack den unerfüllbaren sozialen Anspruch repräsentierten, so verkünden Verdoux' hochgezwirbelte Schnurrbartspitzen das »Es ist erreicht« des erfolgreichen Geschäftsmannes.

Warum wird Verdoux zum Mörder? hat sich James Agee[28] gefragt und darauf geantwortet: »Warum nicht?« Für einen Geschäftsmann, der als »Realist« nicht nach Recht und Unrecht, sondern nach Chance und Risiko fragt, mag Mord in der Tat nur, wie Charlie in einem Interview formulierte, frei nach Clausewitz »die Fortsetzung des Geschäftes mit anderen Mitteln« sein. Die Mächtigen, die sich des Krieges, des organisierten Massenmordes, als Mittel der Politik bedienen, haben es ihm vorgemacht. Als er vorm Schafott von einem Reporter gefragt wird, ob er nun einsehe, daß »Verbrechen sich nicht lohnt«, antwortet er: »Wenn man's im kleinen ausübt.« Es gibt auch eine weitergehende Antwort als die von James Agee, warum Verdoux gerade den Mord an Frauen zu seinem Metier gemacht hat. Verdoux hat seinen Beruf nicht gegen seine Neigung gewählt. Charlie begehrte die Frauen von Anfang an. Beide, der »alte« und der »neue« Charlie, Hynkel und der Friseur, werden hier zusammengezwungen durch das Diktat der Gesellschaft.

Mit keinem seiner späten Filme, *Limelight* (*Rampenlicht,* 1952) und *A King in New York* (Ein König in New York, 1957), erreichte Chaplin die Tiefe der Einsicht und die künstlerische Vollendung wieder, die seine Filme von den frühen *Mutuals* bis *Monsieur Verdoux* ausgezeichnet hatten. In *Limelight* gab sich Chaplin zum erstenmal autobiographisch: sein Calvero ist nicht mehr Charlie, er ist auch kein Anti-Charlie, wie Hynkel und Verdoux, sondern Chaplin selbst. Und zwar nicht Chaplin der Regisseur und Mime (dies ist er nur in zwei brillanten Szenen, die aber ausdrücklich als »Nummern«, als eingelegte Bühnenauftritte, charakterisiert sind), sondern der »Lebensphilosoph« Chaplin. Niemals hatten Chaplins Reden – die in der Wirklichkeit wie die in *The Great Dictator* und in *Monsieur Verdoux* – der Wahrheit letzten Schluß dargestellt. Jetzt beherrschen seine *Reader's-Digest*-Aphorismen den ganzen Film. Charlie hatte den Widrigkeiten des Daseins den selbstverständlichen Anspruch eines absoluten Individualisten entgegengesetzt, Monsieur Verdoux durch seinen Pakt mit der Welt deren Unmenschlichkeit entlarvt; der Calvero in *Limelight* indessen sucht seinen Frieden mit der Welt in edler Selbstpreisgabe. Chaplin läßt seinen alternden Clown, der die Ungunst des Publikums und das Leid des unglücklich Liebenden erfährt, über das Leben, die Liebe und das Glück räsonieren und im Opfertod für das geliebte Mädchen seinen Frieden finden.

Während einer Europareise Chaplins im Jahre 1952 erklärte der Justizminister der Regierung Eisenhower, MacGranery, daß Chaplin nicht die Erlaubnis zur Rückkehr in die Vereinigten Staaten erhalten werde. Schon früher war er wiederholt »unamerikanischer« Gesinnung bezichtigt worden. Er blieb jetzt in Europa und drehte in England *A King in New York.* Sein Held, der von seinem Thron vertriebene und nach Amerika emigrierte König Shahdov, gleicht Calvero; auch ihm verlieh Chaplin autobiographische Züge. Er begegnet Amerika voll Vertrauen, wird von einem gerissenen Mädchen veranlaßt, im Werbefernsehen aufzutreten, ergreift Partei für politisch Verfolgte und wird selbst als Kommunist verdächtigt und aus dem Lande getrieben. In einzelnen Szenen im Stil seiner Stummfilme trifft Chaplin ironisch den Gegenstand: die Einwanderungsszene etwa ähnelt der in *The Immigrant* von 1917. Sie stehen aber isoliert in einer sentimentalen Story, in die oberflächliche Reden über Freiheit, Frieden, Krieg und Atomenergie eingelassen sind. Wiederum desavouiert Chaplins Philanthropie seine satirische Begabung.

Limelight und *A King in New York* vollstreckten das Urteil, das Chaplin selbst in *The Great Dictator* über Charlie gefällt hatte, indem er ihn am Ende das Wort ergreifen ließ. Bis dahin und auch in *Monsieur Verdoux* blieb das gesprochene Wort den Unreinen, den Anti-Charlies vorbehalten. In *Modern Times* hatte Charlie gesungen – aber der Gesang hatte nicht seine mythische Qualität zerstört. Mit der Rede des jüdischen Friseurs in *The Great Dictator* hörte Charlie auf, naiv zu sein, und zerbrach selbst seinen Mythos. Er war nicht länger der »reine« Widersacher der Realität; er suchte sich zu erklären, zu kommunizieren, zu wirken. Hier endete Chaplins Kompetenz als Künstler: seine Weisheit war die des Naiven, als der allein er sich in Charlie gab; als Programmatiker überforderte er sich.

Preston Sturges

Die »Amerikanische Komödie« der Vorkriegszeit wurde in den vierziger Jahren von Preston Sturges zugleich zur Gesellschaftssatire weiterentwickelt und durch Selbstparodie aufgehoben. Sturges reaktivierte vergessene Techniken des Filmlustspiels, bis zurück zur slapstick comedy, und benutzte sie zur rigorosen Polemik gegen die amerikanische Gesellschaft, gegen Hollywood und gegen seine Komödien selbst.

Preston Sturges (1891–1956), der durch seine Mutter, die kunstwütige Besitzerin eines pariser Kosmetiksalons, und seinen Vater, einen chicagoer Geschäftsmann und Radrenn-Champion, eine extrem zwiespältige Erziehung genossen hatte, betätigte sich nacheinander als Erfinder, Chansonschreiber und Broadway-Regisseur. Der Erfolg einiger von ihm verfaßter und inszenierter Stücke brachte ihn 1933 als Drehbuchautor nach Hollywood. Elf Filme entstanden dort unter seiner Regie, der erste 1940, der letzte 1949: kein anderer Regisseur war so ausschließlich dieser Periode der amerikanischen Filmgeschichte verpflichtet.

Sein Debütfilm, *The Great McGinty* (Der große McGinty, 1940), war eine Satire über Korruption in der amerikanischen Politik und zugleich eine Parodie auf Capras ein Jahr ältere Komödie über das gleiche Thema, *Mr. Smith Goes to Washington*. Sowohl Smith als McGinty werden von Gangstern in die Politik lanciert, beide ernten blendenden Erfolg, beide bekennen öffentlich ihre Schuld und werden »ehrbar«; während aber Capras Held dafür allgemeinen Beifall findet, wird dem Helden bei Sturges Ehrbarkeit als Gaunerei ausgelegt, so wie zuvor der Gauner für einen ehrlichen Mann gehalten wurde. In *The Lady Eve* (1941) erweiterte Sturges die Angriffsfläche seiner Attacke: er ironisierte die falsche Emanzipation der Amerikanerinnen und die Vertrottelung ihrer Männer. Zugleich parodierte er abermals seine Vorgänger; die Querelen der jungen Paare, das gehobene Milieu, die Schlafwagenszenen, alle von Capras *It Happened One Night* inaugurierten Elemente der amerikanischen Komödie kehren hier wieder und werden ad absurdum geführt.

Mit *Sullivan's Travels* (Sullivans Reisen, 1941) realisierte Sturges sein Hauptwerk. Ein Hollywood-Regisseur mischt sich, um »Milieu-Untersuchungen« anzustellen, unter die Ärmsten der Armen. Er kommt versehentlich mit der Polizei in Konflikt, kann seine Identität nicht nachweisen und wird zur Strafarbeit verurteilt. Die Kettenhäftlinge finden ihre einzige Erholung bei gelegentlichen Kinoabenden, an denen ihnen Zeichentrickfilme à la Disney vorgeführt werden. Sullivan, endlich freigelassen, entschließt sich, keinen »sozialen« Film, sondern ebenfalls anspruchslose »Lachschlager« zu verfertigen. Wieder trifft Sturges' Spott Hollywood da, wo es sich am seriösesten gibt, in den Traktaten über Vagabunden und verwahrloste Jugendliche. Dabei leugnet Sturges keineswegs das reale Elend: seine Schilderung des Straflagers steht der von *I Am a Fugitive from a Chain Gang* nicht nach.

In *The Miracle of Morgan's Creek* (Das Wunder von Morgans Creek, 1943) und *Hail the Conquering Hero* (Heil dem Eroberer und Helden, 1944) dementierte Sturges einen weiteren Aspekt der Capra-Ideologie: den Mythos der Kleinstadt. Im ersten dieser beiden Filme läßt sich eine volltrunkene Dorfschöne von einem Soldaten schwängern, bringt Fünflinge zur Welt und wird Nationalheldin. In dem anderen wird ein Schreibstubensoldat als Kriegsheld gefeiert und zum Bürgermeister gewählt. Die »gute Kameradin« und der »nette junge Mann von nebenan« aus den Vorkriegsfilmen kehren wieder bei Sturges als Debile und Idioten. Der Boy-Scout-Geist des *Mr. Deeds* und des *Sergeant York* aus dem gleichnamigen Erfolgsfilm von 1941 wird in der Gestalt eines blöden Riesenbabys in diesen beiden Filmen als gutmütiger Schwachsinn diffamiert. Auch Sturges' nächster Film, *Mad Wednesday (Verrückter Mittwoch*, 1947) verging sich an einem nationalen Idol. Er untersuchte, was aus Harold Lloyd, dem übereifrigen College-Boy und Baseball-Champion aus *The Freshman* von 1925 nach zwanzig Jahren geworden sein mochte: ein vergrämter Spießer, der sich immer noch darin verzehrt, dem sozialen Standard Genüge zu tun. Auch in den minder aggressiven Lustspielen, die er zwischen und nach diesen Filmen drehte, wie *Christmas in July* (Weihnachten im Juli, 1940), *The Palm Beach Story* (1942) und *Unfaithfully Yours (Die Ungetreue*, 1948), bewährte Sturges seinen düsteren Humor: In dem letzten dieser Filme etwa wähnt sich ein Dirigent von seiner Frau betrogen, und seine finsteren Rache- und Mordvisionen steigen »synchron« zu der Musik auf, die er just dirigiert.

Sturges' Komik bewegt sich stets hart am Rande des Ernstes, nicht selten schlägt sie auch um in abgründige Bitterkeit. Sie ist unsentimental wie die der slapstick comedies, von denen er seine Gagtechnik entlehnt hat. Anders als bei Mack Sennett wirkt aber das Lachen nicht befreiend: Sturges entlarvt es selbst als Mittel des sozialen Terrors, durch das die Erniedrigten dazu angehalten werden, sich selbst zu verachten. Sturges setzt immer wieder die Muster der Komik im amerikanischen Film kritischer Reflexion aus. Die Vorführung des Trickfilms in *Sullivan's Travels* beweist, wie genau er die gesellschaftliche Funktion des Lachens begriff: sie illustriert die schon früher[29] zitierte These, daß »Donald Duck in den Cartoons wie die Unglücklichen in der Realität ihre Prügel (erhalten), damit die Zuschauer sich an die eigenen gewöhnen«. Auch bei Sturges lacht der Zuschauer über die Dummen, aber das Lachen bleibt ihm am Ende im Halse stecken, es schlägt in Grauen um. Die Konfrontierung des Ausschnitts aus *The Freshman* mit der traurigen Maske des alternden Harold Lloyd macht bewußt, wo die stereotype Heiterkeit endet. Sturges war »gewiß nicht daran interessiert, die Infamie zu bekämpfen, sondern daran, sie festzuhalten und darzutun, daß nichts dagegen getan werden kann« (R. Griffith[30]). Man hat ihm dafür Unmenschlichkeit und »Herzensdürre« (G. Sadoul[31]) vorgeworfen: in Wahrheit beweist es eine tiefere Einsicht in die Trostlosigkeit des herrschenden Zustandes, die der versöhnliche, angeblich »menschlichere« Humor von *Limelight* verdeckt.

Nach mehrjähriger erzwungener Untätigkeit verließ Preston Sturges Amerika, hielt sich eine Zeitlang in England auf und drehte schließlich in Frankreich seinen letzten Film, *Les Carnets du Major Thompson (Das Tagebuch des Mister Thompson*, 1955), der nur in Details noch seine Eigenart bezeugt.

Schwarze Serie und Sozialkritik

Zwischen 1941 und 1949 erlebte der amerikanische Film eine künstlerische Blüte wie ähnlich nur in den frühen Depressionsjahren, 1930 bis 1934. In beiden Fällen gestatteten soziale Erschütterungen – der Bankenkrach und der Kriegsausbruch – eine freiere Behandlung wesentlicher Themen; in beiden Fällen stoppten auch politische Maßnahmen die Erneuerungsbewegung – die Verabschiedung des Hays-Code und die »Hexenjagd«. Auch die Filme selbst weisen Gemeinsamkeiten auf: eine Vorliebe für kriminalistische Themen, ein profundes Mißtrauen gegen die herrschende soziale Ordnung und eine unbedingte Authentizität in der Milieuzeichnung. Zugleich unterscheiden sich die Filme beider Perioden aber auch in charakteristischer Weise. Die von 1930/34 reagierten unmittelbar auf den Stoß, den das kollektive Selbstbewußtsein durch den wirtschaftlichen Zusammenbruch erhalten hatte. Sie übten Kritik an der Ordnung, die die Krise nicht hatte verhindern können, aber sie hielten fest am bürgerlichen Glauben an das Individuum – noch im Bild des Gangsters lebte das Ideal des »freien Unternehmers« weiter. Die Filme der vierziger Jahre sind ungleich pessimistischer. Die Entwicklung ihrer Regisseure war bereits von der Krise geprägt. Die meisten von ihnen wurden zwischen 1906 und 1911 geboren, waren bei Beginn der Krise also kaum volljährig. Die Ohnmacht des Individuums gegenüber den anonymen sozialen Mechanismen war ihnen eine vertraute Erfahrung. Die Gestalten ihrer Filme sind denn auch keine Übermenschen wie die »Little Caesar« und »Scarface« der Filme von 1930 und 1932, sondern schäbige Durchschnittsexistenzen, Versicherungsbetrüger, Alkoholiker, untreue Ehefrauen, korrupte Polizisten, schlechtbezahlte Detektive.

Drei Tendenzen lassen sich unter den realistischen Filmen dieser Zeit unterscheiden: die »Schwarze Serie«, die dokumentarischen Kriminalfilme und die sozialkritischen Filme. Sie überschneiden sich mehrfach, aber jede Gruppe hat eine andere Tradition und manifestiert sich in einigen »reinen«, unverwechselbaren Filmen.

Die Schwarze Serie bezeichnet die bislang radikalste Absage an den »American Way of Life« und den traditionellen Optimismus, die Hollywood hervorgebracht hat. Sie geht auf die Gangsterfilme der dreißiger Jahre zurück – Howard Hawks, der Regisseur von *Scarface*, schuf mit *The Big Sleep* auch einen der markantesten neuen Filme; hatten jene aber an den herkömmlichen Vorstellungen von Gut und Böse festgehalten, so herrscht in diesen ein totaler Amoralismus. »Die moralische Doppeldeutigkeit, die kriminelle Gewalttätigkeit und die widerspruchsvolle Komplexität der Situationen und Motive vermitteln gemeinsam dem Zuschauer dasselbe Gefühl der Angst oder der Unsicherheit«, schreiben R. Borde und E. Chaumeton [32]. »Alle Werke dieser Serie rufen ein einheitliches System von Affekten hervor: das ist der Spannungszustand, der beim Zuschauer aus dem Verschwinden aller psychologischen Orientierungspunkte erwächst. Die Intention der schwarzen Filme war es, ein spezifisches Unwohlsein hervorzurufen.«

Am Beginn der Serie stand John Hustons *The Maltese Falcon* (Die Spur des Falken, 1941), nach dem gleichnamigen Roman von Dashiell Hammett, der mit Raymond Chandler und James M. Cain zu den geistigen Wegbereitern des Schwarzen Films gehört. Die Hauptgestalten des Films sind ein reicher Sammler, der sich krimineller Mittel bedient, ein Killer aus Passion, eine schöne Intrigantin und vor allem ein entlassener Polizeibeamter, der als Privatdetektiv sein bescheidenes Dasein fristet; Humphrey Bogart stieg mit dieser Rolle zu Starruhm auf. Als Repräsentant des Mißerfolges wurde er zu einem Idol der vierziger Jahre, wie die tatkräftig-optimistischen Helden Capras — Gable, Cooper, Stewart — das der dreißiger Jahre gewesen waren.

Nach dem Kriegseintritt der USA wurde die Serie unterbrochen. Sobald aber der Sieg der Alliierten sich nur abzuzeichnen begann, setzte sie sich wieder fort. In Edward Dmytryks *Murder My Sweet* (Mord, meine Süße, 1944), nach einem Roman von Raymond Chandler, wird ein Detektiv in undurchschaubare Manöver verwickelt, und eine schöne Mörderin macht ihn zu ihrem Komplicen. Auf der Suche nach einer vermeintlichen Toten lernt in Otto Premingers *Laura* (1944) ein Detektiv deren seltsame Bekannte kennen: einen weichlichen Gigolo, eine Nymphomanin reiferen Alters und einen zynischen Literaturkritiker. In Billy Wilders *Double Indemnity* (Frau ohne Gewissen, 1944), nach James M. Cain, will eine elegante Blondine ihren

Mann ermorden, um in den Besitz der Versicherung zu kommen, und macht den Agenten zu ihrem Liebhaber. William Faulkner adaptierte und Howard Hawks inszenierte Raymond Chandlers *The Big Sleep* (Der große Schlaf, 1946): Bei dem Versuch, zwei Generalstöchter zu bewachen – eine erotomane Cholerikerin und eine Spielerin –, gerät ein Detektiv in düstere Verwicklungen. In Wilders *The Lost Weekend* (*Das verlorene Wochenende*, 1945) ist das Verbrechen durch den Verfall eines Säufers ersetzt.

Zu den gelungenen Filmen der Serie gehören auch Robert Siodmaks *The Spiral Staircase* (Die Wendeltreppe, 1945) und *The Killers* (*Die Killer*, 1946), Robert Montgomerys *Lady in the Lake* (Die Dame im See, 1946) und *Ride the Pink Horse* (Reite das rosarote Pferd, 1947), Joseph L. Mankiewiczs *Somewhere in the Night* (Irgendwo in der Nacht, 1946), Anatole Litvaks *Sorry Wrong Number* (*Du lebst noch 105 Minuten*, 1948) und Jules Dassins *Night and the City* (*Die Ratte von Soho*, 1950). Für einige Regisseure lag die Schwarze Serie in der Konsequenz ihrer früheren Unternehmungen; so hospitierten Fritz Lang mit *The Woman in the Window* (Gefährliche Begegnung, 1944) und *The Scarlet Street* (Straße der Versuchung, 1945), Alfred Hitchcock mit *Strangers on the Train* (Ein Fremder im Zug, 1951) und Orson Welles mit *The Lady from Shanghai* (Die Lady von Shanghai, 1946) bei der Schwarzen Serie.

In all diesen Filmen regiert der Schrecken. Er bricht auf hinter der vertrauten Fassade des Alltags. Das Grauen hat keine definierbare Ursache: es gehört zur Natur der Helden, es umgibt sie allenthalben. Seine Darstellung ist Selbstzweck; die Handlung tritt zurück, nicht selten zerfällt sie auch vollständig, es bleibt ein Agglomerat von Szenen, in denen das Grauen stets aufs neue sich manifestiert. In den besten Filmen der Serie kristallisiert sich der Schrecken zu Einstellungen und Sequenzen von makabrem Reiz. Die Vision des von Drogen betäubten Detektivs in *Murder My Sweet*, die Ermordung eines hinkenden Mädchens während der Vorführung eines Stummfilmmelodrams in *The Spiral Staircase*, die Schießerei im Spiegelkabinett von *The Lady from Shanghai*, das Delirium tremens des Säufers in *The Lost Weekend* – in Passagen wie diesen zerfällt die Wirklichkeit in Trümmer, die sich zu Traumbildern ordnen: Realismus schlägt in Surrealismus um. Hier brechen auch Erinnerungen an den deutschen Film der weimarer Zeit auf. Das Spiel mit Licht und Schatten, die Belebung toter Objekte, die Verwendung von Leitmotiven, das alles geht zurück auf *Das Kabinett des Dr. Caligari*, die beiden Dr.-Mabuse-Filme, *M* und ähnliche Werke. Regisseure deutscher Abstammung und Ausbildung, Fritz Lang, Robert Siodmak, Billy Wilder, Otto Preminger, Anatole Litvak, inszenierten denn auch im Rahmen der Schwarzen Serie einige der besten Filme seit ihrer Emigration.

Die Serie der dokumentarischen Kriminalfilme löste nach Kriegsende die stilistisch verwandten Kriegsfilme ab. In der Karriere von Louis de Rochemont kam die Kontinuität der Entwicklung zum Ausdruck: der Regisseur der *March of Time*-Serie fungierte bei den meisten Filmen dieser Serie als Produzent. Henry Hathaways *The House on 92nd Street* (Das Haus in der 92. Straße, 1945), *Call Northside 777* (Kennwort 777, 1947) und *Kiss of Death* (Der Todeskuß, 1947), William Keighleys *Street With No Name* (Straße ohne Namen, 1948), Jules Dassins *The Naked City* (Stadt ohne Maske, 1948) und schließlich Elia Kazans *Panic in the Streets* (Unter Geheimbefehl, 1950): diese Filme referierten authentische Fälle aus den Akten der Kriminalpolizei. Mit den meisten Streifen der Schwarzen Serie haben diese das kriminalistische Sujet gemein, aber sie legen den Schwerpunkt nicht auf die Darstellung des Verbrechens, sondern auf seine Aufklärung. Die kriminalistische Arbeit leisten hier keine zwielichtigen Privatdetektive, sondern ordentliche Beamte, die freilich auch nicht zu Heroen stilisiert werden. Die Streifen dieser Serie partizipierten noch am aufklärerischen Geist einiger Filme der Roosevelt-Ära, der Dokumentarserien ebenso wie der Kriminalfilme, die die Motive der Verbrecher psychologisch und soziologisch zu erklären suchten. Zugleich bewahren sie deren intaktes ethisches Koordinatensystem. Nicht selten beschließt das konventionelle »crime doesn't pay« das Geschehen. Der Stil dieser Filme ist durchweg nüchtern. Er ähnelt dem der Rekonstruktionen der Kriegsjahre, wie *Target for Tonight* und *Memphis Belle*. Während die Filme der Schwarzen Serie zumeist mit Kunstlicht im Atelier gedreht wurden, entstanden diese durchweg im Freien; die Beleuchtung dient nicht dem dramatischen Effekt, sondern unterstreicht die Echtheit der Szene.

Bei den sozialkritischen Filmen machte sich ein ähnlicher Wandel bemerkbar wie bei den Kriminalfilmen. Die alten »topical films« wie *I Am a Fugitive from a Chain Gang* hatten zumeist isolierte soziale Übelstände angeprangert, das Individuum stand ihnen, selbst integer, als Opfer oder Täter gegenüber. Gewiß setzten auch um 1945 mehrere Filme diese Tradition fort. Jules Dassin kritisierte die kriminellen Usancen im Großhandel in *Thieves' Highway (Gefahr in Frisco, 1949)* und den Terror der Gefängnisverwaltungen in *Brute Force (Zelle R 17, 1947)*; mit der Korruption im Sportwesen befaßten sich Mark Robson in *Champion (Zwischen Frauen und Seilen, 1949)*, Robert Rossen in *Body and Soul (Jagd nach Millionen, 1947)* und Robert Wise in *The Set Up (Der Kampf, 1949)*, mit Mißständen im Justizwesen Elia Kazan in *Boomerang (1947)* und Preston Sturges in *Sullivan's Travels*, mit politischer Korruption Abraham Polonsky in *Force of Evil (Kraft des Bösen, 1948)*. Die Nazi-Herrschaft in Europa wählten zum Thema – abgesehen von vielen Dutzendfilmen – Fred Zinnemanns *The Seventh Cross (Das siebte Kreuz, 1944)*, nach dem Roman von Anna Seghers, und Fritz Langs *Hangmen Also Die* nach einem Drehbuch von Bertolt Brecht; die Folgen des Krieges behandelte Zinnemanns *The Search (Die Gezeichneten, 1948)*. Einer der besten Filme dieser Gruppe entstand in England, ist aber ein unverwechselbar amerikanisches Werk: Edward Dmytryk, der als einer der ersten vor den Nachstellungen der »Hexenjäger« flüchtete, realisierte in England sein Hauptwerk, *Give Us This Day (Haus der Sehnsucht, 1949)*, die Geschichte eines proletarischen Ehepaares, dessen Versuche, zu einem bescheidenen Glück zu gelangen, durch die Wirtschaftskrise vereitelt werden.

In den meisten dieser Filme wird die Anprangerung konkreter Mißstände – Korruption, Arbeitslosigkeit, Krieg, Diktatur – durchdrungen von einer subtileren Beschreibung der sozialpsychologischen Disposition, die die Entstehung derartiger Phänomene begünstigen. Noch direkter strebte eine Reihe anderer Filme eine Psychopathologie bestimmter Schichten an: Die Anfälligkeit des Kleinbürgertums für totalitäre Bewegungen untersuchte Robert Rossen in *All the King's Men (Der Mann, der herrschen wollte, 1949)*; die Schwierigkeiten heimgekehrter Soldaten beschrieben William Wyler in *The Best Years of Our Lives* und Fred Zinnemann in *The Men (Die Männer, 1950)*. William Wellman untersuchte in *The Ox-Bow Incident (Der Zwischenfall am Ox-Bogen, 1943)* die Motive der Lynchjustiz. Vor allem aber behandelten mehrere Filme rassische Vorurteile, ein Thema, das bis Kriegsende als tabu galt. Den Antisemitismus haben Edward Dmytryks *Crossfire (Kreuzfeuer, 1946)* und Elia Kazans *Gentleman's Agreement (1947)* zum Gegenstand, die Diskriminierung der Schwarzen in den Südstaaten Mark Robsons *Home of the Braves (Die Heimat der Tapferen, 1949)*, Clarence Browns *Intruder in the Dust (Begierde im Staub, 1949)*, Elia Kazans

Pinky (1949), Alfred Werkers *Lost Boundaries (Wenn Eltern schweigen, 1949)* und Joseph L. Mankiewiczs *No Way Out (Haß ist blind,* 1950).

Anders als die Schwarze Serie und die Rekonstruktionen von Kriminalfällen besitzen die sozialkritischen Streifen dieser Jahre keinen eigenen Stil. Die »schwarzen« Filme von Lang, Wyler und Sturges unterscheiden sich stilistisch nicht von den anderen Filmen dieser Regisseure. Bei Kazan und Dmytryk zeigt sich die Divergenz ihrer künstlerische Neigungen und ihrer politischen Überzeugungen: ihre kritischen Filme sind weniger überzeugend gestaltet als ihre »schwarzen« oder kriminalistischen. Die Filme von Robert Rossen und Clarence Brown lehnen sich an den Dokumentarismus der Rochemont-Serie an. Am ehesten finden sich in den drei Filmen von Fred Zinnemann Ansätze zu einer amerikanischen Variante des italienischen Neorealismus.

Von den Regisseuren dieser Periode verdanken es einige vornehmlich der Wiederholung fremder Erfindungen, daß ihnen Filme von künstlerischer Qualität gelangen. Zum Teil sanken sie nach 1950 wieder zu völliger Bedeutungslosigkeit ab, wie Dmytryk, der sich seinen Verfolgern stellte, eine Gefängnisstrafe wegen »Mißachtung des Kongresses« verbüßen mußte und seine kommunistischen Überzeugungen widerrief, wie Montgomery, Hathaway, Rossen und Werker; oder sie gewannen der Rezeption des Stils der vierziger Jahre noch einige Filme relativer Bedeutung ab. Laslo Benedeks *Death of a Salesman (Tod eines Handlungsreisenden,* 1952) und *The Wild One (Der Wilde,* 1953), Otto Premingers *The Man With the Golden Arm (Der Mann mit dem goldenen Arm,* 1955) und *Anatomy of a Murder (Anatomie eines Mordes,* 1959), Robert Wises *Executive Suite (Die Intriganten,* 1954) und *I Want to Live (Laßt mich leben,* 1959), Anatole Litvaks *Decision Before Dawn (Entscheidung vor Morgengrauen,* 1950), Mark Robsons *The Harder They Fall (Schmutziger Lorbeer,* 1955), Jules Dassins französisches *Du Rififi chez les hommes (Rififi,* 1955) und Robert Siodmaks deutscher *Nachts, wenn der Teufel kam* (1957) – all diese Filme, die besten späteren Erzeugnisse ihrer Regisseure, greifen zurück auf die schwarzen oder die dokumentarischen Filme. Neben den gleichzeitigen Werken jüngerer Regisseure nehmen sie sich ananchronistisch aus. Nur Dassin, der von den Inquisitoren des McCarthy-Ausschusses aus Amerika vertrieben worden war, bewies später Ambition und Erfindungskraft. In seinem zweiten französischen Film, *Celui qui doit mourir (Der Mann, der sterben muß,* 1956), nach dem Roman *Griechische Passion* von Nikos Kazantzakis, gab er eine moderne Variante des Christusdramas, in deren Mittelpunkt ein naiver Hirt steht. Dassin ging es dabei nicht um fromme Erbaulichkeit; vielmehr lieferte er eine revolutionäre Lektion: Ein Priester entschließt sich, gegen Pharisäertum und Fremdherrschaft sein Recht mit der Waffe zu fordern; der Film schließt optisch überzeugend mit einem Appell zum kollektiven Widerstand. In seinen späteren Filmen *Pote tin kyriaki (Sonntags nie,* 1960) und *Phaedra* (1962) widmete sich Dassin einer blinden und oberflächlichen Apologie des »Ewigen Griechenlands«, das sich ihm in seiner Hauptdarstellerin Melina Mercouri verkörperte. Von den in Amerika verbliebenen Regisseuren wuchsen – abgesehen von denen, die schon in früheren Filmen eigenes Profil gezeigt hatten, wie Hitchcock, Wyler, Welles und Sturges – nur wenige über die Grenzen des Realismus von 1945 hinaus. Allein John Huston, Billy Wilder, Elia Kazan, Fred Zinnemann und Joseph L. Mankiewicz traten noch später mit individuellen Werken hervor.

1950-1959

Am Beginn der fünfziger Jahre hatte sich die überlieferte Ordnung der Filmwirtschaft von den Erschütterungen des Krieges wieder erholt. Das Gesetz von Angebot und Nachfrage, durch die Mangelwirtschaft außer Kraft gesetzt, regierte von neuem den Markt; die staatlichen Zensurbehörden funktionierten wieder; Hollywood hatte seine dominierende Stellung – außer im Herrschaftsbereich der Sowjetunion – zurückgewonnen. Zugleich hatte der Geist des politischen Aktivismus, der aus dem Widerstand gegen die Diktatur geboren worden war, allgemein der passiven Konsumideologie das Feld geräumt. Die Rückkehr der sozialen Autoritäten der präfaschistischen Gesellschaft und die Verhärtung der Fronten des »Kalten Krieges« lähmten die Hoffnungen derer, die die Erneuerungsbewegung der vierziger Jahre vertreten hatten. In der Sowjetunion erreichte der Stalinismus seinen Höhepunkt.

In dieser Situation wurde die Filmkunst in eine Katakombensituation gedrängt. Die Tendenzen der Kriegs- und Nachkriegsjahre setzten sich zumeist nur in kommerzialisierter Form fort. Einzelne Werke von Bedeutung entstanden unter Ausnahmebedingungen oder in kleineren Ländern, deren Filmindustrie noch in den Anfängen steckte. Allein in Italien besaß die vielfach totgesagte neorealistische Bewegung genug innere Dynamik, um sich gegen den Druck der Verhältnisse zu behaupten, Zersetzungserscheinungen immer aufs neue zu überwinden und den Stil der Nachkriegsjahre sinnvoll weiterzuentwickeln.

Eine Lösung der Stagnation begann mit dem Aufstieg des Fernsehens. Zuerst in den Vereinigten Staaten, dann auch in einigen europäischen Ländern führte die Konkurrenz des Bildschirms eine schwere Krise der Filmwirtschaft herauf. Die reorganisierte und dezentralisierte amerikanische Filmwirtschaft räumte einzelnen Regisseuren größere Freiheiten ein. Kritische Formulierungen gestatteten sich aber auch diese nicht, solange die Erstarrung der ideologischen Fronten des Kalten Krieges anhielt.

Nach Stalins Tod, vor allem nach dem zwanzigsten Parteitag der sowjetischen KP, wurde im östlichen Machtbereich auch die Reglementierung der Filmproduktion gelockert; da hier die Bindung an den Markt ohnehin ungleich loser war als in den kapitalistischen Ländern, konnten in mehreren Ostblockstaaten einige der interessantesten Filme der späten fünfziger Jahre gedreht werden. Zur selben Zeit begann – nach der Entmachtung und dem Tod des Senators McCarthy – auch der auf dem amerikanischen Film lastende politische Druck zu weichen. Eine neue Generation konnte die Bedingungen größerer Freiheit nutzen.

Italien: Von der Chronik zur Erzählung

Nach dem Wahlsieg de Gasperis von 1948 setzte sich in Italien eine Politik der Restauration durch, die auch auf dem Gebiet des Films nicht ohne Auswirkungen blieb. Zur Eindämmung »subversiver« Tendenzen stand dem Staat nach einem neuen Filmgesetz von 1949 das Mittel der Subventionierungs- und Kreditpolitik zur Verfügung. Das Filmgesetz erhob den Publikumserfolg eines Films zum Maßstab seiner Subventionierung: so erhielten bis 1953 beispielsweise *Il Piccolo mondo di Don Camillo* (*Don Camillo und Peppone*), Duviviers franko-italienische Koproduktion, zweihundertsechzehn Millionen Lire an Subventionen und Prämien, *Ladri di biciclette* aber nur dreiundvierzig Millionen, *Umberto D.* sechzehn und *La Terra trema*, der besucherschwächste Film, gar nur sechs Millionen Lire. Ferner stellte die staatliche *Banca del Lavoro* den Produzenten großzügige Kredite zur Verfügung, aber nur bei Vorlage einer ministeriellen Befürwortung des Drehbuchs. Damit war in Italien wieder eine indirekte Vorzensur der Drehbücher eingeführt. Parlamentarier und Minister richteten drohende Botschaften an die neorealistischen Regisseure. So der Staatssekretär und spätere Minister Andreotti anläßlich von *Umberto D.*: »De Sica sei uns nicht böse, wenn wir ihn an seine minimale Pflicht erinnern: einen gesunden und konstruktiven Optimismus zu propagieren, der der Menschheit hilft, voranzukommen und zu hoffen[1].« Bei solchen Äußerungen von offizieller Seite verloren Produzenten und Regisseure bald den Mut, noch weiter »Italiens Schande im Ausland zu verbreiten«. Am effektvollsten war vielleicht die Selbstzensur der Szenaristen und Regisseure. De Sica erklärte in einem Interview mit *Le Monde* 1955[2]: »Die schrecklichste unserer Vorzensuren ist die Selbstzensur ... Wenn wir einen Film vorbereiten, ihn schreiben oder schon drehen, schwebt ein Schatten über uns. Gegenüber unseren Produzenten haben wir nicht das Recht, einen Film herzustellen, dessen Rentabilität durch ein Verdikt der Regierung oder der Kirche in Frage gestellt werden könnte. Daher lassen wir uns, manchmal unbewußt, auf Konzessionen ein.« Die Zensur selbst übte ein strenges Regime aus: Visconti, Vergano, Germi, Zampa und andere mußten aus ihren Filmen sozialkritische Passagen entfernen. Ein bezeichnendes Licht auf den Geist der Zensur wirft auch die Tatsache, daß der Redakteur Guido Aristarco und der Szenarist Renzo Renzi 1953 zu einer Gefängnisstrafe verurteilt werden konnten, weil sie ein die Mussolini-Armee kritisierendes Film-Treatment publiziert hatten.

1956 geriet die italienische Filmindustrie, die noch 1954 rund zweihundert Filme hergestellt hatte, durch den Zusammenbruch der Produktionsfirma *Minerva* in eine schwere Krise, die die Filmproduktion erheblich absinken ließ. Verursacht wurde diese Krise durch die bequeme Beschränkung der meisten italienischen Filme auf konventionelle Formeln und Sujets, die die Besucherzahlen sinken ließ, und durch allzu hohe Produktionskosten. Nach 1956 wurde ein neues Filmgesetz beschlossen, das Qualitätsprämien für »besonders wertvolle« Filme vorsah. Die Produktion bewegte sich wieder aufwärts und schwankte in den letzten Jahren zwischen hundertfünfzig und zweihundert Filmen.

1960 kam es durch eine Serie von Eingriffen der Zensur erneut zu einer »Krise«, die freilich nicht wie 1956 die wirtschaftliche Stabilität der Filmindustrie gefährdete. Ein mailänder Staatsanwalt schritt gegen Viscontis Film *Rocco e i suoi fratelli* ein, der die römische Zensur bereits passiert hatte; er erreichte die Unkenntlichmachung mehrerer Szenen. Ähnliches geschah mit Filmen Antonionis, Bologninis und Lattuadas.

Fortsetzung des Neorealismus

1950 ging die eigentliche Blütezeit des Neorealismus in Italien zu Ende. Es begann jetzt ein Prozeß der Aufspaltung – eine sozialkritische Richtung, die den ursprünglichen Intentionen des Neorealismus vielleicht am nächsten stand, sonderte sich ab von einer »folkloristischen« und einer religiösen Strömung; neue Persönlichkeiten traten hervor: Antonioni, Fellini, während de Sica und Visconti den Stil ihrer früheren Filme fortzusetzen suchten.

Scharf kontrastierten nach 1950 auch die Definitionen, mit denen die Theoretiker dem Phänomen des Neorealismus beizukommen gedachten. Für die einen war der Neorealismus vornehmlich Ausdrucksmittel politischer und sozialer Anklage (diesen Standpunkt vertreten etwa R. Borde und A. Bouissy in ihrem soziologisch angelegten Buch *Le Néoréalisme italien*[3]); für die anderen erschloß er »das Mysterium der Existenz«, wie der katholische Kritiker Amédée Ayfre in einer Studie über die Ästhetik des Neorealismus ausführte[4]. Die wesentlichste Lektion des Neorealismus jedoch, die der Interdependenz aller Dinge, fand Aufnahme und Verarbeitung im Werk einiger junger Regisseure, denen eine sozialkritische Grundeinstellung gemeinsam war; in den Filmen de Santis', Lizzanis und Germis erscheint der Mensch als ein Gruppenwesen, das durch sein Verhältnis zur Umwelt definiert wird.

Giuseppe de Santis und sein Drehbuchautor Cesare Zavattini machten ein reales Ereignis zur Grundlage ihres Films *Roma ore undici (Es geschah Punkt elf*, 1952). 1950 hatten sich in einem römischen Mietshaus auf eine Annonce hin über zweihundert Bewerberinnen für eine Stenotypistenstelle versammelt. Unter dem Gewicht der wartenden Mädchen und Frauen brach die Treppe zusammen; es gab Tote und Verletzte. Dies Geschehnis besaß genug Attraktionskraft, um einen Produzenten dazu zu bestimmen, das sonst wenig populäre Thema der Arbeitslosigkeit im Film aufzugreifen. De Santis ging an seinen Film mit dem Realitätshunger eines naturalistischen Romanciers heran: er interviewte alle am Unglück Beteiligten und trug umfangreiches Material zusammen. Schließlich destillierten de Santis und Zavattini aus den vielen Angaben die Geschichten von sieben Frauen, die der Film miteinander verwob; im Mittelpunkt steht die Figur von Luciana, der Frau eines Arbeitslosen, die sich in der Schlange vordrängt und dadurch den Einsturz der Treppe auslöst.

Dem Film haftet nichts Konstruiertes an; de Santis gelang es, durch kurzes Hineinleuchten in viele Gesichter, durch skizzenhaftes Andeuten von Schicksalen, die im Knotenpunkt des Unglücks zusammenlaufen, das lebendige Bild einer Kollektivität entstehen zu lassen. *Roma ore undici* vermochte noch einmal, ähnlich wie die großen neorealistischen Filme, in der scheinbar zufällig ausgewählten Einzelheit, in einer Situation, einem hingeworfenen Satz, einer unscheinbaren Geste, die Totalität menschlichen Daseins zu entfalten. Die formale Gestaltung des Films, der seine Kamera fast unablässig in Bewegung hielt, war von einer Leidenschaftlichkeit, die durch die Oberfläche der Ereignisse hindurchzudringen suchte. Zugleich aber enthielt *Roma ore undici* eine scharfe Polemik gegen die sozialen Zustände im Italien des Jahres 1950. Ein Journalist, der noch am Abend des Unglücks für sein Sensationsblatt den Namen des am Einsturz Schuldigen ausfindig machen will, muß ergebnislos das Haus verlassen; am Ausgang wartet bereits wieder ein Mädchen, das sich am nächsten Morgen für die immer noch vakante Stelle bewerben will. De Santis erklärte: »Das ist das zentrale Thema unseres Films: die Ausbreitung der Arbeitslosigkeit, die Denunziation der Verantwortlichkeit des Regimes⁵.«

Giuseppe de Santis spätere Filme standen nicht auf der Höhe von *Roma ore undici*; spektakuläre und kommerzielle Züge gewannen in ihnen die Oberhand und gingen mit einem sozialkritischen Restgehalt eine meist unglückliche Mischung ein. 1958 drehte er in Jugoslawien einen Film voll didaktischer Absichten: *Cesta duga godinu dana (Straße der Leidenschaft).* Arbeitslose entschließen sich, auf eigene Faust eine seit langem geplante Straße zu bauen, um die Behörden zu zwingen, sie als Arbeiter zu bezahlen – eine Geschichte, die de Santis wahrscheinlich durch den Kampf Danilo Dolcis in Sizilien eingegeben wurde. Leider ist der Film trotz seines vielversprechenden Themas so thesenhaft und schematisch angelegt, daß er keine Überzeugungskraft besitzt.

Carlo Lizzani (geb. 1922) kam aus der Redaktion der Zeitschrift *Cinema* und war wesentlich beteiligt an der Formulierung der kritischen Doktrin, die den neorealistischen Filmen vorausging. Sein 1953 erschienenes Buch *Il Cinema italiano* ist eine intelligente Analyse der italienischen Filmgeschichte aus marxistischer Sicht. Zur praktischen Filmarbeit gelangte Lizzani als Assistent von Vergano, de Santis und Rossellini. Sein Debütfilm *Achtung banditi!* (1951) beschreibt die Aktion der Resistenza im Gebiet von Genua und läßt den Widerstandskampf als Vorstufe einer sozialen Revolution erscheinen. Finanziert wurde der Film durch Subskriptionen einer *Kooperative der Zuschauer.* 1954 drehte Lizzani sein bedeutendstes Werk: *Cronache di poveri amanti* (Die Chronik armer Liebesleute). Schauplatz und »Hauptperson« des Films, einer Adaptation des gleichnamigen Romans von Vasco Pratolini, ist eine Straße im Florenz der frühen zwanziger Jahre. In Simultantechnik beschreibt Lizzani eine große Zahl von Personen, deren Beziehungen die politischen Kämpfe der zwanziger Jahre spiegeln; Faschisten und Sozialisten liefern sich Kämpfe, in deren Verlauf sich die »Klassenfronten« der Gesellschaft herausschälen. Höhepunkt des Films ist der faschistische Gewaltstreich von 1925, mit dem auf einen Schlag die Opposition beseitigt wurde. Lizzani zeichnet keine schematisierten Menschenporträts, sondern beläßt seinen Personen eine Vieldeutigkeit der Physiognomie, die manchmal sogar irritiert; trotzdem werden gerade die der bürgerlichen Welt angehörenden Figuren in ihrer Unentschiedenheit und in ihrer Hinneigung zum Faschismus treffend charakterisiert.

Lizzani steuerte 1953 eine Episode zu Zavattinis Episodenfilm *Amore in città* bei, die im Ausland aber nicht gezeigt wurde; es handelte sich um eine gefilmte Umfrage unter Prostituierten. Später konnte er zunächst in Italien keine Arbeit mehr finden und drehte 1958 in China den wenig profilierten Dokumentarfilm *La Muraglia cinese (Hinter der großen Mauer).* Seine weiteren Filme waren vom kommerziellen Kompromiß diktiert. Erst 1961 griff Lizzani mit *L'Oro di Roma* (Das Gold von Rom) wieder ein anspruchsvolleres Sujet auf; der Film schildert die Judendeportationen im Rom von 1943.

Auch Pietro Germi (geb. 1918) erwies sich in den meisten seiner Filme als Fortführer neorealistischer Traditionen. Germi debütierte 1945 mit *Il Testimone* (Der Zeuge); es folgte *Gioventù perduta (Verlorene Jugend,* 1947), ein Film über die Jugendkriminalität, der in der Welt des Bürgertums spielt. Germis erster bedeutender Film, *In nome della legge (Im Namen des Gesetzes*, 1949) beschrieb die Diktatur der Mafia in einem sizilianischen Dorf; doch die kriminalistische Intrige seines Films stellte Germi in einen realen Rahmen: er verschloß nicht die Augen vor den ungerechten Eigentumsverhältnissen und der harten Arbeit der sizilianischen Bauern. *Il Cammino della speranza (Weg der Hoffnung*, 1950) nimmt gleichfalls seinen Ausgang in Sizilien: Eine Gruppe arbeitsloser Schwefelarbeiter mit ihren Familien macht sich auf einen langen Fußmarsch bis zur französischen Grenze; in Frankreich hoffen sie wieder Brot und Arbeit zu finden. Ihr Marsch ist ein ständiger Kampf gegen Polizei und Bürokratie, gegen das Mißtrauen der Leute, gegen Hunger, Müdigkeit und Verrat. Das Happy-End des Films wirkt allerdings etwas provisorisch und läßt die Frage offen, ob es den Sizilianern in Frankreich besser ergehen wird; die Szenaristen des Films, Fellini und Pinelli, hatten zudem in das soziale Drama eine kolportagehafte Liebesgeschichte eingefügt.

Später entwickelte Germi sich zum Spezialisten für Familienfilme, denen indessen auch ein soziales Element nicht fehlt. In *Il Ferroviere (Das rote Signal*, 1956) überfährt ein Lokomotivführer im Signal und muß erleben, wie seine Degradierung zum Zerfall seiner Familie führt; *L'Uomo di paglia (Gefährliche Leidenschaften*, 1958) zeichnet das Porträt eines »Strohmanns«, der es durch Schwachheit und Unentschiedenheit erst mit seiner Freundin und dann mit seiner Frau verdirbt. Ein Unterton der Bitterkeit und die Charakterisierung seines Helden als sozialer Typ bewahren den Film davor, ganz ins Klischee abzusinken, von dem er sich andererseits auch nicht befreien kann. In der leichten Selbstverständlichkeit, mit der dieser Film Exposition und Fabel, Alltagsbeobachtung und Erdichtetes vermischt, erscheint noch ein ferner Abglanz des Neorealismus. Ein ausgezeichnetes Werk, vielleicht sein bestes überhaupt, ist Germi neuerdings mit *Divorzio all'italiana (Scheidung auf italienisch*, 1962) geglückt. Im Gewande einer halb makabren, halb burlesken Fabel polemisiert Germi hier gegen die orthodoxe Gesetzgebung Italiens, die keine Ehescheidung zuläßt: ein dekadenter sizilianischer Baron ermordet seine Frau, täuscht aber geschickt ein »Verbrechen aus Leidenschaft« vor, worauf er nach Verbüßung einer geringfügigen Strafe seine attraktive Cousine ehelichen darf. Germis Inszenierung läßt die traditionellen südländischen Begriffe von Liebe, Ehe und Ehre in einem Feuerwerk ironischen Bild- und Wortwitzes aufgehen.

Die folkloristische Richtung

Schon in den frühen Tagen des italienischen Films hatte sich das Genre der »neapolitanischen« Filme herausgebildet, die aus den Traditionen der Dialektkomödie und der Commedia dell'arte schöpften und eine lebendige Oberflächenmalerei des südländischen Volkslebens entwickelten. Stand dieses Filmgenre auch nahe an der Realität, so blieb es doch zumeist – wie etwa in Frankreich die Komödien von Marcel Pagnol – heiter und unverbindlich. Die Versuchung zum Folklorismus, zur pittoresken Milieuschilderung und zur Auflösung des Geschehens ins Humoristisch-Kuriose ist eine Konstante des italienischen Films, die letztlich auf die Literatur zurückgeht und ihren eigentlichen Ahnherrn in Boccaccio findet. Auf die Entwicklung des Neorealismus übte jedoch diese Strömung – brachte sie auch Werke wie Blasettis *Quattro passi fra le nuvole* hervor – einen überwiegend negativen Einfluß aus: sie beschleunigte den Zersetzungsprozeß der neorealistischen Bewegung, den Abbau ihrer ursprünglichen Intentionen und ihre Verflachung zu gefälliger Genremalerei, die sich bei den kleinen Perspektiven des Alltags bescheidet.

Bezeichnend für diese Entwicklung sind die Filme Castellanis. Renato Castellani (geb. 1913), den man gern als einen der italienischen »Meister der leichten Hand« rühmt, begann als Filmarchitekt in den dreißiger Jahren bei Camerini und Blasetti; seine Anfänge standen im Zeichen des »Kalligraphismus«. In *Sotto il sole di Roma* (Unter der Sonne Roms, 1948) zeigten sich zum erstenmal neorealistische Züge. Der Film folgt den Abenteuern zweier Halbwüchsiger in Rom kurz vor dem Zusammenbruch des Faschismus: Schwarzmarktaffären, kleine Diebstähle, Liebesintrigen, Verhaftungen wechseln in bunter Überschneidung, bis schließlich Ciro, einer der Protagonisten, wieder auf den »rechten Weg« kommt und ein Familienvater wird. Castellani bewies Talent zur Milieuschilderung sowie Begabung, lebendig und filmisch pointiert zu erzählen; doch die Konstruktion des Films war erkünstelt. Auch *E primavera* (Es ist Frühling, 1949), die Geschichte des Bigamisten und singenden Bäckers Beppe, konnte nur äußerlich als ein neorealistisches Werk gelten; beide Filme beschränken sich auf die individuelle Charakterzeichnung.

Castellanis berühmtester Film wurde *Due soldi di speranza* (Zwei Groschen Hoffnung, 1951). In heiterem Tonfall und mit viel Geschmack am Grotesken schildert er die wechselvollen Beziehungen von Antonio, einem arbeitslosen Neapolitaner, und Carmela, der temperamentvollen Tochter eines Feuerwerkers; Schauplatz des turbulenten Geschehens ist ein kleines Dorf am Fuße des Vesuvs. Praktisch rollt der Film als eine Folge mehr oder weniger unverbundener Episoden ab, die jeweils eine neue komische Situation illustrieren, etwa die verschiedenen Anstellungen Antonios: Er ist nacheinander Chauffeur eines bizarren Autobusses, Gehilfe des Sakristans, Filmrollentransporteur und Plakatkleber der kommunistischen Partei. In die regionalistische Fabel des Films mischen sich zwar einige Züge sozialkritischer Bitterkeit – die Arbeitslosigkeit Antonios, die Armut und der Hunger unter den Bauern, die Verachtung, die Carmelas Vater einem Bräutigam ohne Stellung entgegenbringt –; sie werden aber zugedeckt durch die nie versiegende gute Laune der Helden, durch ihren sich überschlagenden südlichen Redefluß, durch immer neue Gags und Pointen. Die versöhnliche Interpretation, die der Film den Verhältnissen auf dem Lande gibt, ist kaum zu übersehen: alle Bewohner des Dorfes sind im Grunde sympathisch; die Schwierigkeiten ihres Lebens scheinen in Heimatverbundenheit und Daseinsfreude reiche Kompensation zu finden.

1953 versuchte sich Castellani an einer Shakespeare-Verfilmung, *Giulietta e Romeo* (Romeo und Julia), die er im historischen Milieu des mittelalterlichen Veronas spielen ließ. Castellanis spätere Filme beweisen auch weiterhin sein regieliches Temperament, opfern aber den Realismus meist einer konventionellen Handlung: so *I Sogni nel cassetto* (Träume in der Schublade, 1956), die streckenweise veristisch beschriebene Geschichte eines Studentenehepaares, oder *Nella città l'inferno* (Hölle in der Stadt, 1959), eine düstere Chronik aus dem römischen Frauengefängnis. Erst Castellanis letztes Werk, *Il Brigante* (Der Räuber, 1961) ist wieder interessant: Ausgehend von einem Roman Giuseppe Bertos läßt dieser Film ein Panorama des nach 1945 in seinen sozialen Hoffnungen betrogenen Südens entstehen, freilich an Hand einer überdramatisierten privaten Fabel.

Castellanis *Due soldi di speranza* gab mit seinem großen Publikums- und Kassenerfolg das Startzeichen für eine ganze Serie weiterer Filme, die sich, meist mit unverhohlen kommerziellen Absichten, dem »neorealismo dialettale« verschrieben und immer neue freundlich-unterhaltsame Geschichten von einfältigen Dorfschönen, sympathischen Carabinieris und andere Gestalten der Folklore abspulten. Natürlich hatte dieses Genre, das nurmehr der sozialen Beschwichtigung dienen sollte, schon bald nicht mehr das geringste mit dem Neorealismus zu tun. Luigi Comencini (geb. 1916), der in der Schweiz 1952 Johanna Spyris *Heidi* verfilmt hatte, konnte einen Rekorderfolg mit seinen Filmen *Pane, amore e fantasia (Brot, Liebe und Phantasie,* 1953) und *Pane, amore e gelosia (Liebe, Brot und Eifersucht,* 1954) erringen. Der Realismus ist hier nur mehr Etikett; hinter einer gutgelaunten Liebeskomödie, die sich gefällig im großen Dorffest zu Ehren des heiligen Antonius auflöst, verbirgt sich ein konventioneller Boulevard-Stoff, der nur um der pittoresken Kulisse willen in einem italienischen Dorf angesiedelt wurde. Spielten in Castellanis Filmen noch unbekannte Laiendarsteller, so standen bei Comencini Starschauspieler wie Gina Lollobrigida und Vittorio de Sica vor der Kamera. Den dritten Teil der Filmserie, *Pane, amore e...* *(Liebe, Brot und 1000 Küsse,* 1955) überließ Comencini dem jungen Regisseur Dino Risi. *La Finestra sul Luna-Park* (Das Fenster am Luna-Park, 1957) war die sentimentale Geschichte eines Vater-Sohn-Konflikts. 1959 drehte Comencini in Deutschland eine Filmkomödie nach Priestley, *Und das am Montagmorgen,* die von satirischen Ansätzen zur banalen Spaßmacherei absank. Später überraschte Comencini durch einen thematisch ambitionierten Versuch, im Stil der Tragikomödie das Schicksal italienischer Kriegsheimkehrer des Jahres 1943 zu gestalten: *Tutti a casa (Der Weg nach Haus,* 1961). Aus einzelnen, oft farcenhaften Szenen entsteht ein skizzenhaftes Panorama des zwischen Faschismus und Widerstandsbewegung gespaltenen Italiens.

Auch der Veteran Blasetti widmete sich nach 1950 unverbindlichen Dialektkomödien, nachdem er noch 1946 mit *Un giorno nella vita* (Ein Tag im Leben) einen Film über das Thema des Widerstands gedreht hatte, dem ein Drehbuch von Zavattini zugrunde lag. *Prima communione (Der Göttergatte,* 1950) handelt von einem Kleinbürger, dessen Tochter fast nicht an ihrer Erstkommunion teilnehmen kann, da ihr Kleid nicht rechtzeitig fertig wird: Mit viel Verve gemacht, häufte der Film doch unverbindliche Gags an und gefiel sich in der Verklärung von Konventionen. Später beutete Blasetti das erfolgreiche Genre der Episodenfilme aus: *Altri tempi (Andere Zeiten,* 1952) erzählt sechs Kurzgeschichten aus der »guten alten Zeit« und *Tempi nostri* (1953) bearbeitet mehrere in der Gegenwart spielende Kurzgeschichten von Moravia, Pratolini und anderen Autoren für die Leinwand. Aber auch die Gegenwart wird von Blasetti unter dem gleichen heiter-versöhnlichen Blickwinkel gesehen wie die Vergangenheit; immer löst sich Bitterkeit zuletzt ins Komödiantische auf. Gänzlich unverbindlich gab sich Blasetti in den Lustspielen *Peccato che sia una canaglia (Schade, daß du eine Kanaille bist,* 1954), *Amore e chiacchere* (Liebe und Geschwätz, 1957) und in *Io amo, tu ami* (Ich liebe, du liebst, 1962).

Noch zwei andere Veteranen spielen im italienischen Nachkriegsfilm eine untergeordnete Rolle: Camerini und Genina. Mario Camerini drehte nach 1945 Unterhaltungsfilme moralisierenden Gehalts, etwa *Suor Letizia (Schicksal einer Nonne,* 1956): hier spielt Anna Magnani eine Nonne, die durch die Liebe zu einem Kind in Konflikte mit ihrem Ordensberuf gerät. Das Drehbuch des Films stammte von Zavattini, der in den fünfziger Jahren sich nicht scheute, zahlreiche Gelegenheitsarbeiten zu signieren. Augusto Genina, der Propagandist von *Lo Squadrone bianco* und *L'Assedio dell'alcazar,* versuchte sich nach 1945 der neorealistischen Strömung anzupassen: *Cielo sulla palude (Himmel über den Sümpfen,* 1949) umgab die legendäre Geschichte der später heiliggesprochenen Maria Goretti, die in den pontinischen Sümpfen den Tod einer Vergewaltigung vorzog, mit veristischen Bildern aus dem Leben der Landbevölkerung; die Fotografie strebte nach expressiv-symbolhafter Verdichtung. Der erbauliche Geist des Films widersprach jedoch seiner neorealistischen Oberfläche. Geninas *Tre storie proibite (Hemmungslos – drei verbotene Geschichten,* 1952) behandelte den gleichen Stoff, der de Santis zu *Roma ore undici* inspirierte, überschritt jedoch nicht die Grenzen individueller Psychologie.

In die folkloristische Strömung des Neorealismus stellt sich auch das Werk Luciano Emmers und Eduardo de Filippos. Luciano Emmer (geb. 1918) begann zusammen mit Enrico Gras mit einer Serie von Dokumentarfilmen über Malerei. Nach zavattinischen Methoden (Zavattini arbeitete am Drehbuch mit) war *Domenico d'agosto (Sonntag im August,* 1949) realisiert: Aus der Menge der an einem Sonntagmorgen von Rom an den Strand von Ostia flutenden Bevölkerung greift der Film wie zufällig einige Personen heraus und verfolgt ihre Schicksale. Die improvisatorische, chronikartige Machart des Films verleiht ihm einen Anflug von Authentizität; aber der Beobachtung des Strandbetriebes fehlt es an kritischer Schärfe, und in den einzelnen Geschichten huldigt der Film der Vorliebe fürs Pittoreske. In ähnlichem Stil war *Le Ragazze di Piazza di Spagna (Die Drei vom Spanischen Platz,* 1951) gehalten. Später verfiel Emmer zunehmend der Kommerzialität – so in dem Lustspiel *Il Bigamo (Bigamie ist kein Vergnügen,* 1956).

Eduardo de Filippo (geb. 1900) kam ursprünglich vom Volkstheater: er blieb auch später Leiter einer der bekanntesten neapolitanischen Theatertruppen. Einen theatralischen Zug – Betonung des schauspielerischen Elements und der Dialoge – besitzen auch die meisten seiner Filme, die ihren Reiz aus der liebevollen Porträtierung neapolitanischen und römischen Volksmilieus beziehen. De Filippos bester Film ist *Napoli millionaria (Millionenstadt Neapel,* 1951), die Adaptation eines von de Filippo selbst geschriebenen Bühnenstückes. Die Zeitereignisse zwischen 1940 und 1950 werden an dem Leben einer übervölkerten Gasse in Neapel gespiegelt – oder vielmehr an einer Reihe von komischen Episoden, die sich in dieser Gasse zutragen. Dabei zerrinnt der Ernst der geschichtlichen Ereignisse in Ironie und Groteske: Mit Schlichen und Tricks bestehen die gewitzten Neapolitaner alle Schwierigkeiten, und der Straßenbahnschaffner, der nach dem Krieg aus russischer und deutscher Gefangenschaft zurückkehrt, kann absolut keinen Zuhörer für seine Erzählungen finden, da jedermann nur an den Schwarzhandel mit den Amerikanern denkt. Das ist sehr lebendig und witzig inszeniert; aber letztlich triumphiert auch hier die Unverbindlichkeit: die geschichtlichen Ereignisse werden als äußeres Element angesehen, demgegenüber sich das neapolitanische Volksleben stets unverändert in seinen Konstanten erhält. Auch der Reiz von de Filippos späteren Filmen – *Napolitani a Milano* (Neapolitaner in Mailand, 1953) *Questi fantasmi* (Diese Gespenster, 1954) und *Fortunella* (1958) – beruht im Grunde nur auf den Leistungen der Interpreten.

Mario Monicelli (geb. 1915) spezialisierte sich in einem echt italienischen Genre, das wenig mit dem Neorealismus zu tun hat, sondern in das Reich der Unterhaltung fällt: der Gauner- und Diebeskomödie. Von 1949 bis 1953 drehte er in Zusammenarbeit mit dem Regisseur Steno (eigentlich Stefano Vanzina, geb. 1917) acht Komödienfilme, in deren Mittelpunkt meist der populäre Komiker Totò stand; bekanntestes Werk dieser Serie ist *Guardie e ladri (Räuber und Gendarm,* 1951), in dem ein Polizist einen Dieb aus menschlicher Sympathie nicht verhaften mag, während der Dieb andererseits auch nicht fortlaufen will. Nach der Lösung von Steno begann für Monicelli eine Zeit des Schwankens; er versuchte sich mit unterschiedlichem Glück in der Gesellschaftssatire *(Un Eroe dei nostri tempi* – Ein Held unserer Zeiten, 1955), in der sentimentalen Romanze *(Donatella,* 1956) und in einem Lustspiel über die Gegensätze der Generationen *(Padri e figli* – *Väter und Söhne,* 1956). 1958 kehrte Monicelli mit *I Soliti ignoti (Diebe haben's schwer)* wieder zur Diebeskomödie zurück: Eine Handvoll kleiner Gauner beschließt mit ungeheuren und wichtigtuerischen Vorbereitungen, den Kassenschrank einer Bank zu knacken, erntet dabei aber nur Mißerfolge. Der Inhalt von Dassins *Du Rififi chez les hommes* wurde hier wirksam ins Komische verkehrt.

In *La Grande guerra (Man nannte es den großen Krieg,* 1959) versuchte sich Monicelli mit den Mitteln des Komischen an einem ernsthaften Sujet: dem ersten Weltkrieg. Der Versuch, den Krieg aus der Sicht zweier einfacher Soldaten als eine Folge burlesker und tragischer Episoden erscheinen zu lassen, ergab zwar einzelne karikaturistisch gelungene Szenen, vermochte aber nicht, die wahre Tragweite der Ereignisse sichtbar zu machen: das heroische Ende der beiden Protagonisten wirkt nach den vorangegangenen Teilen des Films wenig überzeugend. Monicellis Bestreben, die gesellschaftskritische Tradition des Neorealismus mit der Komödie zu versöhnen, hat sich in seinen Filmen weit mehr zugunsten der Komödie als zugunsten des Neorealismus ausgewirkt.

Die Entwicklung Vittorio de Sicas

Nach *Sciuscià* und *Ladri di biciclette* erklärte Zavattini in einem Interview[6]: »Die Sackgasse, in die uns der sogenannte Neorealismus hineinführt, ist eine gewisse Selbstgefälligkeit. Man schildert die Dinge, wie sie sind. Man muß dieses Stadium des bloßen Konstatierens, das für Italien nötig war, überwinden. Wir dürfen uns nicht wiederholen. Nach *Ladri di biciclette* fühlen de Sica und ich den Drang weiterzugehen, etwas anderes zu machen, mehr zu sagen . . .« Aus diesen Intentionen heraus entstand *Miracolo a Milano (Das Wunder von Mailand,* 1950), ein Werk, das in neuartiger Manier Elemente des Märchens und der Allegorie mit klassenkämpferischen und christlichen Ideen verband.

Zavattini griff ein Sujet auf, das er in abgewandelter Form bereits 1940 in einen Roman verarbeitet hatte, *Toto il buono:* die Geschichte eines einfachen Jungen, der durch geheimnisvolle Einwirkungen des Himmels die Gabe erhält, Wunder zu tun. Zu Beginn des Films sieht man, wie »Toto der Gute« von einer freundlichen alten Dame als Baby aus einem Kohlkopf aufgelesen wird. Bei der alten Dame verbringt Toto seine Kindheit und Jugend. Nach ihrem Begräbnis kommt er in ein Waisenheim; später gesellt er sich zu den Clochards eines Budenviertels am Stadtrand. Toto versucht, mit jedermann Freundschaft zu schließen und die Budenstadt zu reorganisieren. Plötzlich aber bricht auf dem Terrain der Armen eine Ölfontäne auf. Der Grundstücksspekulant, dem das Gelände gehört, will die Armen verjagen; aber Totos Adoptivmutter reicht ihm aus dem Himmel eine wundertätige Taube herab, mit deren Hilfe Toto und die Armen über die Armee des Kapitalisten triumphieren. Der Film mündet in ein poetisches Schlußbild: mitten auf dem mailänder Domplatz erheben sich die Armen durch die Kraft der Taube auf Besen in die Luft und entschwinden im Himmel.

Die poetische Erfindung triumphiert in diesem Film ständig über die Wirklichkeit. Aber *Miracolo a Milano* gibt sich als Märchen zu erkennen; der Film ist ein Wunschtraum der Armen auf Erlösung. In diesem Wunschtraum verschmelzen christliche und revolutionäre Ideen auf eigenartige Weise. Einerseits scheint die symbolische Figur Totos aus christlichem Denken hervorgegangen: er ist die Inkarnation der Güte und Reinheit; man hat bemerkt, daß seine Gesten an die des heiligen Franziskus aus den *Fioretti* erinnern. Toto liebt die Menschen; er möchte sie erlösen, ihre Schmerzen lindern: daher macht er sich so klein wie der verkrüppelte Zwerg, zieht eine Grimasse vor dem, dessen Gesicht selbst verunstaltet ist. Vor moralistischem Pathos bleibt die Figur Totos durch ihre kindliche Physiognomie und durch den Humor des Drehbuchs bewahrt. Andererseits ignoriert der Film nicht die realen Klassenkonflikte, die die Gesellschaft teilen: die Kapitalisten erscheinen als groteske Karikaturen; Jazzrhythmen begleiten ihr Auftreten. Trotz ihres komischen Äußeren scheuen sie aber nicht vor Gewalt zurück, wenn es um ihren Profit geht.

Auch in der formalen Gestaltung des Films verschmelzen Realismus und Allegorie. Wie eine traumhafte Vision wirkt jene Szene, in der sich die Armen in mirakulös hier und dort aufleuchtenden Sonnenstrahlen wärmen; gleich darauf fährt auf dem Bahndamm ein eleganter Schlafwagenzug vorbei und erinnert mit seiner Atmosphäre von Wärme und Geborgenheit an die sozialen Widersprüche der Wirklichkeit. Doch auch als Allegorie will der Film sich nicht ganz ernst genommen wissen. Totos Adoptivmutter, die die Wundertaube herbeibrachte, hat ihre Befugnisse im Jenseits übertreten: daher wird sie im Himmel stets von zwei Polizeiengeln verfolgt; diese Szenen wirken wie eine Satire auf die himmlische Ordnung.

Die Kritik hat zu *Miracolo a Milano* zahlreiche widersprechende Interpretationen vorgebracht. In der Taube etwa sahen die einen ein religiöses, die anderen ein politisches Symbol (man erinnerte an Picassos Friedenstaube). Einige italienische Zeitungen wollten gar verstanden haben, daß Toto und die Armen am Ende des Films in die Sowjetunion fliegen. Solche Interpretationen aber gehen an dem Werk vorbei oder engen seinen Gehalt unzulässig ein. De Sica und Zavattini legten vielmehr Ideen und Themen in ihren Film, die auch in anderen Werken des »Tandems« nachzuweisen sind. Da ist einmal die Aufforderung zur Solidarität: gemeinsam, wenn auch mit himmlischer Hilfe, können die Armen gegen die Kapitalisten bestehen; und da ist die Vorstellung vom Triumph der Güte, die freilich sehr »allgemein«, von den gesellschaftlichen Verhältnissen abstrahiert, gesehen wird; sie erscheint als idealistischer Wunschtraum. In diesem Dualismus zeigt sich die widersprüchliche Position de Sicas und Zavattinis: Einerseits fühlen sie sich einem klarsichtigen, kritischen Realismus verpflichtet; zugleich aber projizieren sie Wünsche und Hoffnungen in ihre Personen und verlieren darüber die Distanz zu ihnen. Eigentlich war die experimentelle Anlage eines Films wie *Miracolo a Milano* keine echte Weiterentwicklung von *Sciuscià* und *Ladri di biciclette*, sondern eher ein Ausweichen vor neuen Fragen, die sich stellten. In ihrem nächsten Film, *Umberto D.*, sollten de Sica und Zavattini im Grunde wieder zu ihren alten Gestaltungsprinzipien zurückkehren, die in diesem Werk freilich exemplarische Ausbildung fanden.

Umberto D. (1952) darf heute als der gelungenste Film de Sicas und Zavattinis gelten; in seiner Objektivität und Ausgewogenheit zeigt er sich auch *Ladri di biciclette* überlegen. Die Geschichte vom alten Rentner Umberto Domenico Ferrari, der allein mit seinem Hund lebt und zur Welt keinen Kontakt mehr finden kann, scheint unmittelbar der Wirklichkeit entnommen. Umberto D., ein pensionierter Beamter, erwartet wie viele andere eine Erhöhung der Renten, die es ihm gestatten würde, endlich die Miete für sein möbliertes Zimmer pünktlich zu zahlen. Nach einem Krankenhausaufenthalt findet er plötzlich sein Zimmer besetzt; er beschließt, sich das Leben zu nehmen, kann aber seinen Hund nirgendwo unterbringen. So verzichtet Umberto D. auf den Selbstmord; wie es aber weitergehen soll, sagt der Film nicht.

Bemerkenswert in *Umberto D.* ist die strenge Objektivierung des Geschehens und zugleich die scharfe Kritik am Zustand der Gesellschaft. Der Film präsentiert immer wieder ganze Sequenzen, in denen scheinbar nichts geschieht, in denen nur Wirklichkeit sich ereignet. Zu den besten dieser Momente gehört die lange Szene, in welcher das Dienstmädchen Maria – der einzige Mensch, der Umberto zugetan ist – frühmorgens aufsteht, noch halb schläfrig in der Küche das Feuer anzündet, durchs Fenster eine Katze betrachtet, mit Wasser Ameisen von der Wand sprüht und den Kaffee zu mahlen beginnt; eine Szene, die scheinbar jeder dramaturgischen Bedeutung ermangelt und die gerade darum eine paradoxe Intensität gewinnt. Solchen ent-dramatisierten Szenen, in denen der Film »zur Asymptote der Wirklichkeit wird« (A. Bazin[7]), stehen dann wieder polemische Episoden entgegen, die typisch gesellschaftliche Reaktionen fixieren: etwa die Begegnung Umbertos mit einem ehemaligen Kollegen, der sich durchs Autobusfenster geniert und eilig verabschiedet; die Szenen zwischen Umberto und der arroganten Vermieterin, die groteske Hausmusikabende veranstaltet; oder die Szenen im kahlen und lieblosen Interieur eines Armenkrankenhauses. Wie *Ladri di biciclette* ist auch *Umberto D.* ein Film über das Thema der Einsamkeit, das hier eine vielleicht noch reinere und konsequentere Gestalt gewonnen hat als in dem früheren Werk. De Sica und Zavattini haben sich davon freigehalten, ihren Helden zu idealisieren: sie zeigen auch seine Momente der Schwäche und betonen vor allem sein halb rührend, halb lächerlich wirkendes Standesbewußtsein.

Trotz aller Objektivität gibt es aber in *Umberto D.* eine Art emotionalen Identifikationspunkts: das Verhältnis von Ricci und seinem Sohn aus *Ladri di biciclette* ist hier umgedeutet in das Verhältnis Umbertos zu seinem Hund. Die Parallelität geht bis in einzelne Szenen; hier vermittelt sich das für de Sica und Zavattini typische Erlebnis kreatürlicher Solidarität – im Gegensatz zur gesellschaftlichen Vereinsamung.

Mit *Umberto D.* schien die große Periode de Sicas und Zavattinis freilich abgeschlossen. Ihr nächster Film, *Stazione Termini (Rom, Station Termini*, 1953) schilderte ein »psychologisches« Drama ohne jeden gesellschaftlichen Bezug: auf dem römischen Hauptbahnhof nimmt eine reiche Amerikanerin von ihrem italienischen Geliebten Abschied. Die konventionelle Geschichte sollte zwar durch zahlreiche eingeblendete Szenen vom Bahnhof mit seinem Getriebe veristisches Profil erhalten – doch erreichte der Film nirgendwo die Fusion der Ebenen.

Um seine Idee des »Tatsachenfilms« vollkommen, ohne Rückgriff auf erfundene Geschehnisse und Personen zu verwirklichen, unternahm Zavattini 1953 – ohne de Sica – das Experiment, eine »gefilmte Zeitschrift« zu realisieren. Ihre erste Nummer – weitere erschienen allerdings nicht – stand unter dem Thema *Amore in città (Liebe in der Stadt)*. Sechs kurze Berichte erzählen ohne formale Ambition einfache Vorgänge: *L'Amore che si paga (Liebe, die sich verkauft*, Regie Carlo Lizzani) geht den Ursachen der Prostitution nach; *Tentato suicidio (Selbstmordversuch*, Regie Michelangelo Antonioni) ist eine Reportage über mehrere mißglückte Selbstmordfälle aus Liebeskummer und wirtschaftlicher Not; *Paradiso per tre ore (Paradies für drei Stunden*, Regie Dino Risi) ist eine Studie über das Tanzpublikum in einem schäbigen Vorstadtlokal; *Agenzia matrimoniale (Heiratsvermittlung*, Regie Federico

Fellini) eine Begegnung mit den »einsamen Herzen«, und in *Gli Italiani si voltano* (*Die Italiener drehen sich um*, Regie Alberto Lattuada) folgt die Kamera heimlich einigen Schönen durch die Straßen Roms und registriert die Reaktionen der Männer. Am interessantesten ist die von Zavattini und Francesco Maselli verfilmte *Storia di Caterina* (*Die Geschichte Caterinas*) – die authentische Geschichte eines Dienstmädchens, das sein Kind aus Verzweiflung in einem öffentlichen Park aussetzt; der Film rekonstruiert alle Phasen dieser Geschichte mit äußerster Wahrhaftigkeit; Caterina Rigoglioso, das Dienstmädchen, spielte sich selbst.

Mit *L'Oro di Napoli* (*Das Gold von Neapel*, 1954) schien de Sica aufs Niveau der »folkloristischen« Strömung abzusinken: In mehreren Episoden wird eine Auswahl aus dem unerschöpflichen Reservoir neapolitanischer Volkstypen vorgeführt; bei aller schauspielerischen Brillanz kann der Film jedoch keinen Anspruch darauf erheben, die Realität des neapolitanischen Alltags zu spiegeln; der Akzent liegt auf merkwürdigen Geschehnissen, skurrilen Typen, dem pittoresken Einzelfall.

1955 versuchten de Sica und Zavattini noch einmal, zu dem neorealistischen Stil ihrer ersten Filme zurückzukehren. *Il Tetto* (*Das Dach*) beschreibt die Anstrengungen eines jungen Paares, in Rom zu einer eigenen Wohnung zu gelangen. Nach langer und fruchtloser Suche, nach einer Zeit des Kampierens in der unerträglich überfüllten Wohnung der Schwiegereltern bleibt dem Paar nur die Lösung, innerhalb einer Nacht auf einer Wiese ein provisorisches Haus zu errichten, aus dem die Bewohner dann nach dem Gesetz nicht mehr hinausgeworfen werden dürfen. Mit Hilfe von Freunden gelingt der illegale Hausbau tatsächlich. Doch obgleich *Il Tetto* alle Anforderungen neorealistischer Filmkunst zu erfüllen schien, vermochte der Film nicht ganz zu befriedigen. Hier erwies sich deutlich die Unzulänglichkeit des bloß beschreibenden Chronikstils, der Personen nur von außen charakterisiert, ohne in ihr Inneres einzudringen. Um die soziale Existenz des Menschen künstlerisch darzustellen, bedurfte es 1955 anderer Erzählmittel als 1945. Bei allem Mut und aller Ambition, die de Sica, verglichen mit der übrigen italienischen Produktion des Jahres, auch bewies, erschien dieser Film doch seltsam anachronistisch. Ähnlich »gestrig« wirkte de Sicas Moravia-Verfilmung *La Ciociara* (*Und dennoch leben sie*, 1961), die sich zudem noch auf einen peinlichen Kompromiß zwischen Neorealismus und Starkult um Sophia Loren einließ; sein nächster Film, *Il Giudizio universale* (*Das Jüngste Gericht findet nicht statt*, 1961), ist eine phantastische Fabel um einen erwarteten und dann doch nicht stattfindenden Weltuntergang, der sein Thema in eine Folge heiter-unverbindlicher Episoden auflöst.

Federico Fellini

Mit dem Auftreten Federico Fellinis (geb. 1920) manifestierte sich eine neue Richtung im italienischen Film, die Elemente des Neorealismus aufnahm, sie aber einer durchaus persönlichen Verwandlung zuführte. Im Werk Fellinis vereinigen sich Elemente des Irrationalen und der religiösen Mystik mit realistischer Beobachtung der Gegenwart, deren Phänomene freilich meist aus einem individualistisch-psychologischen Blickwinkel gesehen werden.

Fellini, ursprünglich Zeichner und Radio-Autor, arbeitete zunächst als Assistent und Drehbuchautor Rosselinis in *Roma città aperta* und *Paisà* sowie bei Pietro Germi. Seinen ersten Film drehte er in Zusammenarbeit mit Alberto Lattuada: *Luci del varietà*

(Lichter des Varietés, 1950), eine melancholische Chronik aus dem Leben reisender Varietékünstler, die stets von einem Erfolg träumen, der sich nie einstellt. *Lo Sceicco bianco (Die bittere Liebe,* 1952) richtet eine beißende Satire gegen die »Presse des Herzens«.

Fellinis persönlichster und bis heute bester Film ist *I Vitelloni (Die Müßiggänger,* 1953). Tschechowsche Melancholie liegt über dieser Chronik ereignislosen Lebens, über den sinnlosen Abenteuern und Vergnügungen einer Gruppe von etwa dreißigjährigen Schmarotzern (»i vitelloni« heißt »die großen Kälber«) aus der italienischen Provinz. Hier wird keine idyllisch-folkloristische Beschönigung kleinstädtischer Verhältnisse gegeben, sondern der Leerlauf einer sozialen Gruppe wie unter dem Mikroskop seziert. Was den Zuschauer aus seiner Passivität aufstören mag, ist jener geheime Rest an Unruhe und uneingestandener Verzweiflung, der hier hinter der Fassade des Lebens zum Vorschein kommt. Doch darf man das soziologisch-kritische Element in *I Vitelloni* auch nicht überschätzen. Im Grunde ist dieser Film – wie die meisten anderen Fellinis – durchaus autobiographisch angelegt: »Immer wieder war ich es, der aus meinen Personen sprach, nur mit einer anderen Stimme[8].«

Mit *I Vitelloni* schrieb Fellini die Chronik seiner eigenen Jugend. Zwar gelingt es dem Film, den Seelenzustand der »Vitellonen« in poetische und ausdrucksstarke Bilder umzusetzen; aber der autobiographische Charakter seines Films, das halb träumerische Wiederentdecken der eigenen Erinnerung, bestimmte Fellini zu einer Haltung verstehender Sympathie gegenüber seinen irrenden und unbewußt unzufriedenen, immer nur halb erwachsenen Helden. Der Film verharrt selbst im gleichen Zustand der vagen Gefühle, die die »Vitellonen« bewegen. Über den Zustand des Unbefriedigtseins weist nichts hinaus, allenfalls die Abreise Moraldos, eines der Protagonisten, am Schluß des Films; Analyse oder Koordination des Geschehens, kritische Distanzierung von seinen eigenen Personen lag Fellinis Kunst schon in *I Vitelloni* fern.

La Strada (1954) war eine andere Seite aus dem »geheimen Tagebuch« des Regisseurs. Hier fand Fellini zum Lebensgefühl seiner Kindheit zurück: zu einem eigentümlich beziehungslosen Verhältnis zwischen eigenem Ich und dem Leben als wunderbarem, aber auch schrecklichem Abenteuer. Ein debiles und naives Mädchen wird von dem fahrenden Wanderschausteller Zampano seinen Eltern regelrecht abgekauft; sie führt ein einsames und eingeschüchtertes Dasein zwischen Jahrmarktsplätzen, öden Lagerstellen und Wirtshäusern; eines Tages läßt der tellurische Zampano sie wie ein lästig gewordenes Stück Inventar am Wege zurück. Doch als Zampano Jahre später wieder auf die Spur der inzwischen gestorbenen Gelsomina stößt, überfällt ihn plötzlich das Bewußtsein seines verlorenen Lebens, seiner Einsamkeit. Für Fellini waren Gelsomina und Zampano (wie schon die »Vitellonen«) weniger Personen realen Daseins als Verkörperungen einer inneren Haltung, Materialisierung von Seelenzuständen. »Il matto«, ein philosophierender Seiltänzer und Freund Gelsominas, tritt als Gedankenträger des Regisseurs auf. Von daher erklärt sich auch der Mangel an rationaler Struktur in diesem und anderen Filmen Fellinis. »Sein Stil«, formulierte der italienische Kritiker R. Renzi, »bringt keine wirkliche dramatische oder erzählerische Entwicklung zustande, er ist dafür in der Lage, suggestive Fragmente zu schildern; ... die Phantasie des Autors steht ständig im Konflikt zwischen seiner Fähigkeit, das bedeutungsvolle und wunderbare Detail zu beschwören, und seiner fundamentalen Unfähigkeit, es in einen geordneten, rationalen Zusammenhang zu bringen[9].«

Das Symbolhafte der Personen aus *La Strada* definiert ihre individuelle »Wahrheit«;

gleichzeitig aber verlagert sich die Handlungsebene des Films ins Mythisch-Zeitlose. Dafür ist schon das einem vorsintflutlichen Ungeheuer ähnelnde Motorrad bezeichnend, auf dem Zampano und Gelsomina über die Landstraße ziehen. Es ergibt sich auch keine Wechselwirkung zwischen Personen, Milieu und Landschaft: die Landschaften aus *La Strada*, jene merkwürdige Welt aus Bretterzäunen, Niemandsland und Heideflächen, sind durchaus den »Seelenlandschaften« der expressionistischen Filme verwandt und wie diese nur als Projektionen der Innerlichkeit aufzufassen.

Der allmählichen Auflösung objektiver Wirklichkeit unter dem introspektiven Blick Fellinis entspricht auf einer anderen Ebene sein Glaube an die franziskanischen Ideale. Die franziskanischen Werte – Demut, Zufriedenheit, Unterwürfigkeit, Einfachheit im Geist – leuchten am Horizont seiner überwiegend düster gezeichneten Welt auf, gleichsam als Kristallisationspunkte möglicher menschlicher Neuordnung. Ihr Sieg ist kein aktivistischer; er vollzieht sich in der Erleuchtung, in der Gnade – in der Gelsomina sich befindet, ohne es zu wissen.

Il Bidone (1955) hat man, seiner mehr diesseitigen Anlage halber, als eine Rückkehr Fellinis zu realistischen Prinzipien werten wollen. Der Film erzählt die Geschichte eines alternden Gauners, der in verschiedenen Verkleidungen, darunter auch geistlichen, armen Leuten ihr Geld aus der Tasche lockt, dann aber selbst an seinem Dasein verzweifelt und zur Reue gelangt. Das Schicksal des Helden und seine moralische Einsamkeit gewinnen im Film starke Glaubwürdigkeit. Man erhält aber nicht nur einen Einblick in seine Seele, sondern auch in die Gesellschaft der »Bidonisten«, die sehr wohl ihre Standesunterschiede kennt und in der die nackte Unmenschlichkeit herrscht; besonders anschaulich demonstriert Fellini das in der Sequenz einer makabren Silvester-Party, die ein bereits arrivierter »Bidone« für seine Freunde gibt. Der Film legt nahe, diese zweifelhafte Elite mit der Gesellschaft der »Oberen« zu identifizieren. Andererseits zeigt sich der mystische Untergrund des Films überall da, wo Fellini nach dem »Positiven« Ausschau hält: die letzte Begegnung zwischen dem Gauner und dem gelähmten, gläubigen Mädchen, die in ihm eine Umkehr bewirkt, grenzt ans Erbauungsdrama; das Dasein der »Armen« (im geistigen wie im materiellen Sinne) erscheint als vorbildlich. Augusto, der Protagonist, der zum Schluß noch seine Komplicen bestiehlt, wird von einem Steinwurf getroffen und endet sein Leben qualvoll in der Nacht auf einem steinigen Berghang, während in der Ferne die Lichter von Autos vorbeiziehen; der Gedanke an den Kalvarienberg muß sich aufdrängen. Im Moment des Sterbens resümiert Augusto sein Leben ähnlich wie die Protagonisten aus *La Strada* und *I Vitelloni*: »Ich bin niemandem nützlich ... deshalb sterbe ich.«

Daß Fellinis Werk ein fortlaufendes Bekenntnis enthält, erwies sich abermals mit *Le Notti di Cabiria* (*Die Nächte der Cabiria*, 1957). Auch in dieser Geschichte einer »Armen im Geiste«, der kleinen römischen Prostituierten Cabiria, die herumgestoßen, ausgebeutet und betrogen wird, trotzdem aber ihren Glauben an das Leben bewahrt, fand sich der Sinn für das Mysterium und der Glaube an die Erlösung, die den Einfachen und Erniedrigten zuteil wird. Cabiria, die jeder Person mit einem Lächeln begegnet, ist im Grunde wieder eine allegorische Figur; ihr Beruf ist akzidentiell; sie leidet nicht so sehr unter dem Metier der Prostituierten und den Erniedrigungen, denen sie ausgesetzt ist, sondern unter einer Art spirituellen Leere; daher nimmt sie an einer Prozession teil und betet zur Heiligen Jungfrau.

Le Notti di Cabiria machte auf ein gewisses, immer wiederkehrendes Inventar von Einstellungen aufmerksam, die zu Gemeinplätzen der fellinischen Symbolsprache geworden sind. Mit ihrer Hilfe fabriziert der Regisseur ausgefallene Situationen, in denen er das »Wunderbare« entdeckt. Bestimmte Aspekte der Landschaft und des Dekors etwa ergeben eine eigene Mythologie. Das Meer zum Beispiel ist das Symbol mystischer Evasion *(I Vitelloni, La Strada, La Dolce vita)*. Nächtliche Plätze und Straßen, auf denen Papier vom Wind hochgewirbelt wird, bedeuten Einsamkeit, Ausgestoßensein. Die Mauern, meist kunstvoll von fern mit Scheinwerfern beleuchtet, wirken »wie Fallen« (G. Agel [10]); daegen symbolisieren weite Heideflächen *(La Strada, Cabiria)* die Leere; diese Leere »weicht einer okkulten Gegenwart, die die Personen dazu bringt, mit neuen Augen um sich zu blicken« (Fellini [11]). Telegrafenpfähle, Gerüste, Gitterzäune, Gasometer, meist in ein trostloses Grau getaucht, sind weitere Bestandteile der allegorischen Sprache Fellinis. Er bedient sich in seinen Filmen einer abstrakten Poetik; die Dinge sind »von vornherein« mit der Eigenschaft des Poetischen ausgestattet – sie wird ihnen nicht erst durchs Geschehen zuteil. Die Unverbindlichkeit dieser Art von intuitivem Lyrismus tritt mit jedem neuen Film Fellinis deutlicher zutage.

Eine irrationale Einstellung zur Welt liegt auch dem oft überschätzten Film *La Dolce vita (Das süße Leben*, 1960) zugrunde. Fellini geht es gar nicht darum, die Einsamkeit seines Helden Marcello aus dessen Lebensbedingungen zu erklären und aus dieser Sicht zu einer Kritik am »süßen Leben« vorzudringen; er postuliert vielmehr eine »prinzipielle« Einsamkeit. Die Möglichkeit einer Kommunikation mit der Welt erscheint Marcello in der Gestalt des einfachen und naiven Serviermädchens Paola (einer Schwester Cabirias und Gelsominas); aber von dieser idealisierten Gestalt ist er in der Schlußszene des Films durch einen symbolischen Wasserlauf getrennt. Die Kritik am Lebensstil der eleganten Society bleibt in *La Dolce vita* folgenlos, da die sinnlosen Zuckungen der parasitären Gesellschaft von der Leinwand herab immer noch als spannendes Schauspiel genossen werden können. Gewichtiger ist schon Fellinis Kritik an der Veräußerlichung und Kommerzialisierung des Glaubens. Hier trifft der Film, wenn er die hysterische Aufregung der von einem angeblichen Wunder besessenen Menge vor die Kamera rückt, einen Aspekt der Wirklichkeit. Aber der hysterische Wunderkult ist nur die andere Seite der Einsamkeit jedes einzelnen: Fellinis Menschen bleibt aus dem Gefängnis ihrer Kontaktlosigkeit nur der Ausweg zu Gott, die Zuflucht zur Gnade.

1962 steuert Fillini einen Sketch zu dem Episodenfilm *Boccaccio '70* bei, *Le Tentazioni del Dottor Antonio (Die Versuchung)*. Fellini beschreibt hier – in Farbe und auf Breitleinwand – die halluzinatorischen Verwirrungen eines komischen Tugendapostels, der gegen ein Werbeplakat zu Felde zieht, auf dem Anita Ekberg in Vamp-Pose für vermehrten Milchkonsum wirbt. Die Episode fesselt zunächst durch ihre Ironie, dann aber verfällt Fellini völlig dem Mythos der Ekberg, die er zum dämonischen Überweib emporstilisiert.

Luchino Visconti

Die Entwicklung Luchino Viscontis nach *La Terra trema* spiegelt am besten das Fortwirken neorealistischer Impulse im italienischen Film der fünfziger Jahre. Visconti ist unter den älteren Regisseuren Italiens der einzige, der die Tradition des Neorealismus für die Gegenwart fruchtbar zu machen versteht, ohne daß seine Filme deswegen formal veraltet scheinen oder den Kontakt zur Wirklichkeit von heute verloren hätten. Freilich repräsentierte Visconti schon am Anfang des Neorealismus dessen Zukunft.

»Nicht allein mit *La Terra trema*, sondern vielleicht in noch höherem Maße mit *Senso* vollzog Visconti den Übergang von einer objektiven zu einer kritischen Phase unseres Films; vom Neorealismus ging er zum Realismus über« (G. Aristarco [12]). Visconti überwand den bloß beschreibenden, konstatierenden Stil des frühen Neorealismus und entwickelte statt dessen eine hochorganisierte Form des filmischen Erzählens.

Visconti, der zwischen seiner Filmarbeit immer wieder zum Theater und zur Oper zurückkehrte (seine bekanntesten Bühneninszenierungen sind *Endstation Sehnsucht* von Tennessee Williams, *Tod eines Handlungsreisenden* von Arthur Miller, *La Locandiera* von Goldoni und *Fräulein Julie* von Strindberg), drehte nach *La Terra trema* erst 1951 wieder einen Film: *Bellissima* – ein Werk, das in erster Linie um die Darstellerin Anna Magnani herum aufgebaut schien und zu dem Cesare Zavattini das Drehbuch schrieb. Die Magnani verkörpert hier eine ehrgeizige Mutter aus proletarischen Verhältnissen, die ihre Tochter als Filmstar gefeiert sehen möchte, um selber ihr Glück zu machen. Die kleine Maria Cecconi wird also von ihrer Mutter zu einem Kinderdarsteller-Wettbewerb in *Cinecittà* geführt; fast schon soll sie einen Kontrakt erhalten, als die Mutter das Unsinnige ihres Verhaltens endlich einsieht. *Bellissima* verdankt seine Wirkung geschickt eingefangenen Genreszenen, die kleinbürgerliche Beschränktheit karikieren. Was dem Film mißglückt, ist die am Schluß intendierte Wendung von der Satire zur Tragödie, als die Magnani bemerken muß, daß man sich über ihre Tochter lustig macht: man glaubt ihr die Kraft nicht, den trotz allem angebotenen Vertrag plötzlich abzulehnen. Auch melden sich einige sentimentale Untertöne in dem Film.

Nach einem Beitrag zu dem Episodenfilm *Siamo donne* (Wir Frauen, 1953) gelang Visconti wieder ein Meisterwerk: *Senso* (*Sehnsucht*, 1954). Den Zuschauern mochte zunächst scheinen, als ob Visconti mit diesem in der Epoche des Risorgimento spielenden und nach einem historischen Roman von Camillo Boito gedrehten Film vom Neorealismus zur Romantik übergewechselt sei, zumal der Film in der Ausmalung farbiger Dekors aus dem Venedig des vergangenen Jahrhunderts schwelgt. Tatsächlich aber bewies Visconti mit *Senso*, wie sich auch ein historisches Thema vom Standpunkt des weiterentwickelten Neorealismus aus behandeln ließ – von einem Standpunkt, der die wechselseitige Abhängigkeit der Personen und der historischen Verhältnisse, die »Geschichtlichkeit« eines jeden Vorganges zu gestalten wußte. *Senso* bezeichnet in der Interpretation der italienischen Kritik den Übergang des Neorealismus von der Chronik zum Roman.

Senso beginnt mit einer glanzvoll inszenierten Szene aus Verdis *Troubadour*. Man schreibt das Jahr 1866; die Freiheitskämpfe des Risorgimento stehen auf ihrem Höhepunkt; nur Venedig, Schauplatz des Geschehens, ist noch von österreichischen Truppen besetzt. Während von der Bühne her der heroische Ruf erklingt: »Zu den Waffen! Siegen heißt es oder sterben«, ergießt sich von der Galerie ein Regen grünweiß-roter Flugblätter in das vornehme Publikum; die Blätter rufen zur Revolution gegen Österreich auf.

Visconti erzählt von der Liebe der italienischen Contessa Livia zu dem österreichischen Leutnant Franz Mahler. Die leidenschaftliche Liebe der Italienerin bringt sie dazu, ihrem Mann untreu zu werden, jede Spur aristokratischer Würde aufzugeben, ihre Freunde zu verraten und schließlich auch die Sache der nationalen Erhebung – der sie einst verbunden war – zu kompromittieren; bis sie eines Tages entdecken muß, daß ihr Geliebter nur ein gerissener und charakterloser Schürzenjäger ist. In ihrem maßlosen Zorn liefert sie den mit ihrer Hilfe Desertierten der österreichischen Armee aus, die ihn kurzerhand zum Tode verurteilt, und wohnt seiner Exekution bei.

Diese romantische, von Blitzen und Gewittern der Leidenschaft durchzuckte Intrige spielt sich in einem Rahmen barocker, mit verschwenderischer Farbenpracht ausgestatteter Dekors ab. Ein bewundernswerter Sinn für Bildgestaltung und Farbharmonien spricht aus jeder neuen Einstellung – aus den Bildern der dramatisch hell-dunkel überschatteten venezianischen Brücken, der rötlichen Palazzos, vor denen die Regenpfützen glitzern, des morgendlichen Fischmarkts am Canale Grande. Niemals jedoch werden die Dekors von Visconti allein als Mittel des Spektakulären gehandhabt. Die überladenen, prunkvollen Interieurs der Paläste sind vom Staub der Jahrzehnte überdeckt, Risse zeigen sich in den Wänden; sie gehören einer dekadenten Welt an, »die untergehen wird, genau wie die meine«, wie der österreichische Offizier einmal zu seiner italienischen Geliebten bemerkt.

Die Freiheitsbewegung und ihr Kampf gegen die Okkupationsarmee gibt in *Senso* den ständig determinierenden Handlungshintergrund ab. Erst im Kontrast zu den Bestrebungen der Revolutionäre erhalten die Hauptfiguren des Films, aber auch das Milieu der konservativen italienischen Aristokratie, die mit den Österreichern kollaboriert, ihr eigentliches Relief. Die Zeitereignisse überlagern sich kontrapunktisch dem individuellen Geschehen; ständig wechselt das Zentrum der Handlung vom Individuellen zum Sozialen, von der Psychologie zur Geschichte. In der konsequent entwickelten Dialektik zwischen persönlichem und gesellschaftlichem Geschehen ist *Senso* das Modell eines realistischen Films. »Visconti bleibt auch in *Senso* Neorealist: er sieht das größte und stolzeste Ereignis der neuzeitlichen italienischen Geschichte, das Risorgimento, mit den Augen des neuen politischen und moralischen Bewußtseins, das im Erlebnis der Widerstandsbewegung gegen Faschismus und Zweiten Weltkrieg in den besten Teilen des italienischen Volkes erwachte« (Th. Kotulla [13]).

Le Notti bianche (Weiße Nächte, 1957) war ein Experiment, das in einem gewissen Widerspruch zum Realismus der übrigen Filme Viscontis stand. Nach einer Novelle Dostojewskis gedreht, gelang es dem Film, den legendenhaften Ton des literarischen Originals an Unwirklichkeit womöglich noch zu übertreffen. Absichtlich stilisierte, theaterhafte Dekors, seltsame Lichtreflexe, ein manchmal gewollter Expressionismus der Fotografie, das alles trägt dazu bei, Handlung und Personen in eine merkwürdige, mythische Märchenwelt zu versetzen, die nur wenig Verbindung zum Italien von heute zu besitzen scheint, wo sie indessen spielen soll. In *Le Notti bianche* schien der versteckte Romantizismus von *Senso* sich in gewissem Maße selbständig zu machen. Seine irreale Traumwelt setzte Visconti aber mit einem Raffinement in Szene, das den Meister der Theaterpraxis verriet.

In *Rocco e i suoi fratelli (Rocco und seine Brüder*, 1960) führte Visconti die realistische Tradition seiner früheren Werke fort. Dieser Film griff nicht nur ein aktuelles Thema aus der italienischen Gegenwart auf, nämlich das Problem der inneritalienischen Emigration, der Wanderung verarmter Süditaliener aus ihrer Heimat in die Industriestädte des Nordens; sondern in der Gegenüberstellung zweier gegensätzlicher Charaktere, der Brüder Simone und Rocco, des Gewalttätigen und des Heiligen, suchte Visconti eine Antwort auf die Frage nach dem richtigen sozialen Verhalten des einzelnen in der modernen Gesellschaft zu geben. Visconti orientierte sich in *Rocco* an Dostojewskis Roman *Der Idiot;* jedoch gab er dem Roman, wie schon Vergas *I Malavoglia*, eine neue Interpretation: die Haltung des Verzeihens und der Milde ist in der heutigen Welt nicht mehr am Platze, will Visconti sagen; er erweist es durch die Handlung, in welcher Roccos Selbstlosigkeit immer neue Katastrophen herauf-beschwört, und er läßt es am Ende Ciro, den jüngeren Bruder, aussprechen: »Simones Schlechtigkeit ist ebenso schädlich wie die Güte Roccos. Rocco ist ein Heiliger; aber in der Welt, in der wir leben, darf man nicht immer vergeben; in der Gesellschaft, die die Menschen geschaffen haben, gibt es keinen Platz mehr für Heilige wie ihn.« Leider gelang es Visconti nicht ganz, seine Konzeption überzeugend in den Film zu übersetzen. Man gewinnt den Eindruck, daß die Figur Roccos aus allzu geringer kritischer Distanz gesehen wird; daher ist Visconti auch gegen Schluß genötigt, seine eigene Interpretation thesenhaft dem jüngeren Bruder Ciro in den Mund zu legen, der als Arbeiter bei Alfa Romeo gewissermaßen die »Zukunft« der Familie verkörpert. An formaler Geschlossenheit vermag es der letzte Film Viscontis nicht mit Antonionis gleichzeitigem Werk *La Notte* aufzunehmen. Die Bedeutung von *Rocco e i suoi fratelli* ist aber darin zu erblicken, daß der Film durch seinen künstlerischen Rang, den er trotz allem besitzt, die Vitalität neorealistischer Positionen für die Gegenwart erweist.

Nach *Rocco* absolvierte Visconti eine kürzere Gelegenheitsarbeit: für *Boccaccio '70* inszenierte er die Episode *Il Lavoro (Der Job,* 1962). Die plötzliche Krise, in die eine Aristokratenehe durch einen öffentlichen Skandal gerät, soll verdeutlichen, welcher Zynismus die menschlichen Beziehungen in der »gehobenen Gesellschaft« regiert. Daran schätzt man eher die Intentionen als das Resultat, wenngleich Visconti auch hier durch eine überlegte Regie und malerische Qualitäten der Fotografie zu brillieren vermag.

Michelangelo Antonioni

Zwei Umstände sind es, die das Werk Antonionis aus dem italienischen Filmschaffen der Gegenwart herausheben, die seinen Rang und seine Modernität ausmachen. Antonioni ist ein scharfer und dennoch kühler Analytiker der bürgerlichen Psyche, des auf Restauration und Anpassung bedachten Bewußtseins. Gemeinsam ist allen seinen Filmen ein erklärt introspektiver Standpunkt. Doch als Analytiker der Seele bleibt Antonioni auch Gesellschaftskritiker. Seine Filme leisten das, wozu die Vertreter der neorealistischen Alltags-Ästhetik, Rossellini, Zavattini und de Sica, nicht in der Lage waren (und was ebenfalls Visconti gelang): die Konfrontierung einer allmählich sich verfestigenden, in Entfremdung und Selbstzufriedenheit erstarrenden Wohlstandsgesellschaft mit ihrem kritischen Spiegelbild.

Ebenso bemerkenswert in Antonionis Filmen aber ist ihre Absage an traditionelle Regeln filmischen Erzählens und die Bemühung um einen Stil eigener Kohärenz. Zu den Merkmalen dieses Stils gehören lange, verwickelte Kamerafahrten, die die Protagonisten umkreisen und eine Montage innerhalb des Bildes konstituieren, wie sie auch bei Visconti, Renoir und Welles anzutreffen ist. Antonioni entsagt der sanktionierten Leinwand-Rhetorik zugunsten einer minuziösen, aber vorurteilslosen Untersuchung der Wirklichkeit; sie bewährt sich in den späteren Filmen des Regisseurs an einer mikroskopischen Durchdringung kleinster Vorgänge, in denen sich doch entscheidende Phasen eines übergreifenden Geschehens kristallisieren. Antonionis Erzähltechnik erinnert an die des modernen Romans; in der Erschließung bisher für die Leinwand verborgener Realitäten durch neue erzähltechnische Methoden liegt der Beitrag dieses Regisseurs zur Entwicklung der Filmkunst.

Michelangelo Antonioni (geb. 1912) war unterm Mussolini-Regime Redakteur und Mitarbeiter der Zeitschrift *Cinema*, des Organs der oppositionellen Kritik. Nebenbei arbeitete er als Assistent Marcel Carnés (in *Les Visiteurs du soir*) und schrieb mit anderen Autoren am Drehbuch zu Rossellinis *Un Pilota ritorna*. 1943 begann Antonioni seinen ersten Dokumentarfilm, *Gente del Po* (Leute vom Po), den er erst 1947 beenden sollte; zwischen 1947 und 1950 folgte eine Reihe weiterer Dokumentarfilme.

Antonionis erster Spielfilm, *Cronaca di un amore* (Chronik einer Liebe, 1950), zeigte schon die ausgeprägten Eigenarten des Regisseurs. Der Film, im Grunde alles andere als eine »Chronik«, spielt in der Welt des gehobenen mailänder Besitzbürgertums; er schildert den Konflikt einer Liebe, die an den moralischen Verstrickungen der Protagonisten, an ihrem Schuldbewußtsein, ihren Schwächekomplexen und sozialen Inferioritätsgefühlen scheitert. Verschiedene Zeitebenen alternieren – der Film beginnt mit den Recherchen eines Detektivs, der einer vergangenen Geschichte auf die Spur zu kommen sucht; mit fließenden und ineinander verwobenen Kamerabewegungen forschte Antonioni dem inneren Geheimnis seiner Helden nach.

In *I Vinti* (Kinder unserer Zeit, 1952), einem Episodenfilm, wandte sich Antonioni der verlorenen Jugend der Nachkriegszeit zu; jedoch nimmt dieser Film, ebenso wie *La Signora senza camelie* (Die Dame ohne Kamelien, 1953), das Drama einer mittelmäßigen Schauspielerin, und die Episode *Tentato suicidio* (Selbstmordversuch, 1953) aus Cesare Zavattinis Chronik-Film *Amore in città* (Liebe in der Stadt) einen untergeordneten Platz in Antonionis Gesamtwerk ein.

Als vollendete Leistung erwies sich wieder *Le Amiche* (Die Freundinnen, 1955). Grundlage des Films war eine Erzählung Cesare Paveses, *Tra donne solo* (Einsame Frauen). *Le Amiche* lieferte eine subtile und vielschichtige Studie weiblichen Verhaltens in der Gesellschaft, exemplifiziert an einer Reihe von Protagonistinnen, die durchweg dem gehobenen bürgerlichen Milieu entstammen; zugleich war dieser Film die klarsichtige und skeptische Bewußtseinsdurchleuchtung einer ganzen Gesellschaftsschicht. Bezeichnend für Antonionis Stil in *Le Amiche* ist ein abruptes Wechseln der Stimmungslage von einer Szene zur anderen. So etwa in der Szene vom Ausflug ans Meer: Eine fidele Party von reichen jungen Leuten beschließt, einen Ausflug zum winterlichen Meeresstrand zu unternehmen. Als man die Luxusautomobile verlassen hat, schlägt die Stimmung hysterischer Heiterkeit, die eben noch dominierte, in ihr Gegenteil um: angesichts des Meeres brechen Gefühle des Ressentiments und der Eifersucht auf. Planlos läuft alles hin und her, die Kamera fängt Gruppen und einzelne Gesichter ein, von denen plötzlich die Maske der gesitteten Eleganz abfällt. Dazwischen werden Wortfetzen vernehmbar: »Ich langweile mich... schrecklich diese gemeinsamen Ausflüge.« In Mißstimmung und Auflösung zieht der Konvoi wieder von dannen. Selten nur brachte es ein Film fertig, mit solcher Schärfe den Untergrund von Überdruß und Langeweile ins Auge fassen, der unter der Oberfläche rationalisierten Wohllebens herrscht. Dieser »ennui« wird aber doch nicht als Grundtatsache des Lebens hingestellt, sondern in seinen Wurzeln aufgespürt: den sozialen Beziehungen der Protagonisten untereinander. Antonionis stilistische Meisterschaft gelingt es, scheinbar unbeabsichtigt szenische Details, Handlungsbruchstücke, Gesten und Motive zu einem Mosaik zusammenzufügen, in dem sich der innere Zustand seiner Personen ausspricht.

Mit *Il Grido* (Der Schrei, 1957) begab Antonioni sich zum erstenmal in die Welt der Arbeiter. Im Grunde übertrug er jedoch auf *Il Grido* die Struktur seiner früheren Filme: auch der proletarische Held Aldo, Arbeiter in einer Zuckerfabrik, der von seiner Frau plötzlich verlassen wird und nun ziellos auf den schlammigen Straßen des Po-Deltas umherirrt, bis er sich am Schluß das Leben nimmt, scheint in unüberwindlicher Einsamkeit befangen; für ihn gibt es keine Kommunikation mit der Welt. Das waren Motive, die deutlich schon in *Cronaca di un amore* und *Le Amiche* anklangen. Und doch unterscheidet sich der Arbeiter Aldo in einem sehr wesentlichen Punkt von den bürgerlichen Protagonisten der früheren Filme Antonionis: er arrangiert sich nicht mit dem schlechten Leben, sondern hält seinem zerstörten Glück als dem wahren bis zuletzt die Treue, sich einer Anpassung versagend. Wohl steht Aldo unter dem Diktat einer Isolierung, die unaufhebbar, von einem mystifizierten Dasein verursacht scheint; doch erweisen die Streiflichter vom Elend der Po-Gegend, daß hier ein Leben der erfüllten Hoffnungen kaum denkbar ist. Die wichtige Szene des Streiks gegen Schluß des Films wirkt wie eine Antithese zum Leben des Helden und unterstreicht die Unwiderruflichkeit seines Geschicks. In der optischen Intensität (die grauen Landschaften des Po-Deltas) und in der Kompromißlosigkeit, mit der in diesem Film der Vorwurf der Einsamkeit thematisch und formal verarbeitet wird, ist *Il Grido* vielleicht das schönste und persönlichste Werk Antonionis.

L'Avventura (*Die mit der Liebe spielen*, 1960) gab bei seinem ersten Erscheinen unter den Filmkritikern Anlaß zu mancher Erregung (ähnliche Kontroversen spielten sich aber auch schon um *Le Amiche* und *Il Grido* ab); in der deutschen Verleihfassung wurde der Film grausam verstümmelt. Zweifellos wurde die Kontinuität filmischen Erzählens kaum je so konsequent durchbrochen wie in *L'Avventura*. Der Architekt Sandro unternimmt mit Anna, seiner Verlobten, und einer ganzen Schar reicher Freunde einen Ausflug auf einer Jacht. Die Gesellschaft landet auf einem Felseneiland; nach einem Streit mit Sandro ist Anna plötzlich nicht mehr aufzufinden. Sie verschwindet aus dem Film, ohne daß man erfährt, was aus ihr geworden ist. Immer noch auf der Suche nach Anna, freundet sich Sandro mit ihrer Freundin Claudia an und verspricht ihr sogar die Heirat; doch schon nach wenigen Tagen betrügt er sie mit einer Prostituierten. Die Handlung des Films, die sich nur unzulänglich umreißen läßt, bringt nicht so sehr nacheinanderliegende Ereignisse in einen Zusammenhang, sondern enthüllt fortschreitend die Charakterschichten ihres Helden. Auch *L'Avventura*, der mehr an *Le Amiche* als an *Il Grido* anknüpft, zeigt vertraute antonionische Züge: er durchleuchtet das Milieu des gehobenen Bürgertums in seinen heimlichen Schwächen und Hemmungen; unscheinbare Handlungsdetails erlangen plötzlich entscheidende Wichtigkeit; der Zuschauer wird gezwungen, »zwischen den Zeilen« des Films zu lesen.

Doch auf einen Aspekt des antonionischen Werkes macht gerade *L'Avventura* besonders aufmerksam: den Antagonismus der Geschlechter. Schon in *Cronaca di un amore* und *Le Amiche* waren es stets die Frauen, die die Entscheidung trafen; die Männer erschienen schwächlich, ohne Verantwortung und Initiative. Der Held von *L'Avventura*, Sandro, ist nicht nur willenlos und unfähig eines dauernden Gefühls, sondern auch beruflich ein Versager. Antonioni charakterisiert ihm gegenüber die weiblichen Figuren als illusionslos und überlegen – sowohl Sandros Verlobte Anna, die geheimnisvoll verschwindet, wenn es ihr paßt, wie auch ihre Nachfolgerin Claudia, die Sandro sein »Abenteuer« mit dem Hotelflittchen stillschweigend verzeiht. Betrachtet man *L'Avventura* im Zusammenhang von Antonionis Gesamtwerk, so zeichnet sich thematisch das generelle Versagen des Mannes angesichts seiner gesellschaftlichen und zivilisatorischen Aufgaben ab, eine Situation, in der sich Antonionis weibliche Figuren eher für die Einsamkeit als für die Mediokrität einer Bindung entscheiden; allenfalls das gegenseitige Mitleid vermag als Brücke zwischen den Geschlechtern zu bestehen.

Lebten schon die Personen aus *L'Avventura* in einem Klima von Einsamkeit und Enttäuschung, aus dem sie in flüchtige und paradoxe Bindungen zu entweichen suchten, so ist in *La Notte* (Die Nacht, 1961) die Kontaktlosigkeit als allgemeines Befinden, nicht zuletzt auch in der Kristallisierung der filmischen Sprache, wie auf einen Endpunkt getrieben. Die Gefährdung menschlicher Beziehungen in der hochentwickelten Konkurrenzgesellschaft – Antonionis Thema in allen seinen Filmen – fixiert *La Notte* mit seltener Schärfe und formaler Konsequenz. Aber auch die Einsamkeit des Schriftstellers Giovanni und Lidias, seiner Frau, scheint in der Substanz unüberwindbar. Im Erlebnis eines Spaziergangs erfährt Lidia den Zustand totaler Entfremdung gegenüber der sie umgebenden Welt, die damit unversehens eine rätselhafte, neue, unbekannte Präsenz gewinnt. Diese – stumme – Sequenz ist das optische Äquivalent eines inneren Monologs der Heldin. Der ganze Film trägt einen statischen Charakter; er entwickelt nicht, er konstatiert. Die Müdigkeit, die Desinteressiertheit hat sich auf alle Lebensbezirke ausgedehnt. Antonioni analysiert mit einer stets untertreibenden, mehr andeutenden als demonstrierenden, gelegentlich zum Symbolismus und zur Elliptik neigenden Filmsprache den Zirkel aus Langeweile, Egoismus und Resignation, dem seine Helden unterworfen sind, der keine Lösung, aber auch kein Entweichen gestattet und der allenfalls in klarsichtigen Skeptizismus zu münden vermag wie bei Lidia.

Antonionis letzten Film, *L'Eclisse* (Die Sonnenfinsternis, 1962) kann man als eine Fortsetzung von *La Notte* deuten: er beginnt ungefähr da, wo jener Film aufhörte. Die Heldin aus *L'Eclisse*, Vittoria, verläßt den Mann, mit dem sie ein jahrelanges Verhältnis verband. Mehrere Minuten fixiert die Kamera die beiden, die sich wortlos und indifferent gegenüberstehen. Im Börsenmilieu, wo sich ihre Mutter als Spekulantin betätigt, begegnet Vittoria später einem jungen Manager, der sie zu umwerben beginnt; aber auch an seinem Egoismus und an seiner Oberflächlichkeit läßt der Film keinen Zweifel.

In *L'Eclisse* tritt gegenüber *La Notte* das Element der Handlung noch mehr hinter der insistierenden Beschreibung eines Gefühls- und Bewußtseinszustandes zurück. Was die Heldin von *La Notte* auf ihrem Spaziergang durch Mailand erfuhr, ist hier den ganzen Film hindurch gegenwärtig; Antonioni weiß den Dingen und Menschen einen Aspekt der Fremdheit und Indifferenz mitzuteilen, der sie wie eine Kruste umgibt und bis in ihr innerstes Wesen eindringt. Das äußert sich besonders im letzten Teil des Films, in welchem die Protagonisten ganz aus dem Blickfeld der Kamera verschwinden, während die Sonnenfinsternis hereinbricht. Hier verliert der Film sich an eine optisch faszinierende Evokation seltsamer Graustimmungen und verblassender Kontraste, wie sie durch das hinschwindende, aber gleichwohl nicht gebrochene Sonnenlicht hervorgerufen werden; die Sequenz schließt abrupt – und symbolisch – mit einer groß und grell wie eine künstliche Mondscheibe aufleuchtenden Neonlampe.

Die Entwicklung, schließlich nicht mehr Personen oder Handlung, sondern nur noch Umwelt darzustellen, in deren objektiver Präsenz ein Zustand der Entfremdung und Frustration sich spiegelt, liegt in der Konsequenz von Antonionis bisherigen Filmen. Nach *L'Eclisse* drängt sich allerdings die Frage auf, ob dieser Weg nicht in eine Sackgasse führt. Doch sowohl *L'Eclisse* wie *La Notte* machen deutlich, daß Antonionis Filme über die bloß phänomenologische Beschreibung einer Malaise hinausgehen und eine im Ansatz gesellschaftskritische Dimension enthalten. In *La Notte* ist es die Figur des selbstherrlichen Industriemagnaten und das ihn umgebende Milieu, in *L'Eclisse* die Beschreibung der römischen Börse, die deutlich in der kritischen Tradition des Neorealismus steht; diese Typen und Szenen machen deutlich, aus welchen Quellen der universelle Zustand der Langeweile und der Entleerung gespeist wird: aus dem gesellschaftlichen Leerlauf, der Konventionalität aller Gesten, aus dem Warencharakter und der Austauschbarkeit der Gefühle.

Herrschaft der Tradition im französischen Film

Von 1949 an hielt sich die französische Filmproduktion auf einer Höhe von durchschnittlich hundert Spielfilmen jährlich. Dennoch stellte sich keine filmwirtschaftliche Prosperität ein; vielmehr sahen sich die Produzenten von einer schleichenden Krise bedroht. Die starke amerikanische Konkurrenz stellte die Rentabilität jedes nicht außergewöhnlich erfolgreichen Films in Frage. Ihre Kontinuität verdankte die französische Filmproduktion daher vor allem einer Reihe protektionistischer Regierungsmaßnahmen. So erhöhte man 1948 die Mindestspielzeit französischer Filme in den Kinos von sechzehn auf zwanzig Wochen im Jahr und beschränkte gleichzeitig die Einfuhr amerikanischer Filme auf jährlich hunderteinundzwanzig. Ein Hilfsgesetz sicherte den Produzenten Subventionen im Maßstab des kommerziellen Erfolgs ihrer Filme. Diese zunächst provisorischen Unterstützungsmaßnahmen erhielten 1954 mit der Schaffung eines staatlichen Entwicklungsfonds für die Filmindustrie und der sogenannten »Qualitätsprämie« ihre definitive Form. Die Qualitätsprämie – die von einer Kommission der Regierung und der Filmindustrie verliehen wurde – sollte Filmen zugute kommen, die der Sache des französischen Films oder der Filmkunst nützten oder »die großen Themen und Probleme der französischen Union bekanntmachten« [14]. Mit Hilfe dieses Reglements konnten zwar einige wagemutige Filme gedreht werden; doch in seiner Mehrheit bewegte sich der französische Film, einmal an die Protektionspolitik gewöhnt, auf den eingefahrenen Geleisen einer »Politik der Qualität«.

»Qualität« bedeutete die systematische Bevorzugung der bekannten Regisseure, Darsteller und Filmgenres, die Rentabilität zu garantieren schienen. So erstarrte der französische Film der fünfziger Jahre zunehmend in seinen Erfolgsrezepten; junge Talente fanden sich auf das Gebiet des Kurzfilms abgedrängt; die Namen der etablierten Regisseure beherrschten das Feld. Seit 1959 und dem Durchbruch der »Neuen Welle« wird die Subventionspolitik allmählich abgebaut und durch eine Kreditpolitik ersetzt; die Qualitätsprämie ist seit 1960 auf den Kurzfilm beschränkt.

Erneuerung der Komödie

Seit dem Ersten Weltkrieg hatte es dem französischen Film, von einigen Ausnahmen abgesehen, an komischen Talenten gemangelt. Allein Pierre Prévert, Bruder des Szenaristen und Dichters Jacques Prévert, tat sich mit einer Reihe zeitlich weit auseinanderliegender burlesker Komödien hervor. Pierre Prévert (geb. 1906) spielte als Darsteller in verschiedenen Filmen von Yves und Marc Allégret und assistierte bei Renoir und Carné. Von 1932 datiert sein erster eigener Film: *L'Affaire est dans le sac* (Das Ding ist gedreht), eine halb surreale Farce, deren Drehbuch Jacques Prévert schrieb. Ein Millionär, der an tödlicher Langeweile leidet und sich hocherfreut von Gangstern entführen läßt, ein Huthändler mit einem einzigen Hut, ein chauvinistischer Kleinbürger und andere grotesk verzerrte Figuren sind die Helden eines Dramas, das alle überkommenen Werte einer ätzenden Satire aussetzte. Der gleiche Geist spricht auch aus *Adieu Léonard* (1943). In *Voyage-surprise* (Reise ins Blaue, 1946) schließlich suchte Prévert nicht ohne Erfolg die alten Formeln der Verfolgungsburleske wieder zu erneuern: Zwei Diebe entwenden ein Taxi, in dem Anarchisten zuvor den Staatsschatz von Stromboli versteckt haben; hinter dem Taxi eilen die Anarchisten und Detektive im Sold der Herzogin von Stromboli her. Der Film zeichnete sich durch kontrastreiche Typenkomik, lebhaften Szenenrhythmus sowie durch Geschmack am Absurden aus; doch konnte *Voyage-surprise* keinerlei Erfolg verzeichnen und gelangte nur in Filmklubs zur Aufführung.

Ein spezifisch komisches Talent brachte der französische Film mit Tati hervor. Jacques Tati (eigentlich Tatischew, geb. 1908) trat als Pantomime vor dem Kriege in Kurzfilmen auf. In *Jour de fête* (Tempo-Tempo, 1948) zeigten sich zum erstenmal seine Persönlichkeit und sein eigentümlicher komödiantischer Stil. Der Film spielt in einem kleinen französischen Dorf, in dem ein Fest vorbereitet wird. Tati in der Rolle eines tolpatschigen Briefträgers stiftet Verwirrung und Trubel. Überall versucht er, nützlich zu sein und Hand anzulegen, erreicht aber immer nur das Gegenteil; stets ficht er einen stummen, pantomimischen Kampf mit störrischen Objekten aus, die sich der »normalen« Benutzung widersetzen. Kabinettstücke sind Tatis Duell mit einer hartnäckigen Biene und seine wiederholten Versuche, ein hochbeiniges Fahrrad zu besteigen. Nebenbei karikiert der Film das Ideal amerikanischen Tempos in der Postzustellung, das Tati vergeblich zu erreichen sucht.

In *Jour de fête* wie in *Les Vacances de Monsieur Hulot* (Die Ferien des Herrn Hulot, 1953), seinem Meisterwerk, verkörpert Tati einen Menschen, dessen Naivität sich mit pfiffigem Scharfsinn und Hilfsbereitschaft paart, der aber fortwährend Anstoß erregt. Tati erwies sich in *Les Vacances de Monsieur Hulot* auch als scharfsinniger Beobachter: Der Film ist eine glänzende Satire auf den mechanisierten Ferienbetrieb in einem Badeort, in dem Hulot als Pensionär mit einem vorsintflutlichen Automobil auftaucht. Die ausgeklügelten Gags halten zumeist irgendeine absurde Situation fest: so erstarren alle Pensionsgäste in Empörung, als durch Tatis Eintreten ein verheerender Luftzug verursacht wird, weil er die Tür nicht schließt; geduldig setzen sie sich der Tortur einer makabren Eßzeremonie aus. Tatis Komik entlarvt die grotesken Aspekte der Wirklichkeit, die gemeinhin den Anschein der Normalität besitzen. Tati verzichtete hier wie in seinen anderen Filmen auf eine kontinuierliche Handlung, um statt dessen komische und frappierende Szenen aneinanderzureihen, zwischen denen gewisse Leitmotive vermitteln, wie die Fenster der Pension, die regelmäßig wegen nächtlicher Ruhestörungen hell werden.

Erst 1958 konnte Tati seinen dritten Film beenden: *Mon oncle* (Mein Onkel). Diesmal nahm er den krampfhaften Modernismus der heutigen Lebensführung aufs Korn; er ironisierte den Alltag einer reichen Industriellenfamilie, die sich mit unsinnigen Geräten und Apparaturen umgibt. Tati selbst verkörpert einen freundlich zurückgebliebenen und hoffnungslos dem »Alten« ergebenen Onkel der Familie. Freilich macht sich in diesem Film eine fragwürdige Aufwertung des traditionellen, stets pittoresk erscheinenden Lebensstils gegenüber jeglicher Modernität bemerkbar. Die besten Sequenzen des Films bilden ein Geflecht aus subtil verschlungenen Reaktionsketten, in denen ein Gag den anderen auslöst. Nur um Nuancen variiert Tati seine Motive von einer Szene zur anderen: um jene Nuancen, die notwendig sind, um jedesmal erneut eine komische Überraschung hervorzurufen.

Moralisten...

Die gesellschaftskritischen Traditionen des französischen Films lebten auch in der Nachkriegszeit im Werk einiger Regisseure fort, wenngleich sie keine dominierende Tendenz bildeten. Am stärksten »engagiert« unter den französischen Filmschaffenden zeigten sich Cayatte und Autant-Lara.

André Cayatte (geb. 1904) war Rechtsanwalt, ehe er zum Film gelangte; er schrieb Romane und mehrere Drehbücher. Nach einer Reihe mittelmäßiger Filme drehte er 1948 *Les Amants de Vérone (Die Liebenden von Verona)*, eine moderne Variation des Romeo und Julia-Motivs, zu der Jacques Prévert das Drehbuch verfaßte. Seine eigentliche Thematik fand Cayatte jedoch erst in einer Serie von vier Filmen, die sich Problemen und Mißständen der französischen Justiz widmete, zugleich aber auch an die Verantwortlichkeit des einzelnen appellierte. In *Justice est faite (Schwurgericht,* 1950) stehen sieben Geschworene vor der Aufgabe, über Schuld oder Unschuld einer des Mordes angeklagten Frau zu entscheiden. Der Film untersucht das Leben der Geschworenen und zeichnet eine Reihe kritischer Porträts. Kann man aus persönlicher Anschauung heraus überhaupt Recht sprechen? Das ist die Frage, die der Film mit Insistenz stellt und deren Beantwortung er dem Zuschauer überläßt. In *Nous sommes tous des assassins (Wir sind alle Mörder,* 1952) schildert Cayatte den Werdegang eines Jugendlichen, der aus der Résistance ins normale Leben entlassen wird, nicht begreifen kann, daß sich die Gesetze verändert haben, und darüber zum Mörder wird. Der Film plädiert gegen die Unmenschlichkeit der Todesstrafe und gibt der Gesellschaft die Schuld am Verbrechen seines Helden. Ausführlich wird das Elendsmilieu beschrieben, in dem er aufwächst. Aber die Absicht, zu demonstrieren, zu plädieren, spricht zu deutlich aus den erfundenen Charakteren und Situationen; die Geschehnisse behalten bei allem äußerlichen Realismus einen trockenen Thesencharakter.

Cayattes folgende Werke litten nicht allein an formalen Mängeln, sondern auch an Schwächen der Konzeption. *Avant le déluge (Vor der Sintflut,* 1953) widmet sich dem Problem der straffälligen Jugend. Zur Zeit der Korea-Krise stehen drei Jungen und ein Mädchen wegen Mordes und Diebstahls vor Gericht. Der Film klagt in differenzierten Einzelporträts Eltern und Familien an – ein politisierendes Elternpaar, das sich nicht um die Kinder kümmert, und ein antisemitischer Vater sind die eigentlichen Schuldigen. Aber Cayatte löste das Problem zu schematisch und ignorierte neben dem familiären den gesamtgesellschaftlichen Einfluß, dem die Kinder unterliegen. *Le Dossier noir (Die schwarze Akte,* 1955) stellt einen jungen Untersuchungsrichter vor, der ein angebliches Verbrechen aufklären soll; er begegnet der Konspiration der Mächtigen, die alle Behörden in der Hand halten, und ist zudem durch die ungenügenden Mittel seines Amts behindert. Cayattes Polemik traf verschiedentlich ins Schwarze, aber deutlicher als je wirkten seine Personen konstruiert. Nach *Le Dossier noir* gab Cayatte die Serien seiner Thesenfilme auf und widmete sich kaum bemerkenswerten Abenteuerfilmen (*Œil pour œil – Auge um Auge,* 1956); in *Le Passage du Rhin (Jenseits des Rheins,* 1960) opferte er die Wirklichkeit des letzten Krieges und der Nazi-Herrschaft versöhnlichen Konzeptionen.

Claude Autant-Lara vermochte später nur noch selten das Niveau von *Le Diable au corps* zu erreichen, doch enthielten auch die meisten seiner nach 1950 gedrehten Filme einen kritisch-polemischen Akzent. *L'Auberge rouge (Die unheimliche Herberge,* 1951) besaß den Grundton einer Farce, einer schwarzen Moritat, die sich über sich selbst und die eigenen Personen lustig macht: In einer abgelegenen Herberge werden alle

Gäste von dem Wirt und seinen Komplicen umgebracht; aber angesichts eines reisenden Mönchs schlägt der Wirtin das Gewissen: sie beichtet, und die Verbrechen werden entdeckt. Der Film entwickelte aus der makabren Zweideutigkeit der Situationen einen grotesken, nicht selten antiklerikalen Humor; daneben kritisierte er die bürgerliche Beschränktheit und Boshaftigkeit der Reisenden. Nach einem nicht ganz gelungenen psychologischen Film, *Le Bon dieu sans confession* (Der liebe Gott ohne Konfession, 1953), übertrug Autant-Lara mit seinen Szenaristen Aurenche und Bost Colettes Roman *Le Blé en herbe* (Erwachende Herzen, 1954) auf die Leinwand. Colette schilderte die fragile Liebe eines Jungen und eines Mädchens, die in dieser Begegnung allmählich von Kindern zu Erwachsenen werden. Autant-Lara bewahrte die Grundstruktur der Geschichte, doch ersetzte er ihre poetische Aura durch einen Unterton antibürgerlicher Polemik. Die Liebe der Kinder steht in Opposition zur etablierten Gesellschaft, die repräsentiert wird durch den borniertem Vater des Jungen. Mit Takt und Subtilität entwarf der Film die psychologischen Porträts seiner jugendlichen Helden. Aber ein Schatten der Desillusionierung steht von Anfang an über dieser ersten und reinen Liebesbeziehung; eine rätselhafte »Dame in Weiß« verkörpert Zynismus und Enttäuschung.

Autant-Laras Stendhal-Bearbeitung *Le Rouge et le noir* (Rot und Schwarz, 1954) mangelte es gegenüber dem literarischen Original notwendig an Nuancen. Trotzdem fand der Regisseur in einem kühl-reflektierten, mit sparsamen Andeutungen arbeitenden Stil ein Äquivalent zu der Schreibweise Stendhals; die großen Motive des Romans wurden getreu nachgezeichnet. Autant-Lara insistierte auf dem Antiklerikalismus und der Gesellschaftskritik Stendhals, die er geschickt mit der psychologischen Entwicklung seines Helden, Julien Sorel, zu verschmelzen wußte. *Marguerite et la nuit* (Die Blume der Nacht, 1955) war dagegen ein wenig überzeugender Versuch, die Faust-Legende in der Gegenwart wieder zum Leben zu erwecken.

Mit *La Traversée de Paris* (Zwei Mann, ein Schwein und die Nacht von Paris, 1956) kehrte Autant-Lara zur Besatzungszeit und ihren Schwarzmarktaffären zurück; der Film zeichnet mit bitterem Humor das Klima einer Epoche, in der er weniger Heroismus als bürgerliche Pseudomoral und heuchlerische Konventionen entdeckt. Dabei unterschlug Autant-Lara nicht den Terror der Gestapo; aber seine Kritik richtet sich vor allem gegen die selbstgefällige Ideologie der Zukurzgekommenen, gegen Resignation und Selbstbemitleidung. Nach einer Reihe offen kommerzieller Filme – so *En Cas de malheur* (Mit den Waffen einer Frau, 1958) mit Brigitte Bardot – vollendete Autant-Lara 1961 wieder ein ambitioniertes Werk, das im Zwiespalt seines thematischen Anspruchs und seiner unzulänglichen Ausführung charakteristisch ist für Autant-Laras Spätstil: *Tu ne tueras point* (Du sollst nicht töten). Die Geschichten eines zu Gefängnis verurteilten Kriegsdienstverweigerers und eines katholischen Priesters, der im Krieg »auf Befehl« einen Mann erschoß und dafür freigesprochen wird, treffen im Film aufeinander. Aus ihrer Konfrontation entwickelt Autant-Lara eine scharfe Polemik gegen die Armee und den Konformismus der Kirchenvertreter. Doch bei allem Wagemut des Unternehmens – Autant-Lara konnte seinen »subversiven« Film in Frankreich weder drehen noch aufführen – ist der Film ästhetisch mißglückt; die Szenaristen Aurenche und Bost führen sentimentale Nebenfiguren ein und geraten in ihrer Suche nach dem Typischen auf die Bahnen des Schematismus. Autant-Laras Gesellschaftskritik ist gebunden an einen Traditionalismus der Form und des Erzählens, der nicht mehr recht in die Zeit paßt.

... und Stilisten

Den Moralisten des französischen Films stehen die Stilkünstler gegenüber, denen es weniger um soziale Inhalte als um Durchsichtigkeit und Prägnanz der Form geht. Zu den Regisseuren dieser Richtung darf man – bei aller Verschiedenheit der Stile und Temperamente – Robert Bresson und Max Ophüls zählen.

Bresson gehört zu jenen wenigen Filmregisseuren, die zu keinem Kompromiß mit der Filmindustrie bereit sind und eher eine lange Periode der Beschäftigungslosigkeit hinnehmen, als sich belanglose Sujets aufzwingen zu lassen. Fünf Jahre vergingen zwischen *Les Dames du Bois de Boulogne* und *Le Journal d'un curé de campagne* (*Tagebuch eines Landpfarrers*, 1950), sechs Jahre zwischen diesem und *Un Condamné à mort s'est échappé* (*Ein zum Tode Verurteilter ist entflohen*, 1956).

Le Journal d'un curé de campagne geht auf den gleichnamigen Roman von Bernanos zurück. Bresson widersetzte sich der Versuchung, den Roman »leinwandgerecht« auszuschmücken, und bewahrte seine Struktur und die mit ihr verknüpfte Ichbezogenheit des Erzählens, in gewollter Mißachtung filmischer »Grundregeln«: Die Kamera hält die schreibende Hand des Priesters fest, während seine Stimme die Sätze des Tagebuchs liest, die zu den eingeblendeten Szenen überleiten. Sein Geschehen komprimiert der Film auf wenige Bilder und Szenen, die in langsamem Rhythmus aneinandergereiht werden. Eine asketische Bildsprache überläßt sich nur in wenigen Einstellungen pittoresken Reizen, die die Einsamkeit des Protagonisten widerspiegeln: etwa das kahle Geäst eines herrschaftlichen Parks, den er durchschreitet. Viele stumme Szenen und Großaufnahmen, die an Dreyers aussparende Bildtechnik erinnern, erfassen mehr den Reflex und die Bedeutung eines Vorgangs als diesen selbst. Nur wenige Filme vermochten für ein verinnerlichtes Drama eine so adäquate optische Form zu entwickeln.

Die Zersplitterung der Dramaturgie schließlich, die manche Szenen wie Illustrationen des Textes erscheinen läßt, hat ihre präzise thematische Bedeutung: in ihr spricht sich das Fragmentarische und Unzulängliche der Bemühungen aus, mit denen der junge und kranke Priester seine Umwelt zu gewinnen und zu beeinflussen sucht. Aber doch ist gerade das Bewußtsein der eigenen Unzulänglichkeit seine Stärke; in einem dramatischen Gespräch gelingt es ihm, die verbitterte und rachsüchtige, von Mann und Kind entfremdete Gräfin aus ihrer Resignation herauszutreiben und Gott zuzuführen. Diese Szene ist ein filmisches Meisterstück. *Le Journal d'un curé de campagne* – und das gilt auch für die anderen Filme Bressons – kann als ein Plädoyer gegen Mutlosigkeit und Resignation angesehen werden, das nicht zuletzt durch die ausgezeichnete und sparsame Interpretation Claude Laydus in der Rolle des Landpfarrers Intensität gewinnt. Der ganze Film hält ein außerordentliches intellektuelles Niveau der Auseinandersetzung ein und ignoriert darüber doch nicht den realen Hintergrund des Geschehens: kritisch und deutlich gesehen werden die Dorfgesellschaft und das korrumpierte Milieu des Adels.

Bressons Leidenschaft zur bildlichen Abstraktion fand ein anderes, aber ebenso angemessenes Sujet in *Un Condamné à mort s'est échappé*. Der Film erzählt die Flucht eines zum Tode verurteilten Widerstandskämpfers aus dem Gefängnis. Bresson ging es dabei nicht in erster Linie um die Résistance, sondern um die minuziöse Beschreibung des Ausbruchs und die psychologische Situation des Gefangenen. In langdauernden Einstellungen hält die Kamera seine Bemühungen fest, mit einem gespitzten Löffel die Türbretter zu lösen. Der Film stellt eine Mathematik der Beziehungen her zwischen Geräuschen, Blicken und Gesten, Beleuchtung und Dekor. Bresson entkleidet die Ereignisse jeder »Atmosphäre« oder äußerlichen Spannung; hinter den Fluchtvorbereitungen macht er das innere Drama eines Menschen sichtbar, der auf sich gestellt und in Einsamkeit einen hoffnungslos erscheinenden Plan ausführt und dabei einen steten Kampf gegen Mutlosigkeit und Pessimismus auszufechten hat. Bresson ließ seinen Schauspieler – einen ehemaligen Philosophiestudenten – mit Absicht nicht »dramatisch« spielen, sondern untertreiben.

In Bressons nächstem Film, *Pickpocket* (Der Taschendieb, 1960), erkennt man wohl die Handschrift des Meisters, im ganzen vermag das Werk jedoch nicht zu überzeugen. Das Treiben der Taschendiebe hält Bresson in subtilen Großaufnahmen von einem l'art-pour-l'art-Standpunkt aus fest: ihn fasziniert die Virtuosität und Geschmeidigkeit der Gesten und die Einsamkeit, die jene, die das Metier betreiben, befällt; aber daraus entwickelt er eine ganze Philosophie und gibt seinem Helden einen Dostojewski-Blick, der als aufgesetzte Attitüde wirkt.

Bressons *Le Procès de Jeanne d'Arc* (Der Prozeß der Jeanne d'Arc, 1962) setzt mit erstaunlicher Konsequenz die Linie seines Regisseurs fort. Bresson erzählt die Geschichte der heiligen Johanna in einem äußerst nüchternen, dokumentarischen Stil, der jede schmückende Zutat radikal ausspart. Die Kamera konzentriert sich auf wenige Einzelheiten: das maskenhaft wirkende Gesicht der Johanna, die posierenden Richter, die Gänge und Treppen des Gefängnisses. Bresson legte seiner Johanna die authentisch überlieferten Dialoge des Prozesses von Rouen in den Mund und zeichnete so das Bild einer Angeklagten, die in der dialektischen Argumentation ihren Richtern überlegen ist – ganz im Gegensatz zur Johanna Dreyers. Gelegentlich führt in diesem Film die optische Askese, deren sich Bresson befleißigt, zur Verleugnung des visuellen Moments überhaupt. Starke Faszination geht indessen vom Text und besonders von den Szenen der Verurteilung und der Hinrichtung aus, deren eigentliche Bedeutung sich in der Spiegelung an kleinsten, aber wesenhaften Vorgängen enthüllt.

Der in Saarbrücken geborene Max Ophüls (1902–1957) arbeitete bis 1932 in Deutschland. Sein berühmtester Film aus dieser Zeit ist *Liebelei* (1932), die stilvolle und melancholische Verfilmung eines Stücks von Arthur Schnitzler. 1933 emigrierte Ophüls nach Frankreich, wo er eine Reihe minder erwähnenswerter Filme herstellte. Bis 1949 arbeitete Ophüls in Italien, Holland, England und den USA.

Doch Ophüls' eigentlich fruchtbare Periode begann erst 1950 in Frankreich; dort sollten seine Filme bei Kritik und Publikum so starke Resonanz finden, daß man sein Spätwerk am ehesten im Zusammenhang des französischen Films betrachten kann. Die Vorliebe für bestimmte Ausdrucksformen – für die gleitende Kamera und die barocke Komposition des Bildes –, der er seine Inhalte oft unterordnet, läßt Ophüls als einen »Stilisten« erscheinen, wenngleich seine ironisch beschwingten, auf die Gesellschaft und ihre Modeerscheinungen bezogenen Filme von denen Bressons durch eine Welt getrennt sind.

In *La Ronde* (Der Reigen, 1950), Ophüls' erstem in Frankreich gedrehten Film, wandte sich der Regisseur noch einmal der Welt Arthur Schnitzlers zu. Eingerahmt von den Auftritten eines »Spielführers«, vollzieht sich ein Kreislauf von Liebesepisoden. Den Film durchzieht eine satirische Note, aber auch Melancholie; das sich drehende Karussell am Anfang und Schluß scheint anzudeuten, daß auch die Menschen, vom Schicksal geführt, sich im Kreise bewegen, ohne es selbst zu merken. Geschmackvolle Dekors und eine geschmeidige Kameraführung, die impressionistische Reize einfing, gaben dem Film seine formale Perfektion.

In *Le Plaisir (Pläsier*, 1951) brachte Ophüls drei Novellen Maupassants auf die Leinwand: *Die Maske, Das Haus Tellier* und *Das Modell*. Der konzise und pointierte Stil Maupassants schien Ophüls allerdings weniger zu liegen als der Schnitzlers; die einzelnen Episoden sind in sich wenig profiliert, und auch die Personen gewinnen nicht jene mit wenigen Strichen angedeutete Gegenwärtigkeit wie bei Maupassant. In diesem Film ließ Ophüls seiner Leidenschaft für Kamerabewegung die Zügel schießen – seine Kamera führt wahre Wanderungen vor und zwischen dem Dekor aus, sie schweift durch Boudoirs und Ateliers, zwängt sich durch Fensterspalten, immer wieder neue Aspekte eröffnend. *Madame de...* (1953), nach einer Novelle von Louise de Vilmorin, erzählt die unwahrscheinliche Geschichte eines Paars kostbarer Ohrringe, die die Untreue einer Frau verraten, indem sie durch verschiedene Hände an ihren Ausgangsort zurückkehren. Durch den kalten Glanz, den eine virtuose Kameraführung und subtile Licht- und Spiegeleffekte allen Gegenständen verleihen, scheint merklich Trauer über die Veräußerlichung der erotischen Beziehungen durch.

Ophüls' bedeutendstes Werk und in gewissem Sinne die Krönung seiner Laufbahn war *Lola Montès (Lola Montez*, 1955). Dieser Film, eine deutsch-französische Koproduktion, machte einen anderen modernen Aspekt des ophülsschen Schaffens deutlich: den Verzicht auf eine durchgehende, konventionell erzählende Handlung. Schon in *La Ronde* bestand die »Handlung« im Nebeneinander von Episoden, die durch einen flüchtigen Rahmen zusammengehalten wurden. Diese Struktur wird in *Lola Montès* noch weiterentwickelt. Das blau erleuchtete Zelt eines Riesenzirkus, in dem ein mystisches Dämmerlicht herrscht, ist der Rahmen des Films; hier wird das Leben der Kurtisane Lola Montez als szenisches Spektakel in einzelnen Episoden inszeniert, sarkastisch kommentiert von einem peitschenschwingenden Conférencier. Subtil ist die ironische Verklammerung der eingeblendeten Episoden mit der Rahmenhandlung; die kunstvolle Dramaturgie des Films, durch die sich immer neue Seiten seiner Heldin entschleiern, findet ihre Entsprechung in einer mit allen Möglichkeiten des Breitwandverfahrens jonglierenden Fotografie.

Die »Tradition der Qualität«

Der französische Film nach 1950 zeigt das Bild einer Vielfalt individueller Tendenzen und Richtungen, die sich schwer auf einen Nenner bringen lassen. Die etablierten französischen Regisseure brachten zwar Jahr für Jahr geschmackvolle und qualitativ hochstehende Werke heraus, die oberflächlich betrachtet sogar eine befriedigende Bilanz ergeben mochten. In gewisser Weise waren jedoch die meisten dieser Filme über einen sich stets gleichenden Leisten geschlagen. Szenaristen wie Aurenche und Bost, die mit ihren Drehbüchern einen Großteil der qualitätvollen Produktion bestimmten, bearbeiteten jedes beliebige Thema mit den gleichen Methoden des psychologischen Realismus und der sozialen Typisierung, die dem französischen Vorkriegsfilm entlehnt waren. Den Leitfaden ihrer Produktion gaben die Verfilmungen bekannter Literaturwerke ab. Gesellschaftskritik sank in diesen Werken, die man apologetisch einer »Tradition der Qualität« zurechnete, zur unverbindlichen Zutat ab, an der sich kaum jemand noch stören mochte; die Psychologie der Personen blieb stets aufs Individuelle beschränkt. Von den prominenten Regisseuren Frankreichs vermochten eigentlich nur Ophüls, Bresson und Tati in ihren Filmen einen eigenen Stil und eine eigene Welt zu konstituieren.

Den französischen Film der Nachkriegsjahre bestimmte einmal die Generation der »Alten«, der aus der Emigration zurückgekehrten Vorkriegsregisseure: Clair, Renoir und Duvivier; neben ihnen stand die »mittlere« Generation: Becker, Clément, Clouzot, Christian-Jaque und Le Chanois. Alle diese Regisseure beschränkten sich jedoch im Grunde auf die Wiederholung längst entwickelter Formeln. Besonders evident wurde das im Werk der »Alten«.

René Clair kehrte 1946 aus den USA zurück. Sein erster Film, den er wieder in Frankreich drehte, *Le Silence est d'or (Schweigen ist Gold*, 1947) war zugleich eine Wiederaufnahme seiner alten Themen und eine Huldigung an die Urzeit des französischen Films: Ein Filmregisseur der Jahrhundertwende verliebt sich in ein junges Mädchen, das er jedoch, bereits in die Jahre gekommen, seinem jungen Assistenten überlassen muß; das Thema war Molières *Schule der Frauen* entlehnt. Clair zeichnete mit freundlicher Ironie den hektischen Betrieb der ersten Filmateliers und verfertigte sogar selbst eine Burleske im Stil der Méliès-Zeit, die als Film im Film eingeblendet wird; daneben erscheinen Clairs charakteristische Hintergrundtypen und das ganze Milieu des fin de siècle mit seinen Pferdebussen, Midinetten und Café-Concerts. Maurice Chevalier spielte den Filmregisseur mit jovialer Freundlichkeit und Bonhomie. Im Kokettieren mit der Scheinwelt des Filmbetriebes von 1900 ironisierte Clair zugleich die Grundlagen seiner eigenen Kunst; gerade darin ist *Le Silence est d'or* vielleicht sein gelungenster Film.

La Beauté du diable (Der Pakt mit dem Teufel, 1949), eine modernisierte Version des Faust-Dramas, verkündete dagegen philosophische Botschaften: Clair identifizierte Mephistopheles mit dem Verhängnis, das durch die falsche Anwendung des materiellen Fortschritts über die Menschen hereinbricht; in Clairs Sicht liegt die Verdammnis der Welt darin, daß sie ihre Seele der Wissenschaft verkauft hat. So tritt Mephistopheles hier als Spezialist und Techniker der Goldfabrikation auf, deren Geheimnis er besitzt. Faust, nach Unterzeichnung des Paktes ein mächtiger Potentat geworden, zwingt Mephisto, ihm im Spiegel die eigene Zukunft zu zeigen: sie ist die eines Diktators; da gelingt es Faust, den Pakt zu annullieren. War der Beginn des Films ein komisch bewegtes Duell zwischen dem Versucher und dem widerstrebenden Faust, so demonstrierte Clair gegen Schluß zu sehr eine in sich fragwürdige Moral. In *Les Belles de nuit (Die Schönen der Nacht*, 1952) behandelte er ein Sujet, das Traum, Realität und Ironie vermischte und daher seinem Temperament ideal entsprach: Ein armer Musiklehrer und heimlicher Komponist, den nachbarliche Lärmkonzerte zur Verzweiflung treiben, träumt sich in die Vergangenheit und erlebt sich selbst als gefeierten Pianisten, galanten Kavalier und als mutigen Haudegen in verschiedenen historischen Epochen; schließlich versöhnt sich der Held jedoch wieder mit der Wirklichkeit. Der leichte und witzige Film besaß einen musikalischen Rahmen wie *Le Million.*

Von Altersschwäche ergriffen zeigte sich Clairs gestalterische Kraft zum erstenmal in *Les Grandes manœuvres (Das großze Manöver*, 1955). Der Film zerfällt in eine unverbindliche Fabel – die unglücklich ausgehende Liebesgeschichte zwischen einem Don Juan und einer geschiedenen Frau – und in eine virtuos mit Effekten spielende Farbfotografie; spöttelnde Dialoge sollen die Welt der Salons, Militärs und Autoritäten der belle époque in ironisches Licht tauchen; aber der Satire fehlt es an Angriffskraft. *Porte des Lilas (Die Mausefalle,* 1957) führte noch einmal Clairs heiter-reflektiertes Spiel mit menschlichen Typen vor, diesmal wieder im vertrauten Milieu der pariser Vororte und am Thema einer Kriminalaffäre. Aber in *Tout l'or du monde (Alles*

Gold der Welt, 1961), degenerierte Clairs Talent zur biederen Spaßhaftigkeit, und seine vertraute dramaturgische Meisterschaft verwandelte sich in Hilflosigkeit.

Konnte René Clair auch nach dem Kriege noch eine Reihe profilierter und charakteristischer Film, realisieren, so muß man das Alterswerk von Jean Renoir mit Skepsis betrachten. Nach seiner amerikanischen Periode drehte Renoir zunächst in Indien *The River (Der Strom,* 1951). Zwar enthält dieser Farbfilm dokumentarische Passagen von großer Schönheit – etwa die Bilder vom Ganges mit seinen Reihen von Betenden und dahintreibenden Barken oder die farbentrunkenen Feste der Eingeborenen; doch wird der folkloristische Hintergrund zum gefälligen Bilderbogen, vor dem eine sentimentale Jungmädchengeschichte abrollt, die sich ebenso in jeder beliebigen europäischen Stadt zutragen könnte.

Renoirs nächstes Werk entstand in Italien: *La Carozza d'oro (Die goldene Karosse,* 1953), nach einem Stück von Prosper Mérimée. Renoir stellte Anna Magnani in den Mittelpunkt einer turbulenten Komödie im Stil der Commedia dell'arte; aber ohne das Feuerwerk komödiantischer Gags, ohne Farbe und Rhythmus bliebe von dem Film doch nur eine verstaubte Operetten- und Dekorationswelt übrig. Ebenso unbefriedigend fiel *French Can-Can* (1955) aus, und *Eléna et les hommes (Weiße Margeriten,* 1956) zeigte Renoirs immer noch vorhandenes Regietalent im Dienste eines »gehobenen«, aber unverbindlichen Divertissements. *Le Déjeuner sur l'herbe (Das Frühstück im Grünen,* 1959) spielt mythische Naturverbundenheit gegen die Verkrampftheit eines lächerlichen Wissenschaftlers aus und verschmäht dabei keinen noch so groben Gag. Mit *Le Caporal épinglé (Lieber Sekt als Stacheldraht,* 1962) schließlich lieferte Renoir ein mattes Remake von *La Grande illusion.* Zwar beschrieb er die Kriegsgefangenen-Welt (diesmal die des Zweiten Weltkrieges) ohne den latenten Romantizismus der *Großen Illusion;* dafür aber verflacht die kritisch pointierte Charakterschilderung des Vorkriegsfilms hier fast immer zu humoriger Spaßhaftigkeit. Die Angleichung an den herrschenden Geschmack und an die überlieferten Klischees, von der Renoirs letzte Filme zeugen, fällt bei diesem Regisseur besonders ins Auge, dessen bedeutendste Filme kritische soziale Studien waren.

Julien Duvivier schließlich, der dritte der »großen« Heimkehrer, zeigte sich in den Nachkriegsjahren als Meister des »bien fait«, der handwerklich vollkommenen Ausführung. *Panique (Panik,* 1946) war ein Film über das Phänomen der Massenhysterie, die sich gegen einen unschuldig des Mordes Verdächtigten richtete, angesiedelt im Vorstadtmilieu. Großen Erfolg brachte Duvivier *Sous le ciel de Paris (Unter dem Himmel von Paris,* 1951). Mehrere Einzelschicksale verknüpfen sich im Verlauf eines Tages vor dem Hintergrund der Stadt Paris: Eine alte Dame sucht Geld, um ihre Katzen ernähren zu können; ein Medizinstudent fällt durch sein Examen; ein geistesgestörter Maler begeht einen Mord, und zwei Kinder fahren auf einem Boot die Seine hinunter ins Blaue. Der Film besticht zunächst durch eine reizvolle, um atmosphärische Nuancen bemühte Fotografie und durch eine geschickte Verschmelzung des Geschehens mit dem lebendigen Hintergrund der Stadt. Das alles kann aber nicht den fragwürdigen Charakter der Handlung verbergen, die aus lauter kaum miteinander verbundenen Bravourstücken besteht – etwa der Herzoperation, die der soeben im Examen durchgefallene Mediziner ausführt. Das Leben in Paris erscheint nur in der Spiegelung außergewöhnlicher, melodramatischer oder pittoresker Vorfälle; die Poesie des Films ist gestellt.

Clément, Becker und Clouzot bilden ein weiteres Trio von Regisseuren, die ihren in Kriegs- und Nachkriegszeit entwickelten Stil auch nach 1950 weiter pflegten. René

Clément zeigte sich als begabter Stilist und Beherrscher des Metiers in *Le Château de verre (Rendez-vous in Paris,* 1950). Mit *Jeux interdits (Verbotene Spiele,* 1952) näherte er sich wieder mehr der Wirklichkeit; dieser Film sollte ein Meisterwerk werden. *Jeux interdits* spielt im bäuerlichen Milieu der südfranzösischen Alpen, zur Zeit des letzten Krieges. Über eine Landstraße wälzt sich ein endloser Zug von Flüchtlingen, die plötzlich von deutschen Flugzeugen angegriffen werden. Ein kleines Mädchen, dessen Eltern getötet wurden, macht sich mit ihrem toten Hund allein auf den Weg und findet zu einer Bauernfamilie; dort lebt sie einige Zeit und befreundet sich mit dem Jungen der Familie. Beide spielen ein makabres Spiel: sie begraben Tierleichen auf einem geheimen Friedhof. Schließlich wird das Mädchen gegen seinen Willen abgeholt und in ein Fürsorgezentrum des Roten Kreuzes gebracht.

Realistische und poetische Elemente wechseln in diesem Film ab, ohne daß man die Verschiedenheit der Ebenen als Gegensatz empfindet. Streng dokumentarisch sind die Sequenzen von dem Fliegerangriff auf den Flüchtlingszug; realistisch und mit Blick für Alltagsdetails wird das Leben bei den Bauern eingefangen – die Streitereien zwischen zwei Familien, die Atmosphäre auf dem Hof, wo vom Krieg recht wenig zu spüren ist; real in ihrer Grausamkeit ist auch die Schlußsequenz, als das Mädchen brutal ihrer neugewonnenen Heimat wieder entrissen wird. Doch sobald sich die beiden Kinder begegnen, ist es, als ob ein neues, geheimnisvolles Reich sich auftut. Der Film stilisiert die heimlichen Begräbnisspiele der Kinder und ihren Schauplatz zu feenhafter Unwirklichkeit, in die sich dann freilich wieder komische Nuancen mischen, wenn die beiden beispielsweise Grabkreuze entwenden. Das reale Grauen der Kriegswelt, deren Anregungen die Kinder doch aufgenommen haben, ist in diesen Szenen nur noch mittelbar anwesend, umgeschmolzen in paradoxe Reinheit und Naivität. Diese Naivität kontrastiert aufs schärfste mit der Pseudoreligiosität und den kleinlichen Ressentiments der Bauernfamilien. Ebensosehr wie um die Denunziation des Krieges ging es Clément in *Jeux interdits* um die Gegenüberstellung der Erwachsenen- und der Kinderwelt. Dabei gelang es dem Film, durch eine subtile Regie und durch das hervorragende Spiel der kindlichen Interpreten das naive Dasein in seiner Autonomie sichtbar zu machen, zugleich aber auch darzustellen, wie die Eindrücke der Umwelt vom kindlichen Bewußtsein verarbeitet werden.

In *Monsieur Ripois (Liebling der Frauen,* 1954) zeichnete Clément das Porträt eines modernen Don Juan, der sich der Frauen zu seinem sozialen Fortkommen bedient. Gérard Philipe in der Rolle des Monsieur Ripois zeigt Witz und entwaffnende Spontaneität, und seine häufigen Mißgeschicke sichern ihm Sympathie. Vor allem aber bewies Clément in diesem brillanten und geistreichen komödiantischen Film sein Talent als Erzähler – *Monsieur Ripois* ist als eine Serie von einzelnen Episoden angelegt, die der Held einem jungen Mädchen erzählt, das er erobern möchte. Jede einzelne Szene ist scharf und pointiert aufgebaut; für diesen Film gilt, daß Cléments Stil »einem Florettkampf gleicht, in dem alle Hiebe treffen oder sich doch so vereinen müssen, daß aus ihnen ein treffender Hieb resultiert« (P. Kast [15]).

Um geschichtliche Authentizität bemühte sich Clément in *Gervaise* (1956); der Film situiert Zolas Elendsstudie aus der pariser Arbeiterwelt mit großer Exaktheit in der Epoche Napoleons III. Clément gelangen einige ausgezeichnete Milieustudien, etwa die Episode eines mit Pomp inszenierten Geburtstagsmahles, dessen Gäste über die ihnen vorgesetzten Gerichte förmlich in Ekstase geraten. Aber seine Milieuschilderung wird dem Film zur Gefahr: allzu viele Details erdrücken die spärliche Substanz des Geschehens. Cléments spätere Filme blieben, wenngleich von formalem Rang, doch im Rahmen des jeweiligen Genres: *Plein soleil* (*Nur die Sonne war Zeuge*, 1960) ist eine originell inszenierte Kriminalgeschichte; die italienisch-französische Koproduktion *Quelle Joie de vivre* (Welche Freude zu leben, 1961), eine italienische Anarchistenkomödie aus der Zeit des Übergangs zum Faschismus, sucht der historischen Wahrheit durch den Umschlag der Farce in die Denunziation des Terrors gerecht zu werden.

Jacques Becker bewies in seinen späteren Filmen vor allem die Ambition, ein guter Erzähler und Psychologe zu sein. In *Edouard et Caroline* (*Eduard und Caroline*, 1951) porträtierte er ähnlich wie in *Antoine et Antoinette* ein jungverheiratetes Paar, das eine feierliche Soiree überstehen muß und sich darüber fast zerstreitet. *Casque d'or* (*Goldhelm*, 1951) schildert ein Liebesdrama aus dem pariser Apachenmilieu von 1900: Ein Bandenchef ist in das blonde Mädchen »Goldhelm« verliebt und versucht seinen Nebenbuhler zu beseitigen, wobei er jedoch selbst sein Leben lassen muß. Eigentlich ging es Becker nicht um die melodramatisch endende Geschichte, sondern um die Ausmalung eines Milieus im Stil alter Illustrationen; dabei steht der Film, dessen impressionistische Fotografie von großer Qualität ist, zwischen romantischer Stilisierung und Ironie. Die Personen des Films sind nicht veristisch gemeint, sondern sollen den Zuschauer »verzaubern«. Mit *Casque d'or* gelang Becker ein formal und bildästhetisch ausgezeichneter und vielleicht sein bester Film; dennoch war er symptomatisch für die Abwendung von der zeitgenössischen Realität, die viele französische Filme vollzogen.

Der Kriminalfilm *Touchez pas au grisbi* (*Wenn es Nacht wird in Paris*, 1954), der Becker großen Erfolg einbrachte, enthielt neben einer klischeehaften Fabel Szenen von ironischer Melancholie und plötzlicher menschlicher Überzeugungskraft – so etwa, wenn Jean Gabin als alternder Ganove sich abends ganz friedlich vor dem Spiegel die Zähne putzt und dabei grämlich seine Gesichtsfalten zählt. Hier bewährte sich wieder Beckers Talent zur Personenbeschreibung.

Les Aventures d'Arsène Lupin (*Arsène Lupin, der Millionendieb*, 1957) berichtet in karikaturistischer Manier von den Abenteuern eines genialen Schwindlers, Anarchisten und Hochstaplers. Das Milieu pariser Aristokratensalons wird mit Ironie gesehen – gepflegte Manieren, weltmännisches Aristokratentum erscheinen als Kehrseite skrupelloser Betrügerei und gesellschaftlichen Parasitentums. In *Montparnasse 19* (1957) rekonstruierte Becker die letzten Monate aus dem Leben des Malers Modigliani.

In *Le Trou* (*Das Loch*, 1960) schließlich, seinem letzten, posthum aufgeführten Film, konzentrierte sich Becker wieder ganz auf sein Lieblingsthema: die intimen menschlichen Beziehungen innerhalb einer Gruppe. Diese besteht hier aus einer Zellengemeinschaft von Schwerverbrechern, die einen Ausbruch vorbereitet. Mit der liebevollen Akribie, die er auch in anderen Filmen bei der Schilderung alltäglicher Verrichtungen bewies, beschrieb Becker die Vorbereitung des Ausbruchs. Gerade aus seiner Ausführlichkeit entspringt das Vergnügen, das der Film bereitet: es resultiert nicht aus dem erhofften Erfolg des Unternehmens, der denn auch ausbleibt, sondern aus dessen vollendeter Ausführung, bei der sich die Freundschaft der Gefangenen bewährt.

Bewahrten Beckers Filme bis zuletzt eine menschliche Qualität, so entwickelte sich das Werk Clouzots immer mehr zur perfekten Mechanik des Schockes. In *Le Salaire de la peur* (*Lohn der Angst*, 1953), der nervenstrapazierenden, filmisch aber virtuos realisierten Geschichte von vier Männern, die zwei Dynamitlastwagen durchs Gebirge fahren und dabei umkommen, mochte man noch soziale und menschliche Hintergründe entdecken; das exotische Milieu eines verlassenen mittelamerikanischen Dorfes fand suggestive und veristische Abbildung, und die individuellen Porträts der Fahrer waren spannungsreich zueinander in Kontrast gesetzt; schließlich ließ sich auch eine versteckte Polemik gegen den Kapitalismus aus dem Film herauslesen. Aber letztlich interessierte Clouzot in *Le Salaire de la peur* doch nur die Orchestrierung eines echt »filmischen« Themas – des Dynamittransports durch unwegsames Gelände – in unerhörten und sich überbietenden Schockmontagen; der Film suchte den spektakulären Effekt, die ästhetisch stilisierte Grausamkeit. Clouzots formale Artistik sollte sich in *Les Diaboliques (Die Teuflischen*, 1955) noch mehr verselbständigen. Hier geht es um den Mord an einem zynischen Schuldirektor, den seine Frau und seine Mätresse begehen, der sich jedoch schließlich als Täuschungsmanöver entpuppt. Kulisse des sinistren Geschehens ist ein Schülerpensionat; man gewinnt den Eindruck einer abgeschlossenen, infernalischen Welt, in der ein Ereignis das andere bestimmt. Die Technik, mit der das Verbrechen im Film begangen wird, und die Technik des Regisseurs sind identisch: beide zeichnen sich durch diabolische Vollkommenheit aus.

1956 unternahm Clouzot ein interessantes Experiment: in *Le Mystère Picasso (Picasso)*, einem abendfüllenden Dokumentarfilm, zeigte er den Entstehungsprozeß picassoscher Bilder und Zeichnungen; Picasso zeichnete direkt auf eine transparente Platte, also gleichsam auf die Leinwand. Dieser Film, der in seiner Montage fast die Spannung eines Thrillers gewann, machte die zeitliche Dimension der Genese im Werk Picassos sichtbar. Dagegen liefert Clouzot in *Les Espions (Spione am Werk*, 1957) nur eine matte Stilübung, die Elemente von *Les Diaboliques* kopierte und fragwürdige »philosophische« Botschaften enthielt. *La Vérité (Die Wahrheit*, 1960) war das »schicksalhaft« aufgezogene, pseudotragische Drama um einen jungen, genialen Dirigenten und ein männermordendes Mädchen.

Sind im Werk von Clément, Becker und Clouzot immerhin persönliche Züge vorhanden, so zeichnen sich andere französische Regisseure allenfalls durch das handwerkliche Niveau ihrer Inszenierungen aus. Zu diesen Routiniers gehört etwa Christian-Jaque. Christian-Jaque (eigentlich Christian Maudet, geb. 1904) drehte schon in den dreißiger Jahren Spielfilme vorwiegend kommerzieller Ausrichtung. In *Les Disparus de St. Agyl* (Die Verschwundenen von St. Agyl, 1938) ließ er sich von Vigos *Zéro de conduite* zu der phantastisch getönten Geschichte einer Internatsintrige anregen. Seine gelungensten Filme sind *Un Revenant (Schatten der Vergangenheit*, 1946), in dem Louis Jouvet die Paraderolle eines zynischen Rächers aus enttäuschter Liebe spielt, *Souvenirs perdus* (1950), vier fröhlich-traurige Episoden um Gegenstände aus dem Fundbüro, und *Fanfan la tulipe (Fanfan, der Husar*, 1952), der zu Christian-Jaques berühmtestem Film wurde. Im Stil einer Wildwestburleske laufen hier die komischen und phantastischen Abenteuer des agilen Tunichtguts Fanfan ab, der vom Landstreicher zum Soldaten und schließlich zum Schwiegersohn Ludwigs XV. avanciert. Die überlegene Ironie in der Karikierung aller möglichen Vorbilder, die musikalische Zusammenfassung einzelner Sequenzen, Verve und Rhythmus, nicht zuletzt auch die Satire gegen den Feudalismus verleihen dem Film seinen Reiz. Den spektakulären Charakter dieses Films sollte Christian-Jaque in späteren Produktionen mit weniger Glück nachahmen.

Le Chanois ist ein populärer Regisseur, der gelegentlich moralistische und politische Ambitionen zeigte, dann aber wieder in Mittelmäßigkeit versank. Jean-Paul Le Chanois (geb. 1909) debütierte mit einem Dokumentarfilm über die Résistance, *Au Cœur de l'orage* (Im Herzen des Gewitters, 1946). *L'Ecole buissonnière (Wenn man die Schule schwänzt*, 1948) war ein frischer und spontan gestalteter Film über neue Erziehungsmethoden in der Schule. In *Sans laisser d'adresse (Ohne Angabe der Adresse,* 1950) zeichnete Le Chanois an Hand einer etwas banalen Fabel – eine Provinzlerin kommt in die Metropole, um den Vater ihres Kindes zu suchen; ein gutmütiger Taxichauffeur nimmt sich ihrer an – ein unprätentiöses Panorama des alltäglichen Paris und seiner Menschen. Ein fernes Echo des Neorealismus ist in diesem Film zu spüren, der die Solidarität der »kleinen Leute« hervorhebt. Auch die anspruchslosen Komödien *Papa, Maman, la bonne et moi (Papa, Mama, Kathrin und ich,* 1954) und *Papa, Maman, ma femme et moi* (Papa, Mama, meine Frau und ich, 1955) besaßen den Vorzug, ihre Geschehnisse in einen realistischen Rahmen zu stellen. Zwischendurch drehte Le Chanois *Les Evadés* (Die Entflohenen, 1954), die Geschichte der Flucht dreier französischer Gefangener aus Hitler-Deutschland. Eine Bearbeitung von Hugos *Les Misérables (Die Miserablen,* 1958) in zwei Teilen akzentuierte zwar die politischen Seiten des hugoschen Epos, bediente sich aber eines pathetischen Metaphernstils und konventionellsentimentaler Handlungselemente.

In der Randzone zwischen reiner Kommerzialität und stilvoller Unterhaltung bewegen sich Regisseure wie Henri Decoin, Henri Verneuil und Sacha Guitry. Unter Henri Decoins (geb. 1896) zahlreichen Filmen ragt nur ein originelles Werk hervor, das Michel Simon in der Rolle eines exzentrischen Rhône-Fischers und Gaby Morlay als seine Geliebte vorstellt: *Les Amants du Pont St-Jean (Hafenliebchen,* 1947). Henri Verneuil (geb. 1920) drehte neben kommerziellen Filmen einen naturalistischen Streifen über die Fernfahrer, der sich durch intelligente Technik und Milieuechtheit auszeichnet: *Des Gens sans importance (Der Weg ins Verderben,* 1955). Sacha Guitry (1885–1957), einer der Veteranen des verfilmten Theaters, verfertigte 1951 ein ironisch-makabres Drama um einen Gattenmord, *La Poison (Das Scheusal),* bevor er sich einer Serie von kommerziellen Historienfilmen zuwandte.

Vorläufer der »Neuen Welle«

Nur wenige französische Regisseure der fünfziger Jahre stellten sich nicht in die literarisch-traditionalistische Strömung. Zu ihnen gehörten die vorübergehend in Frankreich arbeitenden ausländischen Regisseure Jules Dassin und Luis Buñuel, vor allem aber einige jüngere Talente, die die Revolution der »Neuen Welle« bereits vorwegnahmen.

Zu letzteren gehört Alexandre Astruc (geb. 1923). Astruc machte sich zunächst als Kritiker einen Namen: 1948 publizierte er in der Zeitschrift *L'Ecran français* seine Theorie der »caméra-stylo«; diese Theorie untersuchte die Möglichkeit, die Kamera gleichsam wie einen Füllfederhallter zu gebrauchen. In Auflehnung gegen die traditionellen Methoden filmischen Erzählens schrieb Astruc: »Der Film wird sich allmählich der Tyrannei des Visuellen entreißen, der unmittelbaren Anekdote, des Konkreten, um eine Form des Schreibens zu werden, die ebenso geschmeidig und subtil ist wie die geschriebene Sprache [16].«

1952 erhielt Astruc, der seine Filmbildung vorwiegend in Cinematheken und Filmklubs erworben hatte, endlich Gelegenheit, von der Theorie zur Praxis überzugehen. Sein mittellanger Film *Le Rideau cramoisi (Der scharlachrote Vorhang)* adaptierte eine Novelle Barbey d'Aurevillys, die von der Liebe eines jungen Mädchens zu einem bei ihren Eltern einquartierten Offizier berichtet, in dessen Armen sie nachts unerwartet stirbt. Die ganze Handlung entwickelt sich ohne Dialog, nur begleitet vom gesprochenen Kommentar d'Aurevillys. Die anhaltende Stummheit der Personen verlieh dem Film eine fast quälende Intensität; sie rückte die Ekstatik der Gefühle in eine geheimnisvolle Distanz. Die Kamera offenbarte ein an Murnau geschultes Empfinden für feine Helldunkelkontraste.

Fragwürdiger nahm sich dagegen der erste lange Spielfilm Astrucs aus, *Les Mauvaises rencontres* (Die unheilvollen Begegnungen, 1955). Astruc stellte sich hier auf ein aktuelleres Terrain und versuchte, von der Lebensgeschichte eines Mädchens und ihren Abenteuern im pariser Journalisten- und Literatenmilieu auf den Geisteszustand der intellektuellen französischen Jugend zu schließen. Aber zu der wiederum sehr eigenwilligen optischen Form des Films, die sich raffinierter Licht- und Schattenmalerei bediente, stand die soziale Voraussetzungslosigkeit der Figuren in Kontrast; die Fabel des Films beruhte auf Klischees und Unwahrscheinlichkeiten. Astrucs Forderung, den Film der »Tyrannei der Anekdote zu entreißen«, resultierte hier in einem literarisch drapierten Formalismus.

Mit seiner Maupassant-Bearbeitung *Une Vie* (Ein Frauenleben, 1958) fiel Astruc schließlich doch wieder auf die alten Positionen des französischen Films zurück. Maupassants Fabel wird hier in kleinste dramatische Splitter aufgeteilt, zu denen der Film illustrierende Bilder liefert; malerische Farbgebung der Fotografie erzeugt einen Anschein von Tiefe. Im Hintergrund dieses Films stand die alte fatalistische Weltsicht des französischen Films. Dennoch hatte Astruc zwei bedeutsame Neuerungen vorexerziert: seine ersten beiden Filme waren unabhängige Außenseiterproduktionen, und sie zerbrachen wenigstens äußerlich den herkömmlichen Erzählstil, wenn sie ihm auch keine Alternative entgegenstellten.

Als Erneuerer mochte eine Zeitlang der 1928 geborene Roger Vadim erscheinen. Vadim entwickelte in *Et Dieu créa la femme* (Und immer lockt das Weib, 1956) einen neuen Stil der Cinemascope-Fotografie; hier klang bereits der Libertinismus an, der zum ständigen Thema der »Neuen Welle« werden sollte. Vadims formal reizvollster Film blieb *Sait-on jamais!* (Spuren in die Vergangenheit, 1957). Mit Sensibilität für Form- und Farbwerte wird das winterliche Venedig in die kolportagehafte Geschichte um einen alternden Baron und ein zwischen Liebhabern schwankendes Mädchen einbezogen. Jedoch besaßen alle Vadim-Filme einen kommerziellen Grundcharakter; wo sie sich nicht der exhibitionistischen Zurschaustellung Brigitte Bardots widmeten (*Les Bijoutiers du clair de lune* – In ihren Augen ist immer Nacht, 1958), beuteten sie erfolgversprechende Vorlagen (*Les Liaisons dangereuses*, 1960 – Die gefährlichen Liebschaften, 1959) oder Gruselstoffe aus (*... et mourir de plaisir* – Und vor Lust zu sterben, 1960).

Ein anderer Film jedoch kündigte die Entwicklung von morgen an: Agnès Vardas Dokumentarfilm *La Pointe courte* (1955). Agnès Varda (geb. 1928) war zunächst Fotografin am Volkstheater Jean Vilars. *La Pointe courte* wurde als eine vom Team des Films selbst finanzierte Gemeinschaftsarbeit realisiert. Der Film hat zwei Ebenen: In einen Dokumentarfilm über ein südfranzösisches Fischerdorf und seine Bewohner wird die Geschichte eines Paares eingeblendet, das in dieser Umgebung seine anfängliche Entfremdung überwindet und allmählich wieder zueinanderfindet. Der zweite Teil des Sujets offenbarte im Bild einen Willen zur Abstraktion und zur Allegorik; trotzdem war *La Pointe courte* ein interessanter Versuch, aus dem üblichen Genre der psychologisch determinierten Erzählung auszubrechen.

Agnès Varda drehte dann eine Reihe intelligenter Kurzfilme, so *O Saisons, o châteaux* (O Schlösser, o Jahreszeiten, 1957), über die Schlösser der Loire, und *Du Côté de la* côte (In der Gegend der Küste, 1958), über die Côte d'Azur. In *Opéra-Mouffe* (1958) versuchte die Varda, die pariser Rue Mouffetard mit den Augen einer Schwangeren zu beobachten, die eine besondere Sensibilität gegenüber allem Schreckenerregenden und Ekelhaften entwickelt. Dieses Verfahren vervollkommnete die Regisseurin in ihrem ersten programmfüllenden Spielfilm, *Cléo de 5 à 7 (Mittwoch von 5 bis 7,* 1962), der mit fast absoluter chronologischer Genauigkeit zwei Stunden aus dem Leben einer jungen pariser Chansonette wiedergibt, die befürchtet, Krebs zu haben. Jedes der Handlungsfragmente, die den Film konstituieren, ist in sich präzis beobachtet; eingeblendete Zwischentitel markieren den Ablauf der Zeit und schaffen Distanz vom Geschehen. Durch subtile, aber unaufdringlich angewendete filmische Mittel gelang es Agnès Varda, in diesem Film nüchtern-dokumentarische Erzählweise und Subjektivität der Perspektive miteinander zu verschmelzen.

Nationale Strömungen im übrigen Westeuropa

Unmittelbar nach dem Zweiten Weltkrieg bildete sich die Struktur heraus, die die Filmwirtschaft der westeuropäischen Länder auf Jahre hinaus beibehalten sollte – im kontinentalen wie im nationalen Maßstab. Hollywood behauptete die Vorherrschaft, die es nach dem Sieg über die Achsenmächte wiederherstellen konnte: die nationalen Industrien blieben entweder zersplittert wie die westdeutsche oder behielten ihre monopolistische Organisation wie die schwedische. Mit Phasenverschiebungen von mehreren Jahren machte sich in den einzelnen Ländern das Aufkommen des Fernsehens bemerkbar, von dem die Filmproduktion, je nach ihrer Organisation, mehr oder minder tangiert wurde.

England war das erste Land, in dem sich – nach den Vereinigten Staaten – das Fernsehen durchsetzen konnte. Ein Zehntel aller Filmtheater mußte schließen. *Rank* behauptete sich durch eine Reduktion seiner Unternehmungen und ein Bündnis mit amerikanischen Produktionsfirmen, die er in seinen Ateliers drehen ließ und deren Filme er in seinen Verleih übernahm. Überdies beteiligte er sich nach amerikanischem Vorbild am Fernsehboom. In Schweden blieb die *Svensk Filmindustri* weiterhin praktisch ohne Konkurrenten. 1950 setzte die schwedische Filmproduktion durch einen achtmonatigen Streik Forderungen auf Reduzierung der Vergnügungssteuer durch. Frei von der Konkurrenz des Fernsehens und vom Staate gefördert, konnte der spanische Film von den Wunden des Bürgerkriegs genesen; über sporadische Ansätze hinaus entwickelte sich die griechische Produktion. Der westdeutsche Film erholte sich nie ganz von der durch die Alliierten herbeigeführten Zersplitterung der Produktion und des Verleihs in den ersten Nachkriegsjahren. Auch die Großfirmen, die sich zum Teil aus den neugegründeten Gesellschaften, zum Teil aus den Nachfolgeunternehmen der alten *Ufa-Film GmbH* entwickelten, blieben krisenanfällig. Der Aufschwung des Fernsehens traf hier die Filmindustrie, obwohl die ausländischen Erfahrungen sie hätten warnen können, nicht minder schwer.

Das englische Lustspiel

Während Carol Reed und David Lean zu Epigonen ihrer selbst absanken, Laurence Olivier sich für mehrere Jahre wieder ganz dem Theater zuwandte und die Regierung der Dokumentarfilmbewegung den Garaus machte, wurden die Lustspiele des von Michael Balcon geleiteten *Ealing*-Studios zum Inbegriff des britischen Films.

Die Exponenten dieses Genres waren durchweg jüngere Regisseure, die erst nach dem Kriege von sich reden machten. Die meisten unterschieden sich in ihren Hervorbringungen kaum voneinander; sie wiesen sich als solide Beobachter und Schilderer mit einem Flair für die Wirkung stiller Komik aus. Die Erfindung komischer Konstellationen leisteten vor allem die Drehbücher, die fast durchwegs von T. E. B. Clarke verfaßt wurden. Crichton, Cornelius und Mackendrick, neben Hamer die prominenten Regisseure der Gruppe, verpflichteten Clarke zu fast allen ihren Lustspielen. Diesen ist gemein: »Originalität der Situation und der erzählerischen Verwicklungen, eine Verbindung von Ironie und slapstick und, bei aller Lustigkeit, eine ziemlich genaue Beobachtung des sozialen Hintergrunds« (G. Lambert[17]). Sie beziehen ihren Effekt zumeist aus dem Kontrast zwischen der Normalität ihrer Helden und der ungewöhnlichen Situation, in die sie geraten. Ein Unterton der Selbstgefälligkeit schwingt in den meisten von ihnen mit: ihre Helden bewahren stets jene Tugenden, die Engländer sich selbst zuzuschreiben lieben. Sie bleiben sich gleich in den absurdesten Situationen, behaupten ihre Art und ihre Gewohnheiten gegen alles, was sich ihnen entgegenstellt oder sie bedroht. Das kann der technische Fortschritt, das können auch die Gewalten der Hochfinanz oder des Staates sein; aber auch diese Gegner werden nur wohlwollend ironisiert. »Trotz der Verulkung von Bürokraten und Ministern setzt sich ein Ton innerer Ehrfurcht durch[18].« Clarkes Helden sind eigensinnige Bürger, die in einer Welt der Monopole an den Spielregeln des freien Wettbewerbs festhalten.

Charles Crichton (geb. 1910), ein ehemaliger Cutter, machte mit seinem dritten Film, *Hue and Cry* (*Die kleinen Detektive*, 1946), einem Kriminallustspiel nach Art von *Emil und die Detektive*, den Anfang. *The Lavender Hill Mob* (*Einmal Millionär sein*, 1951) gehört zu den gelungensten Filmen der Schule: die Geschichte eines scheinbar seriösen, unauffälligen Bankbeamten (Alec Guinness in einer der Rollen, die ihn zur Inkarnation ewigen Britentums werden ließen), der Jahre eines unscheinbaren Daseins mit der Vorbereitung eines großen Bankraubes würzt. In *The Titfield Thunderbolt* (*Titfield-Expreß*, 1953) setzen lokalpatriotische Kleinstädter eine alte Lokomotive wieder in Betrieb, um die Rentabilität ihrer Kleinbahn zu beweisen. Höhepunkt des Films sind ein Duell zwischen Dampfwalze und Lokomotive und die Querfeldeinfahrt einer entwendeten Lok. Später, in *The Battle of Sexes* (*Mr. Miller ist kein Killer*, 1959) erreichte Crichton, von seinem Autor Clarke verlassen, nicht entfernt mehr den Witz seiner früheren Filme.

Henry Cornelius (1913–1958), vor 1933 Regisseur am berliner *Schiller-Theater*, später Journalist und Dokumentarfilmregisseur, führte sich mit *Passport to Pimlico* (*Blokkade in London*, 1948) erfolgreich ein: Ein londoner Stadtteil löst sich nach der Entdeckung alter Urkunden, die ihn als burgundische Enklave ausweisen, von Großbritannien los und bewahrt gerade damit einen ausgesprochenen britischen Lokalstolz. Mit *Genevieve* (*Die feurige Isabella*, 1953) knüpfte Cornelius an den Erfolg von *The Titfield Thunderbolt* an: statt einer alten Lokomotive ist es hier ein altes Auto, das eine hindernisreiche Rennfahrt nach London übersteht.

Alexander Mackendrick (geb. 1912), Dokumentarfilmregisseur und Szenarist, lieferte mit vier Filmen den größten Beitrag zum Erfolg des englischen Filmlustspiels. In *Whisky Galore* (*Das Whisky-Schiff*, 1948) sehen schottische Insulaner ihr Privileg, gestrandeten Schiffen Whiskykisten zu entnehmen, gefährdet und verteidigen es mit beachtlichem Scharfsinn. Mit *The Man in the White Suit* (*Der Mann im weißen Anzug*, 1951) griff Mackendrick – schärfer als sonst üblich – den Monopolismus von Industriebetrieben und Gewerkschaftsorganisationen an: deren Bosse suchen die Erfindung einer unzerstörbaren Faser zu verhindern, an der ein eigenwilliger Chemiker experimentiert. Mit *The Maggy* (*Oller Kahn mit Größenwahn*, 1954) ließ Makkendrick auf Crichtons Lokomotive und Cornelius' Automobil noch einen alten Frachtdampfer folgen, dessen Kapitän sich ebenfalls hartnäckig gegen die Pensionierung seines Vehikels wehrt. In *The Lady Killers* (1955) streiten sich fünf Gangster darum, wer von ihnen eine alte Dame umbringen muß.

Anders als Crichton, Cornelius und Mackendrick verfaßte Robert Hamer (geb. 1911) seine Drehbücher ohne Beteiligung von T. E. B. Clarke. Daran mochte es liegen, daß das Niveau seiner Filme erheblich schwankte, der beste von ihnen aber die Masse der von Clarke inspirierten Filme weit überragt. Hamer war ein renommierter Cutter, ehe er Regisseur wurde. Sein *It Always Rains on Sunday* (*Whitechapel*, 1947) ist ein atmosphärisch dichtes Melodram mit Anklängen an Carnés *Le Jour se lève* und Reeds *Odd Man Out*. Mit *Kind Hearts and Coronets* (*Adel verpflichtet*, 1949) gelang ihm das chef d'œuvre der englischen Lustspielschule und des britischen Nachkriegsfilms überhaupt. Die Story läßt den Film auf den ersten Blick als eine zynische, wiewohl erfinderische Mordkomödie erscheinen. Das Genre von *Arsenic and Old Lace* und *The Lady Killers* transzendiert er aber sowohl durch die Motivation der Taten, die geschildert werden, als auch durch deren und des Films eigene formale Brillanz. In dem Helden namens Louis Mazzini bohrt der Ehrgeiz des Deklassierten und seine Haßliebe zur »guten Gesellschaft«, die seine Mutter ihrer »Mesalliance« wegen ausgestoßen hat. Er macht sich auf, seine adlige Verwandtschaft, das Geschlecht der Ascoyne d'Ascoyne, umzubringen, bis er als zehnter Herzog von Chalfont ins Oberhaus einziehen kann. Seiner selbstgesetzten Aufgabe entledigt er sich mit Stilgefühl: er betreibt das Töten als »eine der schönen Künste«. Jedem seiner Opfer verschafft er einen formgerechten Abgang: einen Admiral läßt er mit seinem Flaggschiff untergehen, einen Fotofan beim Entwickeln zu Tode kommen, einen pensionierten Artillerieoffizier in die Luft fliegen. Von der gleichen ironischen Eleganz und Raffinesse ist der Stil des Films selbst, der sich nie dem kruden Gruseleffekt hingibt, sondern Dialog und Fotografie zu einem subtilen Gewebe verflicht. Hamers spätere Lustspiele, *Father Brown* (*Die seltsamen Wege des Pater Brown*, 1954), nach G. K. Chesterton, und *The Scapegoat* (*Der Sündenbock*, 1958), nach Daphne du Maurier, erreichten nicht mehr die Qualität von *Kind Hearts and Coronets*.

Sieht man von Hamers *It Always Rains on Sunday* ab, so brachte keiner der englischen Lustspielregisseure ernste Filme von besonderer Qualität hervor. Crichtons *The Divided Heart* (*Das geteilte Herz*, 1954), Mackendricks *Mandy* (1952) und *Sweet Smell of Success* (*Dein Schicksal in meiner Hand*, 1957) sind nicht mehr als ehrenwerte und korrekt gefertigte Thesenstücke.

Mit Michael Balcons Übertritt zu *MGM* und der Vermietung der *Ealing*-Studios ans Fernsehen fand 1955 die Entwicklung des britischen Filmlustspiels ein abruptes Ende. Versuche zu seiner Wiederbelebung wie Crichtons *The Battle of Sexes* blieben im Ansatz stecken. Zugleich versank der britische Film in Gleichförmigkeit und Provinzialismus, wie sie auf dem Kontinent nur in Deutschland ihresgleichen fanden.

Die zweite Blüte des Schwedenfilms und Alf Sjöberg

Mit dem Erscheinen von *Gefängnis*, Ingmar Bergmans erstem von ihm selbst konzipierten und ausgeführten Film, und Alf Sjöbergs *Nur eine Mutter* trat der schwedische Film 1949 aus einer Periode des Übergangs, der Rückgriffe und Experimente in seine zweite Blütezeit ein.

Alf Sjöbergs frühe Filme waren intelligente Adaptationen gewesen, die den profunden Filmverstand ihres Regisseurs bewiesen. Über eine eklektische Belebung älterer Filmstile – des frühen Schwedenfilms, des deutschen Expressionismus, der russischen Schule – gingen sie indessen nicht hinaus. In *Bara en mor* (*Rya Rya – Nur eine Mutter*,

1949) verschmelzen diese mannigfachen Einflüsse zum erstenmal gänzlich in einer originellen und modernen Erzählkonzeption. Dem Film lag ein Roman von Ivar Lo-Johansson zugrunde, der auch am Drehbuch mitarbeitete. Er erzählt die Lebensgeschichte einer vitalen jungen Bäuerin, die sich und ihren Anspruch auf Glück gegen eine feindliche Welt zu behaupten sucht. Das individuelle Geschehen ist eingelassen in eine soziologisch präzise Schilderung des ländlichen Schwedens der Jahrhundertwende. Sjöberg machte aber nicht die äußeren Schicksale seiner Heldin zum Thema, sondern ihre emotionalen und geistigen Reaktionen, die er durch eine kluge Montagemethode objektivierte. Die optische Konstante des Films bildet das Gesicht der Frau. Während vieler Szenenwechsel bleibt es groß im Vordergrund; um sie herum verwandelt sich die Szenerie. Unmerklich verändern sich aber auch die Züge der Protagonistin. Anfangs spiegeln sie nichts als blinde Lebenslust; später hinterlassen Enttäuschungen und Arbeit darin ihre Spuren; schließlich sind sie Ausdruck reifer Skepsis. Wie schon in *Himmelsspiel* bewies Sjöberg auch hier sein Talent, in einem Gesicht den Prozeß des Reifens und Alterns festzuhalten – wie sonst nur Orson Welles in seinen Frühwerken.

Die Dialektik des individuellen Geschicks und des gesellschaftlichen Zustands blieb Sjöbergs bevorzugtes Thema. In *Fröken Julie* (*Fräulein Julie*, 1950) unterwarf er Strindbergs Stück, das er zuvor auf der Bühne inszeniert hatte, einer neuen optischen Konzeption, die Erinnerungen und Träume des Gutsfräuleins und ihres Geliebten, des Dieners, in den Kontext der Bilderzählung einbezog. Ständig gleitet das gegenwärtige Geschehen in die erinnerte Vergangenheit einer der beiden Hauptgestalten über; Gegenwart selbst erscheint dabei nicht konkreter als Vergangenheit: beide sind Spiegelungen des Bewußtseins. Wie in *Nur eine Mutter* gelang Sjöberg hier die fugenlose Verschränkung der verschiedenen Zeitebenen: ohne Schnitt gehen sie ineinander über; Zeit wird derart in Raum umgesetzt, daß die Kamera von Gegenwärtigem auf Vergangenes schwenken oder beides simultan in Vorder- und Hintergrund sichtbar machen kann.

Barabbas (1953), nach dem Roman von Pär Lagerkvist, und *Karin Mansdotter* (1954), teilweise nach Strindbergs *Erik XIV.*, schildern, wie *Nur eine Mutter*, die Geschichte lebenslangen Kampfes um Selbstverwirklichung. Seitdem der Räuber Barabbas freigelassen worden ist, damit Christus an seiner Stelle sterbe, sucht er Gott zu erkennen, der ihn »besitzt«, ohne sich ihm zu zeigen. Das Bauernmädchen Karin Mansdotter wird fast noch als Kind die Geliebte des Königs und mit sechsundzwanzig kurz nacheinander seine Frau und Witwe; im Exil widmet sie den Rest ihres Lebens der Erziehung ihres Kindes. Sobald Sjöberg sich hier von der Gegenwart entfernte, verfiel er in einen kunstgewerblichen Legendenstil, der Stummfilmvorbilder rezipierte, ohne sie, wie in den Filmen mit zeitgenössischem Sujet, in eine eigene Form zu bringen. Auch seine neueren Filme mit aktuellen Sujets zeigen Sjöbergs Einfallskraft nicht mehr auf der Höhe von *Nur eine Mutter* und *Fräulein Julie*. *Vildfåglar* (Wildvögel, 1955), *Sista paret ut* (Das letzte Paar 'raus, 1956) und *Domaren* (Der Richter, 1961), der zweite wieder nach einem Drehbuch von Ingmar Bergman, sind Pubertätsdramen in der Art von Bergmans Frühwerken. Mit ihnen kehrt auch der prätentiöse Stummfilmstil wieder, der diese Filme nun als ebenso veraltet erscheinen läßt, wie *Nur eine Mutter* und *Fräulein Julie* zu ihrer Entstehungszeit modern waren.

Ingmar Bergman

Ingmar Bergman hatte fünf Filme inszeniert, die auf literarischen Vorlagen von anderen Autoren basierten, und zwei Originaldrehbücher geschrieben, die von anderen Regisseuren verfilmt wurden, ehe er mit *Fängelse (Gefängnis*, 1949) zum erstenmal einen Film allein entwarf und realisierte. Die meisten seiner weiteren Filme gestaltete Bergman als »auteur complet«; nur ausnahmsweise und später immer seltener benutzte er eine Vorlage, verpflichtete einen Mitautor oder überließ die Regie einem anderen. Im selben Maße wurden seine Filme persönlicher, lösten sich von Vorbildern und aus dem Zusammenhang einer Zeitstimmung.

In den frühen Bergman-Filmen, auch noch in *Gefängnis*, in *Sommarlek (Einen Sommer lang*, 1950) und *Sommaren med Monika (Ein Sommer mit Monika*, 1952), wehren sich junge Paare gegen den feindlichen Zugriff der Welt, wird ihre Liebe zwischen äußeren Widerständen und dem Unvermögen der Liebenden selbst zerrieben und vermag sich nur beschädigt zu behaupten. In anderen Filmen, *Torst (Durst*, 1949), *Till gladje (An die Freude*, 1949), *Kvinnors vantan (Sehnsucht der Frauen*, 1952) und *Gycklarnas afton (Abend der Gaukler*, 1953) sind es ältere Frauen und Männer, denen ihr Zusammenleben zum Problem wird oder geworden ist. Ins Groteske wendet Bergman die Jagd nach Glück und Liebe in den Komödien der frühen fünfziger Jahre: *En lektion i kärlek (Lektion in Liebe*, 1954), *Kvinnodröm (Frauentraum*, 1955) und *Sommarnattens leende (Das Lächeln einer Sommernacht*, 1955). Ganz auf sich selbst zurückgeworfen sind die Helden späterer Bergman-Filme: der vom Kreuzzug heimkehrende Ritter in *Det sjunde inseglet (Das siebente Siegel*, 1956), der alte Professor in *Smultronstället (Wilde Erdbeeren*, 1957), die jungen Frauen im Entbindungsheim von *Nära livet (Am Anfang des Lebens*, 1958), der entlarvte Gaukler in *Ansiktet (Das Gesicht*, 1959), der reiche Bauer, der im Affekt einen Mord begeht, in *Jungfrukällan (Jungfrauenquelle*, 1960), die junge schizophrene Heldin aus *Såsom i en spegel (Wie in einem Spiegel*, 1962), die in ihrem Wahnsinn nach Gott sucht und ihn nur als schreckliche schwarze Spinne wahrzunehmen vermag.

Immer mehr geht in Bergmans Filmen das manifeste Geschehen auf in einer bohrenden Meditation über Sein und Nichts, das Leben und den Tod, die Geburt und das Altern. Diese Meditation kreist hartnäckig um eine Mitte: Gott. Aber diese Mitte bleibt leer; Gott gibt sich nicht zu erkennen. Andererseits sind die Fragen, die sich Bergmans Helden stellen, religiös definiert, vor allem eine: die nach dem Sinn des Todes. Bergmans Leistung besteht freilich, wie E. Rohmer zu *Das siebente Siegel* bemerkt [19], nicht so sehr in der »Originalität (seiner) Philosophie« als vielmehr in der »genauen Art, die Leinwand zu präparieren, um sie jagend in all ihren Nuancen zu übertragen«. Es ist dies vor allem die Leistung des Szenaristen Bergman. Die frühen Filme vor *Gefängnis* referierten noch in planer, ungebrochener Berichtform. Mit *Gefängnis* bereits entfernt sich Bergman von der herkömmlichen Erzählweise. Die Fabel wird mehr und mehr reduziert auf wenige Grundsituationen, um die herum ein dichtes Geflecht aus dialogischer Reflexion, Erinnerungen, Träumen, Parallel- und Kontrastfiguren sich rankt – oder vielmehr: in deren Dialektik mit dem Fabelrest sich das Geschehen erst konstituiert. In *Gefängnis* noch wirft Bergman eine Fülle krasser Begebenheiten auf die Leinwand, die denen der früheren Pubertätsdramen ähneln. Zugleich werden sie aber bereits distanziert und der Reflexion ausgesetzt. Der Film beginnt und schließt mit einer Diskussion darüber, ob man einen Film über die Hölle drehen könne; am Ende wird die Frage verneint. Was der Zuschauer indessen gerade zuvor gesehen hat, das Geschehen, in das auch die Partner jener Unterhaltung verwikkelt wurden, war nichts anderes als »ein Film über die Hölle« – gemäß Sartres Diktum: »Die Hölle, das sind die anderen.« Die dialektische Relation zwischen dem »Rahmen« und dem »eigentlichen Geschehen« wiederholt sich in diesem selbst. So kommt darin eine Stummfilmposse zur Vorführung, die das Thema des Ganzen abermals spiegelt. Ähnlich wie hier werden in einigen weiteren Filmen verschiedene Elemente des Geschehens einander konfrontiert: In *Durst* gibt eine Bahnreise durch das zerstörte Deutschland Anlaß zu einer Retrospektive auf die Vergangenheit des reisenden Paares. In *Einen Sommer lang* vollzieht die Heldin erinnernd die Romanze eines Sommers nach, die dabei zu ihrer Gegenwart in Widerspruch steht. In *Sehnsucht der Frauen* werden die Ehegeschichten von vier Frauen, die diese einander erzählen, gegeneinander ausgespielt. Solche Figuren kann man bis in Details verfolgen: es gibt bezeichnende Einblendungen von Trickfilmpassagen (in *Einen Sommer lang*), Bühnenszenen (in *Das Lächeln einer Sommernacht* und *Wie in einem Spiegel*), von erzählten Anekdoten und gemalten Darstellungen (in *Abend der Gaukler*). Die Technik solcher Montagen bleibt lange Zeit noch unbeholfen. Schließlich verschmelzen aber die einzelnen Elemente zu einem kontinuierlichen meditativen Prozeß, in dem Anschauung und Vorstellung, Gegenwart und Vergangenheit, Objekt und Subjekt, Geschehen und Kritik nicht mehr voneinander abzulösen sind. In *Das siebente Siegel* und *Wilde Erdbeeren* ist diese Einheit am konsequentesten verwirklicht.

Durchweg verraten Bergmans Filme in der erzählerischen Erfindung, in der Struktur und im Dialog mehr Originalität und Stilbewußtsein als in der Inszenierung. »Auf dem Gebiet der Regie«, bemerkt J. Siclier[20], »ist Bergman kein Neuerer, kein revolutionärer Schöpfer, und wird es auch nie sein. Er bedient sich des Films als eines Ausdrucksmittels, als Vehikels seiner Ideen.« Nicht selten schießt dabei der Sinn über die integrale filmische Form hinaus. Das Resultat ist symbolische Vordergründigkeit. Das Vorbild Marcel Carnés ist gerade hinter den fragwürdigsten Bergman-Szenen wahrnehmbar: genau wie in der Schlußeinstellung von *Le Jour se lève* fällt etwa in *Gefängnis* ein breiter Sonnenstrahl auf den entseelten Körper eines Selbstmörders. Nie läßt Bergman ganz davon ab, Schatten und Licht als Träger geheimer Bedeutung auszuspielen. Oft haben die Schauplätze Gleichnischarakter. Das Motiv des Käfigs kehrt regelmäßig wieder: als Dachkammer in *Gefängnis*, Zugabteil in *Durst* und *Lektion in Liebe*, steckengebliebener Lift in *Sehnsucht der Frauen*, Inneres einer Kutsche in *Das Gesicht*. Nicht immer geht die Bedeutung des Details auf im Sinn des Ganzen. Symbolische Groß- und Detailaufnahmen – ein ausgestopfter Vogel über der Zimmertür in einer Pension (*Gefängnis*), eine Katze, die blinzelnd den Vorbereitungen zu einem Selbstmordversuch zusieht (*Abend der Gaukler*) – sind ohne begründeten inhaltlichen Bezug in den Handlungskontext eingeschnitten. Auch *Wie in einem Spiegel* spielt an einem gleichsam symbolischen Handlungsort, dem kahlen und einsamen Strand einer Ostseeinsel; vor der Kulisse dieser Landschaft enthüllt sich das wahre Innere der Personen, ihre Selbsttäuschung, ihr fragendes Suchen nach unbestimmter Erfüllung. Andererseits ist gerade dieser Film in Bergmans Gesamtwerk vielleicht der geschlossenste und unprätentiöseste; er besitzt die Struktur eines filmischen Kammerspiels, in welchem symbolische Form und unmittelbare Realität nahtlos und überzeugend miteinander verschmelzen.

In ihrer visuellen Gestalt blieben Bergmans Filme Vorbildern verhaftet. Einflüsse von Sjöström und Stiller, dem deutschen Expressionismus, Dreyer und Carné, aber auch von Werken der bildenden Kunst stehen oft unvermittelt nebeneinander. Ge-

Renato Castellani
Due soldi di speranza
(Zwei Groschen Hoffnung)
1951

Federico Fellini
**I Vitelloni
(Die Müßiggänger)**
1953

Luchino Visconti
Senso
(Sehnsucht)
1954

403

Michelangelo Antonioni
**Il Grido
(Der Schrei)**
1957

Jacques Tati
**Les Vacances de Monsieur Hulot
(Die Ferien des Monsieur Hulot)**

1953

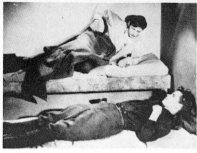

Robert Bresson

**Un Condamné à mort s'est échappé
(Ein zum Tode Verurteilter ist entflohen)**

1956

Max Ophüls
**Lola Montès
(Lola Montez)**
1955

Alexandre Astruc
Le Rideau cramoisi
(Der scharlachrote Vorhang)
1952

Juan Antonio Bardem
Calle mayor
(Hauptstraße)
1956

Robert Hamer
**Kind Hearts and Coronets
(Adel verpflichtet)**
1949

Alf Sjöberg
Fröken Julie
(Fräulein Julie)
1950

Michail Kalatosow
Letjat shurawli
(Wenn die Kraniche ziehen)
1957

Andrzej Wajda
**Popiol i diament
(Asche und Diamant)**
1958

Zoltán Fábri
Hannibál tanár ur
(Professor Hannibal)

1956

Wolfgang Staudte
Der Untertan
1951

legentlich wird der Eklektizismus zum Stilprinzip erhoben: die einzelnen Episoden von *Sehnsucht der Frauen*, die verschiedenen Bewußtseinsebenen in *Abend der Gaukler* und *Wilde Erdbeeren* sind mit wechselnden Stilmitteln gestaltet. Ganz verschmolzen zu einem konsistenten und adäquaten Stil sind die mannigfachen Einflüsse wohl nur in *Das siebente Siegel:* Hier verbinden sich Reminiszenzen an mittelalterliche Apokalypse-Visionen und an filmische Gestaltungen verwandter Themen zu einer originalen Stilkonzeption, einer »horrenden Kreuzung aus realistisch gesehenem Mittelalter und moderner Kraterlandschaft existentieller Grenzsituationen« (Th. Kotulla [21]). Die Anstrengung der Form tritt in anderen gelungenen Filmen – so in *Wilde Erdbeeren* und *Am Anfang des Lebens* – hinter dem Bestreben zurück, unverstellte Realität der Erfahrung zugänglich zu machen. Die unmittelbare Präsenz der Menschen und Dinge zersetzt hier auch jede etwa intendierte Symbolik. Wo umgekehrt die Form sich ablöst von lebendig erfahrener physischer Wirklichkeit, wie vor allem in *Jungfrauenquelle*, stellt die Sterilität des Kunstgewerbes sich ein. Nie versagt freilich Bergmans Talent in der Auswahl und Führung seiner Darsteller. In ihnen manifestiert sich am reinsten seine Passion für den aus trügerischer Sicherheit aufgestörten, hoffenden, zweifelnden, fragenden und verzweifelnden Menschen.

Spaniens und Griechenlands Eintritt in die Filmgeschichte

Das Bild des spanischen Films in den fünfziger Jahren ähnelt in mancher Hinsicht dem des italienischen in den letzten Jahren der faschistischen Herrschaft: hier wie dort äußerten einzelne, zumal jüngere Regisseure trotz des Druckes einer autoritären Zensur ihre Passion für die Wirklichkeit und stellten einer Produktion propagandistischer und beschwichtigender Filme Werke entgegen, die ihren geringen Respekt vor den herrschenden Autoritäten bezeugten. Auf sein »Jahr Null« mußte der spanische Film freilich vergebens warten.

Schon mehrfach hatte der spanische Film kurze Perioden wirtschaftlichen Aufschwungs erlebt – so im Ersten Weltkrieg und nach der Einführung des Tons –, aber jedesmal endete die Konjunktur, ehe künstlerische Talente sich durchsetzen konnten. Der Bürgerkrieg trieb die beiden Hoffnungen des spanischen Films, Luis Buñuel und Carlos Velo, ins Exil; beide halfen später mit, Mexiko zum führenden Filmland des iberischen Sprachbereichs zu machen. Der Preis, den der spanische Film für die Unterstützung durch das Franco-Regime zahlen mußte, war politischer und geistiger Konformismus. Viele Jahre hindurch produzierten die madrider Studios nichts als kommerzialisierte Folklore, Bürgerkriegslegenden und fromme Erbauungstraktate.

Nach dem Kriege regten sich zunächst in den – seit den zwanziger Jahren bestehenden – Filmklubs neue Kräfte. 1949 und 1950 kam es zur Gründung einer Filmakademie, eines Filmarchivs und mehrerer anspruchsvoller Filmzeitschriften. Die Autoren und Regisseure, von denen dann die Regeneration des spanischen Films ausgehen sollte, erwarben ihre filmgeschichtlichen Kenntnisse in den Filmklubs und erlernten in der Filmakademie ihr Handwerk. Das Erscheinen von *¡Bienvenido Mr. Marshall!* (*Uns kommt das alles spanisch vor*, 1953) kündigte den bevorstehenden Wandel an; für Buch und Regie des Films zeichneten zwei Absolventen der Filmakademie, J. A. Bardem und L. G. Berlanga.

Juan Antonio Bardem (geb. 1922) war bereits Diplomlandwirt, als er sich an der Filmakademie einschreiben ließ. Noch als Student schrieb er zusammen mit Berlanga ein Drehbuch, das nicht verfilmt wurde, und inszenierte dann mit ihm zusammen *Esa pareja feliz* (So ein glückliches Paar, 1951), eine legere Komödie über die Reisen eines jungen Paares, das diese in einem Preisausschreiben gewonnen hat. *Comicos* (Die Schauspieler, 1954), eine pessimistische Chronik aus dem Leben drittklassiger Bühnenschauspieler, wurde Bardems erste selbständige Leistung. Mit *Felices Pascuas* (Fröhliche Ostern, 1954) kehrte Bardem noch einmal zum Lustspiel zurück, das Berlanga inzwischen zu seiner Spezialität gemacht hatte.

Muerte di un ciclista (Der Tod eines Radfahrers, 1955) definierte Bardems Stellung in der Erneuerungsbewegung des spanischen Films. Zusammen mit seinen nächsten Filmen, *Calle Mayor* (Hauptstraße, 1956) und *La Venganza* (Die Rache, 1958), bildet *Der Tod eines Radfahrers* eine Trilogie über das spanische Leben in der Großstadt, in der Kleinstadt und auf dem Lande. In allen drei Filmen übt Bardem scharfe Kritik an den herrschenden Sitten: am zynischen Egoismus des Großbürgertums in *Der Tod eines Radfahrers*, am naiven Sadismus gelangweilter Provinzler in *Hauptstraße*, an der durch barbarische Lebensverhältnisse freigesetzten primitiven Grausamkeit von Landarbeitern in *Die Rache*. Bardem entlarvt den Zustand der Gesellschaft im Verhalten der Menschen, die durch sie geprägt sind. Als Agent des Regisseurs tritt in den ersten Teilen der Trilogie die Figur eines Moralisten auf. Deutlich spricht sich in ihr die Wahrheit über die Rolle des Intellektuellen im totalitären Staat aus: ohnmächtig, die Ordnung seines Landes mitzubestimmen, wirft er sich zum Sittenrichter auf. Auf die tiefere Schuld der Gesellschaft und auf die Möglichkeit eines Umsturzes weist Bardem nur in Verschlüsselungen hin: indem er während eines zentralen Dialogs im Hintergrund ein Schaufenster mit der spanischen Ausgabe von Hitlers *Mein Kampf* zeigt (*Hauptstraße*) oder indem er einem harmlosen Studentenauflauf in pathetisch übersteigerten Einstellungen einen Zug ins Revolutionäre mitteilt (*Der Tod eines Radfahrers*).

Bardems Stil ist der eines Moralisten. Jähe Schnitte, die widersprüchliche Bildinhalte aufeinanderprallen lassen, treiben von einer Szene zur nächsten, lassen diese als Dementi der vorangegangenen erscheinen. Grelle Schwarzweißkontraste und eine frappierend scharfe Fotografie spannen die Aufmerksamkeit des Zuschauers an. Die Dialoge sind ein aussichtsloses Ringen um Wahrheit. Man redet mit Emphase aneinander vorbei oder mißversteht sich, lügt oder wird belogen; wenn einmal einer zum Bekenntnis ansetzt, verstummt er sogleich wieder.

Schon mit *Der Tod eines Radfahrers* ging Bardem bis an die äußerste Grenze dessen, was die Franco-Zensur gestattete. Als 1956 Studentenunruhen ausbrachen, wurde er neben anderen Intellektuellen vorübergehend inhaftiert. Jeder Film der »Trilogie« mußte sich Eingriffe ins Drehbuch und nachträgliche Schnitte gefallen lassen – so mußte die Handlung von *Die Rache* aus der Gegenwart in die Zeit vor dem Bürgerkrieg verlegt werden.

Nachdem Bardem sich in *Sonadas* (1959), einem farbenprächtigen Historiengemälde, auf einen Kompromiß eingelassen hatte, kehrte er mit *A las cinco de la tarde* (Brot und Blut, 1960) zur spanischen Gegenwart zurück. Am Beispiel von Niedergang und Aufstieg zweier Toreros entlarvt der Film den geheiligten Nationalsport Spaniens, den Stierkampf, als schnödes Geschäft und als Ersatzbefriedigung eines um seine Emanzipation betrogenen Volkes.

Ist Bardem der »Visconti« des spanischen Films, sind seine Filme dem Verismus von *Ossessione* verwandt und wohl auch verpflichtet, so ist Luis Garcia Berlanga (geb. 1921) sein »Blasetti«. Wie in dessen *Quattro passi fra le nuvole* von 1942 verbinden sich bei ihm Sympathie für die kleinen Leute und Spott gegen die Haupt- und Staatsaffären zu einer ambivalenten Ironie. In ¡Bienvenido Mr. Marshall! entzünden sich an der Ankündigung einer amerikanischen Kommission dörfliche Beschränktheit, kleinbürgerliches Großmannstum und fadenscheiniger Grandenstolz. Die Vorstellung von Spanien als einem wohlgeordneten und sicher gefügten »Führerstaat« wird hier scheinbar gleichmütig, aber gründlich widerlegt. In Calabuch (Calabuig, 1955), seinem Hauptwerk, spielte Berlanga das »einfache Leben« der Bewohner eines katalanischen Dorfes gegen den zweifelhaften Fortschritt der Raketen- und Atomtechnik aus. Nach einer langjährigen, erzwungenen Arbeitspause verspottete Berlanga in Placido (1962) die Anstrengungen der Reichen, sich durch gelegentliche private Caritas ein soziales Alibi zu verschaffen. Eine Überfülle an komödiantischen Gags trägt allerdings dazu bei, den Film zu entschärfen.

In bescheidenerem Maße als der spanische Film erlebte der griechische in den fünfziger Jahren einen künstlerischen Aufschwung, der sich vor allem mit dem Namen des Regisseurs Michael Cacoyannis verband. In Stella (1955), seinem zweiten Film, erzählte er die Geschichte einer stolzen Sängerin, die lieber stirbt, als sich von einem Mann an die Kette legen zu lassen. Cacoyannis gab sich hier freimütig der unverfälschten Kolportage hin, die, aus der Moritat, dem Jahrmarkt und dem Zirkus entsprungen, dem Ideal eines freien Lebens stärker die Treue hält als der Edelkitsch der Kulturindustrie. In To koritsi me ta mavra (Das Mädchen in Schwarz, 1956) durchdrangen sich Tradition und Erfahrung in reizvoller, wenn auch nicht immer ganz gelungener Verbindung. Die beiden modernen Helden, junge Großstädter vom Typus der fellinischen »vitelloni«, sehen sich bei einem Ferienaufenthalt auf der Insel Hydra einer gleichsam archaischen Wirklichkeit gegenüber und verstricken sich heillos in einer Familientragödie von antikischen Dimensionen. In späteren Filmen gelang es Cacoyannis nicht mehr, die tragisch intendierten Verwicklungen, die er nun vorwiegend in der Welt des griechischen Großbürgertums ansiedelte, mit der Schilderung zeitgenössischer Realität plausibel zu verbinden. Eine bemerkenswerte Leistung glückte Cacoyannis erst wieder mit Elektra (1962), der stilvollen und filmisch virtuosen Verfilmung der Tragödie von Euripides.

Film in der Ära Adenauer

Vom Jahr 1949 an, nach der Konstituierung zweier Staaten auf deutschem Boden, ergriff die Spaltung auch den deutschen Film. Die relative Freiheit, die er von 1946 bis 1948 genoß, hatte in beiden Teilen Deutschlands ähnliche Resultate gezeitigt: sie hatte die Autoren und Regisseure mit sich selbst konfrontiert, ihre Unsicherheit an den Tag gebracht und sie zur Reflexion getrieben. Die »Minute der Wahrheit« ging vorüber mit der Währungsreform in Westdeutschland und der Abschnürung der sowjetisch besetzten Zone. Die Rückkehr zur Marktwirtschaft im Westen und die Durchsetzung enger Kunstdoktrinen im Osten besiegelten auf verschiedene Weise die Unfreiheit des gespaltenen deutschen Films: Unfreiheit durch Abhängigkeit vom Markt im Westen, Unfreiheit durch politische Reglementierung im Osten.

Ehe die Konjunktur sich psychologisch auszuwirken begann, reflektierte eine Reihe westdeutscher Filme, wie Harald Brauns Nachtwache (1949) und Der verlorene Stern (1950) sowie Willi Forsts Die Sünderin (1950) den Zustand eines mit sich selbst zerfallenen Bürgertums, ohne doch die Kraft zur Distanz aufzubringen. Konsequenten

Stil fand der modische Pessimismus nur in Peter Lorres *Der Verlorene* (1951), in dem der einstige Hauptdarsteller von Fritz Langs *M* an den Nachexpressionismus der frühen Tonfilmjahre anknüpfte.

Der blinde Optimismus der ersten Konjunkturjahre verbannte jede kritische Äußerung von der westdeutschen Leinwand. Der passiv-sentimentale Charakter der Filme dieser Zeit enthüllte sich in ihrer Gestaltung wie in ihrer Handlungsführung: Die Helden sind leidendes oder genießendes Objekt des Geschehens; ihre Darsteller posieren, weil die starre Respektabilität der Charaktere kein lebendiges Spiel zuläßt, die statischen, »auf schön« fotografierten Einstellungen sind in Bilderbuchmanier aneinandergereiht. Den latenten Fortbestand autoritärer Neigungen offenbarten als erste einige Filme mit unpolitischen Sujets, die sich die Verklärung »überragender Persönlichkeiten« angelegen sein ließen. Der *Sauerbruch* von 1954 ist das Musterbild der Autorität, wie der Untertan es sich wünscht: In schlafwandlerischer Sicherheit und auf Grund eines rätselhaften Geheimwissens wendet er jedes Leid zum Guten, wofern der Patient sich ihm nur vorbehaltlos anvertraut. Die politischen Implikationen dieses Leitbildes enthüllte unfreiwillig Harald Brauns *Der letzte Sommer* (1954); demagogisch ausgebeutet wurden sie in Alfred Brauns *Stresemann* (1957), in dem der demokratische Staatsmann zum selbstherrlichen Autokraten stilisiert wurde.

Ab 1954 lockerte der westdeutsche Film die Tabus, mit denen er zuvor jedes zeitgeschichtliche Thema belegt hatte. Die neuen Filme über Nazismus, Krieg und Widerstand dienten indessen weniger einer kritischen Revision der Vergangenheit als der Beschwichtigung: der politischen Passivität unterm Nazismus wurde nachträglich das Alibi geliefert. In Filmen über den antifaschistischen Widerstand, Alfred Weidenmanns *Canaris* (1954), Helmut Käutners *Des Teufels General* (1955), G. W. Pabsts *Es geschah am 20. Juli* (1955) und anderen, gehört der Held stets den höchsten militärischen Rängen an, opponiert erst, als der Krieg verloren ist, und scheitert mit scheinbarer Notwendigkeit. Hitlers Machtergreifung erscheint als Betriebsunfall der Geschichte, wie denn alle Politik als ehernes Schicksal, menschlichem Zugriff entzogen, dargestellt wird. Der »kleine Mann« erscheint, so in Kurt Hoffmanns *Wir Wunderkinder* (1958) und Robert Siodmaks *Der Schulfreund* (1960), als unschuldiges Opfer der Geschichte, nicht als Mitverantwortlicher. Er hält sich auch im »Dritten Reich« die Hände sauber: nur die uniformierten Berufs-PGs haben teil an der Schuld des Regimes. Zugleich aber sind sie schlechte Soldaten – anständige Deutsche tun auch in Hitlers Krieg bedingungslos »ihre Pflicht«. Verurteilt wird wohl »der Krieg an sich«, nicht aber der nazistische Angriffskrieg – so in Paul Mays *08/15*-Trilogie (1954/55), Frank Wisbars *Hunde, wollt ihr ewig leben* (1959) und Bernhard Wickis *Die Brücke* (1960). Kritik am gegenwärtigen Zustand geht selten über moralische Entrüstung hinaus und betrifft ebenfalls stets nur die anderen: die Industriebosse und ihr promiskuoses Treiben in Rolf Thieles *Das Mädchen Rosemarie* (1958), die Nazis, die wieder ihr Haupt erheben, in Wolfgang Staudtes *Rosen für den Staatsanwalt* (1959) und *Kirmes* (1960).

Keiner von den Regisseuren, die in ihren Anfängen die wenn auch bescheidenen Hoffnungen des deutschen Films verkörperten, hielt, was er zu versprechen schien. Helmut Käutner benutzte politische Realität nur als Folie für sentimentale Romanzen – so in *Die letzte Brücke* (1954), *Himmel ohne Sterne* (1955) und *Ein Mädchen aus Flandern* (1956) – oder für kabarettistische Arabesken – so in *Der Hauptmann von Köpenick* (1956) und *Die Gans von Sedan* (1959). Wolfgang Staudte, seit 1956 in der Bundesrepublik, zeigte nach einer Serie kommerzieller Filme in Einzelheiten von *Rosen für den Staatsanwalt* sein Talent zur Satire, die hier aber nur beiläufige Symptome trifft. Große Erwartungen knüpften sich an die Rückkehr der Hollywood-Emigranten Siodmak und Lang. Aber nur Siodmak gelangen in *Nachts, wenn der Teufel kam* (1957) einige Szenen, die Erinnerung an die deutsche Schule von 1930 wachriefen. Von den wenigen jüngeren Regisseuren, die in den fünfziger Jahren zum Zuge kamen, versuchten sich Rolf Thiele (geb. 1918), Kurt Hoffmann (geb. 1912) und Bernhard Wicki (geb. 1919) an der deutschen Wirklichkeit. Thiele und Hoffmann putzten in *Das Mädchen Rosemarie* und *Wir Wunderkinder* ihre im Grunde biederen Vorlagen durch kabarettistische Attribute so heraus, daß sie einer leichtgläubigen Öffentlichkeit für kühn gelten konnten. Spätestens die folgenden Filme beider Regisseure offenbarten aber ihre Konformität. Wicki brachte in *Die Brücke* die exakte und bestürzende Rekonstruktion einer Episode aus den letzten Kriegstagen zustande, die wenigstens das physische Grauen des Krieges wirksam abbildete. Der Teil der Handlung, der über die bloße Beschreibung des Kampfgeschehens hinausging, gehorchte indessen derselben apolitischen Perspektive wie die früheren deutschen Kriegsfilme. In seinem zweiten Film, *Das Wunder des Malachias* (1961), bestätigte Wicki den Verdacht, daß sein Talent sich in der scharfen Beobachtung und Wiedergabe von charakteristischen Details erschöpft.

Die künstlerische Belanglosigkeit und Antiquiertheit auch des ambitionierten Teils der westdeutschen Produktion ist die unablösbare Kehrseite ihrer ideologischen Fixierung: die rigorose Weigerung der Autoren und Regisseure, sich und ihr Publikum mit der Wahrheit über den herrschenden Zustand zu konfrontieren, produziert die Halbheiten des Kabarettstils und des Momentrealismus.

Im Film der kommunistisch beherrschten Länder breitete sich nach 1945 eine Tendenz zur Erstarrung und zum Schematismus aus, die vom Absinken der Produktionszahlen begleitet wurde. So ging die Filmproduktion der Sowjetunion 1951 auf acht und 1952 sogar auf fünf Filme zurück. Zwar suchte man diese Entwicklung zu rechtfertigen, indem man auf den erhöhten Aufwand hinwies, der jedem einzelnen Film so zugute käme; in Wirklichkeit lagen die Gründe für das Absinken der Produktion aber in der bürokratischen, übergenauen Kontrolle aller Filmprojekte durch Zensoren und Kulturaufseher.

Eine Änderung der Verhältnisse brachte für die Sowjetunion und die Staaten des kommunistischen Lagers erst der Tod Josef Stalins am 5. 3. 1953. Administrative Reformen beseitigten bald darauf die Auswüchse eines diktatorischen Regimes. So löste man in der UdSSR das bisher autonome Filmministerium auf und unterstellte den Film in weniger zentralistischer Manier einem neugegründeten Kulturministerium. Das Reglement der Zensur wurde gelockert und den einzelnen Studios größere Unabhängigkeit eingeräumt. Auf Schriftsteller- und Regisseurtreffen debattierte man die Ursachen der künstlerischen Erstarrung, die im sowjetischen Film um sich gegriffen hatte; man sprach jetzt – in Analogie zu einem Roman von Ilja Ehrenburg – von der Epoche des »Tauwetters«. Die sowjetische Filmproduktion bewegte sich wieder aufwärts und erreichte 1958 eine Höhe von hundert Filmen; 1960 produzierte die Sowjetunion in ihren vierunddreißig Filmstudios hundertzwanzig Spielfilme. Neuerdings ist die Sowjetunion auch in einen regeren Filmaustausch mit westlichen Ländern getreten.

Der polnische Film hat sich seit dem Machtantritt Gomulkas, dem polnischen »Oktober«, zum künstlerisch führenden der Ostblockstaaten entwickelt. Polen stellt jährlich etwa zwanzig Filme her, von denen ein beträchtlicher Teil jedoch künstlerische Ansprüche zu befriedigen und auf internationalen Festivals zu konkurrieren vermag. Die polnische Spielfilmproduktion ist in acht Herstellungsgruppen aufgeteilt, die eine relative Unabhängigkeit besitzen und an deren Spitze jeweils ein bekannter Regisseur steht. Die polnische Zensur beweist eine bemerkenswerte Liberalität; nur einmal wurde ein Film von Gomulka persönlich verboten, weil er ein falsches Bild der heutigen Jugend zeichne: Aleksander Fords *Osmy dzien tygodnia (Der achte Wochentag, 1957)*. An der staatlichen Filmakademie in Lodz wurde eine Reihe junger Regisseure ausgebildet, deren Werke zu den markantesten der polnischen Filmproduktion gehören.

Die tschechoslowakische Filmproduktion, die sich auf eine alte Tradition stützen kann, gehört zu den umfangreichsten und qualifiziertesten der kleineren Ostblockländer. In den modernen Ateliers von Barrandow, die 1945 nationalisiert wurden, entstehen etwa dreißig Spielfilme jährlich; daneben konnte sich die Tschechoslowakei durch ihre Puppen- und Trickfilme internationales Ansehen erwerben.

Ungarns Filmproduktion beschränkt sich auf etwa fünfzehn Filme pro Jahr. Den höchsten Punkt seiner qualitativen Entwicklung hatte der ungarische Film vor der gescheiterten Revolution erreicht. Damals bewiesen ungarische Filme eine offene, unverkrampfte und kritische Einstellung zur Wirklichkeit; seither beschränkt sich die Produktion wieder mehr auf konventionelle Sujets.

Jugoslawien stellt etwas weniger als zwanzig Filme im Jahr her; während auf dem Gebiet des Spielfilms bisher nur Einzelleistungen hervorgebracht wurden, haben sich besonders die jugoslawischen Trick- und Zeichenfilme in letzter Zeit Renommee verschafft. Die bulgarische Produktion liegt um zehn Filme jährlich, die rumänische noch darunter; in Albanien entstand 1959 der erste eigene Spielfilm. Über die Produktion dieser letzten Länder kann man sich jedoch im Westen nur ein unzureichendes Bild machen.

Die ostdeutsche *Defa* hatte nach 1950 ähnlich wie die Sowjetunion eine Produktionskrise durchzumachen. Überbürokratisierte Kontrollen ließen die Produktion 1950 auf zehn und 1952 auf sechs Spielfilme abfallen. Daraufhin wurde von der SED eine Parteikonferenz über Filmfragen einberufen. Auf ihre Anregung entstanden vier selbständige Produktionsstudios für die Herstellung von Spielfilmen, populärwissenschaftlichen Filmen, Wochenschauen und Dokumentarfilmen sowie von Trickfilmen, denen man eigene Befugnisse einräumte. Die Produktion der *Defa* stieg daraufhin wieder an; der Spielfilmkatalog der *Defa* für 1960 verzeichnete siebenundzwanzig Filme.

Sowjetunion: Überwindung des Schematismus

In den ersten Nachkriegsjahren sah sich das sowjetische Filmschaffen von zunehmender Sterilität bedroht. Neben den Filmen zum Ruhme Stalins setzte sich der Rest der geringfügigen Produktion aus unverfänglichen historisch-biographischen Filmen und den rosenfarbenen »Kolchosenfilmen« zusammen. Dogmatisch wurden die Grundsätze des sozialistischen Realismus angewendet, so daß die Personen meist zu »positiven« oder »negativen« Schemen verflachten. Ein Begriff vor allem beschäftigte die sowjetischen Kunsttheoretiker der ausgehenden Stalin-Zeit: die »Theorie der Konfliktlosigkeit«. In der offiziellen Interpretation sah die Zukunft der kommunistischen Gesellschaft so harmonisch und positiv aus, daß sich Kritiker ernsthaft die Frage vorlegten, »ob aus der zeitgenössischen sowjetischen Wirklichkeit überhaupt ein Konfliktstoff abgeleitet werden könne, ob für die Dramaturgie der Begriff des Konflikts wesentlich sei oder nicht [22]«. Tatsächlich sanktionierten solche Theorien aber nur die Praxis der Zensur- und Kontrollorgane, jede Einzelheit in Filmdrehbüchern und Theaterstücken, die frisch und unkonventionell erschien, rücksichtslos auszumerzen und durch »positive« Klischees zu ersetzen. Namentlich in der Filmindustrie hatten sich die Kontrollinstanzen nach dem Kriege unmäßig aufgebläht: In einem Artikel der Zeitschrift *Iskusstwo Kino* [23] zählte die Drehbuchautorin Smirnowa allein achtundzwanzig Instanzen auf, die ein Drehbuch auf seinem Weg zur Realisierung zu passieren hatte; jede dieser Instanzen konnte Änderungen verlangen. Bei dieser Praxis nimmt es nicht wunder, daß die Verantwortlichen der sowjetischen Filmindustrie in den fünfziger Jahren vor allem das Fehlen ausreichender und geeigneter Drehbücher zu beklagen hatten.

Die Filme, die unter solchen Bedingungen entstanden, waren nicht nur von inhaltlicher Stereotypie, sondern verkümmerten auch in ihrer Form. Immer mehr vernachlässigte man die Bildgestaltung zugunsten des Dialogs. Auch für diese Praxis fand sich sogleich eine Theorie; der Regisseur der Lenin-Filme, Michail Romm, schrieb 1950: »Der Schnitt kann gelegentlich stärkere Wirkungen erzielen als Worte. Trotzdem ist das Wort die wichtigste Waffe fortschrittlicher Filmkunst und wird es immer bleiben[24].« Einen dementsprechend steif-konventionellen Charakter besaßen vor allem die »biographischen« Filme jener Jahre: Pirogow (1947, Regie Grigori Kosintzew), Akademik Iwan Pawlow (Der Akademiker Iwan Pawlow, 1949, Regie Grigori Roschal) und Mussorgski (Regie Grigori Roschal, 1951). In Mussorgski erscheint der Komponist zugleich als Vorkämpfer des Proletariats und als mythisches Künstlergenie, über den Horizont der Sterblichen erhaben.

Der relativ beste dieser Filme war Alexander Dowshenkos Mitschurin (1947). Aus der Biographie des Obstzüchters, Biologen und Experimentators Mitschurin, der an die Veränderbarkeit der Natur glaubt, machte Dowshenko ein nuanciert gestaltetes Drama, das seinen Helden in der Auseinandersetzung mit Kirche, Verwaltung und wissenschaftlichen Traditionalisten zeigt. Leider fehlt auch in dem formal mitunter bemerkenswerten Film nicht eine Schlußapotheose, die Mitschurin in seinem Garten zu einem wahren Dirigenten des Blühens und Wachsens verklärt. Dowshenko, der mehrere Jahre hindurch ohne Beschäftigung bleiben sollte, begann 1955, kurz vor seinem Tode, mit der Arbeit an Poema o morje (Das Poem vom Meer), einem Film, der den Untergang eines ukrainischen Dorfes in den Fluten eines Stausees und zugleich die Vergangenheit dieses Dorfes schildern sollte. Das Poem vom Meer wurde 1958, nach Dowshenkos Tod, von seiner Frau Julja Solnzewa vollendet, ohne daß jedoch alle Ideen des Drehbuches ihre Verwirklichung fanden.

Noch unbefriedigender als die biographischen fielen die Filme über das gegenwärtige Leben aus, die bis zu Stalins Tod in der Sowjetunion gedreht wurden. In Donjetskije schachtjori (Die Grubenarbeiter vom Donez, 1951) glorifizierte Leonid Lukow das herrliche Dasein der Grubenarbeiter, die den Fünfjahresplan vorfristig erfüllen; Lukows Bolschaja shisn (Ein großes Leben, 1940/46), ein Film über den Wiederaufbau der Kohlengruben im Donezgebiet, war zuvor wegen mangelnden Optimismus scharf kritisiert und in seinem zweiten Teil verboten worden. Recht charakteristisch ist auch Kawaler solotoj swjesdi (Ritter vom goldenen Stern, 1951) von Juli Raisman: Ein ordengeschmückter Kriegsheimkehrer begeistert sich für die Arbeit in einem Kolchos und setzt den Plan durch, ein neues Elektrizitätswerk zu errichten, wobei die Bevölkerung der Gegend singend mit Hand anlegt. Die Personen dieses Films besitzen keine private Existenz; sie erschöpfen sich in ihrer gesellschaftlichen Funktion. Nur Donskoi gelang mit Selskaja utschitelniza (Die Dorfschullehrerin, 1947) ein humaner, lebendiger und unpathetischer Gegenwartsfilm, der das Leben einer Lehrerin in einem einsamen und abgeschlossenen Dorf schilderte.

Ein interessantes Thema griff Pudowkin in seinem letzten Werk auf, Woswraschtschenije Wasilija Bortnikowa (Die Rückkehr des Wassili Bortnikow, 1953): Ein bereits totgeglaubter Kriegsveteran kehrt in sein Heimatdorf zurück, wo seine Frau inzwischen einen anderen Mann geheiratet hat. Die Farbgestaltung des Films ist bemerkenswert; aber trotz eines ermutigenden Auftakts versinkt er bald in beklagenswerter Stereotypie; papierne Monologe der Personen künden das Happy-End an: durch die gemeinsame Arbeit finden die Ehegatten wieder zusammen.

Noch zu Lebzeiten Stalins begann die sowjetische Kritik auf die mangelnde Qualität der Filmproduktion hinzuweisen. So konstatierte 1951 ein Leitartikel der Zeitschrift Sowjetskoje Iskusstwo (Sowjetische Kunst): »An Stelle lebendiger Menschen sieht der Zuschauer oft nur schematische Figuren auf der Leinwand, die kein inneres Leben besitzen. Die Dialoge gewisser Filme zeichnen sich durch ihre Trockenheit, ihre Monotonie und durch ihr standardisiertes Vokabular aus [25].« Der Ton der Kritik verschärfte sich bedeutend nach Stalins Tod. Vor allem der sowjetische Schriftstellerkongreß 1954 wurde zu einem Forum der Unzufriedenheit. Dowshenko stellte auf dem Schriftstellerkongreß fest: »Von irrtümlichen Auffassungen geleitet, haben wir aus unserer künstlerischen Palette das Leiden eliminiert und vergessen, daß das Leiden ebenso ein Zeugnis der Existenz ist wie das Glück oder die Freude. Wir haben das Leiden durch so etwas wie ›zu überwindende Schwierigkeiten‹ ersetzt [26].« Sergej Gerassimow rügte auf dem gleichen Kongreß die »Verarmung der Charaktere« in den letzten sowjetischen Filmen, die das Leben »schönfärberisch verzerrt« hätten [27].

Schließlich denunzierte auch N. S. Chruschtschow auf dem 20. Parteitag der KPdSU mit scharfen Worten den Personenkult im Film der Stalin-Ära: »... Auf der gleichen Linie liegen beispielsweise unsere historischen und militärischen Filme sowie einige literarische Werke; da kann es einem übel werden! Ihr eigentlicher Zweck ist es, Stalins Feldherrngenie zu verherrlichen. Erinnern wir uns an den Film *Der Fall von Berlin*. Hier ist es einzig und allein Stalin, der handelt; er gibt Befehle in einer Halle mit vielen leeren Stühlen, und nur ein einziger Mann nähert sich ihm, um ihm etwas mitzuteilen – das ist Poskrebyschew, sein ergebener Schildknappe. Und wo bleibt die militärische Führung? Wo bleibt das Politbüro? Wo bleibt die Regierung? Was tun sie, und womit beschäftigen sie sich? Von ihnen hört und sieht man nichts in diesem Film. Stalin handelt für alle und jeden ... Er kannte das Land und die Landwirtschaft nur aus Filmen, und diese Filme waren frisiert und gaben ein rosiges Bild von der Lage in der Landwirtschaft. In diesen Filmen über das Kolchosleben bogen sich die Tische vielfach unter der Last der Truthähne und Gänse. Offensichtlich glaubte Stalin, daß dies die Wirklichkeit sei [28].«

Schon im ersten Jahr nach Stalins Tod zeigten sich im sowjetischen Film Ansätze zu einer Überwindung des bislang herrschenden Schematismus. Kritische Gesinnung sprach aus Michail Kalatosows *Wernje drusja* (Die treuen Freunde, 1954): Drei Freunde entfliehen ihrer gewohnten Arbeitswelt und fahren auf einem Floß die Wolga hinunter; unter dem Vorwand einer burlesken Ferienkomödie teilt der Film satirische Seitenhiebe gegen den Parteibürokratismus aus. Um menschliche Durchdringung der Charaktere bemühte sich Friedrich Ermlers *Neokontschennaja powest* (Der unvollendete Roman, 1955); die Intrige dieses Films – ein gelähmter Ingenieur lernt durch den Zuspruch seiner Ärztin wieder gehen – unterscheidet sich allerdings nicht wesentlich von westlichen Klischees; die Gesellschaft setzt hier bereits neobürgerliche Züge auf.

Einen entscheidenden Einbruch in die Routine bisheriger Filmgestaltung vollzog erst Juli Raisman mit *Urok shisni* (Die Lehre des Lebens, 1955). Der Film berichtet von dem Konflikt zwischen einem erfolgreichen, aber herrschsüchtigen Bauingenieur und seiner emanzipierten Frau Natascha. Als ihr Mann sich nach der Heirat als egoistischer Karrieremacher erweist, verläßt ihn Natascha; der Ingenieur muß konstatieren, daß er sich mit lärmendem Draufgängertum allein nicht durchzusetzen vermag. In *Die Lehre des Lebens* erlebt man nicht den Triumph sozialistischer Ideale, sondern das schrittweise Scheitern autoritärer Lebenshaltung; daneben attackiert der Film die Selbstgefälligkeit der hohen Funktionärsgesellschaft. Als ob ihn diese Wagnisse gereut hätten, lieferte Raisman allerdings mit seinem nächsten Film *Kommunist* (Ein Kommunist, 1957) ein pathetisches Heldenepos im konventionellen Stil.

Mit *Djelo Rumjanzewa* (Der Fall Rumjanzew, 1956, Regie Jossif Cheifiz) hielt ein neues Genre in der Sowjetunion Einzug: der Kriminalfilm. Hier verfolgt die Polizei keine politischen Agenten, sondern gewöhnliche Textilschieber; der junge Lastwagenfahrer Rumjanzew wird eine Zeitlang fälschlicherweise der Mittäterschaft an einem Verbrechen verdächtigt und muß dabei unangenehme Erfahrungen mit den brutalen Vernehmungsmethoden eines Untersuchungskommissars machen. Freilich schränkt der Film seine Kritik selbst wieder ein, wenn wenig später der Vorgesetzte des Untersuchungskommissars erscheint, ein gebildeter, höflicher Mensch mit mildem Blick. Cheifiz, der schon 1954 einen unkonventionellen und menschlich differenzierten Film über die Arbeiter einer Werft gedreht hatte, *Bolschaja semja* (Eine große Familie), bewies hohes literarisches Stilgefühl in einer ausgezeichneten Bearbeitung von Tschechows *Dama s sobatschkoj* (Die Dame mit dem Hündchen, 1960). Eine qualitätvolle, psychologisch verfeinerte und sensible Tschechow-Bearbeitung lieferte 1955 auch der junge Absolvent der moskauer Filmhochschule Sergej Samsonow mit *Poprygunja* (Die Grille).

Neoromantiker und Neorealisten

An den nach 1955 in sowjetischen Ateliers gedrehten Filmen läßt sich eine deutliche Wandlung im Filmschaffen der UdSSR ablesen. Das Hervortreten individuell-widersprüchlicher Helden, die immer stärkere Einbeziehung des Privatlebens in den Kreis der Themen, die Anwendung künstlerischer Mittel schließlich, die gestern noch als »formalistisch« verschrien waren –, das sind übereinstimmende Merkmale vieler sowjetischer Filme aus den letzten Jahren. Daran ändert auch wenig, daß in der Theorie weiterhin die ungebrochene Gültigkeit des sozialistischen Realismus betont wird; der Horizont der Filme hat sich gewandelt: vielfach drängt sich eine rein psychologische Betrachtungsweise der Konflikte in den Vordergrund, so daß man oft eine ausgesprochene »Privatisierung« des sowjetischen Films zu erkennen glaubt. Überwiegend orientieren die sowjetischen Regisseure ihren Stil an Vorbildern der Vergangenheit. Dabei läßt sich zwischen einer Hauptströmung, in der romantische Impulse walten, und einer mehr neorealistischen Richtung unterscheiden, die vorwiegend von jungen Regisseuren vertreten wird.

Die Wiederentdeckung der Liebe in ihrer individuellen Dimension ist vielleicht die bedeutendste Errungenschaft des neuen sowjetischen Films. Sie brachte sogar ein »revolutionäres« Eingeständnis: daß individuelle Liebe und gesellschaftliche Pflicht keineswegs identisch zu sein brauchen, sondern durchaus im Widerspruch zueinander stehen können. Der Film, der diese Erkenntnis zuerst vermittelte und damit nicht geringes Aufsehen sowohl inner- wie außerhalb der Sowjetunion erregte, hieß *Sorok pjerwyj* (Der Einundvierzigste, 1956); sein Regisseur war ein junger Absolvent der moskauer Filmhochschule, Grigori Tschuchrai (geb. 1921). Die Vorlage, eine Novelle von Boris Lawrenjew, war 1927 schon einmal von Protasanow verfilmt worden; sie berichtet von der Liebe einer sowjetischen Revolutionärin zu einem zaristischen Offizier in der Zeit des Bürgerkrieges. Das Drehbuch versetzt sie in eine ausgefallene Situation: es läßt beide auf einer einsamen Insel des Aral-Sees stranden. Die Kamera schwelgt in lyrischen Stimmungen, in der farbigen, metaphorischen Ausmalung von Meeres- und Naturszenen – das gibt dem Film einen Anflug romantischer Wirklichkeitsferne, selbst wenn die politischen Konstellationen zum Schluß doch den Ausschlag geben: die Revolutionärin erschießt den Offizier, als er zu einem zaristischen Schiff zu gelangen sucht.

Ein gewisser romantischer Unterton sprach auch aus Tschuchrais nächstem Film, *Ballada o soldatje (Die Ballade vom Soldaten,* 1960). Ein junger Soldat, der sich an der Front ausgezeichnet hat, darf einen kurzen Heimaturlaub antreten; auf seiner Heimreise erlebt er das Chaos und die Verwirrung, in die der Krieg die Menschen hinter der Front stürzt; gleichzeitig spinnt sich eine flüchtige Liebesgeschichte mit einem Mädchen an, welchem der Soldat auf seiner Reise in einem Güterwagen begegnet. Der Film notierte viele lebendige Details der damaligen sowjetischen Wirklichkeit, darunter auch wenig vorbildliche Beispiele menschlichen Verhaltens; gleichwohl bediente er sich in den Liebesepisoden einer so konventionell romantischen Metaphernsprache, daß manche Szenen zur Idylle gerieten. Tschuchrais Grundmotiv in *Die Ballade vom Soldaten* war der emotionale Protest gegen den Krieg. Sein letztes Werk jedoch, *Tschistoje njebo (Klarer Himmel,* 1961), ist thematisch unzweifelhaft der interessanteste unter seinen bisherigen Filmen: Tschuchrai läßt sich hier auf die Auseinandersetzung mit der stalinschen Epoche ein. Ein in deutsche Gefangenschaft geratener Flieger wird nach seiner Heimkehr in die Sowjetunion von Partei und Behörden gedemütigt; für ihn, den »Vaterlandsverräter«, scheint in der Gesellschaft kein Platz mehr zu sein. Das ändert sich erst, als Stalin stirbt. Unmittelbar an die Nachricht von Stalins Tod schließt der Film mächtige Bildfolgen vom Aufbrechen des Eises auf dem Fluß. *Klarer Himmel* meint es ernst mit seiner »Botschaft« und namentlich mit seiner Kritik am Verhalten der Partei unter Stalin. Doch scheint das Thema des »Persönlichkeitskultes« noch nicht in seiner ganzen Tiefe angepackt. Die Stärke des Films liegt eher in der Beschreibung einer Liebe – der zwischen dem Flieger und einem moskauer Mädchen –, die sich gegen eine Welt der Verdächtigung und der Feindseligkeit durchsetzt. Formal vermag Tschuchrai in *Klarer Himmel* nicht immer zu überzeugen: die Rahmenhandlung mit ihren Rückblenden wirkt konventionell, die symbolistische Fotografie dem Sujet nicht angemessen.

Mit der Erneuerung des sowjetischen Films nach Stalins Tod verbindet man am häufigsten den Namen Michail Kalatosow (geb. 1903). Kalatosow ist aber nicht eigentlich ein »Neuerer«; seine Werke gehen bis auf die dreißiger Jahre zurück, und was an seinen neuen Filmen so revolutionär scheint – die entfesselte Kamera, die Bildkomposition, die Helldunkelmalerei –, ist im Grunde das formale Inventar der Filmkunst aus den zwanziger und dreißiger Jahren. Trotzdem haben Kalatosows Filme – *Letjat shurawli (Wenn die Kraniche ziehen,* 1957) und *Nje dokontschenoje pismo (Ein Brief, der nie ankam,* 1960) – den sowjetischen Film um neue Möglichkeiten bereichert. *Wenn die Kraniche ziehen* rehabilitierte vor allem den visuellen Ausdruck im Film. Was hier an Kamerafahrten, Montagen und »expressiven« Einstellungen ins Bild kommt, ist in der Tat außerordentlich und wäre noch vor wenigen Jahren in der Sowjetunion undenkbar gewesen. Auch *Wenn die Kraniche ziehen* berichtet eine Liebesgeschichte, die jenseits der heroischen Legenden steht: die Geschichte von Veronika und Boris, der 1941 in den Krieg geht und fällt; Veronika wird ihm, noch ehe sie seinen Tod erfährt, untreu, trennt sich aber wieder von ihrem Mann, Boris' vom Frontdienst »zurückgestelltem« Bruder.

Der Film schildert kein Beispiel positiv heldischen Verhaltens, sondern einen Fall individuellen Versagens; in der Absage an den oberflächlichen Optimismus zeichnet sich auch hier wieder die Gegenreaktion zum pathetisch-dogmatischen Stil der Stalin-Zeit ab. Freilich bekennt sich die Heldin schließlich zu ihrem Schicksal: Veronika, die beim triumphalen Siegerempfang nach Kriegsschluß vergebens auf Boris wartet, verteilt ihre Blumen an fremde Rotarmisten; damit kehrt sie symbolisch, so will der Film sagen, »ins Leben zurück«. Was freilich an *Wenn die Kraniche ziehen* befremden mag, das ist weniger die Schlußwendung ins Positive, sondern ein Hang zur romantischen Ausschmückung der Fabel, zum Symbolismus der Kamera, der – in Verbindung mit einer dick »untermalenden« Musik – den Eindruck erweckt, daß der Film weitgehend in seiner privaten Dimension aufgeht. Gewann nichtsdestoweniger das Drama der Heldin in *Wenn die Kraniche ziehen* durch Kamera, Regie und die Interpretation Tatjana Samoilowas hohe Intensität, so zeichnete sich in Kalatosows nächstem Film, *Ein Brief, der nie ankam*, der Geschichte einer Geologenexpedition in Sibirien, ein Auseinanderbrechen von entfesseltem Kameralyrismus und konventionellem Inhalt ab.

Besitzen Kalatosows Filme immerhin ein unverwechselbares Gepräge, zu dem freilich sein Kameramann Sergej Urussewski nicht unwesentlich beiträgt, so wurzelt ein anderer Teil der ambitionierten sowjetischen Produktion ganz in der Tradition: Sergej Gerassimows dreiteilige Verfilmung von Scholochows *Tichij Don (Der stille Don*, 1957/58) etwa ist bei aller handwerklichen Bemühtheit von äußerster Konventionalität der Farbgebung und Regie. Auch Mark Donskois letzte Werke, wenngleich denen Gerassimows überlegen – etwa *Foma Gordejew* (1960, nach dem Roman von Gorki) –, stehen eigentlich außerhalb der Zeit; Donskoi scheint es vornehmlich um die Übertragung subtiler literarischer Gehalte auf die Leinwand zu gehen. Grigori Roschals Verfilmung von Alexej Tolstois Romantrilogie *Der Leidensweg* (1957–59) und Iwan Pyrjews *Der Idiot* (1958, nach Dostojewski) sind weitere literarische Adaptationen, die wohl Anspruch auf Sorgfältigkeit, nicht aber auf Originalität der Ausführung erheben können. Sergej Jutkewitsch zeigte in *Othello* (1956) dagegen mehr stilistische Ambitionen, und dem Schauspieler Alexej Batalow gelang mit *Schinjel* (Der Mantel, 1958) eine atmosphärisch getreue Verfilmung der Novelle von Gogol.

Ein stilistisch erstaunlich moderner Film glückte dem Regieveteranen Michail Romm mit *Djewjatj dnej odnogo goda* (Neun Tage eines Jahres, 1962). In einem an Antonioni erinnernden, stark abstrahierenden Bildstil werden neun, zum Teil scheinbar willkührlich ausgewählte Tage aus dem Jahr im Leben eines Atomphysikers wiedergegeben. In diesem Jahr gelingen dem Forscher einige entscheidende Experimente, er heiratet entgegen seinen Absichten seine langjährige Geliebte, vernachlässigt sie dann aber wieder, setzt sich radioaktiven Strahlen aus und sieht am Ende einer Operation entgegen, die nach Ansicht des Arztes geringe Erfolgsaussichten hat. Ohne Beschönigung schildert Romm eine zugleich erkenntnishungrige und skeptische Intelligenzschicht, die weit davon entfernt ist, die Probleme ihres eigenen Lebens – besonders im Verhältnis der Geschlechter zueinander – gelöst zu haben.

Die »neorealistische« Richtung im sowjetischen Film wird von einer Reihe jüngerer Regisseure vertreten, die sich offensichtlich von italienischen Vorbildern haben anregen lassen. Ihre Filme zeichnen sich durch frischen, spontanen Kontakt zur Realität aus, bevorzugen die realen Dekors des Alltags und überwinden die inszenatorische Schwere, die aus sowjetischen Filmen sonst häufig spricht. Freilich bleibt ihr Realismus oft äußerlich und beschränkt sich auf das Einfangen von Oberflächendetails.

Wegen seiner selbstkritischen Akzente gehört *Tschelowjek podilsja* (Ein Mensch wird geboren, 1956) zu den bemerkenswertesten Filmen der »neorealistischen« Richtung; mit ihm gab Wassili Ordynski, wie Tschuchrai Absolvent der moskauer Filmhochschule, sein Regiedebüt. Der Film, der die Geschichte eines Mädchens erzählt, das von seinem Liebhaber verlassen wurde, beschönigt nichts, sondern schaut dem Volke »aufs Maul«. Nadja, die Protagonistin, muß sich ganz allein durch den mühevollen sowjetischen Alltag schlagen und dazu noch ihr Kind versorgen. Eigentlich Studentin, nimmt sie eine Stelle als Busschaffnerin an. Aber das Berufsleben ist dornenvoll: der Plan muß erfüllt werden, wozu es der Mithilfe eines wenig sympathischen Fahrers bedarf; im Kindergarten ist kein Platz für das Kind; es ist schwierig, zur Morgenschicht versetzt zu werden; es gibt keine Farbe, um das Zimmer zu streichen; man bekommt nach Moskau überhaupt keine Zuzugsgenehmigung. Alle diese Details geben dem Film einen Hintergrund von Authentizität. Mit Akkuratesse wird die psychologische Situation der Heldin geschildert – ihr Schwanken zwischen Resignation und dem Willen zur Selbstbehauptung.

Ähnlich realistisch geben sich auch die jungen Regisseure Lew Kulidshanow und Jakow Segel in Dom, w kotorom ja shiwu (Das Haus, in dem ich lebe, 1957). Die Geschichten mehrerer Familien aus einem Mietshaus werden übereinandergeblendet, wobei der Krieg mit seinen Auswirkungen im Mittelpunkt steht. Ganz ohne Hemmungen überläßt sich die Kamera der Erforschung von Hinterhäusern, Höfen, Fluren und Wohnungen, wobei auch die weniger erbaulichen Aspekte des Alltagslebens nicht ausgespart werden. Dabei verharrt dieser Film aber im privaten Bereich: er löst die Probleme seiner Helden nicht ins Politisch-Gesellschaftliche auf, sondern läßt sie in ihrer individuellen Autonomie bestehen. Nur der episodische Charakter der Handlung steht der Vertiefung des Geschehens im Wege.

Einen neorealistischen Anflug besitzt gleichfalls Wesna na saretschnoj ulize (Frühling in der Saretschnaja-Straße, 1956) von F. Mironer und M. Chuzjew, die Geschichte einer frischgebackenen Lehrerin, die sich in einem Arbeiterinstitut akklimatisieren muß, sowie Nasch dwor (Unser Hof, 1956), die Chronik eines Hauses in Tiflis, ein Film des grusinischen Regisseurs Devas Tschcheidse.

Zu den bemerkenswerten Werken jüngerer Regisseure des sowjetischen Films zählen schließlich Sergej Bondartschuks Sudjba tschelowjeka (Ein Menschenschicksal, 1959) und Wladimir Skubins Shestokostj (Grausamkeit, 1959). Bondartschuk, der bisher schon als Schauspieler hervortrat (so in Jutkewitschs Othello), verfilmte Scholochows bittere Novelle vom Schicksal eines russischen Kriegsgefangenen in Deutschland in einem leidenschaftlichen und doch formal gebändigten Stil, der durch kühne Kamerabewegungen, Kontrastmontagen und durch unkonventionelle Verwendung des Tons Eindringlichkeit erlangte; der Held dieses Films war kein Heroe, sondern ein Überlebender. Skubins Grausamkeit polemisiert gegen die Hierarchie in der Partei: Ein junger Kommunist wird während des Bürgerkriegs von seinem Parteivorgesetzten so bloßgestellt, daß er sich entehrt fühlt und Selbstmord begeht.

Als ein Talent von überraschender Originalität und stilistischer Sicherheit erwies sich Andrej Tarkowski (geb. 1936). Ihm gelang mit seinem zweiten Film, Iwanogo detstwo (Iwans Kindheit, 1962), ein Werk, dessen Qualitäten sich nicht in der Auseinandersetzung mit aktuellen Fragen erschöpfen. Aus realistischen Kriegsszenen, den Wach-, Alp- und Wunschträumen eines Jungen und Dokumentaraufnahmen setzt sich das Bild einer vom Krieg zerstörten Kindheit zusammen. Wirklichkeitsnahe Beschreibung und Gegenbilder voll utopischen Glanzes, in denen eine heile Kindheit beschworen wird, die dem Helden durch den Krieg verweigert worden ist, werden durch Tarkowskis Regie in eine bruchlose Einheit gezwungen.

Skeptiker und Pessimisten in Polen

Zu Beginn der fünfziger Jahre befand sich der polnische Film in einem Zustand der Lähmung. Einzig Aleksander Fords *Piatka z ulicy Barskiej* (Die fünf von der Barska-Straße, 1954) war von Interesse: der Film beschrieb das Treiben jugendlicher Banden in den Trümmerfeldern von Warschau. Der eigentliche Aufschwung des polnischen Films begann jedoch erst 1956, nachdem Gomulka an die Macht gekommen war. In diesem Jahr debütierte eine Reihe junger, in der Filmhochschule von Lodz ausgebildeter Regisseure: Jerzy Kawalerowicz, Andrzej Wajda, Andrzej Munk, deren Werke dem polnischen Film der nächsten Jahre sein Profil geben sollten. Die Filme der jungen Regisseure zeigten von Anfang an einen eigenen, sich von der Vergangenheit distanzierenden Stil: sie verstanden sich als entschiedene Absage an jeden phrasenhaften Optimismus und an die Klischeehaftigkeit des »positiven Helden«. Der Pessimismus, der die neuen polnischen Filme (wie auch die junge polnische Literatur) charakterisiert, muß einmal als Abwehrreaktion gegen die künstlerische Praxis der Stalin-Zeit verstanden werden; zugleich spiegelt sich aber in der Düsterkeit der polnischen Filme ein tiefgreifendes Trauma, das noch von den Ereignissen der Kriegszeit datiert, die wie ein kollektiver Alptraum auf der jungen Generation zu lasten scheinen. Daher auch die Bevorzugung von Themen des Krieges und der Besatzungszeit im polnischen Film. Die polnischen Kritiker hören freilich selbst nicht gern vom »Pessimismus« ihrer Filme reden. »Durch die Bemühung junger Filmschaffender ist der polnische Film zum Motor einer intellektuellen Bewegung geworden; er beginnt, eine sozial nützliche Wahrheit auszusprechen und Einfluß auf das denkende Publikum auszuüben; daher haben wir nicht das Recht, von Pessimismus zu sprechen«, schrieb 1958 Jerzy Płazewski [29].

Jerzy Kawalerowicz (geb. 1922) besitzt die längste Filmpraxis unter den jungen Regisseuren. 1950 gab er die Malerei auf, mit der er sich ursprünglich beschäftigt hatte, und wandte sich dem Film zu. *Cien* (Der Schatten, 1956) darf als sein erstes persönliches Werk gelten. Die Auseinandersetzungen verschiedener Widerstandsgruppen unter der deutschen Besatzung und das Wirken eines »Saboteurs« in der Gegenwart verbinden sich in einer kunstvollen, zwischen verschiedenen Zeitebenen wechselnden kriminalistischen Intrige. Enthielt der Film thematisch auch nichts Neues, so zeigte er doch den bewußten Einsatz filmischer Kunstmittel und eine Vorliebe für düstere Bildkompositionen, freilich auch für Nervenschocks. Exemplarisch für die polnische Produktion der ausgehenden fünfziger Jahre war Kawalerowiczs nächster Film, *Prawdziwy koniec wielkiej wojny* (Das wahre Ende des Krieges, 1957). Ein ehemaliger KZ-Häftling, der seit seiner Lagerzeit weder zu reden noch zu schreiben vermag, kann sich nicht in der »normalen« Welt einleben: immer wieder überwältigt ihn die Erinnerung an schreckliche Episoden aus der Lagerzeit, er leidet unter nervösen Anfällen und Depressionen; auch im privaten Leben trennt ihn eine Kluft von seiner Frau, die schon einen anderen Liebhaber hat. Aus Verzweiflung nimmt er sich schließlich das Leben. *Das wahre Ende des Krieges* treibt den Pessimismus des polnischen Films auf die Spitze: der ganze Film ist in eine fatalistische Stimmung getaucht, aus der kein Entweichen möglich scheint; die in grauen und halbdunklen Tönen gehaltenen Bilder konzentrieren in sich das Gefühl düsterer Bedrückung. Daneben bevorzugt Kawalerowicz harte Kontrastschnitte und provozierend eingesetzte Geräusche.

Pociag (Nachtzug, 1959) ist ein psychologisches Drama, das sich im Schlafwagen abteil eines Nachtzugs abspielt; eingeschoben in die Handlung wird die Geschichte einer Verbrecherjagd, bei der der Film offensichtlich Partei gegen jene ergreift, die sich begeistert der allgemeinen Hetzjagd auf das Individuum anschließen. *Matka Joanna od aniołów* (Mutter Johanna von den Engeln, 1961) schließlich beweist, wie sich die psychologischen Intentionen bei Kawalerowicz verdichten und sogar in eine Sphäre des Mystizismus eindringen: der Film beschreibt ein Nonnenkloster aus dem 17. Jahrhundert, das angeblich von »Dämonen« befallen ist, und die Verwirrungen eines Jesuitenpriesters, der zum Exorzieren herbeibestellt wurde, aber in Liebe zur Äbtissin entbrennt. Formal brillant gestaltet, scheint sich der Film gelegentlich im Symbolismus zu verstricken. Kawalerowicz ist heute Leiter der Produktionsgruppe *Kadr*, bei der auch der Regisseur Andrzej Wajda arbeitet.

Andrzej Wajda (geb. 1926) debütierte mit *Pokolenie* (Generation, 1954), einem Widerstandsfilm, der nicht ganz frei von Schematismus war, aber schon Wajdas spezifische Vorliebe für ausweglose Situationen erkennen ließ. Die Thematik dieses Films wurde weitergeführt in *Kanał* (Kanal, 1956). Wajda behandelte hier eine Episode vom warschauer Aufstand 1944: Eine Partisanengruppe tritt den Rückweg von einer abgeschnittenen Position durch die Abwässerkanäle an; diesen Marsch durch die Dunkelheit eines unentwirrbaren Labyrinths von Gängen gestaltet der Film als apokalyptisches Drama. Am Ende steht für alle grausames Scheitern. Auch mit formalen Mitteln betont der Film die hoffnungslose Situation der Flüchtenden: während das Halbdunkel der Gänge noch eine Hoffnung auf Rettung bestehen läßt, zeigt sich im gnadenlos harten Tageslicht nur die Gegenwart des Todes; über der Erde herrscht verdächtige Stille, während die Gänge von tausend verzerrten Geräuschen widerhallen. Wajda verfiel in *Kanal* jedoch einige Male der Versuchung, das Schauerliche um seiner selbst willen auszumalen.

Wajdas Meisterwerk wurde *Popiół i diament* (Asche und Diamant, 1958). Hier entwarf er ein differenziertes, aber wenig hoffnungsvolles Bild der polnischen Nachkriegsentwicklung aus der Perspektive von 1945. Im eben befreiten Polen rivalisieren nationalistische Partisanen, Kommunisten und opportunistische Karrieremacher; Höhepunkt des Films ist eine makabre Party zur Feier des »neuen Polens«, deren Teilnehmer sich, falls sie nicht in pathetischen Phrasen schwelgen, dem Zynismus oder dem Weltschmerz ergeben. Ein junger Terrorist, der einem Mädchen zuliebe sein Metier an den Nagel hängen möchte, aber in die unerbittliche Mechanik des Untergrundkampfes hineingezogen wird, läuft unterdessen in seinen Tod. Der Film beschwört eine Epoche, in der Heldentum und Absurdität nahe beieinanderstanden, und gestaltet namentlich die Verzweiflung seines Helden, dem die fürchterlichen Erlebnisse der Kriegszeit jede Hoffnung auf ein besseres, menschliches Dasein zerstörten und der seine Gebrochenheit unter der Maske eines abgebrühten Stoizismus versteckt. Seiner Person gab der junge Schauspieler Zbygniew Cibulski faszinierende Gestalt. Beschrieb Wajda in *Asche und Diamant* den Untergang des bürgerlichen Polens von gestern, so in *Łotna* (1960) den Untergang der polnischen Kavallerie 1939; auch hier faszinierte ihn der Glanz der Ausweglosigkeit. In *Niewinni czarodzieje* (Die unschuldigen Zauberer, 1960) erörterte Wajda das Verhältnis der heutigen Jugend zur Liebe, und *Samson* (1961) erzählt die Geschichte eines Juden aus dem warschauer Ghetto, in dessen Schicksal sich das des biblischen Samson seltsam zu wiederholen scheint.

1962 verfilmte Wajda in Jugoslawien eine Novelle von Ljeskow, *Lady Macbeth von Sibirien*. Trotz offensichtlicher Bemühung der Regie um stilvolle Schaurigkeit kommt die Bearbeitung im allgemeinen jedoch nicht über die naturalistische Trockenheit eines

»Kostümfilms« hinaus. Interessanter ist dagegen Wajdas Beitrag zu dem Episodenfilm *L'Amour à vingt ans (Liebe mit zwanzig*, 1962): hier stellt er einen ehemaligen Widerstandskämpfer der neuen Generation von Jugendlichen gegenüber, die für seine Probleme kein Verständnis mehr hat.

Ist Wajda ein Regisseur, der den Grundton seiner Filme emotional und atmosphärisch zu verdichten versteht, so sind die Filme Andrzej Munks (1921–1961) von starker intellektueller Grundhaltung. Auch in ihnen zeigt sich die Vorliebe für Düsterkeit; zugleich aber kritisieren sie rational die politischen Zeiterscheinungen. Andrzej Munk begann zunächst mit Dokumentarfilmen. Ein dezidiertes politisches Bekenntnis, das gleichnishaft die Haltung der jungen polnischen Regisseure zum Ausdruck brachte, enthielt *Czlowiek na torze* (Ein Mann auf den Schienen, 1956). In der Aufeinanderfolge verschiedener Versionen wird die Geschichte eines Eisenbahnunfalls entrollt. Ein alter Eisenbahner stößt die Kameraden durch seine Starrsinnigkeit vor den Kopf; mit einem Male jedoch – der Film spielt in der stalinistischen Zeit – sieht sich der Alte als politischer Feind und Saboteur verdächtigt, wird diffamiert und entlassen. Aus einer verwickelten Struktur von Rahmenhandlung und Rückblenden spricht deutlich das Plädoyer gegen die Partei und ihre Menschenverachtung. Am Schluß des Films steht eine symbolische Szene: Der Leiter der Untersuchungskommission öffnet ostentativ das Fenster des Verhandlungsraums, weil es »so stickig« sei. Der frischen Luft eines undogmatischen Klimas wollten auch die polnischen Regisseure in ihren Filmen Eingang verschaffen.

In *Eroica* (1957) zeigte Munk die letzten Kriegstage Polens in unheroischem Licht – einmal aus der Perspektive eines unpolitischen kleinen Schwarzhändlers, der ganz gegen seinen Willen zum Nachrichtenträger der Widerstandsbewegung wird, und vom Gesichtspunkt eines Gefangenenlagers, wo durch das Verstecken eines Offiziers der Mythos der gelungenen Flucht aufrechterhalten wird. Die beiden Teile hießen *Scherzo alla polacca* und *Ostinato lugubre*. Das Groteske stand in diesem Film neben dem Schrecklichen und Grausamen; insgesamt mündet *Eroica* auf einen pessimistischen Ausklang, der durch perspektivisch eigenartige Aufnahmen des kahlen Lagerhofes unterstrichen wird, in dem die Gefangenen müde im Kreise schreiten. Vor seinem Tod durch einen Autounfall vollendete Munk noch *Zezowate szczeszie* (Schielendes Glück, 1960), eine treffende Satire auf den Typ des konformistischen, dabei nicht unsympathischen Kleinbürgers, der durch sorgsame Anpassung an die bestehenden Verhältnisse mit jeder Epoche in Frieden leben will und doch von einem Mißgeschick ins andere stolpert. Dieser Film bewies Intelligenz und sublime Ironie; mit Munk verlor Polen eins seiner hoffnungsvollsten Filmtalente.

Aber auch neben den Leistungen der drei »Großen« brachte der polnische Film lebendige Werke hervor. Der Veteran Ford adaptierte sich mit *Osmy dzien tygodnia* (*Der achte Wochentag*, 1957), der Verfilmung einer Erzählung von Marek Hlasko, an das vorherrschende Klima pessimistischer Gegenwartskritik; sein Film, obgleich virtuos inszeniert, war nicht frei von romantischen Exzessen. *Krzyzacy* (Die Kreuzritter, 1960) ist ein glänzend fotografierter historischer Ausstattungsfilm. Mehr Verve und Ideen als Ford zeigte Tadeusz Chmielewski in einer burlesken Komödie, *Ewa chce spac* (Eva will schlafen, 1958), die in satirischer Übersteigerung allerlei Phänomene des polnischen Alltags unter die Lupe nimmt, die Schlampigkeit der Polizei und die mangelnde Moral in Arbeiterheimen.

Unabhängig von den zentralen Studios für Spielfilme entstanden ab 1957 eine Reihe von kurzen Experimentalfilmen. Ermöglicht wurden diese sowohl durch ein staatliches *Studio für Experimentalfilme* – das einzige in der ganzen Welt – wie durch die staatliche Filmakademie, die ihren Absolventen bei der Gestaltung der Abschlußarbeiten größte Freiheit ließ. Gemeinsam ist den meisten dieser Filme eine abgründige Bitterkeit. Tadeusz Makarczynski, ein renommierter Dokumentarfilmregisseur, montierte in *Zycie jest piekne* (Das Leben ist so schön, 1958) Dokumente des Grauens – wie Aufnahmen aus Auschwitz und Hiroshima – mit zeitgenössischen Schlagern und stellte so die Schizophrenie des Weltgeschehens zur Kopf. Roman Polanski meditierte in dem Kurzspielfilm *Dwaj ludzie z szafa (Zwei Mann und ein Schrank*, 1958) über die Unmöglichkeit, nach eigener Fasson zu leben: Zwei Männer entsteigen mit einem Schrank dem Meer und bestehen in einer Hafenstadt allerlei teils komische, teils grausame Abenteuer, weil sie den Schrank – Symbol ihrer Individualität – nicht aufgeben wollen; am Ende kehren sie enttäuscht ins Meer zurück. Walerian Borowczyk und Jan Lenica machten zuerst durch *Był sobie raz* . . . (Es war einmal . . ., 1957) auf sich aufmerksam; ein aus gezeichneten Elementen zusammengesetztes Lebewesen geistert darin durch eine halb abstrakte Welt, bringt zwei Fernsehprogramme mit Jazz und Volksmusik durcheinander und verwandelt sich schließlich in ein Bild, das im Museum zwischen einem Miró und der *Mona Lisa* Platz findet. *Dom* (Das Haus, 1958), ein Film surrealistischer Inspiration, der teilweise auf Tricks und Stilmittel der Vorweltkriegszeit zurückgriff, brachte Borowczyk und Lenica einen Preis der brüsseler Weltausstellung ein und damit die Möglichkeit, sich in Paris niederzulassen. Hier realisierten sie, getrennt voneinander, ihre beiden Hauptwerke. Borowczyk kombinierte zusammen mit Chris Marker in *Les Astronautes* (1959) Zeichentrick- und Realfilmelemente zu einer ironisch-phantastischen Parodie auf den aktuellen Raumfahrtrummel. Lenica bediente sich in *Monsieur Tête* (1959) ähnlicher Techniken, durch die er krude Zeichnungen mit ausgeschnittenen Figuren aus der Zeit der Jahrhundertwende kombinierte. Der bitter-ironische Film, dessen Kommentar Eugène Ionesco schrieb, erzählt die Geschichte eines Kopfes: gegen jegliche Unvernunft in seiner Umgebung revoltiert er, bis er im Gefängnis landet; friedfertig und buchstäblich gesichtslos geworden, werden ihm am Ende Ehrungen und Auszeichnungen zuteil. Der abstrahierende Collage-Stil erlaubte es Lenica, mit Raum und Zeit frei zu schalten und Ideen unmittelbar in visuelle Vorgänge umzusetzen. Auch Polanski ließ sich in Paris nieder und realisierte hier in ähnlichem Stil wie *Zwei Mann und ein Schrank* einen Film im Geiste Samuel Becketts: *Le Gros et le maigre* (Der Dicke und der Dünne, 1961), eine Erzählung von zwei tellurischen Naturen, die in einem verkommenen Vorstadtgarten vegetieren und durch eine archaische Haßliebe aneinandergefesselt sind.

Tschechoslowakei: Puppenfilme und Kammerspiele

Eine gravierendere Rolle noch als in Polen spielte in der Tschechoslowakei der Trickfilm. Noch bis nach 1950 konnten die Puppenfilme Trnkas, Zemans und der Týrlová als Inbegriff der tschechischen Filmkunst überhaupt angesehen werden. Jiří Trnka (geb. 1912) brachte seine Puppentechnik zu virtuoser Perfektion in *Bajaja (Prinz Bajaja*, 1950), der alten Legende von einem Sohn, der die in ein Pferd verzauberte Seele seiner Mutter befreit. Stilisierte Dekors und Beleuchtung tauchen den Film in ein irreales Klima. Ähnliches gilt für *Staré povesti české* (Alte tschechische Sagen, 1953), eine Reihe von Fabeln böhmischer Chronisten, die im Altertum spielen.

1954 adaptierte Trnka für seine Puppen drei Episoden aus *Dobrý voják Švejk (Der brave Soldat Schwejk)* von Jaroslav Hašek, wobei er sich der Illustrationen Josef Ladas als Vorlage bediente; schließlich gelangte Trnkas Kunst bis zu einem gewissen Endpunkt in *Sen noci svatojanské* (Ein Sommernachtstraum, 1957), nach Shakespeare: seine Bemühung um Poesie der Gesten und Raffinement der Beleuchtung, die schon seine früheren Filme bewiesen hatten, geriet an den Rand des Ästhetizismus.

Karel Zeman (geb. 1910) vertritt eine stärker satirisch gefärbte Variante des Puppenfilms und bewies besondere Vorliebe fürs Experiment. *Inspirace* (Inspiration, 1949) war ein Märchen mit Glasfiguren und *Kral Lavra* (König Lavra, 1950) eine allegorische Satire auf einen König, der ein paar Eselsohren besitzt – nach dem Sagenmotiv des König Midas. Später drehte Zeman naturwissenschaftliche Lehrfilme, die sich an einer Kombination von Puppen und lebendigen Darstellern versuchten. Zu einer Meisterleistung brachte er es mit *Vynálze zkázy* (Die Erfindung des Verderbens, 1957), der Verfilmung eines Romans von Jules Verne. Wirkliche Schauspieler agieren in Bildern, deren Stil an die Reproduktionen in alten Journalen erinnert; Dekors und Kostüme sind dazu mit einem Netz paralleler Linien überzogen, Naturszenen durch ein Raster hindurch fotografiert. Die phantastischen technischen Entwürfe Jules Vernes werden so historisch distanziert und erscheinen wieder als utopische Projektionen. Bei seinem nächsten Film, *Baron Prasil* (Baron Münchhausen, 1961) bediente Zeman sich aller erdenklichen Trickverfahren. Er belebte die in der Frühzeit des Films gebräuchliche Technik der farbigen Virage, ließ wiederum lebende Darsteller zwischen gezeichneten Kulissen agieren und schaltete direkt auf den Streifen gezeichnete Figuren ein. In einigen Episoden gelang es ihm dabei, aus den verschiedenen Techniken eine einheitliche Vision von phantastischem Reiz erstehen zu lassen; dem Ganzen mangelt indessen die Geschlossenheit von Zemans Jules Verne-Film.

Hermina Týrlová (geb. 1900), die noch während der deutschen Besatzung mit *Ferda mravenec* (Ferda, die Ameise, 1945) den ersten tschechischen Puppenfilm gedreht hatte, spezialisierte sich auf Kinderfilme, wie *Népovedený panaček* (Das mißlungene Püppchen, 1951), in denen sie Respekt vor den Mitmenschen, Hilfsbereitschaft und Verachtung von Brutalität und Dummheit propagierte. Neben diesen drei »Altmeistern« des tschechischen Puppenfilms konnten sich jüngere Regisseure nur zögernd durchsetzen. Dem Trnka-Schüler Břetislav Pojar gelang nach mehreren epigonalen Filmen mit *Lev a písnička* (Der Löwe und das Liedchen, 1959) eine meisterhafte kleine Parabel: Ein Löwe frißt einen Harlekin und dessen Harmonika, verrät sich hinfort aber durch die Töne, die das Instrument in seinem Bauch erklingen läßt, und muß elend verhungern – in seinem Skelett findet ein anderer Harlekin die Harmonika und spielt auf ihr die alte Melodie. Der Zeichenfilm wurde, nachdem Trnka sich von ihm abgewandt hatte, zum Stiefkind der tschechoslowakischen Trickfilmproduktion. Jiří Brdecka hatte 1948 mit *Vzducholod a láska (Das Luftschiff und die Liebe)* eine poetische Liebesgeschichte erzählt, deren zeichnerische Gestaltung an Jugendstilgrafik erinnert; Josef Kábrt setzte mit *Tragedie vodníkova* (Die Tragödie des Wassermanns, 1958) diese Linie fort, während František Vystrčil mit *O místo na slunci* (Ein Platz an der Sonne, 1959) und Vladimír Lehký in *Tři muži* (Drei Männer, 1959) an die Strichzeichnungen Emile Cohls anknüpften.

Der tschechische Spielfilm der Nachkriegszeit wird vor allem durch zwei Namen charakterisiert: Vaclav Krska und Jiří Weiss. Krska (geb. 1900) bevorzugt biographische Stoffe sowie Filme über Jugendprobleme, die er mit ästhetischem Bildraffinement in Szene setzt. Eins seiner besten Werke war *Měsíc nad řekou* (Mondschein über dem

Fluß, 1953); anderen Filmen Krskas aus den fünfziger Jahren sagt man eine »deka-
dente« Haltung nach. Krskas neuester Film, *Kde řeky mají slunce* (Der Tag, an dem
der Baum blühen wird, 1961), erzählt die Geschichte eines Mädchens, das vor den
patriarchalischen Verhältnissen auf dem Lande nach Prag entflieht; dem Film lag ein
Roman aus den zwanziger Jahren von Marie Majerowa zugrunde. Krska wußte
dem Drama des Mädchens durch subtile Einstellungskünste, durch expressionistische
Fotografie und durch gewollt langsame Überblendungen Ausdruckskraft zu geben.
Einem ähnlichen Streben nach poetischer Verfeinerung und Abstrahierung des Bildes begegnet man auch in anderen tschechischen Filmen, etwa in František Vlacils
Holubice (Die weiße Taube, 1960): Mit gewollten und ästhetisierenden Kameraein-
stellungen wird der Flug einer Brieftaube von Nordfrankreich zur Insel Fehmarn verfolgt; diese Geschichte ist dem Film aber nur Vorwand für poetische Arabesken.

Eine realistischere Einstellung bewies der junge Regisseur Zbynek Brynych mit
Žižkovská romance (Romanze in Žižkov, 1958), der Liebesgeschichte eines Maurers
und einer Postangestellten in einem prager Arbeitervorort. Brynych brillierte
durch eine lebendige und einfallsreiche Fotografie, die aus jeder Situation das Äußerste an optischem Relief herausholte und dadurch für eine gewisse Oberflächlichkeit
des Inhalts entschädigte.

Als das bedeutendste Talent, über das der tschechische Film im Augenblick verfügt,
muß man Jiří Weiss ansehen. Nach einem Kinderfilm und zwei abendfüllenden Dokumentarfilmen realisierte Weiss 1956 *Hra o život* (Spiel ums Leben), einen kritischen Film über das Auseinanderbrechen einer bürgerlichen Familie in der Zeit der
deutschen Besetzung, der jedem heroischen Pathos fernstand. Zu Weiss' Meisterwerk
wurde *Vlčí jáma* (Die Wolfsfalle, 1958), ein naturalistisch inszeniertes Drama aus der
Zeit der Donau-Monarchie: Der Bürgermeister einer Kleinstadt, der von seiner älteren und tyrannischen Frau beherrscht wird, verliebt sich in die aus Mildtätigkeit als
»Haustochter« aufgenommene Waise; nachdem die Frau an Herzschlag gestorben ist,
empfindet das Mädchen aber keine Zuneigung mehr zu dem Mann, der niemals gegen
die Konventionen aufzumucken wagte. Weiss entwickelt aus lastenden, statischen
Einstellungen ein Panorama des kodifizierten und in heuchlerischen Standesvorschrif-
ten eingeschlossenen Lebens; dabei reicht der Stil des Films von feiner Ironie bis zur
scharfen Satire. *Die Wolfsfalle* ist ein kammerspielartiger, nur konstatierender Film,
der sich durch suggestive und milieugerechte Beschreibungskunst auszeichnet. Auch
Romeo, Julja a tma (Romeo, Julia und die Nacht, 1960) ist ein Kammerspiel, diesmal
aber mit aktuellerem politischem Hintergrund: in einer Dachkammer im Prag des
Jahres 1943 versteckt ein Abiturient ein jüdisches Mädchen; die beiden verlieben sich
ineinander, aber das Mädchen wird entdeckt und opfert sich. Die Beziehungen zwischen
Sohn und Mutter, das Verhältnis der Mutter zu dem Mädchen, als sie es entdeckt,
werden mit Eindringlichkeit wiedergegeben.

Daß das Thema der jüngsten Vergangenheit die tschechischen Regisseure weiterhin stark beschäftigt, erwies neben Jiří Weiss auch Jiří Krejčík mit seinem Film *Vissy
Princip* (Das höhere Prinzip, 1960). In der Zeit der deutschen Besatzung erlauben
sich Gymnasiasten einen Ulk gegen Heydrich, werden verhaftet, zum Tode verurteilt
und erschossen. Nicht nur evoziert der Film präzis eine von Unterdrückung und
Terror gekennzeichnete Zeitatmosphäre, sondern zeichnet auch differenzierte Porträts: da erscheint ein tschechischer Advokat »zwischen den Fronten«, der die ihm ge-
gebenen Möglichkeiten nicht ausnützt, während ein »weltfremder« Professor für klassische Philologie sich als einziger gegen die Verurteilung der Jungen auflehnt.

Ungarns Film vor und nach der Revolution

Nach dem Rajk-Prozeß 1949 machte auch Ungarn seine stalinistische Zeit durch, während der vorwiegend trockene und schematische Filme entstanden. Diese Periode dauerte bis 1955; von da an begann sich der liberalere Kurs von Imre Nagy auch im Film auszuwirken. Felix Máriássy (geb. 1919) drehte 1955 *Budapesti tavasz* (Frühling in Budapest), die Geschichte zweier desertierter Soldaten aus dem Budapest von 1944, ein Film, der eindringlich die Atmosphäre der letzten Kriegstage beschwört; in *Egy pikkoló világos* (Ein kleines Helles, 1955) zeichnete er ein heiteres Bild der budapester Jugend.

Doch am engsten mit dem Aufschwung des ungarischen Films vor der Revolution verbunden ist der Name von Zoltán Fábri (geb. 1917). Er hatte schon zwei Filme gedreht, als er 1956 mit *Körhinta* (Karussell) auch im Ausland großen Erfolg errang. Äußerlich handelte es sich hier um ein Drama vom Kampf des Alten mit dem Neuen auf dem Dorfe: Ein selbständiger Bauer stellt sich der Heirat seiner Tochter mit einem Landarbeiter der Kooperative in den Weg. Doch dieses Thema nahm Fábri nur zum Vorwand, eine lyrische Liebesgeschichte zu erzählen und die Opposition der Liebenden gegen die »etablierte« Welt herauszustellen. Der junge Held ist zwar Mitglied der Genossenschaft, kämpft aber für sein privates Glück. Wertvoll macht den Film seine virtuose regieliche und kameratechnische Gestaltung. Der politischen Allegorie wandte sich Fábri zu mit *Hannibál tanár ur* (Professor Hannibal, 1956): Ein weltfremder Lateinprofessor hat eine Theorie aufgestellt, die den Tod Hannibals aus einer bisher unbekannten karthagischen Volksrevolution erklärt. Der Film spielt zur Zeit des faschistischen Regimes in Ungarn. Wegen seiner autoritätsfeindlichen Theorie wird der eben noch geehrte Professor plötzlich politisch verdächtigt, von seiner Schule entlassen und auf einer Kundgebung fast gelyncht; schließlich stürzt ihn eine aufgeregte Menge eine Mauer hinunter. Fábri stattete die Figur des Professors mit den Zügen eines ahnungslosen Kleinbürgers aus, der ohne zu begreifen in sein Verhängnis tappt. Zwar zielt der Film vordergründig auf eine Verurteilung des Faschismus; aber Parallelen zum herrschenden kommunistischen Regime ergeben sich unschwer und scheinen bewußt im Film angelegt: der Konformismus der Mitläufer, die sich den jeweils herrschenden Auffassungen anschließen; der Fanatismus einer in Raserei versetzten Menge, die mit Fahnen, Transparenten und kämpferischen Slogans in Erscheinung tritt – vor alldem erweckt der Film Ekel. Ein makabrer Höhepunkt ist die »Selbstkritik« Hannibals, die er angesichts der empörten Menge vollziehen muß und die ihm paradoxerweise den Tod bringt.

Nach *Professor Hannibal*, der kurze Zeit nach der gescheiterten Revolution von den neuen Machthabern zurückgezogen wurde, drehte Fábri Filme, die in balladenhafter Manier Charakterporträts aus dem bäuerlichen Milieu zeichnen und dabei nicht immer von Konventionalität frei sind (etwa *Dúvad* – Das Biest, 1961). Ein anderer junger Regisseur, Imre Fehér (geb. 1926) beendete zur Zeit der Revolution seinen Erstlingsfilm, *Bakaruhában* (In Kommißuniform, auch bekannt als: Eine Sonntagsromanze), ein stilistisch höchst nuanciertes, sensibles Werk: In einer Kleinstadt vor dem ersten Weltkrieg verliebt sich ein Journalist, der nur sonntags Militäruniform anzieht, in ein Dienstmädchen, entscheidet sich dann aber für die Tochter der Herrschaft. Das ist mit impressionistischen Bildern im Ton einer Romanze erzählt und vermittelt doch treffende Einsichten in die unentschlossene, zum »Höheren« tendierende Psyche des Helden. Auch der Ausbruch des ersten Weltkriegs ist in die Handlung hineingearbeitet.

Zu den interessantesten Filmen der nachrevolutionären Zeit gehört György Révész' (geb. 1927) *Éjfélkor* (Um Mitternacht, 1957). Ein Liebesdrama im Milieu verdienter Volkskünstler wird mit den politischen Ereignissen verknüpft. Ein eben verheiratetes Paar ist sich uneins, wie es sich angesichts der Revolution verhalten soll; die Frau ist fürs Abreisen ins Ausland, der Mann fürs Dableiben; schließlich trennen sich die beiden, bemerkenswerterweise aber wird die emigrierte Frau keineswegs diffamiert.

Die Geburt des jugoslawischen Films

Die Anfänge einer kontinuierlichen Spielfilmproduktion in Jugoslawien datieren erst aus den Nachkriegsjahren. Innerhalb kurzer Zeit konnten die unabhängigen Studios der einzelnen Teilrepubliken eigene Konzepte entwickeln und mehrere Regisseure, die sich autodidaktisch ausbilden mußten, Filme von ausgeprägter Individualität drehen. Außerhalb Jugoslawiens bekannt wurde u. a. *Die blutige Straße* (1955, Regie Kare Bergstrom), eine jugoslawisch-norwegische Koproduktion, die vom bitteren Dasein jugoslawischer Kriegsgefangener im deutsch besetzten Norwegen berichtet, und Nikola Tanhofers *H 8* (H 8 ... noch zehn Sekunden leben, 1958). Zwischen einem vollbesetzten Autobus und einem Lastwagen ereignet sich ein folgenschwerer Zusammenstoß mit mehreren Toten; in einer langen Rückblende berichtet der Film, was die Passagiere des Autobusses an dem Tag des Unglücks erlebten, welche Probleme sie bewegten. Das ergibt einen dokumentarisch zusammengesetzten Querschnitt aus verschiedenen Existenzen, der in seiner Knappheit und Authentizität besticht.

Vladimir Pogačić erzählt in *Pukotina raja* (Himmel ohne Liebe, 1960) die Geschichte einer unglücklichen Ehe zwischen einer schwärmerischen, unerfahrenen Frau und einem ehrgeizigen Mann. Die Geschichte, die im heutigen Belgrad spielt, setzt sich vor den Augen des Betrachters aus drei Augenzeugenberichten zusammen. Veljko Bulajić ließ sich in mehreren Filmen auf die Behandlung aktueller Vorgänge, wie der Landreform, ein, ehe er mit seinem ambitioniertesten Film, *Rat* (Krieg), einer Atomkriegsvision nach einem Szenario von Cesare Zavattini, ästhetisch Schiffbruch erlitt. Ein Drama aus der Besatzungszeit schilderte France Stiglic in *Deveti krug* (Der neunte Kreis, 1960): Ein jüdisches Mädchen wird pro forma die Frau eines Studenten, um den Pogromen zu entgehen, doch allmählich verlieben sich die beiden wirklich ineinander; als sie verhaftet wird, folgt ihr der Student ins Konzentrationslager. Wenn die letzten Sequenzen auch an Pathetik litten, so war der Film doch mit Sensibilität und Zurückhaltung in der Darstellung des Furchtbaren gestaltet.

Neue Wege beschritt Jugoslawien auf dem Gebiet des Zeichenfilms. Ein erster Streifen wurde 1951 von Zeichnern einer satirischen Zeitschrift in Zagreb hergestellt; aber erst fünf Jahre später kam eine regelmäßige Produktion in Gang, die sich dann schnell zur zahlenmäßig stärksten in Westeuropa entwickelte. Die jugoslawischen Zeichner überwanden sehr bald die Imitation Disneys; bei modernen Malern holten sie sich Anregungen für einen Stil, der den Menschen als Opfer der sozialen Prozesse vorführt. Lange erreichte freilich die erzählerische Erfindung nicht die Qualität von Zeichnung und Animation. Dušan Vukotić, Regisseur, Autor und zuweilen auch Zeichner in einer Person, fand als erster den Erzählstil, der seinen optischen Vorstellungen adäquat ist: simple Situationen entwickeln sich in seinen Filmen unversehens ins Monströse. Vukotićs Figuren treten oft zu Dutzenden in gleicher Gestalt auf, sie können von ihren »Bossen« beliebig eingesetzt werden und lassen sich »nach Gebrauch« willig liquidieren. In *Konzert za mašinsku pušku* (Konzert für Maschinengewehr, 1959) läßt sich eine Gangsterbande für ihren Chef in Stücke reißen; in *Piccolo* (1960) bricht zwischen zwei Nachbarn ein Geräuschkrieg von kolossalen Dimensionen aus; in *Surogat* (Ersatz, 1961) spielen abstrakte Gummipuppen modernes Strandleben, ehe ihnen die Luft ausgeht und nur häßliche Hüllen zurückbleiben. Vatroslav Mimica und sein Chefzeichner Aleksandar Marks beschwören in ihren Filmen anonymes Grauen, das auch durch Komik nur unvollkommen zu bannen ist. *Samac* (Allein, 1958) zeigte die Alpträume eines in ein reglementiertes Dasein gezwängten Angestellten. In *Happy End* (1958) ließ Mimica eine zerstörte Statue in ihre eigene Vergangenheit zurücksteigen und die Vernichtung der Welt – im Rücklauf – wiedererleben. Die grausig-komischen Phantasieabenteuer eines Kriminalinspektors schildert *Inspektor se vratio kući* (Der Detektiv, 1959). Wie eine Parabel auf sein eigenes Vorgehen mutet Mimicas *Kod fotografa* (Beim Fotografen, 1960) an: durch alle Mätzchen eines Fotografen ist dessen Kunde nicht zum Lächeln zu bringen; erst vor seinem eigenen Konterfei bricht er in Gelächter aus. Der optische Stil von Mimica und Marks ist, im Unterschied zu dem von Vukotić, surrealistisch inspiriert und brilliert mit Verzerrungen und Collagen.

Andere Regisseure, wie Nikola Kostelac und Ivo Vrbanic, blieben bei der gutmütigen Ironisierung alltäglicher Bagatellen stehen. Neue Talente rekrutierten sich aus der Garde der vorzüglichen Zeichner und Szenografen. Vlado Kristl zeichnete *Krada dragulja* (Der Juwelenraub, 1960, Regie Mladen Feman), eine hintergründige Gangsterposse, und *Sagrenska koža* (Das Chagrinleder, 1960, Regie Kristl und Vrbanic), nach dem Roman von Balzac, ehe er als »auteur complet« *Don Kihot* (Don Quijote, 1961), das Meisterwerk der zagreber Schule, gestaltete. Es ist dies eine Parabel vom verzweifelten Kampf eines Idealisten gegen eine Welt von Robotern – einer der wenigen Zeichenfilme, deren Komik nichts Versöhnlich-Humoriges mehr anhaftet. Zwei andere Zeichner, Zlatko Bourek und Boris Kolar, führten sich mit *Kovacev segrt* (Der Schmiedelehrling, 1961) und *Bumerang* (1961) erfolgreich als Regisseure und Autoren ein.

Die Entwicklung der Defa

Nachdem am 7. 10. 1949 das Staatsgebilde der DDR geschaffen wurde, beeinflußten bald auch aktuelle Zielsetzungen der ostdeutschen Politik die Produktion der *Defa*. Eine Reihe von Filmen begann den »fleißigen Aufbauwillen« in Ostberlin dem »Sumpf der westberliner Schieber- und Agentenwelt« entgegenzustellen. Solche Thematik deutete sich bereits an in *Unser täglich Brot* (1949, Regie Slatan Dudow) und in dem noch schematischeren *Frauenschicksale* (1952, Regie Slatan Dudow). *Rat der Götter* (1950, Regie Kurt Maetzig) wollte den IG-Farben-Konzern als gleichzeitigen Helfershelfer der Nazis und der Alliierten entlarven. Auf der 1952 wegen des alarmierenden Absinkens der Produktion einberufenen Filmkonferenz der Partei wurden die Prinzipien des sozialistischen Realismus als nunmehr richtungweisend für die Produktion verkündet; fortan sollte die Filmkunst ihr Augenmerk auf »das Neue, das Wachsende, auf die positiven Erscheinungen des Lebens«[30] richten.

Bevor jedoch die Direktiven der Filmkonferenz ihre Auswirkung fanden, konnte Wolfgang Staudte mit der Verfilmung von Heinrich Manns Roman *Der Untertan* (1951) noch einmal das Niveau erreichen, welches er in *Rotation* bewiesen hatte. In

Der Untertan lieferte Staudte ein ätzend-satirisches Porträt deutscher Untertanen-
mentalität, wie es entlarvender – aber auch aktueller – kaum je auf die Leinwand
kam. Die glasharte Präzision von Manns Schreibweise machte sich Staudte in einem
filmischen Stil zu eigen, dessen Merkmale extreme Handlungsraffung, satirische Stilisierung sowie Verwendung einer raffiniert symbolträchtigen Überblendungstechnik
waren. Die Satire des Films verdichtete sich besonders in jenen Typen, die Diederich
Hesslings Kindheit und Jugend umrahmen: der verbitterten Mutter, den nationali-
stischen Lehrern, den Neuteutonen, dem Unteroffizier.

Mehr als Der Untertan entsprach das jahrelang vorbereitete und mit einem Kosten-
aufwand von über sechs Millionen Mark inszenierte Ernst-Thälmann-Opus den orthodox sozialistisch-realistischen Grundsätzen. In Ernst Thälmann – Sohn seiner Klasse
(1954) und Ernst Thälmann – Führer seiner Klasse (1955, Regie Kurt Maetzig) erschien der KP-Vorsitzende der Weimarer Republik als die erwünschte Inkarnation
des »positiven Helden«, der, die Faust vorgestreckt und den Blick prophetisch in die
Zukunft gerichtet, unfehlbar richtige Entscheidungen zu treffen weiß.

Auch in Zukunft sollte Maetzig (geb. 1911), der mit Ehe im Schatten (1947) einen
vergleichsweise hoffnungsvollen Debütfilm geliefert hatte, sich an Agitationsfilme
für die Tagespolitik halten, die stets mit großem Aufwand in Szene gesetzt wurden.
Schlösser und Katen (1957), ein zweiteiliger Film über die Kollektivierung der Landwirtschaft, stellt alle Gegner der Kollektivierung als Saboteure hin. Das Lied der Matrosen (1958) schildert in monumentalem Stil den Aufstand der kieler Flotte im Jahr
1918. In Septemberliebe (1960) behandelte Maetzig das Problem der »Republikflucht«,
freilich mit entwaffnender Naivität: Ein Mädchen verrät ihren Verlobten, der nach
Westberlin fliehen möchte, an die Volkspolizei, was als ein Akt der selbstlosen Liebe
gewertet wird; daneben gibt sich der Film aber formal betont »modern« und möchte
mit einigen erotischen Gewagtheiten à la »Neue Welle« seinen politischen Gehalt
schmackhaft machen.

Höhere Qualitäten als die Produktionen Maetzigs weisen im allgemeinen die Filme
des Veteranen Slatan Dudow auf. Stärker als die Nacht (1954) schildert das Leben
eines kommunistischen Arbeiters, der sieben Jahre in einem KZ-Lager verbringt, nach
seiner Entlassung sich aufs neue in den politischen Kampf begibt und schließlich hin-
gerichtet wird. Auch der Protagonist dieses Films ist zwar ein »positiver Held«, aber
doch ohne die Pathetik von Maetzigs Thälmann. Als Kontrastfigur zur Haupthand-
lung erfanden die Szenaristen Kurt und Jeanne Stern ein Kleinbürgerpaar, das vor
dem heimatlichen Volksempfänger periodisch die »geniale Strategie« des Führers be-
wundert, bis es vor den Trümmern des eigenen Hauses steht.

1957 wurde ein fruchtbares Jahr für die Defa. Fast gleichzeitig erschienen Berlin –
Ecke Schönhauser (Regie Gerhard Klein), eine ungeschminkte Reportage aus der ost-
berliner Halbstarkenwelt, Gejagt bis zum frühen Morgen (Regie Joachim Hasler), ein
stil- und milieugerecht verfilmtes Arbeiterdrama aus der Zeit vor dem ersten Weltkrieg, und ein bemerkenswerter Kriegsfilm, Betrogen bis zum Jüngsten Tag (Regie
Kurt Jung-Alsen).

Vor allem aber trat 1957 Konrad Wolf, Sohn des Dramatikers Friedrich Wolf und
Schüler der moskauer Filmhochschule, der schon 1956 Genesung gedreht hatte, mit
einem exzeptionellen Werk hervor: Lissy. Ausgehend von einem Roman F. C. Weis-
kopfs brachte Konrad Wolf das Drama des deutschen Kleinbürgertums, das 1933 in
die Arme des Nazismus fiel, unverstellt und undogmatisch, aber mit kritischem
Scharfblick auf die Leinwand. Der kaufmännische Angestellte Fromeyer tritt halb aus

Not, halb um der besseren Aufstiegschancen vor 1933 in die SA ein, überwirft sich aber dabei mit seiner Frau Lissy, die ihn schließlich verläßt. Fern von jedem Schematismus der Anlage, subtil in der Zeichnung auch der nazistischen Typen, stellt dieser Film einen der eindringlichsten Beiträge zur Interpretation der deutschen Geschichte dar, die nach dem Kriege aus deutschen Filmateliers kamen. Mit *Sterne* (1959), einer deutsch-bulgarischen Koproduktion, erwies sich Konrad Wolf erneut als das bedeutendste Talent, über das die *Defa* – nach dem Fortgang Staudtes – verfügte. *Sterne* ist wie *Lissy* ein Drama aus der Hitler-Zeit. Durch die Begegnung mit einer gefangenen Jüdin findet ein deutscher Unteroffizier auf dem Balkan zu seiner politischen Verantwortlichkeit.

Konrad Wolf war mit seinen Filmen über die Gegenwart weniger Erfolg beschieden. Nachdem sein seit 1958 fertiggestellter Film über die Bergarbeiter des Urangebietes, *Sonnensucher*, 1959 wegen angeblicher Inaktualität endgültig zurückgezogen wurde, versuchte sich Wolf in *Leute mit Flügeln* (1960) an einer umfassenden Rechtfertigung des DDR-Alltags aus dem Geist antifaschistischer Tradition. Die Handlung freilich, wenngleich in eine interessante, zwischen Gegenwart und Vergangenheit alternierende Rahmenstruktur eingebettet, häufte eine Unwahrscheinlichkeit an die andere und ließ die Helden des Films sich an jedem Wendepunkt europäischer Geschichte »beispielhaft« bewähren.

Mochte es 1960 scheinen, als ob die *Defa*-Produktion ganz im Schematismus naiver Werbefilme für die Volkspolizei und die kollektive Landwirtschaft steckenbleibe, so erschienen 1961 doch wieder zumindest zwei Filme in den ostdeutschen Kinos, die Beachtung verdienten. Da ist einmal die Verfilmung des 1933 von Friedrich Wolf gegen die Judenverfolgung in Deutschland geschriebenen Dramas *Professor Mamlock* durch Konrad Wolf zu nennen. Die Geschichte des zunächst noch gutgläubigen jüdischen Mediziners, der 1933 von den Nazis grausam gedemütigt wird, brachte Wolf mit viel Takt und Intelligenz auf die Leinwand. Freilich können weder ausgezeichnete darstellerische Leistungen noch zahlreiche, den Zuschauer in die Distanz zwingende filmische Kunstgriffe und Montagen darüber hinwegtäuschen, daß der Film doch allzusehr an der Bühnenstruktur des Stoffes festhält: viele Dialoge nehmen von der Leinwand herunter einen papierenen Klang an.

Weit kühner in der Konzeption scheint da *Der Fall Gleiwitz* (1961, Regie Gerhard Klein). Der Film leuchtet in die Hintergründe der deutschen Invasion Polens hinein und speziell in jenen angeblich polnischen Überfall auf den Rundfunksender Gleiwitz, den Hitler 1939 als Kriegsanlaß benutzte und der in Wirklichkeit nicht von Polen, sondern von verkleideten SS-Männern ausgeführt wurde. Die Geschichte dieser Operation wird in einem ganz auf optische Vorgänge reduzierten Stil erzählt; die Beteiligten gewinnen kaum Persönlichkeit, sondern erscheinen als anonyme, aber dennoch politisch profilierte Handlanger eines keine Auflehnung duldenden, gewissenlosen und barbarischen Systems. *Der Fall Gleiwitz* kann auch formal als eine der interessantesten *Defa*-Produktionen seit Jahren gelten.

Amerikas Film im Kampf mit dem Fernsehen

Um 1950 geriet die amerikanische Filmwirtschaft in die schwerste Krise ihrer Geschichte. Der entscheidende Grund dafür war der Aufschwung des Fernsehens, der 1947 schlagartig einsetzte; aber andere Faktoren verschärften noch die Gefahr. Den Krieg hatte Hollywood ohne Einbuße überstanden. Die Kasseneinnahmen allein in nordamerikanischen Kinos lagen 1947 um die Hälfte höher als 1942. 1953, auf dem Höhepunkt der Fernsehkrise, waren sie wieder auf den Stand von 1942 zurückgefallen; von sechsundzwanzigtausend Filmtheatern mußten sechstausend schließen; der Verlust der Filmindustrie betrug schließlich über sechs Millionen Dollar. Die Produktionszahlen sanken unter den tiefsten Stand seit den Zeiten des historischen »Patentkrieges«. Gleichzeitig wurde die traditionelle Struktur der amerikanischen Filmwirtschaft durch eine Entscheidung des Obersten Gerichtshofes schwer getroffen: den Produktionsgesellschaften wurde auferlegt, ihre Theaterketten abzustoßen. Konzerne wie MGM, die früher in der Loew's Inc. die größte Theaterkette des Kontinents besaßen, verloren so ihre bis dahin sicheren Absatzmöglichkeiten. Die privatisierten Kinos waren nicht mehr gezwungen, alle Filme der Konzerne anzunehmen. Zum erstenmal seit Jahrzehnten hatten unabhängige Produzenten wieder eine Chance. Dem kam der Umstand entgegen, daß eine Reihe von Starschauspielern und -regisseuren begann, ihre Filme in eigenen Gesellschaften herzustellen. Solange sie Angestellte der Konzerne waren, wurde ihr Einkommen bis zu neunzig Prozent weggesteuert; als ihre eigenen Produzenten konnten sie ihren früheren Verdienst vervielfachen.

Die Konzerne suchten der Konkurrenz des Fernsehens dadurch zu begegnen, daß sie jeden einzelnen ihrer Filme mit Attraktionen ausstatteten, die der Bildschirm nicht zu bieten vermochte. Sie stellten die Produktion von Schwarzweißfilmen mit geringem Budget fast völlig ein und konzentrierten sich auf kleine Programme mit teuren Stoffen. Zwar scheiterte der Versuch mit »dreidimensionalen« Filmen am Widerstand des Publikums, aber eine Reihe von Breitwandverfahren – Cinemascope, Vistavision, Cinerama, Todd-AO usw. – setzte sich durch. Der erste Cinemascope-Film, The Robe (Das Gewand, 1953), schlug die Kassenrekorde aller früheren Filme – und dies in demselben Jahr, in dem die Besucherzahlen der Kinos ihren tiefsten Punkt seit der Wirtschaftskrise erreicht hatten. Auch die Länge der Filme wuchs; der Aufwand an Komparsen, Bauten und Kostümen überstieg jedes früher gekannte Maß.

Mit größerem Erfolg als die Großfirmen konsolidierten die meisten der neuen unabhängigen Produzenten ihre Stellung. Sie konnten nicht mit Kolossalfilmen aufwarten; thematische Originalität und eine solide Machart verhalfen ihren billig produzierten Filmen aber zu einer schnelleren Amortisation, als sie bei den meisten Großfilmen möglich war. Die Gesellschaften der Schauspieler Burt Lancaster (Hecht-Lancaster), Henry Fonda und Kirk Douglas (Bryna) und die des Produzenten Stanley Kramer gehörten zu den erfolgreichsten. Die United Artists, der Verleih der Unabhängigen, der 1951 vor dem Bankrott gestanden hatte, stieg innerhalb weniger Jahre zur mächtigsten Gesellschaft Hollywoods auf.

Schließlich arrangierten sich auch die Konzerne sowohl mit dem Fernsehen als auch mit den Unabhängigen. Sie gaben ihre alten Filme fürs Fernsehen frei, stellten den Sendern ihre Ateliers zur Verfügung und begannen selbst TV-Serien herzustellen. Durch die Abwanderung ihrer Stars und die Erfolge der *United Artists* alarmiert, vermieteten sie ihre Einrichtungen schließlich auch an Unabhängige, finanzierten deren Filme und nahmen sie in ihren Verleih. Schließlich wurde rund die Hälfte aller Filme von unabhängigen Produzenten hergestellt.

Allmählich gelang es so, der Krise Herr zu werden. 1954 lagen zum erstenmal Besucherzahlen und Einnahmen wieder über denen des Vorjahres. Sie hielten sich auf dem erreichten Stand, bis sie 1960 wieder zu steigen begannen. Die Einnahmen näherten sich 1961 zum erstenmal wieder den Rekordzahlen von 1947.

Hollywoods gelähmte Linke

Die Situation der Filmkunst im Amerika der fünfziger Jahre wurde von einem Paradox bestimmt. Auf der einen Seite bot die veränderte wirtschaftliche Struktur der Filmindustrie den Regisseuren größere Freiheit, als sie zuvor besessen hatten: sie konnten sich von den großen Gesellschaften emanzipieren und ihre Filme relativ frei von kommerziellen Direktiven realisieren. Auf der anderen Seite wirkte die Skepsis fort, die viele zumal von den fortschrittlich eingestellten Filmkünstlern nach dem Krieg ergriffen hatte. Die Verhöre des Senatsausschusses zur »Untersuchung unamerikanischer Umtriebe« hatten nicht nur den unmittelbar Betroffenen einen tiefen Schock versetzt: ganz allgemein wurden die »linken«, das heißt liberalen, sozialkritischen, vom New Deal angeregten Tendenzen paralysiert.

Die ambitionierten Filme der fünfziger Jahre sind ein Ausdruck dieser Lage. Einerseits war der amerikanische Film zu keiner früheren Zeit so sehr ein »Kino der Autoren«. Regisseure von ausgeprägter Eigenart hatten sich früher nur ausnahmsweise und zumeist nur für kurze Zeit in Hollywood halten können, andere hatten ihre Filme außerhalb der Filmmetropole gedreht. Nur wenn ein Regisseur eine besondere Affinität zu einem etablierten Genre besaß, war ihm dauerhafter Erfolg beschieden. In den fünfziger Jahren konnten dagegen selbst Regisseure von minderem Format ihren individuellen Neigungen folgen. Andererseits fehlt dem offiziellen US-Film dieser Dekade die entschiedene Haltung der Realität gegenüber, die den Gangsterfilm, die Schwarze Serie und andere Genres der früheren Tonfilmjahre auszeichnete.

Die dominierenden Gestalten unter den Regisseuren der fünfziger Jahre hatten sich zumeist schon während des Krieges oder früher hervorgetan. Viele renommierte oder vielversprechende Namen allerdings: Chaplin, Welles, Sturges, Dassin und Siodmak verließen die Vereinigten Staaten unter dem Druck der »Hexenjagd« oder aus kommerziellen Erwägungen; Capra ging zum Fernsehen; der aus dem Exil zurückgekehrte Dmytryk ließ nach Verbüßung einer mehrmonatigen Gefängnishaft keine Anzeichen seines einstigen Talents mehr erkennen; »Altmeister« wie Wyler, Ford und Lang verfielen dem Gesetz der Abnutzung. Diejenigen aus der Generation der vierziger Jahre, die in Hollywood blieben und deren Temperament nicht erlahmte, gingen politische oder kommerzielle Kompromisse ein, um sich künstlerische Freiheiten gestatten zu können; nicht selten läßt sich auch an den Stories ihrer Filme ablesen, wie ihr einstiges Engagement in Zynismus umgeschlagen ist.

John Huston (geb. 1906), Sohn des Schauspielers Walter Huston, in seiner Jugend

Boxer, Schauspieler und Kavallerist, später Kurzgeschichten-, Roman- und Bühnenautor, Zeitungsgründer und Szenarist, hatte 1942 mit *The Maltese Falcon* das Genre
des Schwarzen Films kreiert, zugleich aber die innere Thematik seiner eigenen weiteren Werke definiert, die weit über den Rahmen der Schwarzen Serie hinausreichen
sollte. Er stellte in seinem ersten Film einen Helden vor (wohl den letzten, der dieses
Prädikat verdiente), der das Zentrum aller seiner Filme bildet. Es ist ein Mann, der
sich »zur Freiheit verdammt« weiß, dessen raison d'être das Handeln ist und der sich
in der freigewählten Tat verwirklicht. (Nach mehreren Filmen kehrte Huston zum
Theater zurück, um Stücke von Sartre zu inszenieren, den er später für seinen *Freud*
als Szenarist verpflichtete). In *The Maltese Falcon* ist es ein kleiner Privatdetektiv,
der sich durch einen undurchsichtigen Dschungel von Verschwörungen hindurch-
kämpft und am Ende die Sinnlosigkeit seines Unternehmens erfahren muß: die Gold-
statuette, jener »Malteser Falke«, um die es zu Mord und Totschlag gekommen ist,
erweist sich als unecht und wertlos. Das Scheitern ist eine allen Huston-Helden vertraute Erfahrung – was voreilige Exegeten dazu verführt hat, Huston schlechthin als
»Rhetoriker des Mißerfolgs« zu etikettieren. Selbst in dem Kriegsdokumentarfilm
The Battle of San Pietro kehrt das Grundmuster vieler Huston-Filme wieder: so wie
der Detektiv in *The Maltese Falcon* nur eine falsche Statuette findet, so wie viele der
späteren Huston-Helden um den Preis der Tat gebracht werden, so stehen hier die
GIs, nachdem sie unter unermeßlichen Opfern den Hügel San Pietro erstürmt haben,
vor zerstörten Hütten und elenden Erdlöchern. Aber nicht der Erfolg ist der Lohn
der Tat; diese birgt ihren Sinn in sich. Die drei amerikanischen Goldgräber in *The
Treasure of the Sierra Madre* (*Der Schatz der Sierra Madre*, 1947), die revolutionären
Attentäter von *We Were Strangers* (Wir waren Fremde, 1949), das Bankräuber-Team
in *Asphalt Jungle* (*Asphaltdschungel*, 1950), der junge Soldat in *The Red Badge of
Courage* (Die rote Tapferkeitsmedaille, 1951), Kapitän Alnutt in *The African
Queen* (1951), Toulouse-Lautrec in *Moulin Rouge* (1953), der Abenteurer Dann-
reuther in *Beat the Devil* (*Schach dem Teufel*, 1954), Captain Ahab in *Moby Dick*
(1956) – sie alle geraten in Konflikt mit dem Schicksal und mit den sozialen Mäch-
ten, erfahren Angst, Zweifel und Einsamkeit, bleiben aber schließlich der einmal gewählten Aufgabe treu.

Es ist eher diese existentielle Disposition seiner Helden, die dem hustonschen Gesamtwerk Geschlossenheit verleiht, als seine stilistische Kongruenz. Der Niveauunter-
schied zwischen so persönlichen Werken wie *The Maltese Falcon, Asphalt Jungle,
The Treasure of the Sierra Madre* und *Beat the Devil* und denen, bei denen der Regisseur nur geringe Freiheit genoß, etwa *Roots of Heaven* (*Die Wurzeln des Himmels*,
1958) und *The Unforgiven* (*Denen man nicht vergibt*, 1960), ist beträchtlich. Die
meisten seiner späteren Filme gaben Huston nur für die Länge einiger Sequenzen Gelegenheit, seine zentralen Erfahrungen ins Bild zu bringen. Aber auch die »totalen«
Huston-Filme regiert kein einheitlicher Stil. Für Huston selbst bedeutete wie für
seine Helden jedes Unternehmen ein neues Abenteuer. Er selbst hat sich dagegen ver-
wahrt[31], ein Stilkonzept zu benützen: jeder seiner Filme sei ein neuer Beginn. Nicht
selten scheiterte er, wie in *Moulin Rouge*, bei dem Versuch, einen dem Gegenstand
adäquaten Filmstil zu schaffen; aber Hustons Eigenwillen sind Werke und Szenen
von so außerordentlicher Originalität wie die phantastische Groteske *Beat the Devil*
oder die Meerszenen von *Moby Dick* zu verdanken.

Elia Kazan (geb. 1909) hatte bereits eine mehrjährige Karriere als Bühnenregisseur
hinter sich, ehe er 1944 nach Hollywood geholt wurde. Er kam vom *Group Theatre*

her, hatte am Broadway Thornton Wilder, Tennessee Williams und Arthur Miller inszeniert und mit Lee Strasberg zusammen das *Actor's Studio* gegründet. Seine frühen Filme zeichnen sich teilweise durch ihr soziales Engagement aus – so *Gentleman's Agreement* und *Pinky;* andere, wie sein Debütfilm *A Tree Grows in Brooklyn* (Ein Baum wächst in Brooklyn, 1945), bewiesen Kazans Fähigkeit, die Atmosphäre eines Ortes oder einer Region wiederzugeben; am besten gelangen ihm aber die halbdokumentarischen Kriminalfilme *Boomerang* und *Panic in the Streets.* Seine Hauptwerke realisierte Kazan in enger Zusammenarbeit mit drei Autoren: Tennessee Williams, John Steinbeck und Budd Schulberg. Dabei erwies er sich weniger als originärer Erfinder denn als vielseitiger Adapteur. Getreu nach Williams' Intentionen evozierte er in *A Streetcar Named Desire* (Endstation Sehnsucht, 1951) und *Baby Doll* (1956) die für diesen Autor spezifische Stimmung von Verfall, unreifer Sexualität und Hysterie. Budd Schulberg, Autor moralistischer Reportageromane über das zeitgenössische Amerika, inspirierte zwei Melodramen mit kritischen Akzenten: *On the Waterfront* (Faust im Nacken, 1954) und *A Face in the Crowd* (Ein Gesicht in der Menge, 1957); in dem einen beschrieb er den »Aufstand eines Gewissens«: ein Hafenarbeiter stellt sich gegen seine kriminell geführte Gewerkschaft; im anderen schilderte er den Aufstieg eines wandernden Sängers zum größenwahnsinnigen Fernsehstar. Dem mythisierenden Realismus John Steinbecks ordnete Kazan sich wiederum unter in *Viva Zapata* (1952), einer mexikanischen Revolutionärsbiographie, und in *East of Eden* (Jenseits von Eden, 1955), einem mittelwestlichen Familienroman. Zwischen diesen Filmen, seinen ambitioniertesten, entstand *Man on a Tightrope* (Der Mann auf dem Drahtseil, 1953), ein Beitrag zur antikommunistischen Propaganda, mit dem der linker Neigungen verdächtigte Kazan sich zu rehabilitieren versuchte.

Kazans Regie verrät sich am ehesten in seinen Darstellern, von denen einige, wie Marlon Brando und James Dean, von ihm »entdeckt« wurden. Die von ihm und Lee Strasberg im *Actor's Studio* entwickelte, von der Psychoanalyse beeinflußte Spielweise verlieh der Darstellung eine neue Wahrhaftigkeit, die freilich nicht selten in Exhibitionismus ausartete. Die optische Gestalt von Kazans Filmen wurde weitgehend von seinen Mitarbeitern bestimmt: So verdanken *Baby Doll* und *On the Waterfront* ihre Realistik wesentlich dem Kameramann Boris Kaufman. Kaufman, ein Bruder Dsiga Wertows, schuf ein filmisches Gegenstück zur modernen veristischen Fotografie Henri Cartier-Bressons und der newyorker Fotografenschule *(Life):* tiefenscharfe und übersichtlich komponierte Bilder vermitteln den Eindruck totaler Gegenwärtigkeit, dem sich das paroxystische Spiel der im *Actor's Studio* trainierten Darsteller vorzüglich einfügt. Im Widerspruch zu der angestrengten Realistik, die den Ton der meisten Kazan-Filme bestimmt, stehen Impressionen, die wie vom Grund verschütteter Erinnerungen aufsteigen und denen eine lyrische Traumqualität eignet: der Taubenstall über den Dächern New Yorks in *On the Waterfront,* die Schaukel mit den jungen Liebenden in *East of Eden,* die Ebene des Mississippi-Tals mit dem verfallenen Herrenhaus in *Baby Doll.* In den neueren Filmen, die er ohne seine bevorzugten Autoren drehte, *Wild River* (Wilder Strom, 1960) und *Splendor in the Grass* (Fieber im Blut, 1961), folgte Kazan dieser Neigung noch deutlicher und zeichnete lyrische Erinnerungsbilder aus dem ländlichen Tennessee vor dreißig Jahren und aus einer Kleinstadt im Kansas der happy twenties.

Billy Wilder (geb. 1906), gebürtiger Wiener, Reporter und Drehbuchautor in Berlin (Menschen am Sonntag u. a.), kam 1934 in die Vereinigten Staaten und arbeitete mehrere Jahre als Szenarist, vor allem für Ernst Lubitsch, mit dem ihn eine innere

Verwandtschaft verband. Sieht man von verschiedenen kommerziellen und politischen Fleißarbeiten ab, besteht Wilders Œuvre als Regisseur aus zwei Zyklen: einem ernsten und einem komischen. In der Zeit der Schwarzen Serie realisierte Wilder zwei der »klassischen« Filme des Genres, *Double Indemnity* und *Lost Weekend*. Ihnen ließ er im selben Stil *Sunset Boulevard (Boulevard der Dämmerung*, 1950) und *The Big Carnival (Reporter des Satans*, 1951) folgen. Anders als Fritz Lang und Robert Siodmak knüpfte Wilder hier nicht an die deutsche Tradition des symbolisch-fatalistischen Melodrams an, sondern orientierte sich am zeitgenössischen amerikanischen Kriminalroman der Hammett, Chandler und Cain. Bei Wilder weist nichts über das Geschehen hinaus; das Handeln der Personen wird weder erklärt noch bewertet; es folgt denkbar pessimistischen Prämissen. Nur der hemmungslose Egoismus der Protagonisten hält das Geschehen in Gang: Eine Frau arrangiert die Ermordung ihres Mannes, um in den Besitz einer hohen Versicherungssumme zu gelangen *(Double Indemnity)*; ein Mann verfällt mehr und mehr dem Alkohol *(Lost Weekend)*; ein junger Autor nutzt die Eitelkeit eines alternden Hollywood-Stars aus, der selbst vom Ehrgeiz verzehrt wird *(Sunset Boulevard)*; ein Reporter läßt einen Verunglückten sterben, um dadurch eine »große Story« zu bekommen *(The Big Carnival)*. Gelegentlich trifft Wilders »böser Blick« auch soziale Phänomene wie in *The Big Carnival* die Allgegenwart der Reklame, aber dieser Effekt ergibt sich nur beiläufig: Wilders Verachtung gilt mehr dem Individuum als den Institutionen. Wilders Lustspiele unterscheiden sich nicht prinzipiell von seinen ernsten Filmen, denen sie chronologisch folgen. Auch in *The Seven Year Itch (Das verflixte siebte Jahr*, 1955), *Some Like it Hot (Manche mögen's heiß*, 1959), *The Apartment (Das Appartement*, 1960) und *One, Two, Three (Eins, zwei, drei*, 1961) waltet ein totaler Zynismus. Gelegentlich wird in ihnen die Unmenschlichkeit gesellschaftlicher Mechanismen aufgedeckt – so in *The Apartment* die Erniedrigung der Angestellten im Betrieb; zugleich aber lernt der Zuschauer, über das, was den Gestalten des Films angetan wird, in Gelächter auszubrechen. Die Komik der Wilder-Farcen ist derjenigen der Harold-Lloyd-Grotesken und der *Donald-Duck*-Cartoons verwandt: auch sie beziehen ihre Lustigkeit aus dem Anblick des zappelnden Individuums, das sich im Netz der herrschenden Ordnung verfangen hat.

Eben seiner konsequent zynischen Perspektive verdanken Wilders Filme ihre stilistische Kongruenz: alles ist Oberfläche; kein Symbol signalisiert verborgene Hintergründe; die Einstellungen und ihre Abfolge gehorchen einer Ökonomie, die für nichts Irrelevantes Platz läßt. Wilders Talent bewährte sich darin, im nie ermüdenden Stakkatorhythmus, den Dialog, Darstellung und Schnitt in planvollem Wechselspiel erzeugen, das Gesetz des mechanisierten Daseins zu reproduzieren. In seinen Farcen ist der Einfluß der slapstick comedies spürbar; während diese aber in der finalen Explosion fröhlich die Selbstzerstörung einer unmenschlichen Ordnung verheißen, münden Wilders Filme regelmäßig in ein sentimental-versöhnliches Happy-End ein.

Fred Zinnemann (geb. 1907), Siodmaks und Wilders Mitarbeiter bei *Menschen am Sonntag*, seit 1929 in Hollywood, hatte in den dreißiger Jahren der Dokumentarfilmbewegung angehört, mit Paul Strand und Robert Flaherty zusammengearbeitet und Kurzfilme für eine halbdokumentarische Serie, *Crime Doesn't Pay*, gedreht. Im bescheidenen Rahmen quasidokumentarischer Zustandsschilderungen gelangen ihm auch die besten Passagen seiner Spielfilme. Er schilderte das Deutschland Hitlers in dem besten aller in Hollywood hergestellten Antinazi-Filme, *The Seventh Cross* (Das siebte Kreuz, 1944), das Europa der ersten Nachkriegszeit in *The Search (Die*

Gezeichneten, 1948) und eine amerikanische Militärklinik in *The Men* (*Die Männer*, 1950). Mit *Teresa* (1951) schuf er den Film, der den Möglichkeiten eines amerikanischen Neorealismus am nächsten kam: die Geschichte eines jungen GI, der eine Italienerin geheiratet hat und dadurch den Zorn seiner kleinbürgerlichen Verwandtschaft erregt. Die knappen Kriegsbilder erinnern an *Paisà*, die Schilderung des schäbigen Lebens in der newyorker Mietwohnung und der faden Vergnügungen am Strand von Coney Island an King Vidors *The Crowd*. Die »Oscars« für *High Noon (Zwölf Uhr mittags*, 1952) attestierten seinem Schöpfer den Aufstieg zum Starregisseur. Zinnemann schrieb und inszenierte diesen Film mit sicherem Sinn für den dramaturgischen und optischen Aufbau von Spannung. Zugleich diente ihm aber die traditionelle Form des Western dazu, eine »Botschaft« vorzutragen, die deutlich die Enttäuschung der isolierten amerikanischen Linken widerspiegelt: die obligate Einsamkeit des Westerners bildet hier den Vorwand, das verantwortungsbewußte Individuum und die als feige und korrupt dargestellte Menge einander polemisch gegenüberzustellen. In *From Here to Eternity* (*Verdammt in alle Ewigkeit*, 1953) gewann Zinnemann der ambivalenten Schilderung von Kasernendrill und Kommißbetrieb einige formal brillante Sequenzen von zweifelhaftem Reiz ab. Zwischen dem Musical *Oklahoma* (1955) und dem Devotionaliengemälde *The Nun's Story* (*Die Geschichte einer Nonne*, 1959) kehrte der Regisseur in *A Hatful of Rain* (*Giftiger Schnee*, 1957) zu seinen Ausgangspositionen zurück. Eine melodramatisch getönte Rauschgiftgeschichte diente ihm hier als Vorwand für eine schlichte und dekuvrierende Schilderung des Lebens einer Durchschnittsfamilie.

Einige andere Regisseure der älteren Generation bewiesen mit einzelnen Filmen ein spezifisches Talent oder verliehen einer Serie von Streifen geringeren Anspruchs konsistente Form. Das letztere gilt von Anthony Mann (geb. 1907), dem wie keinem anderen die Regeneration des Western zu verdanken ist. *Winchester 73* (1950), *The Naked Spur* (*Nackte Gewalt*, 1953), *The Man from Laramie* (*Der Mann aus Laramie*, 1955) und *The Tin Star* (*Der Stern des Gesetzes*, 1957) sind kleine Meisterwerke ihres Genres, melancholische Bilder eines freien Lebens, in die die Trauer über sein Hinscheiden eingeflossen ist. Jenseits der Grenzen des Western reüssierte Mann nur selten; mit *Men in War* (*Tag ohne Ende*, 1957) gelang ihm ein Kriegsfilm in der Tradition Milestones und Pabsts.

Georges Stevens (geb. 1905) hatte eine Unzahl reiner Unterhaltungsfilme gedreht, ehe er in *A Place in the Sun* (*Ein Platz an der Sonne*, 1950), nach Theodore Dreisers Roman *Eine amerikanische Tragödie*, und vor allem mit *Shane* (*Mein großer Freund Shane*, 1953) einen lyrischen Filmstil ausbildete; wirklich ist Shane »von einer so wohldurchdachten Anmut, daß sich alles wie auf dem Grunde eines klaren Sees abzuspielen scheint« (R. Warshow[32]). Mit *Giant* (*Giganten*, 1956) und *The Diary of Anne Frank* (*Das Tagebuch der Anne Frank*, 1959) stieg Stevens in die Garde der renommierten Hollywood-Regisseure auf – nicht immer zum besten seines Talents.

Joseph L. Mankiewicz (geb. 1909) schließlich ist das Chamäleon unter den amerikanischen Regisseuren: er ist sich selten in zwei Filmen gleich, aber fast stets gleich perfekt. Er erzählte in *All About Eve* (*Alles über Eva*, 1950) mit einer an die Romanciers des 19. Jahrhunderts erinnernden Meisterschaft eine subtile psychologische Novelle; auf erfinderische Weise adaptierte er Shakespeares *Julius Caesar* (1953); mit *The Barefoot Contessa* (*Die barfüßige Gräfin*, 1954) errichtete er seinem Star Ava Gardner ein barockes Denkmal; und in *Guys and Dolls* (*Schwere Jungen, leichte Mädchen*, 1956) versuchte er sich mit partiellem Erfolg am Musical.

Vincente Minnelli und das Musical

Wie die Mode des Gangsterfilms zu Beginn der dreißiger Jahre vom Aufstieg des Musicals begleitet wurde, so die Schwarze Serie der mittleren vierziger Jahre von seiner Wiederbelebung: beide Male fand der Realismus im Musical sein Gegenbild.

Die erste Blüteperiode des Filmmusicals – von 1933 bis 1939 – war von Choreographen und Tänzern bestimmt worden; als es stagnierte, bewirkte das Auftreten eines Regisseurs seine Erneuerung. Vincente Minnelli (geb. 1913) trat schon mit drei Jahren in der Truppe seines Vaters, den *Minnelli Brothers Dramatic Tent Shows*, auf. Er wurde Fotograf und Bühnenbildner, inszenierte am Broadway mehrere Stücke und entwarf zu Revuen in der *Radio City Music Hall* die Dekorationen. 1940 lud ihn die *MGM* zu einem zweijährigen Studienaufenthalt ein, als dessen Ergebnis 1942 sein erstes Filmmusical erschien. Minnellis Regietätigkeit verteilte sich in den nächsten Jahren auf drei Genres: Lustspiele (mit Pandro S. Berman als Produktionschef), Dramen (mit John Houseman) und Musicals (mit Arthur Freed, der auch mit anderen Regisseuren Musicals produzierte). Während Minnellis Lustspiele (wie *Father of the Bride – Vater der Braut*, 1950) und Dramen (*The Bad and the Beautiful – Die Stadt der Illusionen*, 1952) nicht das Niveau geschmackvoller Konfektion überstiegen, bezeichnen seine Musicals eins der glanzvollsten Kapitel der amerikanischen Filmgeschichte.

Minnellis Debütfilm, *Cabin in the Sky* (Ein Eckchen im Himmel, 1942), setzte die Vorstellungen von Negern der Südstaaten in eine gespielte und getanzte Fabel um. *I Doot it* (1943) war eher eine slapstick comedy mit Tanzeinlagen als ein Tanzfilm. *Meet Me in St. Louis* (Triff mich in St. Louis, 1944) setzte die Linie von *Cabin in the Sky* fort: das Leben im amerikanischen Süden zur Zeit der Jahrhundertwende wurde in vier Szenen – für jede Jahreszeit eine – gefaßt, die jeweils von einem alten Foto inspiriert waren. In *The Clock* (Die Uhr, 1944) wählte Minnelli eine aktuelle Situation zum Thema: Während eines zweitägigen Urlaubs in New York lernt ein Soldat ein Mädchen kennen, verliebt sich in sie und heiratet sie. *Ziegfeld Follies* (*Broadway Melodie 1950*, 1945) verzichtete auf eine zusammenhängende Story und verband zehn Szenen (drei wurden von anderen Regisseuren inszeniert), von denen einige wiederum Erinnerungen an die belle époque beschworen. Die in einem südamerikanischen Phantasiestaat spielende Story zu *Yolanda and the Thief* (Yolanda und der Dieb, 1946) wurde Minnelli gegen seinen Willen aufgedrängt; mit dem Vorwurf zu *The Pirate* (Der Pirat, 1947), einer Liebesgeschichte vor dem Hintergrund der karibischen Inseln, war er indessen wieder auf seinem eigentlichen Feld. Der »Oscar«-Regen auf *An American in Paris* (*Ein Amerikaner in Paris*, 1950) bezeichnete den Höhepunkt von Minnellis Karriere; der Film erreichte aber keineswegs die Geschlossenheit und Ausgewogenheit der früheren. Auch in *The Band Wagon* (Vorhang auf, 1952) gibt die Story – ein alternder Tänzer sucht ein Comeback – nur einen schwachen Vorwand für die in ihrem Niveau unterschiedlichen isolierten »Nummern« ab.

Zu der Einheit von Handlung und Choreographie, die schon die Fred-Astaire-Filme der Vorkriegsjahre erreicht hatten, fügte Minnelli in seinen besten Filmen und Szenen die Einheit von Handlung, Tanz und filmischer Form. Der Fortschritt der Farbfilmtechnik kam ihm dabei zustatten; er konnte die Farbe als dramatisches und bildnerisches Element einbeziehen. Eine der charakteristischen Methoden, die er beim Einsatz der Farbe verwandte, war der Umschlag von gedämpften, gedeckten Tönen in buntaufreizende oder umgekehrt. Ein schönes Beispiel zitiert E. Chaumeton[33]: »In dem Sketch *Limehouse Blues* (in *Ziegfeld Follies*, d. V.) fährt, nach der Parade der schwarz kostümierten Narren, in dem von Dämmerung erfüllten Sträßchen ein Radfahrer durch den sich verdichtenden Nebel. Der Ton erstirbt wie der einer auslaufenden Schallplatte, und eine Frau tritt auf in einem grellgelben, enganliegenden Kostüm.« Gelegentlich ist ein Film oder eine Szene ganz auf eine bestimmte Farbkomposition gestimmt, in der das Typische der Zeit oder des Orts der Handlung zum Ausdruck kommt: so ist *Cabin in the Sky* im Sepia-Ton alter Fotografien gehalten, ebenso sind es die Dekors in *Limehouse Blues*. Das Weiß und Rosa von *A Great Lady Has an Interview* (Eine große Dame hat ein Interview), einem anderen Sketch von *Ziegfeld Follies*, verstärkt den ironischen Ton der Szene. Die kunterbunten Farben einer Internatsszene in *Yolanda and the Thief* lassen an Kinderaquarelle denken. In dem großen Ballett von *An American in Paris* schließlich wird jede der neun Szenen farblich von der Palette eines anderen französischen Impressionisten bestimmt.

Am besten war Minnelli stets, wenn er auf amerikanische Legenden und Erinnerungen oder die amerikanische Wirklichkeit anspielte: Der »tiefe Süden« von *Cabin in the Sky* und *Meet Me in St. Louis* und das New York von *The Clock* spiegeln weniger deren Realität als ihr Wesen wider, wie es sich in der Vorstellung der Amerikaner malt. In den vielen Traumszenen seiner Filme wird der illusionistische Charakter dieser Visionen eingestanden; so in *The Pirate*: Hier gehen im Leben einer viktorianischen Beauty Traum und Wirklichkeit fortwährend ineinander über. Stets waltet in Minnellis Filmen eine leichte Ironie, die sich in jenen Sketchs, die aktuelle soziale Erscheinungen anvisieren, zur Satire verdichtet: so in der erwähnten Pressekonferenz eines Stars in *Ziegfeld Follies* und in dem *Girl Hunt Ballett* (Mädchenjagdballett) von *Band Wagon*, einer Parodie auf die Kriminalromane des Mickey Spillane.

Seit 1950 nehmen die reinen Spielfilme Minnellis Aufmerksamkeit in immer stärkerem Maße in Anspruch. In *Lust for Live* (Vincent van Gogh – ein Leben in Leidenschaft, 1955) suchte er van Gogh in einem biographischen Farbfilm zu huldigen – mit ähnlich zweifelhaftem Resultat wie John Huston in *Toulouse-Lautrec*. In seinen Musicals entfernte er sich immer mehr von den Quellen seiner Inspiration, der Folklore und dem amerikanischen Leben: in *Brigadoon* (1953) modernisierte er eine Legende um ein verwunschenes schottisches Dorf, in *Kismet* (1955) ein orientalisches Märchen. *Gigi* (1958) und *Bells Are Ringing* (Anruf genügt – komme ins Haus, 1960), zwei Gesangsfilme ohne Tanz, markieren Minnellis Abschied vom Musical. Sein malerisches Talent verrät sich allenfalls noch im dramaturgischen Einsatz der Farbe in Filmen wie *Designing Woman* (Warum hab' ich ja gesagt, 1957) und *Some Came Running* (Verdammt sind sie alle, 1959).

Aus Minnellis Schule gingen indessen zwei Regisseure hervor, die die Tradition des Musicals in einigen Filmen fortsetzten: Gene Kelly und Stanley Donen. Gene Kelly (geb. 1912) war seit 1942 als Tänzer in zahlreichen Musicals aufgetreten. Stanley Donen (geb. 1924) arbeitete als Choreograph seit 1944 mit Kelly zusammen, u. a. auch an mehreren Minnelli-Filmen. Ihre besten Filme drehten sie gemeinsam: *On the Town* (Heut gehn wir bummeln, 1949), *Singin' in the Rain* (Du sollst mein Glücksstern sein, 1951) und *It's Always Fair Weather* (Vorwiegend heiter, 1955). Unabhängig voneinander drehten beide etliche Spielfilme, die wie bei Minnelli die Erfindungskraft ihrer Musicals nicht entfernt erreichten. Donen realisierte ohne Kelly drei Musicals: *Give a Girl a Break* (Gib einem Mädchen eine Chance, 1951), *Seven Brides for Seven Brothers* (Eine Braut für sieben Brüder, 1954) und *Funny Face* (Ein süßer Fratz, 1956); Kelly ohne Donen eins: *Invitation to the Dance* (Einladung zum Tanz, 1953), das allerdings mehr ein gefilmtes Ballett darstellt als ein echtes Musical.

Gene Kelly kultivierte bereits als Tänzer einen eigenen ironischen Stil, der durch Präzision und Leichtigkeit den Eindruck erweckt, als identifiziere sich der Tänzer nicht mit seiner Rolle, sondern stehe lächelnd neben ihr. (Fred Astaire, der zu oft mit Gene Kelly in Verbindung gebracht wurde, brillierte im Gegensatz dazu gerade in der ungebrochenen Umsetzung von Gefühl: das Schönste in seinen Filmen sind die getanzten Liebeserklärungen.) Die ironische Seite der Minnelli-Musicals ist in denen von Kelly und Donen noch ausgeprägter. Nicht aus der Folklore, sondern aus der modernen Realität bezogen sie ihre Stoffe: *On the Town* schildert die Urlaubserlebnisse dreier Matrosen in New York; *Singin' in the Rain* spielt in Hollywood zur Zeit der Einführung des Tons; *It's Always Fair Weather* handelt von der Wiedersehensfeier von drei Kriegskameraden, zehn Jahre nach ihrer Entlassung. Ähneln die Minnelli-Musicals den liebenswürdigen Komödien Capras, so reichen die von Donen und Kelly an den trockenen Sarkasmus von Sturges heran; das Trio der Kriegskameraden in *It's Always Fair Weather*, in dem jeder (in einer Art dreifachem gesungenem Monolog) seiner Enttäuschung über die beiden anderen freien Lauf läßt, ist ein bitteres Dementi aller Schwärmereien von unverbrüchlicher Frontkämpfersolidarität. Das Ende des Films ähnelt dem der alten slapsticks: die drei, durch Alkoholgenuß schließlich versöhnt, verwüsten ein Fernsehstudio. Auch die Regie Donens und Kellys ist reflektierter als die Minnellis, sie sucht nicht den malerischen Effekt und die Atmosphäre, sondern übt Kritik: in *It's Always Fair Weather* wird die Cinemascope-Leinwand mehrmals in drei Bildfelder geteilt, von denen jedes ironisch zu den beiden anderen kontrastiert; in *Funny Face* verwendet Donen monochrom gefärbte Sequenzen und Stehkader, die die gezeigten Vorgänge ebenfalls distanzieren.

In Filmen wie *Ziegfeld Follies, Singin' in the Rain* und *It's Always Fair Weather* erfüllt das Musical seine schönsten Möglichkeiten. Sie kommen der Wirklichkeit nahe und triumphieren zugleich übermütig über sie; Musik, Tanz und Farbe künden dem »Ernst des Lebens« auf und versprechen den Sieg der Liebe und des Glücks.

Die Generation der fünfziger Jahre

Dank den veränderten Produktionsverhältnissen kam in den fünfziger Jahren eine Reihe jüngerer Regisseure zum Zug, die früher zumindest mit ihren ersten Filmen auf die Formeln der Routine verpflichtet worden wäre. Jetzt zeigte sich häufiger das Gegenteil: daß ein junger Regisseur mit seinem ersten, in völliger Freiheit gedrehten Film sogleich einige Hoffnungen erweckte, sich aber alsbald dem Kommerz verschrieb und in der Anonymität versank. Ein Stroheim oder Welles war ohnehin nicht unter den Debütanten von 1950. Die Besten unter ihnen zeigten sich in einigen ihrer frühen Filme betroffen vom Zustand der Gesellschaft, sie ließen Getretene und Rebellen auftreten, denen ihre offenkundige Sympathie gehörte. Ihr Gestaltungsvermögen reichte indessen selten hinaus über die geschickte Rezeption der von den älteren Regisseuren entwickelten Stilmittel.

Robert Aldrich (geb. 1918) war Assistent bei Chaplin, Renoir, Zinnemann, Milestone und LeRoy und inszenierte zwei erfolgreiche Fernsehserien, ehe er 1953 seinen ersten Spielfilm drehen konnte. Aufsehen erregten zuerst *Apache* (*Massai*, 1954) und *Vera Cruz* (1954), zwei kompositions- und montagesicher gestaltete Abenteurerfilme, und ein Thriller, *Kiss Me Deadly* (*Rattennest*, 1955). Seine beiden Hauptwerke, *The Big Knife* (*Hollywood Story*, 1955) und *Attack* (*Ardennen 1944*, 1956), lehnen sich eng an zeitgenössische Theaterstücke an. Beide stellen extreme Fälle menschlicher Verfehlung in entscheidenden Situationen dar; beide empfehlen radikale Lösungen. In *The Big Knife* (nach Clifford Odets) wählt ein Schauspieler, den ein verbrecherischer Produzent erpreßt, den Freitod, um einen von dem Produzenten geplanten Mord zu verhindern; in *Attack* wird ein unfähiger Offizier, der das Leben seiner Untergebenen gefährdet, von einem seiner Sergeanten gerichtet. Die Schwächen beider Filme liegen im Buch: die Fälle, die sie vorführen, sind so exzeptionell, als daß sie typische Tatbestände treffen könnten. Aldrich kritisiert menschliche Verhaltensweisen, isoliert sie aber von den Zuständen, die sie hervorbringen; diese dienen als bloße Folie. In allen Filmen, bei denen er frei war, schilderte Aldrich die Auseinandersetzung zwischen einem angeschlagenen Idealisten und einem selbstsicheren Zyniker. Seinen ethischen Rigorismus übersetzte er in *The Big Knife* und *Attack* in einen aggressiven optischen Stil: zerrende Einstellungen, schockierende Schnitte und ein outriertes Spiel im Stil des *Actor's Studio* (»er ist der würdigste Sohn von Orson Welles und Elia Kazan«³⁴) sollen den Zuschauer in einen Zustand hysterischer Hochspannung versetzen. Aldrich stellte diese Filme in seiner eigenen Gesellschaft, *The Associates and Aldrich*, her. Der Fehlschlag der beiden letzten zwang ihn, sich wieder anderen Produzenten zu verdingen, die ihm nicht länger freie Hand ließen. Ein Film, *Garment Jungle* (*Ums nackte Leben*, 1957), wurde während der Dreharbeiten einem anderen Regisseur übergeben; in weiteren, die er zumeist in Europa drehte, wie *Ten Seconds to Hell* (*Vor uns die Hölle*, 1958) und *The Angry Hills* (Hügel des Schreckens, 1959), verraten nur mehr Details seine Autorschaft.

Nicholas Ray (geb. 1911), Funk- und Bühnenregisseur, Assistent Kazans bei *A Tree Grows in Brooklyn*, debütierte 1948 in der Filmregie. Von seinen frühen Filmen zeigen die persönlicheren die verzweifelte Suche zumeist sehr junger Menschen nach einer Möglichkeit individueller Erfüllung: so *Knock at Any Door* (*Vor verschlossenen Türen*, 1949), *The Lusty Men* (*Arena der Cowboys*, 1952) und *Run for Cover* (*Im Schatten des Galgens*, 1954). In dem James Dean von *Rebel Without a Cause* (*... denn sie wissen nicht, was sie tun*, 1955) fand der Held Rays seine glaubwürdigste Gestalt: Dean verkörpert hier (mehr noch als in seinen beiden anderen Hauptrollen unter Kazan und Stevens) jene Jugend, der die traditionellen Werte »success« und »prosperity« schal geworden sind und die in der überkommenen Ordnung keinen Rahmen zur Selbstverwirklichung mehr sieht. In späteren Filmen Rays sind es reifere Menschen, die in Scheinlösungen einen Ausweg aus ihrer Malaise suchen: im Rauschgiftgenuß der Provinzlehrer von *Bigger Than Life* (*Eine Handvoll Hoffnung*, 1956), im Krieg der Major von *Bitter Victory* (*Bitter war der Sieg*, 1957). In seiner Regie verriet Ray seine eigene Affinität zum Romantizismus seiner Helden (man hat ihn »Cinéast der Abenddämmerung« genannt³⁵): die dichtesten Szenen seiner Filme sind die, in denen sich die Wunschwelt seiner Helden objektiviert, in denen etwa die Stimmung der Liebenden ihre Umwelt verwandelt. Im Gegensatz zu Aldrich betonte Ray nicht die dramatischen, sondern die lyrischen Komponenten des Filmbildes: seine statischen Strukturen, die Flächen, die tonalen Werte der Fotografie und vor allem der Farbe. Ray war einer der wenigen Regisseure, die das neue Cinemascope-Format sinnvoll zu handhaben wußten. Fragwürdig wurden Rays Filme im selben Maße, in dem er seiner Neigung zum Romantizismus nachgab und Wunschwelt gänzlich als wirklich ausgab, wie in *Wind Across the Everglades* (*Sumpf unter den Füßen*, 1960). Dem kommerziellen Kompromiß, den er lange erfolgreich gemieden hatte, verschrieb er sich schließlich mit *King of Kings* (*König der Könige*, 1961).

Richard Brooks (geb. 1912), nacheinander Reporter, Funkredakteur, Bühnenregisseur und Romanautor, schrieb mehrere Drehbücher zu sozialkritischen Kriminalfilmen von Dassin und Huston, bis er 1950 zur Regie zugelassen wurde. Auch in den von ihm gedrehten Filmen verrät er sich mehr im Drehbuch als in der Inszenierung. Er griff weiterhin soziale und politische Themen auf: die Korruption der Presse mit *Deadline USA* (*Die Maske 'runter*, 1952), den Korea-Krieg mit *Battle Circus* (*Arzt im Zwielicht*, 1953), den Kommißdrill mit *Take the High Ground* (*Sprung auf, marsch, marsch!*, 1953), die Jugendkriminalität in *Blackboard Jungle* (*Die Saat der Gewalt*, 1955). Seine inszenatorischen Mittel lassen sich hier zumeist auf Kazan zurückführen. Subtilere Milieuschilderung bot er in *The Catered Affair* (*Mädchen ohne Mitgift*, 1956), einem kleinbürgerlichen Familiendrama nach einem Fernsehspiel von Paddy Chayefsky. Seit Zinnemanns *Teresa* deckte kein Film so deutlich das Elend derer auf, die total in den Lebenskampf eingespannt sind. In seinen späteren Filmen betätigte sich Brooks als geschickter Adapteur so verschiedenartiger Autoren wie Dostojewski (*The Brothers Karamazow – Die Brüder Karamasow*, 1958), Tennessee Williams (*Cat on a Hot Tin Roof – Die Katze auf dem heißen Blechdach*, 1958) und Sinclair Lewis (*Elmer Gantry*, 1960).

Stanley Kubrick (geb. 1928), schon im Alter von zwanzig Fotograf für die Illustrierte *Look*, drehte mit einundzwanzig Jahren einen Kurzfilm über den Tag eines Boxers. Seine ersten Spielfilme, *Fear and Desire* (Furcht und Begierde, 1953) über eine Kriegsepisode und *The Killer's Kiss* (*Der Tiger von New York*, 1955) über Boxer und Gangster, stellte er noch unter den Bedingungen des Amateurfilms her; den zweiten erwarb United Artists nach seiner Fertigstellung zur Auswertung. Nach *The Killing* (*Die Rechnung ging nicht auf*, 1956), der Geschichte eines Kassenraubs, drehte er mit *Paths of Glory* (*Wege zum Ruhm*, 1957) sein ambitioniertestes Werk: Ein französischer General erteilt im Ersten Weltkrieg aus reiner Renommiersucht einen unsinnigen Angriffsbefehl; weil ihre Einheiten dem Befehl nicht gehorcht haben, werden drei Soldaten vor Gericht gestellt, zum Tode verurteilt und erschossen. Mehr als alle jüngeren Hollywood-Regisseure bewies Kubrick einen reflektierten Stil. In *The Killer's Kiss* läßt er objektive und subjektive Sequenzen derart aufeinander folgen, daß eine die andere verfremdet und kommentiert; die Kamera identifiziert sich einmal mit dem Helden (etwa während eines Boxkampfes) und objektiviert seine Perspektive dann durch den jähen Sprung in die Distanz. In *Paths of Glory* gelangen ihm die Passagen am besten, die die Welt der hohen Offiziere beschreiben: eine ständig mobile Kamera deckt die Starrheit einer von zynischer Konvention beherrschten Schicht auf; beiläufige Gesten und Bemerkungen werden registriert und entlarven die Mentalität der Generale und Stabsoffiziere. Daß die Aufdeckung von Abgründen des Bewußtseins Kubricks eigentliche Stärke ist, erwies die vergleichsweise indifferente Gestaltung der objektiv-beschreibenden Teile, wie des Sturmangriffs. Nach der vornehmlich kommerziell orientierten Monstreproduktion *Spartacus* (1960), bei der seine individuelleren Intentionen vom Apparat erschlagen wurden, scheiterte Kubrick an der Verfilmung von Vladimir Nabokovs Erfolgsroman *Lolita* (1962). Die skandalumwitterte literarische Vorlage erfuhr in der Filmversion hollywoodgerechte Verbiederung.

Frank Tashlin (geb. 1913) unterschied sich nach Ausbildung und künstlerischer Neigung deutlich von allen seinen Generationsgenossen. Er arbeitete seit 1930 an Zeichenfilmen, zuerst als Zeichner, dann als Autor und Regisseur, betreute als Szenarist und »Gagman« zahlreiche Grotesken und publizierte mehrere Bilderbücher. In einer Reihe langer Groteskfilme entwickelte er ab 1951 seinen spezifischen Witz, der in

Hollywood or Bust (Alles um Anita, 1956), The Girl Can't Help It (Schlagerpiraten, 1956) und Will Success Spoil Rock Hunter (Sirene in Blond, 1957) seine Vollendung erlebte. Tashlin karikierte verschiedene Aspekte der amerikanischen Kulturindustrie, den Starkult, die Schlagerproduktion, den Reklamerummel, das Fernsehen. Seine Ausbildung im Zeichenfilm verrät sich in den bildhaften Gags: beim Anblick einer Sexbombe etwa springen einem Zuschauer die Brillengläser, während einem Milchmann die Flasche in der Hand überkocht. Die Gestalten dieser Filme entstammen der Psychopathologie des amerikanischen Alltags: ein Kino-Fan, der nur solchen Situationen gewachsen ist, die ihn an ähnliche in Filmen erinnern, die er gesehen hat (Hollywood or Bust), eine völlig unmusikalische Blondine, die durch ihr Talent, spitze Schreie auszustoßen, zum Rock-'n'-Roll-Star avanciert (The Girl Can't Help It), ein Reklameagent, der eine Diva heiratet, um dem von ihm vertretenen Waschmittel zum Erfolg zu verhelfen (Will Success Spoil Rock Hunter). Der Witz dieser Filme ist freilich ungleich versöhnlicher als der von Preston Sturges; er erhebt sich nur leicht über die Mentalität, die er trifft. Im selben Maße, in dem Tashlin »seriöser« wurde, schwand aus seinen Filmen die kritische Distanz zum Gegenstand. In Say One For Me (Engel auf heißem Pflaster, 1959) lieferte er dem Angriff auf alle Sektoren der Kulturindustrie, der aus seinen früheren Filmen sprach, dessen christlich drapierte Rechtfertigung nach.

Ein Reservoir an neuen Talenten bildete sich zwischen 1947 und 1955 beim Fernsehen. Die Sender boten, als sie von den Hollywood-Konzernen boykottiert wurden, jungen Autoren und Regisseuren Chancen, die diese beim Film so bald nicht gefunden hätten. Nachdem ihre Stücke und Inszenierungen auf den Fernsehschirmen Erfolg gehabt hatten, betrauten unabhängige Produzenten sie mit ihrer Verfilmung. 1955 ließ als erste Hecht-Lancaster den Fernsehregisseur Delbert Mann (geb. 1920) seine Inszenierung von Paddy Chayefskys Marty für die Kinoleinwand adaptieren. Später arbeiteten Mann und Chayefsky an The Bachelor Party (Junggesellen-Party, 1955) und Middle of the Night (Mitten in der Nacht, 1959) zusammen. Die Neuartigkeit der ersten Mann-Chayefsky-Filme lag mehr im Thematischen als im Formalen. Manns Regie, der visuellen Anspruchslosigkeit der Fernsehregie verpflichtet, machte nicht mehr sinnfällig, als Dialog und Darstellung von sich aus mitteilten. Chayefskys Storys hingegen leiteten eine intensivere Bemühung um die Darstellung des amerikanischen Alltags ein. Das Glück seiner Helden – zumeist kleinbürgerlicher Liebes- und Ehepaare – wird nicht spektakulär von macht- und mordlustigen Banden oder Gewerkschaften bedroht, wie in den kritischen Filmen älterer Regisseure, sondern vom subtileren, aber nicht weniger nachdrücklichen Anspruch der sozialen Gruppen, denen sie angehören: Betriebsgemeinschaft, Familie, Nachbarschaftskollektiv. Eine Kameraderie von Junggesellen mittleren Alters beantwortet den Ausbruchsversuch eines der Ihren mit psychischem Terror (Marty); ein kleiner Angestellter wird zwischen den Anforderungen des Bürobetriebs und denen einer zu jung geschlossenen Ehe zerrieben (The Bachelor Party); einem alternden Geschäftsmann wird der Gedanke an eine Ehe durch die von Vorurteilen beherrschte Verwandtschaft fast verleidet (Middle of the Night). Freilich geben diese Filme nicht mehr als eine Symptomatologie; tieferen Einsichten verschließen sie sich durch vorschnelle Patentlösungen.

Der Erfolg, den Marty beim Publikum, bei den Juroren von Cannes und den Vergebern der »Oscars« hatte, verhalf auch anderen Fernsehleuten zu Verträgen. Fast alle diese verfilmten Fernsehstücke befassen sich mit dem übermäßigen Anspruch des Kollektivs an das Individuum. Sidney Lumet (geb. 1924) lieferte mit Twelve Angry Men

(*Die zwölf Geschworenen*, 1956) ein eindringliches Traktat über das Vorurteil: in den Gestalten der zwölf Geschworenen werden dessen verschiedenartige Äußerungen präzis getroffen. Die zwischen den Personen herrschende Spannung setzte Lumet, unterstützt von seinem Kameramann Boris Kaufman, in dynamische Einstellungsfolgen um, die die Gefahr der optischen Monotonie, die jedem in einem einzigen Raum spielenden Film droht, wirksam bannten. Martin Ritt (geb. 1920) eiferte in seinem ersten Film, *The Edge of the City* (*Ein Mann besiegt die Angst*, 1955), Kazans *On the Waterfront* nach; sein zweiter, *No Down Payment* (*Fenster ohne Vorhang*, 1956) brachte indessen eine überzeugende Kritik amerikanischer »Nachbarschafts«-Ideologie. Robert Mulligan (geb. 1930) zeigte in *Fear Strikes Out* (*Die Nacht kennt keine Schatten*, 1956), wie ein jugendlicher Baseballspieler durch Eltern, Trainer und Publikum zu Leistungen aufgeputscht wird, die seine Kräfte übersteigen. John Frankenheimer (geb. 1930) ließ in *The Young Stranger* (*Das nackte Gesicht*, 1957) einen jugendlichen Rebellen gegen seine Familie sich empören. Jack Garfein schilderte in *End as a Man* (*Stirb wie ein Mann*, 1956), wie sadistische Militärkadetten schwächere Kameraden terrorisieren.

Die Hoffnungen, die sich um 1955 an das Auftreten der Überläufer vom Fernsehen knüpften, zerrannen bald. Soweit diese sich in Hollywood behaupten konnten, verschrieben sie sich dem hochtrabenden Stil kostspieliger Literaturverfilmungen oder lieferten Wiederholungen ihrer eigenen Debütfilme. Deren Einfluß machte sich lediglich in einigen wenigen Filmen älterer Regisseure bemerkbar, wie etwa in Brooks' *The Catered Affair*. »Alles, was sie vollbrachten«, resümierte am Ende der Dekade Jonas Mekas [36], der Sprecher der neuen newyorker Schule, »war, den amerikanischen Film ein bißchen näher an die Erde gebracht zu haben, oder vielleicht sollte ich besser sagen: näher an Bronx; sie schufen ein Kino des Mittelstandes.« Nicht nur thematisch qualifizierten sich die Filme der Mann, Lumet, Ritt usw. als »Kino des Mittelstandes«; sie hatten auch teil an dessen Ideologie; wohl beschrieben sie korrekt die Nöte des »kleinen Mannes«, zugleich aber gaben sie vor, daß diesen durch individuelle Anstrengungen abzuhelfen sei. So scharf auch die Symptome der Unfreiheit anvisiert werden: stets springen die Helden am Ende über den Schatten des eigenen Vorurteils, widersetzen sie sich den Agenten des Kollektivs, die dann auch prompt die Waffen strecken. Schließlich weist auch der distanzlose naturalistische Stil dieser Filme auf die Beschränktheit ihrer geistigen Perspektive hin: ihr Blick reicht weder über den engen Gesichtskreis ihrer Protagonisten hinaus, noch dringt er tiefer unter die Oberfläche als der ihre.

Zeichenfilm ohne Disney

Vom Beginn der Tonfilmzeit bis zum Ende des Krieges trug der amerikanische Zeichenfilm nur einen Namen: Walt Disney. Was außerhalb seines Ateliers im kalifornischen Burbank entstand, konnte sich nicht durchsetzen oder folgte sklavisch seinen Spuren. Das sollte sich nach dem Kriege ändern: eine neue Gesellschaft, Stephen Bosustows *United Productions of America* (*UPA*), brach Disneys Monopol und drängte ihn sogar kommerziell auf den zweiten Platz ab. Bosustow, ein gebürtiger Kanadier, hatte sieben Jahre als Animator in Disneys Betrieb gearbeitet, bis er nach einem Streik im Jahre 1941 entlassen wurde. Von einer Schiffsbaufirma erhielt er den Auftrag zu einem Instruktionsfilm über Unfallverhütung. Durch diesen Streifen wurde wiederum

Frank Capra auf Bosustow aufmerksam und engagierte ihn für den von ihm geleiteten Armeefilmdienst. Es folgten Aufträge von der Vereinigten Automobilarbeitergewerkschaft zu einem Film gegen Rassenvorurteile, *Brotherhood of Men* (Alle Menschen sind Brüder, 1943), und vom Wahlkomitee der Demokratischen Partei zu einem Werbefilm für Roosevelt, *Hellbent for Election* (Weg frei zur Wahl, 1944). 1944 gründete Bosustow die *UPA*. Als 1948 die *Columbia* ihre Beiprogrammstreifen bei ihm bestellte, konnte er sich in Burbank als Nachbar Disneys mit einem eigenen Studio etablieren, das schließlich über zweihundert Angestellte beschäftigte.

Mit Disneys Hervorbringungen verband die der *UPA* nur mehr die Herstellungstechnik. Disney hatte seine Filme auf den Geschmack von Kindern ausgerichtet (den er selbst damit nachdrücklich manipulierte), Bosustow wandte sich dagegen an Erwachsene. Statt putzigen Tierlein Menschennatur zu leihen, brachte Bosustow menschliche Gestalten auf die Leinwand, die er aber derart reduzierte, daß ihr Wesen zutage trat: das Wesen des modernen, durch Betrieb, Technik, Reklame, Sport, Militär, Film und Psychoanalyse geprägten Menschen. Ihn präsentieren die *UPA*-Filme in seiner absurden Existenz. »An die Stelle anthropomorpher Tiere traten... mechanomorphe Menschen« (R. E. Thiel[37]). Bosustow verzichtete auf die durchgepausten (»gekinoxten«) Bewegungen, die gefälligen Kurven, die Bonbonfarben-Palette. Er führte die »partielle Animation« ein, bei der Teile der gezeichneten Figuren starr bleiben und nur linear bewegt werden. Von allen erdenklichen Tendenzen in Literatur, Malerei, Grafik, Fotografie, Musik, Theater und Realfilm ließ Bosustow sich anregen. Statt Kindermärchen und Tiergeschichten zu verfilmen, studierte er die moderne Literaturgeschichte bis zurück zu E. A. Poe. Die Aufhebung der Chronologie und die Verschränkung von Gegenwart und Vergangenheit in einigen seiner Filme läßt an den modernen Roman und Spielfilm denken; die kontinuierliche Verwandlung der Szenerie erinnert an die Substitutionstricks früher Stummfilme, das »Fragmentarische« des Dekors an moderne Bühnenbilder oder auch an Modefotos. Die abstrahierte Kontur der Figuren geht auf Saul Steinberg und James Thurber zurück, ihre Physiognomie und ihre Bewegungen gemahnen dagegen an Filmkomiker wie Buster Keaton und W. C. Fields. Wie Minnelli in seinen Musicals ließen die *UPA*-Filmzeichner sich von der Farbskala moderner Maler anregen. Statt der opulenten Tschaikowski-Partituren der Disney-Filme verwendeten die der *UPA* Jazz; Geräuscheffekte übernahmen sie von Experimenten des Rundfunks.

Von diesen vielfältigen Quellen, in deren Aufzählung bereits das künstlerische Programm der *UPA* zum Ausdruck kommt, machten die einzelnen Regisseure einen durchaus persönlichen Gebrauch. Bosustow selbst arbeitete nach 1948 nur noch als Produzent. In *Brotherhood of Men* hatte er sich zeichnerisch ganz nach Steinberg gerichtet, dramaturgisch aber auf die Doppelbelichtungen (»Geisterbilder«) des Stummfilms zurückgegriffen: von den Körpern der Figuren lösen sich gelbe Schemen – der »böse Geist« der Menschen – und blasen ihnen ihre Vorurteile ein.

Robert Cannon bevölkerte seine Filme mit kleinen Monstren: das »Zeitalter des Kindes« wird in ihnen zu einer Vision des Schreckens. *Madeline* (1953) ließ erst ahnen, was folgen würde; das kleine Mädchen mit seiner gesteuerten Hypochondrie, mit der sie die Erfüllung jedes Wunsches erreicht, ist noch eine freundliche Schwester jenes *Christopher Crumpet* (1953), der seine Eltern durch die beliebige Verwandlung in ein Huhn oder einen Hund terrorisiert; wenn sich der Haarschopf des kleinen Teufels zu einem roten Hahnenkamm verfärbt (die einzige Farbe in dem sonst schwarzweißen Bild) und die »Verwandlung« beginnt, bleibt dem Zuschauer das Lachen im

Halse stecken. Cannon ließ in *Willy the Kid* (1952) den jugendlichen Killer der Wild-
westlegende wiedererstehen und verlieh in *The Oompaahs* (1952) dem Ärger haus-
musikfreudiger Eltern über ihre jazzfanatischen Söhne Ausdruck. Cannons Reservat
wurde auch die populäre *Gerald McBoing-Boing*-Serie (ab 1954), deren Held, wieder ein schrecklicher Knabe, statt menschliche Laute hervorzubringen, nur Geräusche
imitiert – dies allerdings so perfekt, daß sein Vater automatisch Deckung sucht, wenn
er Maschinengewehrknattern ertönen läßt.

John Hubleys Modernität lag vor allem in seiner Erzählweise: mit *Rooty Toot Toot*
(1952), dem Meisterwerk der Schule, lieferte er eine Art Viertelstunden-*Citizen Kane*
oder -*Rashomon*. Im Rahmen einer Gerichtsverhandlung sieht man drei Versionen
der Mordballade von *Frankie und Johnny*, die des Wirts, in dessen Kneipe Johnny von
Frankie erschossen wurde, die der Hetäre Nelly Bligh und die von Frankies Anwalt.
Beim Wechsel des Tempus werden die Umrisse der Gestalten beibehalten, nur die
Hintergründe wechseln. Die Farbe gibt die Stimmung wieder: am Ende, wenn es
Frankie wider Erwarten doch an den Kragen geht, verbleicht ein enthusiastisches
Schwarz-Rot zu tristem Grau-Gelb. Längere Zeitabschnitte werden elliptisch so ele-
gant gerafft wie sonst nur bei Orson Welles: Hubley qualifizierte sich dadurch für die
gezeichneten Überleitungen in dem Spielfilm *The Four Poster* (*Das Himmelbett*,
1953), durch die die zeitlich auseinanderliegenden Akte verknüpft werden.

Pete Burness spezialisierte sich auf die *Mr. Magoo*-Serie (ab 1953), die der *UPA* vor
allem zum Erfolg in den Filmtheatern verhalf. Mr. Magoo ist ein Mann mittleren Alters, der wegen seiner Kurzsichtigkeit allen Gegenständen und Vorgängen grundsätz-
lich eine falsche Bedeutung beimißt und nur durch ein gütiges Geschick davor bewahrt
bleibt, eines schnellen Todes zu sterben: der Inbegriff des Kleinbürgertums, das blind
in alle Katastrophen hineinrennt und sie dennoch überlebt.

Auch in ihren kühnsten Experimenten blieb die *UPA* freilich am Markt orientiert;
Bosustow war überzeugt, Kunst und Publikumsnachfrage versöhnen zu können. Sein
Optimismus bewährte sich, solange seine Regisseure bei der gezeichneten Short Story
stehenblieben. Als einige darüber hinausstrebten, kam es zu Kontroversen, in deren
Verlauf ein Teil der begabtesten Mitarbeiter Bosustow verließ. Für seinen ersten
abendfüllenden Film, *1001 Arabian Nights* (*Wenn es Nacht wird in Arabien*, 1959),
holte sich Bosustow statt dessen Jack Kinney, einen Disney-Veteranen, von dem schon
die Hintergründe zu *Pinocchio* stammten. Kinney realisierte die aus orientalischen
Märchenmotiven und den Formeln der *Magoo*-Serie geklitterte Geschichte überwiegend im Stil der disneyschen Ladenhüter.

Über den *UPA*-Stil hinausgeführt wurde der amerikanische Zeichenfilm durch die
Zeichner, die sich von Bosustow gelöst hatten. John Hubley machte sich schon 1953
unabhängig und gründete 1957 seine Firma *Storyboard*. Ihm folgten Ernst Pintoff, der
sich ebenfalls selbständig machte, und das Tandem Gene Deitsch-Al Kouzel, die bei der
Fox ein neues Betätigungsfeld fanden. Hubley und Pintoff führen als Unternehmer
und Künstler ein Doppelleben: sie produzieren Werbestreifen für Kino und Fernsehen
und drehen Zeichenfilme, in denen sie keinerlei Konzession an mögliche Käufer
machen.

John Hubley löste sich in seinen späteren Filmen vom kontinuierlichen Lauf der
Bewegung, von der korrekt ausgezogenen Linie und von der unveränderlichen Lokal-
farbe, an denen er bei der *UPA* noch festgehalten hatte. Die Bewegungen werden nun
ruckhaft, die Formen verlieren ihre feste Kontur, die Farben beginnen zu flackern. Die
Striche der Skizzen zu Hintergründen und Hauptphasen (»rough animation«)

sind zuweilen deutlich zu erkennen. Bild und Bewegung erhalten etwas von der beabsichtigten Willkür tachistischer Gemälde oder gewisser Spielfilme der »newyorker Schule«. In *Tender Game* (Zartes Spiel, 1959) werden zudem starre Einstellungen einem unkontrollierbaren Entwicklungsverfahren unterworfen. Die Thematik wird fast abstrakt: in *Adventures of ** (sprich: »of an asterisk«, Abenteuer eines Sternchens, 1957) sind die Hauptfiguren ein Baby und ein dessen Phantasie entsprungenes sternförmiges Gebilde, die zusammen allerlei skurrilen Schabernack treiben. Dazu verwendet Hubley in *Moonbird* (Mondvogel, 1960) als Textfolie den teilweise kaum artikulierten Dialog zweier Kleinstkinder.

Gene Deitsch und Ernst Pintoff unterziehen Formen und Bewegungen einer extremen Vereinfachung, zugleich dient ihnen das Cinemascope-Format dazu, monströse Formkontraste zu produzieren. Deitsch läßt in *The Juggler of Our Lady* (Der Jongleur unserer lieben Frau, 1956) einen kleinen Mönch mit seinen Jonglierkunststückchen die riesige Leinwand füllen. In Pintoffs *Flebus* (1957) läuft ein winziges Nur-Kopf-Wesen waagrecht über die völlig einfarbige Leinwand. In *The Interview* (1961) stehen sich ein Reporter und ein Jazzmusiker starr gegenüber; ihre Figuren bewegen nur abrupt einzelne Gliedmaßen, während sie einen hoffnungslosen Schnellfeuerdialog führen, den der Musiker in einem dem Reporter unverständlichen Jazz-Jargon bestreitet.

Hubley und Pintoff teilen den Ehrgeiz, der noch jedem Trickfilmgestalter (mit der einen Ausnahme Karel Zemans) zu Verderben gereichte: über die Form des gezeichneten Kurzfilms hinauszukommen. Hubley unternimmt in dem abendfüllenden Zeichenfilm *Of Stars and Men* (Von Sternen und Menschen, 1961) den Versuch, Raum Zeit, Materie und Energie im Stil eines *Reader's Digest*–»condensed book« zu erklären. Pintoff realisierte einen Kurzspielfilm, *The Shoes* (Die Schuhe, 1961), und plant einen Langspielfilm.

Die Entdeckung der überseeischen Filmländer

Der Film hat seine eigene »Geschichte der Entdeckungen«. Immer noch weist die Landkarte des durchschnittlichen westeuropäischen Kinobesuchers große weiße Flekken auf. »Erschlossen« sind für ihn die Vereinigten Staaten und die meisten europäischen Länder diesseits des Eisernen Vorhangs. Selbst von diesen wurden aber einige erst nach dem Kriege entdeckt – so Spanien und Griechenland, oder wiederentdeckt – wie Italien und Schweden. Der italienische Neorealismus konnte sich erst nach mehreren Jahren im Bewußtsein der Zuschauer nördlich der Alpen durchsetzen; der schwedische Film kehrte erst mit den Erfolgen Ingmar Bergmans auf die Leinwände Mittel- und Westeuropas zurück; der sowjetische durchbrach erst nach den Festivalerfolgen von *Der Einundvierzigste* und *Wenn die Kraniche ziehen* die Blockade. Heute noch (1962) kann sich der Filmfreund diesseits des Eisernen Vorhangs nur eine oberflächliche Kenntnis des osteuropäischen Films verschaffen. Völlig unbekannt aber ist lange Zeit der Film der iberoamerikanischen Länder, Afrikas und Asiens geblieben.

Bis zum Zweiten Weltkrieg konnten selbst die professionellen Filmkenner und Festivaliers sich nur ein lückenhaftes und zufälliges Bild vom Film in den exotischen Ländern machen. Bei den iberoamerikanischen und afrikanischen Ländern, auch einigen asiatischen hatte das seinen guten Grund darin, daß die Produktion hier noch nicht über die primitiven Anfangsgründe hinausgelangt war. Aber Japan und Indien verfügten bereits seit den Stummfilmjahren über eine umfangreiche Produktion, die einzelne künstlerisch beachtliche Werke aufwies.

Die Entdeckung der überseeischen Filmländer durch Europa vollzog sich nach dem Zweiten Weltkrieg – dank der steigenden Bedeutung, die die Festivals von Cannes, Venedig, Karlsbad und Berlin erlangten. Wenigstens für die Kritik gewann der mexikanische, argentinische, japanische und indische Film nun Kontur. Das Publikum blieb zwar zunächst von den Entdeckungen ausgeschlossen; mit einer Verspätung von mehreren Jahren begannen Außenseiter unter den Importeuren und Verleihern aber damit, das Versäumte nachzuholen. Japanische und mexikanische Filme gehören heute zum Spielplan französischer und amerikanischer Kunstkinos, indische Filme können in England und Italien gezeigt werden. Zögernd nimmt selbst die Bundesrepublik von ihnen Notiz.

Zu den Ländern, die erst während der Kriege eine nationale Produktion aufbauen konnten, gehörten die amerikanischen Staaten, abgesehen natürlich von den USA. In Mexiko, Brasilien und Argentinien entwickelten sich nationale Filmindustrien zwar seit der Stummfilmzeit, konnten sich aber gegen die übermächtige nordamerikanische Konkurrenz nicht behaupten. In Kanada wurde 1941 das staatliche *National Film Board of Canada* gegründet und John Grierson als sein Direktor berufen. Das *NFB* produzierte hauptsächlich Dokumentarfilme; seinen Ruf als künstlerisches Experimentierzentrum verdankte es indessen vornehmlich den Trickfilmen, die in dem zunächst von Norman McLaren geleiteten Studio entstanden.

Der mexikanische Film meldete sich 1946 in Cannes mit Emilio Fernandez' *Maria*

Candelaria zu Wort. Die wichtigsten Filme Mexikos aus der Vorkriegszeit waren Eisensteins *¡Que viva Mexico!* (1931) und der von Fred Zinnemann, dem Mexikaner Gomès Muriel und dem newyorker Fotografen Paul Strand hergestellte Film *Redes* (Netze, 1935; auch bekannt als *Pescados* – Fische), die Geschichte einer Fischerrevolte gegen ausbeuterische Großhändler; dieser Film nahm das Thema von *La Terra trema* vorweg. Nach 1940 erlebte der mexikanische Film dank einem Schutzgesetz der Regierung, das mexikanischen Filmen die halbe Spielzeit aller Kinos reservierte, einen bedeutenden Aufschwung: bis 1950 stieg die Produktion auf hundert Filme im Jahr.

Künstlerische Ambitionen verrieten zum erstenmal die Filme von Emilio Fernandez (geb. 1904). Fernandez, der als Revolutionär zeitweilig in die USA emigrieren mußte, drehte 1944 *Maria Candelaria*; in *La Perla (Mexikanische Romanze*, 1946) nach einem Drehbuch von John Steinbeck, erzählte er die Geschichte eines indianischen Austernfischers, dem weiße Banditen eine wertvolle Perle abzujagen suchen, bis der Fischer sie wieder ins Meer zurückwirft; *La Red* (Das Netz, 1953) ist ein Eifersuchtsdrama zwischen flüchtigen Verbrechern. Ihre Charakteristik bezogen diese Filme vor allem aus der kunstvoll raffinierten Fotografie Gabriel Figueroas, der seinen Bildern durch akzentuierte Helldunkelkontraste Glanz und Tiefe zu geben verstand; wenn seine Fotografie auch von der mexikanischen Gegenwartsmalerei der Rivera, Orozco und Siqueiros inspiriert war, so stand sie in ihrem ästhetischen Schönheitsstreben doch dem Romantizismus pittoresker Postkartenbilder nahe.

Die Auswanderung spanischer Republikaner nach Mexiko brachte dem mexikanischen Film neue Blutzufuhr. Das galt vor allem für Luis Buñuel, der 1946 aus den USA kommend in Mexiko eintraf und für den Mexiko zum zweiten Heimatland wurde. Ein anderer spanischer Emigrant, Carlos Velo, gründete in Mexiko eine Produktionsfirma für Kurzfilme und drehte 1956 den Spielfilm *¡Toro!* (Stier!), eine kritische Auseinandersetzung mit dem Stierkampfwesen. Velo arbeitete auch an der Montage von Benito Alazrakis Film *Raices* (1954). Der indianische Regisseur schuf mit *Raices* den ersten wirklich authentischen, nicht von europäischen Folklorevorstellungen beeinflußten Film über Mexiko und seine inneren Konflikte.

Brasiliens Filmproduktion stagnierte bis 1949, als der gebürtige Brasilianer Alberto Cavalcanti in seine Heimat zurückkehrte, um die Leitung einer neuen Produktionsfirma, der *Vera Cruz*, zu übernehmen, die sich die Entwicklung des brasilianischen Films zur Aufgabe gemacht hatte. Zum erfolgreichsten Film der *Vera Cruz* wurde *O Cangaceiro* (Die Gesetzlosen, 1953), eine mythische Räuberballade; ihr Regisseur Lima Barreto war zunächst mit Kurzfilmen über Kunst hervorgetreten. Cavalcanti drehte auch selbst Filme, so *Simao, o caolho* (Simon, der Einäugige, 1952), eine Komödie, oder *O Canto do mar* (Das Lied des Meeres, 1953). Die *Vera Cruz* mußte jedoch die Produktion wieder einstellen, als es nicht gelang, ihre Filme zu exportieren, und die amerikanischen Filme konnten wieder achtzig Prozent der Kinospielpläne für sich mit Beschlag belegen. Trotzdem weist die Produktion Brasiliens (jährlich etwa dreißig Filme) selbständige Züge auf: vor allem der junge Regisseur Nelson Pereira dos Santos brachte mit *Rio 40°* (1956) und *Rio Zona norte* (Rio, Nordzone, 1957) realistische Querschnittsfilme über das Leben der brasilianischen Hauptstadt zustande.

Neuerdings erregte der Regisseur Anselmo Duarte Aufsehen mit *O pagador de promesas* (Das Versprechen, 1962): in diesem Film verweigert ein Priester einem Pilger Eintritt in die Kirche, weil er in dessen Frömmigkeit heidnische Züge konstatiert; diese Geschichte wird in einem manchmal ungeschlachten, aber immer unmittelbaren Bildstil erzählt.

Argentiniens Filmproduktion (etwa vierzig Filme jährlich) spezialisierte sich unter dem Regime Perón auf mondäne Salondramen. Einzig Leopoldo Torre-Nilsson (geb. 1925) vermochte eine Reihe von Filmen zu realisieren, die Kritik an den politischen und sozialen Verhältnissen des Landes mit nuancierter Charakterzeichnung und der Ausmalung makabrer Grenzsituationen vereinten. Torre-Nilsson wurde mit *La Casa del Angel* (Das Haus des Engels, 1957) bekannt; zu seinen wichtigsten Filmen gehören *Fin de fiesta* (Das Ende des Fests, 1960) und *La mano en la trampa* (Die Hand in der Falle, 1961).

Die Geschichte des chinesischen Films geht bis in die Zeit vor dem Ersten Weltkrieg zurück. In. den zwanziger und dreißiger Jahren war Schanghai das Zentrum einer nicht unbedeutenden Filmproduktion, deren Erzeugnisse auch exportiert wurden; in den späteren dreißiger Jahren bildete sich ein weiteres Produktionszentrum in Hongkong. Auch nach dem chinesischen Bürgerkrieg bestand unter Mao Tse-tung zunächst noch eine private Filmproduktion. Mehrere Filme verherrlichten den Widerstandskampf gegen die japanische Besatzung im Zweiten Weltkrieg und die chinesische Revolution: So *Töchter Chinas* (1949) von Ling Tse-feng und Chai Ching. Künstlerisches Interesse besaßen daneben die Verfilmungen klassischer chinesischer Opern: *Das Mädchen mit den weißen Haaren* (1950) von Wang Pin und Shui Hua und *Die Liebe von Liang Shan-po und Chu Jing-tai* (1953) von Sang Hu und Huang Sha. Die Produktion Volkschinas hat sich von bescheidenen Anfängen heute auf eine Höhe von etwa hundert Filmen pro Jahr entwickelt. Eine noch größere Filmproduktion kann die britische Kolonie Hongkong aufweisen: dort entstehen jährlich über zweihundert, künstlerisch aber meist belanglose und nur für den Export in die ostasiatischen Länder gedrehte Spielfilme.

Einzelne japanische Filme gelangten auch vor dem Zweiten Weltkrieg nach Europa. Sie vermochten aber nicht, ein repräsentatives Bild des japanischen Filmschaffens zu vermitteln. Zu dieser Zeit produzierten die Studios von Tokio und Osaka bereits jährlich um fünfhundert mittellange und abendfüllende Spielfilme – zeitweilig mehr als die Vereinigten Staaten. Die nationale Geschichte des japanischen Films ist vermutlich nicht minder reich an bedeutenden Gestalten und Werken als die amerikanische, französische oder deutsche; aber außer den beiden amerikanischen Cinephilen J. L. Anderson und D. Richie vermag kein westlicher Beobachter darüber ein verbindliches Urteil abzugeben. Erst der Erfolg von *Rashomon* bei den venezianischen Festspielen von 1951· erschloß den westlichen Kinos den japanischen Film. Festspielpreise für japanische Filme waren in den folgenden Jahren nichts Ungewöhnliches mehr. Die Regisseure Akira Kurosawa und Kenji Mizoguchi sahen sich mit ihren neueren Filmen am vollständigsten vertreten; Retrospektiven in Cinematheken und bei Festivals sorgten dafür, daß ihr Werk zumindest den »Eingeweihten« zum Begriff wurde. Zu Unrecht indessen wird mit ihrem Werk die gesamte fernöstliche Filmkunst identifiziert. Nach einzelnen Filmen, die von ihnen in Europa zu sehen waren, müssen auch andere Regisseure unter die bedeutendsten Filmgestalter der Welt gerechnet werden. Mit *Tokyo Monogatari* (Eine Geschichte aus Tokio, 1953) wurde Yasujiro Ozu (geb. 1903) in Europa bekannt, der »japanischste« unter den japanischen Regisseuren; er hat einen Stil von äußerster Kargheit kultiviert, der jede Bewegung der Kamera und jede Überblendung ausschließt. Als Geistesverwandter de Sicas erwies sich Heinosuke Gosho (geb. 1902) mit *Entotsu no Mieru Basho* (Wo die Schornsteine stehen, 1953). Mikio Naruse (geb. 1905), ein rigoroser Pessimist wie der Vorkriegs-Carné, stellte sich in Europa mit *Okasan* (Mutter, 1952) und *Onna ga Kaidan o Agaru Toki* (Eine Frau geht die Treppe hinauf, 1960) vor. Ein Beispiel für den sozialkritischen Impetus von Tadashi Imai (geb. 1912) bot *Mahiru no Ankoku* (Finsternis am Mittag, 1956). Mit zwei Kriegsfilmen, *Biruma no tategoto (Freunde bis zum letzten,* 1956) und *Nobi* (1961) zeigte sich Kon Ichikawa als eine der stärksten Potenzen unter den Regisseuren seines Landes; vor allem *Nobi* leistet das Äußerste in der Entlarvung des Krieges und wird darin allenfalls von *All Quiet on the Western Front* und *Westfront 1918* erreicht. Unter den jungen Filmregisseuren Japans ragt vor allem Susumu Hani hervor (geb. 1928). Nach einer Reihe von Dokumentarfilmen drehte Hani 1962 seinen ersten Spielfilm, *Mitasareta Seikatsu* (Ein erfülltes Leben), der das Thema der Frauenemanzipation und des Kampfes für eine pazifistische Politik behandelt. Aus der veristischen Fotografie und der unkonventionellen Erzählweise dieses Films sprechen deutliche Einflüsse moderner westlicher Filmschulen.

Nach Japan besitzt Indien die zahlenmäßig umfangreichste Filmproduktion der Welt; 1960 wurden in Indien dreihundertzwölf Filme hergestellt (gegenüber vierhundertzweiunddreißig in Japan und zweihundertdreiundzwanzig in den USA). Doch trotz dieser umfangreichen Produktion vermochte der indische Film, dessen Anfänge bis in die Stummfilmzeit zurückgehen, sich nur äußerst selten von dem Diktat einer streng nach kommerziellen Gesichtspunkten ausgerichteten Konsum- und Genreproduktion zu befreien, in der allenfalls die folkloristischen Sujets einen relativen Lichtpunkt darstellen mochten. Indische Regisseure berichten übereinstimmend, daß, verglichen mit ihren Arbeitsbedingungen, diejenigen Hollywoods noch außerordentlich liberal erschienen. Aus dem Strom der klischeehaft gefertigten Evasions- und Rührungsstreifen, in denen Mythologie, Aberglauben und Religiosität eine wichtige Rolle spielen, heben sich nur ganz wenige Regisseure heraus, und auch die nur mit einzelnen Werken: neben der *Apu-Trilogie* Satyajit Rays, der bisherigen Gipfelleistung indischen Filmschaffens, ist hier der scharf sozialkritische, neorealistisch beeinflußte *Do bigha zamin* (Zwei Hektar Erde, 1953) von Bimal Roy zu nennen, der den ergebnislosen Kampf eines Bauern gegen einen Großgrundbesitzer und die unmenschlichen Lebensbedingungen der Großstadt schildert. Qualitäten besaß auch *Do ankhen barath haath* (Zwei Augen – zwölf Hände, 1957) von V. Shantaram, die Geschichte eines idealistischen Gefängniswärters, der das Wagnis eingeht, sechs verurteilte Mörder freiwillig auf einer Kollektivfarm arbeiten zu lassen, um sie so zu erziehen; realistische, märchenhafte und komisch-folkloristische Elemente vereinen sich in diesem Film, der den Sieg der Gewaltlosigkeit prophezeit.

Norman McLaren

Vom *National Film Board of Canada* erhielt Norman McLaren die Chance, sein eigenwilliges Trickfilm-Œuvre zu realisieren.

Der Ruhm, den er damit während der fünfziger Jahre in aller Welt errang, ließ seinen Namen zeitweilig als Synonym für die kanadische Filmproduktion überhaupt erscheinen.

Norman McLaren (geb. 1914), ein gebürtiger Schotte, hatte schon als Kunststudent in Glasgow einen Filmklub gegründet, in dem er u. a. Oskar Fischingers *Rhapsodie Nr. 5,* Len Lyes *Colour Box* und Emile Cohls *Drame chez les fantoches* kennenlernte, die ihn alle bei seiner eigenen Produktion inspirierten. Nachdem er in mehreren kurzen Montagefilmen Dokumentar-, Spiel- und Trickaufnahmen kombiniert hatte, engagierte ihn John Grierson 1937 zur *GPO Film Unit*, für die er fünf Dokumentar- und Zeichenfilme drehte. 1939 ging McLaren nach New York und realisierte hier unter primitivsten Bedingungen seine erste Serie von »Filmen ohne Kamera«: *Stars and Stripes* (Sterne und Streifen, 1939), *Dots* (Punkte, 1939), *Loops* (Schleifen, 1939) und *Boogie Doodle* (1940) wurden Bild für Bild – 24 Bilder für eine Sekunde Vorführzeit – auf den Filmstreifen gezeichnet. Teilweise verwendeten sie Tanz- oder Marschmusik als rhythmische Folie; sie zeigten semi-abstrakte Formen in abrupter, hektischer Bewegung. 1941 holte Grierson seinen Protegé nach Ottawa. Wiederum im Alleingang, ohne Kamera und Tricktisch, realisierte McLaren mehrere Auftragsproduktionen, so *V for Victory* (1941) und *Hen Hop* (1942), beide noch im Stil der newyorker Streifen. 1943 wurde McLaren im Rahmen des *NFB* ein Trickfilmstudio eingerichtet, in dem er nach und nach talentierte Nachwuchszeichner und -animatoren um sich versammelte, so George Dunning, Colin Low und Grant Munro. Mit ihnen realisierte er die Serie *Chants populaires* (Volkslieder), Illustrationen franko-kanadischer Volkslieder. In *Alouette* (Lerche, 1944), *C'est l'aviron* (Das ist das Ruder, 1945) und *Là-haut sur ces montagnes* (Da oben über diesen Bergen, 1946) bediente sich McLaren auf einfallsreiche Weise der konventionellen Tricktechnik: er kopierte mehrere simple Bewegungsvorgänge so übereinander, daß ein intensiver Bewegungseindruck entstand. Mit *A Little Phantasy on a 19th Century Painting* (Eine kleine Phantasie über ein Gemälde aus dem 19. Jahrhundert, 1946) und *La Poulette grise* (Das graue Hühnchen, 1947) entwickelte er die Technik des »bewegten Gemäldes«: ein – vorgegebenes oder von ihm selbst verfertigtes – Gemälde wird für jedes Phasenbild, das von der Kamera aufgenommen wird, neu übermalt; die stets nur leichten Veränderungen ergeben bei der Projektion eine kontinuierliche Metamorphose des Motivs. (Auf ähnliche Weise entstanden später verschiedene Sequenzen von Clouzots *Picasso*-Film.) Die Technik des handgezeichneten Films nach musikalischen Vorlagen führte McLaren zur selben Zeit mit *Fiddle-De-Dee* (1947) und *Begone Dull Care* (*Jazz in Farben*, 1949) zur Vollendung. Farben, Linien und Zeichen führen hier kleine abstrakte Ballette auf, die nichts als unbändige Lebensfreude auszudrücken scheinen. Stereoskopie und Stereophonie machte McLaren sich in *Around is Around* (Rund ist rund, 1950) und *Now is the Time* (Jetzt ist der Moment, 1951) zunutze – den einzigen Filmen überhaupt, die aus der 3 D-Technik einen ästhetischen Effekt zogen.

In den folgenden Jahren entstanden, in größeren Abständen als bisher, die drei chefs-d'œuvre von McLaren: *Neighbours* (Nachbarn, 1952), *Blinkity Blank* (1954) und *A Chairy Tale* (1957) – dazwischen, anspruchsloser, *Two Bagatelles* (Zwei Bagatellen, 1952) und *Rhythmetic*, (1956). In diesen Streifen verfeinerte und erweiterte McLaren seine Techniken und schuf mit ihrer Hilfe eine eigene, persönliche Welt. Kein anderer Filmschöpfer auf dem Gebiet des »cinéma d'animation« hat sich ähnlich radikal von der Wirklichkeitsnachahmung entfernt und zugleich ähnlich leidenschaftlich für die lebendige Kreatur Partei ergriffen. Die Auseinandersetzung zwischen zwei lebenden Wesen ist das Thema von *Neighbours*, *Blinkity Blank* und *A Chairy Tale*. In *Neighbours* geraten zwei Männer in Streit um den Besitz einer Blume, sie erschlagen ihre Familien und schließlich sich selbst – die Blume haben sie längst zertreten. In *Blinkity Blank* nähern sich zwei schwer definierbare Tierwesen einander, ein vogelartiges und ein insektenhaftes, werden von Angst ergriffen, bekämpfen sich, fassen Zutrauen, berühren und vereinigen sich und zeugen ein neues »Wesen«. *A Chairy Tale* ist die Geschichte eines Mannes und eines Stuhls: der Stuhl will nicht dulden, daß der Mann wie selbstverständlich auf ihm Platz nimmt, er setzt sich zur Wehr, ist durch

Gewalt und List nicht zur Unterwerfung zu bewegen – ehe nicht der Mann einmal gestattet hat, daß er, der Stuhl, sich auf ihm niederlasse. In allen drei Filmen stehen Passagen voll ausgelassener Lebenslust neben grimmigen Satiren auf den Destruktionstrieb. In jedem von ihnen kann man eine Parabel auf Krieg und Frieden sehen. McLarens formale Erfindungskraft ist hier auf ihrer Höhe. In *Neighbours* bediente er sich einer besonderen Aufnahmemethode, bei der reale Darsteller und Dekors wie Puppen oder Phasenzeichnungen im Trickfilm benutzt, d. h. Bild für Bild in Einzelbildschaltung aufgenommen werden. Dieses Verfahren, die krassen Farben und der harte (gezeichnete) Ton formen einen Stil, durch den die provozierende Brutalität der Fabel unterstrichen wird. In *A Chairy Tale* bewegen sich Mann und Stuhl nach derselben Technik; hier abstrahiert indessen der schwarze Hintergrund, vor dem die weißen Figuren agieren, das Geschehen zur Fabel, als welche der Titel des Films sie annonciert. *Blinkity Blank* ist der einzige Zeichenfilm unter den drei Streifen: hier ritzte McLaren die Gestalten mit einer Feder in die schwarze Emulsion des unbelichteten Filmstreifens, aber nicht kontinuierlich in jedes Phasenbild; er ließ Schwarzstellen zwischen den Zeichnungen stehen, die die Bewegung zerreißen und einen hektischen Rhythmus konstituieren.

Die von ihm als »pixilation« bezeichnete Technik von *Neighbours* benutzte McLaren in *Two Bagatelles* auch zur Illustrierung von Musik. In anderen Filmen bewegte er ausgeschnittene weiße Papierfiguren vor dunklem Hintergrund. So ließ er in *Rhythmetic* die Zahlen des kleinen Einmaleins ein lustiges Ballett aufführen und in *Le Merle* (Die Amsel, 1958) Striche und Kreise die Metamorphosen einer Amsel wiedergeben – noch einmal nach einem kanadischen Volkslied. Wiederholt griff McLaren in seinen späteren Filmen auf Themen und Techniken der früheren zurück, ohne ihnen eine ähnliche Bedeutung wie in *Neighbours* oder *Blinkity Blank* mitteilen zu können. Die Arabesken *Short and Suite* (1958), *Vertical Lines* (1960) und *Horizontal Lines* (1960) wiederholten einzelne Effekte aus *Hen Hop* und *Begone Dull Care*.

Die Schüler und Mitarbeiter McLarens arbeiteten zumeist nach der konventionellen Multiplan-Technik des Zeichenfilms. Ihr Stil – abstrahierte Umrisse, Bewegung ganzer Flächen, lineare Bewegungen – ähnelt zumeist den Filmen der *UPA*. Den gelungensten Film aus McLarens Meisterklasse realisierten Colin Low und Wolf Koenig mit *The Romance of Transportation* (Kanadisches Abenteuer, 1952), einer witzigen Geschichte des kanadischen Transportwesens.

Luis Buñuel

Nach seinem Dokumentarfilm *Las Hurdes* (1932) arbeitete Luis Buñuel im Auftrag der *Warner Brothers* in Frankreich an der Synchronisation von Spielfilmen; später ging er nach Spanien und wurde dort Produzent. Zwischen 1935 und 1937 drehte er in Spanien vier kommerzielle Spielfilme und einen Kurzfilm; die Spielfilme signierte Buñuel jedoch nicht. 1938 stellte Buñuel seine Dienste der republikanischen Regierung zur Verfügung, die ihn nach Hollywood entsandte, um dort die Herstellung von Filmen über die spanische Republik zu überwachen; die Arbeiten wurden jedoch durch den Sieg des Franco-Regimes unterbrochen. Buñuel war vorübergehend am newyorker *Museum of Modern Art* und wieder bei *Warner* in der Synchronisation tätig. Schließlich erhielt er in Mexiko Aufträge zu zwei kommerziellen Spielfilmen.

Wirklich bedeutenden Rang besaß erstmals wieder Buñuels *Los Olvidados* (Die Vergessenen, 1950). Dieser Film war – wie *Las Hurdes* – ein Werk mit zwei Ebenen. Die Chronik aus dem Leben verwahrloster Jugendlicher aus Mexico City, als welche *Los Olvidados* sich äußerlich darbietet, enthält viel sozialkritischen Sprengstoff; Verbrechen und Gewalttat spielen sich unmittelbar unter den Augen der Gesellschaft ab, die für die Not nur einen indifferenten Blick hat (einzig die optimistische Vision einer Erziehungsanstalt für verwahrloste Jugendliche will nicht in den desillusionierten Ton des Films hineinpassen). Daneben aber läßt Buñuel, mitten in der realistischen Alltagsbeschreibung, verborgene, schreckenerregende und mythische Aspekte der Wirklichkeit aufbrechen. In der Figur des kriminellen Halbstarken Jaibo zum Beispiel sind legendäre und reale Züge verschmolzen: er ist zugleich Verkörperung des Verhängnisses und sozialer Typ aus der Gegenwart. Buñuel erfaßt den Menschen zugleich in seiner sozialen Umgebung mit ihren Widersprüchen, aber auch in der Welt seiner Träume, Wunschvorstellungen und Schreckbilder. Diese Zonen gehen bruchlos ineinander über: die Realität wird in Tiefenschärfe gesehen. Gerade *Los Olvidados* aber bestätigt den Eindruck, daß der eigentliche Buñuel sich in den ausgesprochen surrealen Sequenzen äußert. Die Traumszene aus dem Film, in der Federn aus der Luft herabrieseln, Dialoge bei geschlossenem Mund gesprochen werden und in der sich die Personen schlafwandlerisch in einem pfeifenden Wind bewegen, besitzt die Kraft eines Urbildes. Surreal ist bei Buñuel auch das Auftauchen von Insekten und Vögeln (schon die Einleitungssequenz zu *L'Age d'or* bestand aus einem Dokumentarfilm über Skorpione). Die Hühner etwa mit ihrem nervösen Flügelgeflatter sind eine Art heidnischer Unglücksboten: Als der blinde Bettler aus *Los Olvidados*, von der Bande der Jungen verprügelt und gesteinigt, sein zerschlagenes Gesicht aus dem Staub der Straße hebt, steht ihm stumm und fatal ein Huhn gegenüber, das ihn mit einem seltsam starren Blick fixiert.

Buñuel lag aber jede Idealisierung seiner Personen zum Negativen oder Positiven fern: bezeichnend, daß der blinde Bettler nicht nur als bedauernswertes Opfer der Jungen erscheint, sondern selbst von boshaftem und abergläubischem Charakter ist. *Los Olvidados* offenbarte auch Buñuels spezifische Vorliebe für Grausamkeiten und Schock-Sequenzen: dazu gehören etwa die letzten Bilder des Films, in denen der Leichnam des von Jaibo erschlagenen Jungen einen Schuttabhang herabgerollt wird. Aber solche Bilder sind doch weder als Selbstzweck gemeint, noch tragen sie eine metaphysische Bedeutung; wie schon in *L'Age d'or* sollen sie das gewohnte Bild der Welt zersprengen und den Zuschauer aus seiner Passivität aufstören; aus ihnen spricht der Protest gegen eine allzu harmonische und konventionelle Auffassung der Welt.

Buñuels Handschrift beweisen auch jene seiner mexikanischen Filme, die nicht die Höhe von *Los Olvidados* erreichen. *Subida al cielo* (Der Aufstieg zum Himmel, 1951) ist die Geschichte einer Autobusreise über einen hohen Bergpaß im Gewitter, die von Traumsequenzen unterbrochen wird; *El Bruto* (Der Grausame, 1952) spielt im Schlachthausmilieu; ein biederer Schlächter steht einem Kapitalisten gegenüber, der seinen schwächlichen, nachts Zucker naschenden Vater tyrannisiert.

In *El* (Er, 1953) widmete sich Buñuel der Seelenanalyse eines Psychopathen: Francesco, ein wohlangesehener Bürger und musterhafter Christ, der aber nicht frei ist von Frustrationen und autoritären Neigungen, wird von einem Eifersuchtskomplex gegen seine viel jüngere Ehefrau verfolgt; dieser Komplex steigert sich bis zum Delirium und zur Paranoia: Francesco stößt Stricknadeln durch Schlüssellöcher, um imaginäre Voyeurs ins Auge zu treffen. Höhepunkt ist eine Fiebervision des Protagonisten, dessen Eifersucht in einer Kirche bis zum Wahnsinn anwächst: die Gesichter der Gläubigen und des Priesters verzerren sich ihm minutenlang zu gräßlich grinsenden und kichernden Teufelsfratzen.

War *El* noch von einem scharfen antibürgerlichen und antiklerikalen Geist getragen, so zog sich Buñuel in *Robinson Crusoe* (1953) auf die Position des Märchenerzählers zurück; allenfalls die Widerlegung von Robinsons Herrenmoral durch Freitag gibt dem Film sein Interesse. Archibaldo de la Cruz, den Held aus *Ensayo de un crimen* (*Das verbrecherische Leben des Archibaldo de la Cruz*, 1955), zeichnet dagegen wieder seine Verwandtschaft mit dem Protagonisten von *El* aus. Archibaldo, ein noch kaum erwachsener Neurotiker, kapriziert sich darauf, junge Frauen umzubringen; in der Traumphantasie teilt er ihnen bereits einen grausig schönen Tod zu, doch stets hindern ihn Zwischenfälle an der Ausführung seiner Pläne; schließlich kommen die Schönen auf eine vergleichsweise triviale Art um. Archibaldos Träume, von denen er schließlich geheilt wird, sind im Grunde Projektionen erotischer Phantasie; Traum und Wirklichkeit verdichten sich in diesem Film zu einem Klima, das die Vertreter der Institutionen – Armee, Polizei, Kirche – als groteske Karikaturen erscheinen läßt. *Ensayo de un crimen* ist voll von schwarzem Humor und von Anspielungen auf den Marquis de Sade, den »göttlichen Marquis«, welchem auch schon andere Filme Buñuels und namentlich *L'Age d'or* huldigten.

Die Filme, die Buñuel nach 1956 in Frankreich realisierte – *Cela s'appelle l'aurore* und *La Mort en ce jardin* (1956) –, stellen Kompromisse dar zwischen mehr oder weniger aufgezwungenen Handlungsklischees und spezifisch buñuelschen Themen. In *Cela s'appelle l'aurore* (Das nennt sich Morgenröte, 1956) vermischt sich die Geschichte einer »verbotenen« Liebe mit einer sozialkritisch gefärbten Polizei-Intrige; ein ausgebeuteter Arbeiter erschießt seinen rücksichtslosen Chef; hinter dem reißerischen Profil der Handlung zeigte sich Buñuels alte Neigung zum Anarchismus. *La Mort en ce jardin* (Pesthauch des Dschungels, 1956) fügt in eine an sich belanglose Abenteuerhandlung surreale Anthologiestücke, etwa das Bild der Champs-Elysées, das in eine im Dschungel verbrennende Postkarte übergeht.

1959 vollendete Buñuel, wieder in Mexiko, einen Film, der als ein Meisterwerk gelten darf: *Nazarin* (Der Nazarener). Zur Überraschung seiner Verehrer ließ sich Buñuel diesmal auf eine echte Auseinandersetzung mit der Religion ein, die er bisher nur blasphemisch zu verhöhnen pflegte. Nazario ist ein mexikanischer Priester, der die Gebote seines Glaubens ohne Kompromisse zu verwirklichen sucht. Die konsequente Parteinahme für die Erniedrigten und Beleidigten führt ihn schon bald zum Zerwürfnis mit den pharisäerhaften Vertretern seiner Kirche; er findet sich in die Position eines Revolutionärs gedrängt, wird zum Outlaw. Schließlich, schon verhaftet und in Ketten, empfängt Nazario von einer armen Frau eine Melone als Geschenk. Diese letzte Geste steht stellvertretend für die irdische Solidarität, in der nach Buñuels Meinung einzig Menschlichkeit sich realisieren kann. Der Film mündet auf den Zweifel am Sinn christlicher Ideale; die letzte Szene, in welcher sich Nazario unter dem Trommelwirbel von Wachmannschaften entfernt, nannte Juan Antonio Bardem[38] den »dichtesten, tiefsten, beunruhigendsten kinematographischen Moment der Filmgeschichte. Nazario ist für immer dem Zweifel ausgeliefert. Jeder Schritt, jeder Trommelwirbel drängt die furchtbare Angst, die Nutzlosigkeit der christlichen Caritas einzusehen, tiefer in das Herz Nazarios.« Buñuels Schocktechnik hat sich in diesem Film gemildert und einer mehr interiorisierenden Darstellungsweise Platz gemacht.

La Joven (Die Junge, 1960) gibt sich thematisch zunächst wenig anspruchsvoll: Auf eine Insel vor der Südküste der USA hat sich ein Schwarzer geflüchtet, der angeblich eine weiße Frau vergewaltigt haben soll. Doch aus dieser Geschichte entwickelt Buñuel einen Rassenkonflikt, der die Überheblichkeit und Vorurteile der Weißen gegenüber den Negern anprangert. Der ganze Buñuel aber spricht noch einmal aus *Viridiana* (1961). Dieser Film, der durch eine Verkettung kaum glaublicher Umstände in Franco-Spanien entstehen konnte und dort sogleich nach Erscheinen verboten wurde, ist ein flammendes Pamphlet gegen bloße Caritas und christliche Frömmigkeit, das weit schärfere Züge aufweist als etwa *Nazarin*. Eine Novizin richtet auf einem Landgut ein Asyl für Bettler und Arme ein und hält diese zur christlichen Gesinnung an. Im ersten Moment, da sie ihren Schützlingen aber den Rücken kehrt, kommt es unter diesen zu einer schrecklichen, in blasphemische Exzesse ausartenden Orgie. Christliche Gesinnung, Kultur und Bildung erweisen sich als brüchige Fassade über einem Chaos brodelnder Triebe, die sogleich zusammenstürzt, wenn der Zwang gelockert wird. Buñuel zeichnet aber die Welt der »Oberen«, der reichen Gutsbesitzer, ebenso kritisch wie die der Armen; überall herrscht eine erstickende Atmosphäre der Heuchelei. In provozierende Symbole und Anspielungen faßt der Film seine Polemik: ein Kruzifix erweist sich als ein Taschenmesser, während der Orgie stellen sich die Feiernden parodistisch das Abendmahl von Leonardo, am Ende verbrennt eine Dornenkrone. Der Film enthält eine ganze Anthologie vom Surrealismus inspirierter image-chocs und verblüffender Montagen. Nie aber sind die surrealen Metaphern Selbstzweck; vielmehr zerstören sie das gewohnte Bild der Welt und erschüttern den Glauben an die Ewigkeit ihrer Ordnung. Buñuels Ziel liegt jenseits des Ästhetischen.

In seinem nächsten Film, *El angel exterminador* (Der Würgeengel, 1962) scheint Buñuel eine Rückkehr zu seinen ersten Werken, namentlich zu *L'Age d'or* zu vollziehen. Im Gegensatz zu *Viridiana* handelt es sich hier um einen allegorischen Film, der seine Thematik nur in verschlüsselter Form zu erkennen gibt. In einer Villa feiert eine Gesellschaft reicher Bürger eine Party; wie von geheimnisvollen Kräften gebannt, vermögen sie mehrere Tage lang den Umkreis der vornehmen Salons nicht mehr zu verlassen. Nervosität, Hysterie und noch schlimmere Auflösungserscheinungen stellen sich ein; die eben noch vornehmen Anwesenden scheinen nur mehr ein Opfer ihrer Triebe. Durch die surreale Verkleidung des Films scheinen deutlich die alten gesellschafts- und religionskritischen Themen Buñuels durch.

Satyajit Ray

Der einzige indische Regisseur, über dessen Werk man sich auch im Westen eine gewisse Übersicht bilden konnte und der die nationalen Eigenheiten indischen Filmschaffens in eine autonome künstlerische Form zu bringen vermochte, ist der Bengale Satyajit Ray (geb. 1922). Ray, der aus einer Künstlerfamilie stammte, arbeitete zunächst als Zeichner und Direktor einer Werbefirma in Kalkutta. 1952 begann er nach langen Vorbereitungen mit den Dreharbeiten zu einer Filmtrilogie nach dem Roman *Bibhutibhushan Bandopadhaja*, die das Heranwachsen eines indischen Jungen, seinen Bildungs- und Bewußtseinsprozeß beschrieb. Die Filme dieser Trilogie hießen *Pather Panchali* (Auf der Straße, 1955), *Aparajito* (Der Unbesiegbare, 1957) und *Apur Sansar* (Apus Welt, 1959); in ihnen zeigte sich Ray als exzeptionell begabter und kompromißloser Filmschöpfer, der die inneren Konflikte seines Landes künstlerisch und menschlich zu objektivieren wußte, dabei freilich auch europäische Anregungen, namentlich die des Neorealismus, aufnahm. Satyajit Ray drehte auch noch einige andere Filme, *Parash Patar* (Der Stein der Weisen, 1958) und *Jalsaghar* (Das Musikzimmer, 1959), die jedoch in seinem Gesamtwerk einen geringeren Platz einnahmen; Ray verdient es, vor allem an der Trilogie *Pather Panchali*, *Aparajito* und *Apur Sansar* gemessen zu werden.

Äußerlich gibt sich Rays Trilogie als eine Chronik des Heranwachsens und als ein Bildungsroman zugleich. In *Pather Panchali* spielt der kleine Apu, der in einem bengalischen Dorf heranwächst, noch eine Nebenrolle: Zusammen mit seiner älteren Schwester durchstreift er die Felder und entdeckt staunend das Wunder eines vorbeifahrenden Zuges; daneben aber werden die Schwierigkeiten des dörflichen Lebens und die häusliche Misere sichtbar. In *Aparajito* besucht Apu die Schule und wird dank seinem Stipendium Student in Kalkutta, während seine Eltern sterben; dieser Film zerfällt in eine Serie einzelner Episoden. In *Apur Sansar* schließlich entschließt sich Apu, Schriftsteller zu werden, und muß nach dem Tod seiner Frau eine tiefe Krise durchmachen. Alle diese äußeren Ereignisse, die wohl den Rahmen des Films bilden, geben jedoch nur unvollkommen das tatsächliche Geschehen wieder. Vielmehr sind in der Trilogie – die immer wieder den Vergleich mit Donskois Gorki-Trilogie herausfordert – verschiedene, sich ergänzende Ebenen vorhanden.

Einmal die soziale: *Pather Panchali* schildert die elende Existenz der Landbewohner, die um ihren Lebensunterhalt kämpfen müssen und kein Schulgeld aufbringen können; auch die Probleme des indischen Feudalismus werden nicht ignoriert. Aber die sozialen Gegensätze werden von Ray ganz in die Psyche seiner Protagonisten hineingenommen. Vor allem ist die Apu-Trilogie ein individueller Entwicklungsroman. Die Dramatik von *Pather Panchali* besteht in der Entdeckung der Welt durch die Augen eines Kindes und in dem allmählich erwachenden Bestreben, in dieser Welt einen Platz zu gewinnen, eine sinnvolle Tätigkeit auszuüben. In der Vision des Eisenbahnzuges vermittelt sich Apu eine Ahnung von der Macht des Menschen über die Natur; von da an sind in ihm die Feindschaft gegen den Aberglauben und der Drang zum Wissen geweckt. Diese Thematik wird in *Aparajito* fortgeführt: Apu entwickelt sein Bewußtsein, kultiviert aber auch eine Neigung zum Mystizismus, die ihn dazu führt, sich von der Wirklichkeit abzuschließen; schließlich bringt ihn der Kontakt zu seinem Sohn wieder ins Leben zurück. In diesem letzten Entwicklungsstadium seines Helden gestaltete Ray einen fürs heutige Indien sehr bezeichnenden Konflikt: den Widerspruch zwischen einer mystisch-irrationalen Einstellung, die unter den zu vier Fünfteln analphabetischen Volksmassen dominiert, und dem durch die modernen industriellen Gesellschaftsformen angeregten Bedürfnis nach Aufklärung; diesen Konflikt entscheidet der Held der Trilogie im Sinne der Aufklärung. So enthält die Apu-Trilogie schließlich auch eine politische Ebene, und Apus Entwicklung spiegelt in dialektischer Zuspitzung die des ganzen Landes.

Aber mehr noch als die Vielschichtigkeit ihrer Struktur fesselt an Satyajit Rays Filmen ihre absolut unprätentiöse, bescheiden-realistische und doch außerordentlich subtile Gestaltung. Das Geheimnis ihrer Formgebung besteht darin, daß Ray nur die allernormalsten, bescheidensten Ereignisse erfaßt und in ihnen doch die tiefsten Dimensionen des Daseins sichtbar macht. Darin setzt Ray die Tradition des Neorealismus fort, zu der er sich ausdrücklich bekannte: de Sicas *Ladri di biciclette* ließen in ihm den Wunsch entstehen, Filme zu machen. Die Apu-Trilogie besitzt einen langsamen, epischen Rhythmus, den voreilige Kritiker mit Langweiligkeit gleichsetzen, in dem aber doch die geduldige Anteilnahme an unscheinbaren Vorgängen sich ausspricht.

In Blicken, Gesten, Kamerawinkeln artikuliert sich das eigentliche Geschehen; aber der Eindruck des »Ungeschminkten«, des Eintauchens in die Wirklichkeit entsteht auf dem Umweg über die Sublimation und das Raffinement: so bescheiden sich jedes einzelne Bild gibt, so voll von subjektiver Intensität ist es zugleich. Auch Flaherty und Renoir gehören, wie das schriftstellerische Werk Rabindranath Tagores, zu Satyajit Rays Anregern. Rays eigentliche künstlerische Leistung ist darin zu erblicken, daß er ins scheinbar ereignislose Dahinströmen seiner Fabel einen dialektischen Konflikt und eine weit über den Rahmen des Films hinausgehende Thematik einzuschmelzen wußte.

Akira Kurosawa

Nicht von ungefähr ist der japanische Film im Westen zuerst durch das Werk von Akira Kurosawa bekannt geworden. In Japan selbst gilt der *Rashomon*-Regisseur als »westlich«. Er ist es insofern, als er sich, am radikalsten von allen japanischen Regisseuren, von der Rezeption traditioneller Formen abgewandt hat und mit modernen Stilmitteln der zeitgenössischen Realität beizukommen sucht. »Kunstlose Einfachheit als wahrsten japanischen Weg« hat er ausdrücklich verworfen [39] – in der Einsicht, daß eine sich komplizierende Wirklichkeit nach differenzierten Formen der Interpretation verlangt.

Akira Kurosawa (geb. 1910) debütierte 1943 mit *Sugata Sanshiro*, der Geschichte eines Judo-Kämpfers der Meiji-Ära. Drei weitere Filme beendete er bis Kriegsende, von denen der letzte, *Tora no O o Fumu Otokotachi* (Die Männer, die dem Tiger auf den Schwanz traten, 1945) eine Parodie auf ein Kabuki-Stück, zuerst von den japanischen, dann von den amerikanischen Militärbehörden verboten wurde: von den Japanern wegen der Verhöhnung des Feudalismus, von den Amerikanern wegen dessen vermeintlicher Verklärung. In seinen ersten Nachkriegsfilmen ließ Kurosawa sich sogleich auf das aktuelle Geschehen in Japan ein, schilderte das Leben in den zerstörten Städten, setzte sich für Freiheit der Presse und der Universitäten ein und unterstützte die Gewerkschaften. Ein zentrales Thema seines Werks, die Verantwortung, zeichnet sich ab in *Yoidore Tenshi* (Der trunkene Engel, 1948) und *Nora Inu* (Streunender Hund, 1949), zwei Filmen über Kriminalität im Nachkriegsjapan, die beide mit gleichzeitig entstandenen Filmen des italienischen Neorealismus verwandt sind. *Rashomon* (1950) leitete die Reihe der Meisterwerke ein, die den Regisseur auch im Ausland bekannt machten. Der Film zeigt vier Versionen derselben Geschichte: eines Überfalls, den ein Räuber auf einen reisenden Kaufmann und dessen Frau verübt hat. Die Versionen, von verschiedenen Zeugen vorgetragen, widersprechen einander; die Wahrheit kommt nicht an den Tag, aber die gute Tat eines Holzfällers, der sich eines ausgesetzten Kindes annimmt, gibt am Ende eine Antwort, die die Frage nach der Wahrheit hinfällig werden läßt. Mit *Hakuchi* (Der Idiot, 1951) adaptierte Kurosawa den gleichnamigen Roman von Dostojewski. *Ikiru* (Leben, 1952), einer der bedeutendsten Filme Kurosawas, ist die Geschichte eines kleinen Bürokraten, der angesichts seines bevorstehenden Todes »endlich einmal richtig leben« will: Er gibt sich zuerst dem Vergnügen hin, dann sucht er Anschluß an die Jugend, schließlich benutzt er seine Stellung dazu, einen giftigen Sumpf in einer Vorstadt trockenlegen und auf dem Gelände einen Kinderspielplatz anlegen zu lassen. In *Shichinno-Samurai* (Sieben Samurai, 1954) beschützen herrenlose Ritter die Bewohner eines Dorfes vor den Überfällen von Banditen, um endlich nach dem Sieg zu erkennen, daß sie mehr für sich selbst als für ihre erwählten Schutzbefohlenen gekämpft haben. *Ikimono no Kiroku* (Bericht über ein lebendes Wesen, 1955) schildert eine Verhandlung über einen alternden Fabrikanten, der aus Angst vor einem Atomkrieg geisteskrank geworden ist. In zwei Filmen von 1957 übertrug Kurosawa wiederum Werke der europäischen Literatur: Shakespeares *Macbeth* in *Kumonosu-Jo* (Das Schloß im Spinnennetz) und Gorkis *Nachtasyl* in *Donzoku* (Die Niederungen).

Die Thematik der meisten Kurosawa-Filme wird von einem paradoxen Widerspruch bestimmt. Der Regisseur selbst hat geäußert [40]: »Wenn ich objektiv die Filme betrachte, die ich gedreht habe, so sagen sie, glaube ich: ›Warum können menschliche Wesen nicht versuchen, glücklicher zu sein?‹ *Leben* und *Bericht über ein lebendes Wesen* sind solche Filme. *Das Schloß im Spinnennetz* stellt andererseits fest, warum menschliche Wesen immer unglücklich sein müssen.« Eine radikale Skepsis im Hinblick auf das Erkennen der Wahrheit wird in Kurosawas Filmen durchdrungen von absurdem Vertrauen auf den Sinn der Tat: im Handeln für andere bestätigen der Holzfäller in *Rashomon*, der Bürokrat in *Leben* sich selbst, stellen sie für sich den Sinn wieder her. Auch die »sieben Samurai« nehmen den Kampf gegen die Sinnlosigkeit auf. Der Fabrikant in *Bericht über ein lebendes Wesen* hingegen endet im Wahnsinn, und Taketoki-Macbeth erfüllt zwangshaft den Orakel-Spruch, obwohl er ihn kennt. »Kurosawas Filme«, schreibt W. Berghahn [41], »handeln von den Anstrengungen, die die Menschen unternehmen, um ihrem Schicksal zu entgehen oder ihm einen Sinn aufzuzwingen, nachdem die Erkenntnis der Zukunft sie aus ihrer bisherigen Bahn geworfen hat. Es sind Filme über das Weiterleben nach dem Augenblick der Wahrheit«.

»Bericht über ein lebendes Wesen«: dieser Titel kennzeichnet die Attitüde vieler Filme Kurosawas. Nicht selten werden mehrere Perspektiven gegeneinander ausgespielt. *Rashomon* ist ein bereits »klassisches« Beispiel für diese Kompositionsmethode, aber auch in *Leben* und in *Bericht über ein lebendes Wesen* wird das Leben des Helden zumindest in entscheidenden Phasen aus Augenzeugenberichten rekonstruiert und dabei durch mehrfache Spiegelung die Beschränktheit der individuellen Perspektive aufgedeckt. Auch in *Das Schloß im Spinnennetz* weiß der Zuschauer von Anfang an mehr als der Held: das Ende wird vorweggenommen und das eigentliche Dramengeschehen in einer Rückblende nachgeholt.

Auch darin unterscheidet sich Kurosawa von den Traditionalisten der älteren Generation, wie Mizoguchi und Ozu, daß er nicht an einem bestimmten Stilentwurf festhält und ihn ständig zu vervollkommnen sucht, sondern nach immer neuen Ansätzen strebt. Die aus weit entfernten sozialen und historischen Bereichen entnommenen Themen verlangen eine unterschiedliche formale Interpretation, und auch die Umschwünge innerhalb einzelner Filme fordern den kalkulierten Stilbruch. Stets bleibt es indessen Funktion der Kamera, des Dekors, der Geräusche, des Schnitts, die Beziehungen der Helden zueinander und zu ihrer Umwelt darzustellen. Die lastende Provinzatmosphäre von *Der Idiot* etwa fangen lange, starre Einstellungen ein, aus denen jeder dramatische Effekt getilgt ist, den Kurosawa in anderen Filmen zu suchen scheint. In *Leben* gibt die Kamera die einzelnen Phasen in der Suche des Helden nach seinem Glück verschieden wieder: hektisch ist die Sequenz, in der der Held sich dem bloßen Vergnügen hingibt; das Gegenbild dazu ist die ruhige Einstellung, die den alten Mann unmittelbar vor seinem Tod zeigt: Er sitzt in einer langsam sich bewegenden Kinderschaukel – in dem Park, der ihm seine Entstehung verdankt – und singt, während Schnee auf ihn herabfällt, mit brüchiger Greisenstimme ein Lied aus seiner Kinderzeit: ein Bild der Glückseligkeit. In der *Nachtasyl*-Verfilmung verwandelt die Kamera den engen Raum, in dem die ganze Handlung spielt, in ein lebendiges Kontinuum, sie umkreist die Akteure, wählt wechselnde Blickwinkel, die immer aufs neue die Enge und Begrenztheit des Raumes dartun, ohne daß sich Monotonie breitmacht.

Thematik, Struktur und Stil der Filme Kurosawas sind gleichermaßen Ausdruck dessen, was westliche Autoren gern als seine »Humanität« bezeichnen und Landsleute ihm oft als »unjapanisch« ankreiden. Er unterwirft seine Menschen keiner vorgefaßten philosophischen oder künstlerischen Konzeption, sondern sucht ihr Elend und ihr Glück unmittelbar sichtbar zu machen. In der Beschreibung der objektiven Heillosigkeit des Weltzustands hält er die Möglichkeit individueller Erfüllung fest, die sich in der verantwortungsbewußten Tat realisiert. Kurosawas künstlerisches Verdienst besteht darin, die Visionen der Entfremdung und des möglichen Glücks in eine dialektische Einheit gezwungen zu haben.

Kenji Mizoguchi

Als er mit *Saikaku Ichidai Onna* (Das Leben einer Frau, von Saikaku, 1952) den ersten Preis von Venedig errang – ein Jahr nach *Rashomon* –, hatte Kenji Mizoguchi (1898 bis 1956) bereits siebenundsiebzig Filme gedreht. Der in Tokio geborene Kunststudent war 1920 durch Zufall zum Film gekommen und hatte schon 1922 die Chance zur ersten Regie erhalten. In den weiteren Stummfilmjahren drehte er eine Unmenge von Filmen, zumeist Liebesfilme, von denen nicht mehr als Fotos, kurze Inhaltsangaben und Charakteristiken ihres Regisseurs selbst überliefert sind. 1929 trug Mizoguchi mit *Tokyo Koshinkyoku* (Marsch auf Tokio) und *Togai Kokyogaku* (Großstadt-Symphonie) dazu bei, eine sozialkritische Bewegung zu begründen. Zwei Filme von 1936, *Gion Shimai* (Schwestern von Gion) und *Naniwa Ereji* (Osaka-Elegie), behandeln Frauenschicksale aus der Meiji-Periode, der zweiten Hälfte des 19. Jahrhunderts, und deuten damit auf die Filme der fünfziger Jahre voraus. Unter den strengen Zensurbestimmungen der Kriegsjahre konnte auch Mizoguchi, eigenem Zeugnis zufolge, keinen Film von Interesse inszenieren. Erst *Das Leben einer Frau* behandelte wieder ein Thema, das er sich selbst gewählt hatte: das Leben einer Samurai-Tochter, die unter dem Druck unmenschlicher Erfahrungen zur Prostituierten herabsinkt. In Mizoguchis letzten fünf Lebensjahren entstanden noch mehrere seiner bedeutendsten Filme – nach *Saikaku Ichidai Onna*: *Ugetsu Monogatari* (Ugetsu – Erzählungen unter dem Regenmond, 1953), *Sansho Dayu* (Landvogt Sansho, 1954), *Chikamatsu Monogatari* (Eine Erzählung von Chikamatsu, 1954) und *Yokihi* (1954).

In vielen Filmen Mizoguchis kehrt ein Themenkomplex wieder: die Beziehungen der Geschlechter. Wie sonst nur Stroheim und Bergman hat Mizoguchi registriert, was den Frauen in einer männlichen Gesellschaft widerfährt: heimliche Pervertierung und krasse Gewalt. Frauen schenken in seinen Filmen Männern das reinste Glück, das diese mutwillig zerstören. *Uwasa no Onna* – »die gekreuzigte Frau« lautet der charakteristische Titel eines späten Mizoguchi-Films. Schlüsselfiguren sind die Prostituierten, Schlüsselszenen die zahlreichen Vergewaltigungen, die sich hier begeben. Mizoguchi behandelt den tragischen Konflikt zwischen männlichem und weiblichem »Wesen« indessen nicht abstrakt, er mythisiert ihn nicht, sondern erkennt ihn in seiner konkreten sozialen Gestalt. Seine vielen historischen Filme entrücken den Zuschauer nicht der Realität: im Bild des feudalen Japans hielt Mizoguchi vielmehr die geschichtlichen Wurzeln der Entartung des Eros fest. Ebenso verklären seine in der Meiji-Periode angesiedelten Filme diese nicht zur »belle époque«, sondern spüren in ihr den Widerspruch auf, in den die japanische Seele durch die forcierte Anpassung an den Westen geriet; wieder sind es die Frauen, deren Integrität am meisten gefährdet wird.

Mizoguchis Stil unterscheidet sich von demjenigen Kurosawas gründlich: dort regiert Identifikation – hier Distanz; dort Affekt – hier Gelassenheit; dort Expression – hier Impression; dort unmittelbares Erlebnis – hier Reflexion. Mizoguchis bevorzugte Einstellungsarten sind die Totale und die Halbtotale. In *Ugetsu* und *Sansho* beispielsweise gibt es nicht eine Großaufnahme und ganz wenige Nah- und Halbnaheinstellungen. Die Totale bringt es mit sich, daß die einzelnen Einstellungen länger beibehalten werden als sonst üblich; Mizoguchi ließ einzelne Einstellungen mehrere Minuten dauern und ganze Szenen umgreifen. Niemals stellt sich dabei indessen Starrheit ein: die Kamera bleibt auch in der Totale in ständiger, langsamer Bewegung. Weiche Überblendungen binden zudem auch Einstellungen mit örtlich oder zeitlich auseinanderliegendem Inhalt und verhindern den abrupten Wechsel der Stimmung. Ein »klassisches« Beispiel für Mizoguchis Ellipsentechnik bietet das Liebesmahl des Töpfers Genjuro mit der Prinzessin Wakasa in *Ugetsu*: Genjuro badet in einer heißen Quelle; während Wakasa sich entkleidet und zu ihm in die Quelle steigt, hört man nur ihre Stimme; die Kamera gleitet seitlich über den von der Frühlingssonne überglänzten Kiesboden neben der Quelle – aus der langen Schwenkaufnahme wird übergeblendet in eine andere, die über eine schimmernde Rasenfläche wieder zu den beiden Liebenden führt, die nun auf einer Matte unter einem Baum ihr Mahl einnehmen. Das Glück der sinnlichen Begegnung wird so nicht im direkten Abbild vermittelt, sondern gerade in der Umschreibung.

Nach 1960

Seit den späten fünfziger Jahren machen sich in den verschiedensten Ländern Anzeichen einer Erneuerung des Films bemerkbar. Der Anstoß kommt diesmal nicht, wie früher, von allgemeinen wirtschaftlichen und politischen Umwälzungen, wie die beiden Weltkriege und die Weltwirtschaftskrise sie bedeuteten, sondern vor allem von der begrenzten Krise, in die die Filmwirtschaft durch den Aufstieg des Fernsehens geraten ist. Es hat sich erwiesen, daß die herkömmlichen Formeln des Filmemachens keinen unbedingten Erfolg mehr versprechen. Der Konsument, dem zu Hause der Fernsehschirm billigere und leicht zugängliche Zerstreuung bietet, ist nur mehr durch das Außergewöhnliche ins Filmtheater zu locken. Dem Beispiel Hollywoods, durch »Superproduktionen« in Breitwand und Farbe die Konkurrenz auszustechen, vermögen nur einzelne Unternehmen in Europa zu folgen. Phantasievolle Verleiher, die die Zeichen der Zeit erkannten, vermochten Interesse für ungewöhnliche Filme zu wecken, die sie zum großen Teil aus früher ignorierten Filmländern importierten, Filme, die noch wenige Jahre zuvor in den Theatern kaum eine Chance gehabt hätten. Dem kam entgegen, daß in manchen Ländern ein neues Publikum herangewachsen ist, das auch dem Extravaganten auf der Leinwand aufmerksam und sachkundig begegnet. In dieser Situation haben schließlich die ersten Vertreter einer neuen Generation auf verschiedene Weise Gelegenheit bekommen, ihre ersten Filme zu realisieren.

Eine neue Generation

Die meisten Angehörigen der neuen Generation von Regisseuren unterscheiden sich von denen früherer der Herkunft und Ausbildung nach. Anders als diese haben sie ihre filmische Bildung zumeist nicht als Assistenten in den Ateliers gewonnen, sondern als kritische Zuschauer vor der Leinwand. In den Cinematheken der Hauptstädte haben die meisten von ihnen Gelegenheit gehabt, sich eine universale Filmbildung anzueignen. Spezialisierte Filmzeitschriften haben es einigen von ihnen ermöglicht, sich publizistisch jahrelang mit dem Medium zu beschäftigen. Die Chance zum Experiment und zur praktischen Übung bot sich beim Kurzfilm, der in einigen Ländern zur Vorschule des programmfüllenden Spielfilms wurde, und in nichtkommerziellen Filmaktivitäten.

Die Erneuerungsbewegung zeigt international kein einheitliches Gesicht. Sie beruht nicht auf einer gemeinsamen Basis der Überzeugung oder der künstlerischen Intention. Als erste etablierten, in den Jahren 1958 und 1959, die jungen Franzosen ihren Ruf. Sie gaben sogleich an, daß ihre »Neue Welle« keine Schule bilden und keinen Stil begründen wolle. Ihre Opposition galt der »Tradition der Qualität«, dem filmischen Kunstgewerbe, das individuellem Ausdruck keinen Raum ließ. Die jungen englischen Regisseure, die der Bewegung des *Free Cinema* entstammten, rebellierten ebenfalls von Anfang an gegen den kommerziellen Filmbetrieb ihres Landes und seine Repräsentanten unter den Regisseuren. Ihre Hervorbringungen zeigen sich aber wesentlich stärker bestimmten Traditionen verpflichtet, sie betonen nicht so selbstherrlich die Autonomie des »Autors« wie die der jungen Franzosen. Vollends bekennen sich die jungen italienischen Regisseure, die um die Wende zu den sechziger Jahren debütiert haben, zur Tradition, der des Neorealismus. Ihren französischen Generationsgenossen billigen sie das Verdienst zu, den Nachweis für die Vertrauenswürdigkeit der neuen Generation erbracht und damit die Erstarrung des französischen Films gelockert zu haben; als künstlerisches Vorbild erkennen sie indessen die »Neue Welle« nicht an. Die Sprecher der hollywood-feindlichen Produktion an der amerikanischen Ostküste berufen sich zwar auf den Erfolg der »Neuen Welle«, um kommerziellen Kredit zu bekommen. Anders als die Franzosen sind sie aber auf einen geistigen und künstlerischen Kodex eingeschworen, der sie in radikalen Widerspruch zur offiziellen Ideologie und ihren filmischen Produkten setzt. Lehnt der neue Film sich in Frankreich gegen die stilistische Konformität auf, begreift er sich in Italien als Fortsetzung der neorealistischen Bewegung, so formiert er sich in den Vereinigten Staaten als oppositionelle »Schule«.

In der Bundesrepublik ist die Basis, auf der neue Talente sich entwickeln können, ohne sogleich vom kommerziellen Filmbetrieb verschlissen zu werden, ungleich schmaler als in irgendeinem anderen Land der Welt. Keine staatliche Filmakademie bietet hier (wie in den Ostblockstaaten) Gelegenheit zu einer gründlichen Ausbildung ohne kommerzielle Prämissen. Es fehlen die älteren Regisseure, die sich heranwachsende Regieaspiranten (wie in Italien) als Lehrmeister wählen könnten. Keine

Cinemathek gestattet (wie in Frankreich, Italien, Großbritannien und vielen kleineren Ländern), vor der Leinwand theoretische Filmkenntnisse zu erarbeiten. Kein nationales Filminstitut finanziert (wie in England und Polen) jungen Talenten ihre ersten Experimente. Die Filmklubs (in den Vereinigten Staaten die Basis eines nichtkommerziellen Filmaustauschs und reger theoretischer und praktischer Aktivitäten) sind in der Bundesrepublik nach hoffnungsvollen Ansätzen in grauer Provinzialität versunken. Der Kurzfilm, von Geldgebern aus Industrie und Verwaltung abhängig und vom Verleih auf eine minimale Vorführlänge festgelegt, bietet nur sehr beschränkte Möglichkeiten zu individueller Gestaltung. Dennoch zeigen sich hier am ehesten Ansätze zu einem Neubeginn im deutschen Film – so in der »münchner Gruppe« (Hans Rolf Strobel und Heinz Tichawsky – *Notizen aus dem Altmühltal*, 1961; Herbert Vesely – *nicht mehr fliehen*, 1955, und andere). Indem sich die Bundesrepublik beim Festival von Cannes 1962 durch den ersten programmfüllenden Spielfilm eines Regisseurs dieser Gruppe, Veselys *Brot der frühen Jahre*, vertreten ließ, konzedierte auch sie die Abdankung des herkömmlichen Films.

Frankreichs »Neue Welle«

Gegen Ende der fünfziger Jahre zeichnete sich in Frankreich immer deutlicher die künstlerische Stagnation des »traditionellen« Films ab. Bedeutende Regisseure, die für ihre Kompromißlosigkeit bekannt waren, wie Robert Bresson, blieben jahrelang ohne Arbeit; andere, wie René Clément, pendelten zwischen kommerzieller Routinearbeit und einzelnen individuellen Gestaltungen. Jungen Talenten bot sich im französischen Film der fünfziger Jahre kaum eine Chance; entweder wurden sie zum Kommerzialismus abgedrängt – wie Roger Vadim und Robert Hossein – oder auf das Gebiet des Kurzfilms, wie Georges Franju und Alain Resnais; Außenseiter wie Alexandre Astruc und Agnès Varda wurden von der Filmindustrie auf ein totes Gleis geschoben. Impulse zu einer Erneuerung des französischen Films erhielten sich nur in den Redaktionen der Filmzeitschriften und im Kurzfilm, der jungen Regisseuren ein begrenztes Experimentieren erlaubte. Aus diesen beiden Quellen sollte sich gegen Ende der fünfziger Jahre, koinzidierend mit wirtschaftlichen Krisenerscheinungen in der Filmindustrie, die »Neue Welle« des französischen Films entwickeln.

1957 debütierte in Frankreich erstmals wieder ein junger Regisseur: Louis Malle (geb. 1932). Malle war als Assistent von Robert Bresson und Jacques-Yves Cousteau, dem Tiefseefilm-Spezialisten, zum Film gelangt. Sein erster eigener Spielfilm, *Ascenseur pour l'échafaud* (*Fahrstuhl zum Schafott*, 1957) stand noch ganz in der kriminalistischen Tradition von *Touchez pas au grisbi:* Ein perfekter Mörder wird in einem Fahrstuhl eingeklemmt, während man ihn wegen eines Verbrechens zu suchen beginnt, das er nicht begangen hat. Die Machart des Films wirkte moderner als sein Thema: jeder Beleuchtungseffekt, jede Einstellung war darauf berechnet, eine absurde und fremde Welt entstehen zu lassen, in der sich die Protagonisten als Gehetzte und Ausgestoßene bewegten. Malles nächster Film, *Les Amants* (*Die Liebenden*, 1958), schlug zwar thematisch neue Töne an: er beschrieb eine radikal über gesellschaftliche Tabus sich hinwegsetzende Liebe, die einer Frau die Kraft zum Ausbruch aus ihrem sozialen Milieu gibt; aber in den Liebesszenen bediente sich Malle einer konventionellen Metaphernsprache, die Zweifel an der Originalität des Films aufkommen ließ. Als Malles interessantestes Werk kann *Zazie dans le métro* (*Zazie*, 1960) gelten, die Bearbeitung eines Romans von Raymond Queneau. Der Film sucht der sprachlichen Verfremdungstechnik seiner literarischen Vorlage ein kinematographisches Äquivalent zu geben: durch Zeitraffer- und andere Trickaufnahmen, durch burleske Einlagen im Stummfilmstil und durch absurde Wiederholungen soll das Bild der gewohnten Welt zertrümmert werden. Hinter dem Feuerwerk der Satire und der Gags stand bei Malle zwar keine so durchdachte Konzeption wie bei Queneau; dennoch hat dieser Film in der konsequenten Auflösung traditioneller Erzählformen, die er betreibt, Teil an der Bewegung der »Neuen Welle«. In *Vie privée (Privatleben,* 1961) unternahm Malle es, ein ideales Porträt Brigitte Bardots zu entwerfen, indem er drei stilistisch gegeneinander abgesetzte Teile – eine märchenhafte Jugend, eine realistische Gegenwart, einen optimistischen Zukunftsentwurf – aneinander spiegelte. Optisch zeigt der Film freilich den modisch verfremdeten Stil eleganter Magazine; die Schlußszenen nähern sich kunstgewerblichem Kitsch.

Gegen die Erstarrung des französischen Films in seinen Traditionen polemisierte schon früher die pariser Filmzeitschrift *Cahiers du Cinéma,* deren Chefredakteur, André Bazin, zum Nestor der neueren französischen Filmkritik wurde. Bazin hatte als erster gelegentlich der Verfilmung von Bernanos' *Journal d'un curé de campagne* durch Robert Bresson die traditionelle Adaptationstechnik von Aurenche und Bost angegriffen und ihr »unfilmisches« Verfahren als modernere, zeitgemäßere Alternative gegenübergestellt [1]. Den eigentlichen Ton der *Cahiers*-Kritik gab aber der junge François Truffaut an, der 1954 in einem berühmt gewordenen Aufsatz – *Une certaine tendance du cinéma français* (Eine gewisse Tendenz des französischen Films) [2] – den traditionellen französischen Film als einen Film der Szenaristen und der festgefahrenen Genres attackierte, der nur noch der Konfektion huldige. Statt dessen forderte Truffaut einen »Film der Autoren«, in dem sich die gestaltende Individualität eines Regisseurs frei entfalten konnte. Truffaut, der bald auch zum Kritiker der Wochenzeitschrift *Arts* avancierte, und die anderen Mitarbeiter der *Cahiers* verfolgten in den späten fünfziger Jahren hartnäckig ihre »Politik der Autoren«, als deren Vorbilder ihnen vornehmlich Regisseure wie Renoir, Rossellini, Hitchcock, Ophüls und Lang galten.

Aus dem betonten Subjektivismus der *Cahiers*-Kritiker, die alle Filme an den Werken ihrer auserwählten »Meister« zu messen pflegten und dabei nicht selten zu einseitigen Interpretationen gelangten, sprach im Grunde die Ambition, selbst im Film zu arbeiten; Kritik bedeutete für sie nur die Vorstufe zu eigener künstlerischer Betätigung. Freilich hatten die um die *Cahiers* versammelten jungen Filmenthusiasten – François Truffaut, Claude Chabrol, Jean-Luc Godard, Jacques Rivette, Eric Rohmer und andere – ihre Schulung bislang ausschließlich in den Filmklubs und in der pariser *Cinémathèque* erfahren. Nichtsdestoweniger fand Truffaut schon 1958 einen Produzenten für seinen Kurzfilm *Les Mistons* (Die Schlingel), den er in der Provence mit Kindern aufnahm; eine Liebesgeschichte und die unbewußte Eifersucht der Kinder auf die »Erwachsenen« standen in seinem Mittelpunkt. Claude Chabrol erlangte durch eine Erbschaft die Mittel, seinen ersten Spielfilm zu realisieren: *Le Beau Serge.* 1959 drehte dann auch Truffaut – mit Unterstützung seines Schwiegervaters, eines Filmverleihers – seinen ersten Spielfilm, *Les Quatre cents coups,* und der bisher nur vom Kurzfilm her bekannte Alain Resnais erregte mit *Hiroshima, mon amour* Aufsehen. Die ersten Filme der jungen Regisseure machten die Produzenten auf sie aufmerksam. Truffaut, Chabrol, Malle und Resnais arbeiteten billig und hatten Ideen; nachdem eilfertige Journalisten das Schlagwort von der »nouvelle vague«, der »Neuen Welle«

geprägt hatten, erblickte man in den Filmen der »Jungen« plötzlich ein neues Potential, das dem bedrohlich steril gewordenen französischen Filmschaffen die Chance eines neuen Aufschwungs verschaffen mochte. Aus Angst, den Anschluß zu verpassen, riefen die Produzenten junge Talente jetzt geradezu herbei; andererseits subventionierten Truffaut und Chabrol mit den Überschüssen ihrer ersten Produktionen die Debütfilme ihrer Freunde. So konnten in kurzer Folge auch die beiden *Cahiers*-Redakteure (nachdem André Bazin 1959 verstarb) Eric Rohmer und Jacques Doniol-Valcroze sowie die Mitarbeiter der Zeitschrift Jean-Luc Godard und Jacques Rivette ihre ersten Spielfilme realisieren. Das Phänomen der »Neuen Welle« war nun wirklich geboren: Nach einer Statistik der Zeitschrift *Le Film Français* [3] drehten 1959 und 1960 allein siebenundsechzig französische Regisseure ihren ersten Spielfilm. Nicht alle dieser Filme erschienen in den Kinos; aber ein so massives und explosionsartiges Debüt einer neuen Generation hatte sich im französischen Film bisher nicht abgespielt. Nicht zuletzt trug zu dieser Entwicklung bei, daß Truffaut und Chabrol bewiesen hatten, daß es auch ohne handwerkliche Erfahrung, nur mit dem Rüstzeug der *Cinémathèque*-Erfahrung, möglich war, qualitätsvolle Filme zu drehen.

Francois Truffaut (geb. 1932) hatte schon als Kritiker dafür plädiert, daß der verantwortungsvolle Cineast nur von dem im Film berichten solle, was Teil seiner allerpersönlichsten Erfahrung sei, worüber er wirklich etwas aussagen könne. Mit seinem Erstlingswerk *Les Quatre cents coups (Sie küßten und sie schlugen ihn*, 1958) kam er dieser Forderung konsequent nach. In Episodenform und in einem Tonfall, der von der Burleske bis zur bitteren Anklage reicht, erzählt der Film die Geschichte eines Jungen, den Familie und Lehrer als »unbequem« empfinden und vernachlässigen; nach einigen »Verfehlungen« landet er in einer Erziehungsanstalt. In dem Schicksal seines kindlichen Helden berichtete Truffaut sein eigenes; das ist deutlich an der Authentizität aller Details und an der engagierten Haltung des Films abzulesen. *Les Quatre cents coups* ist voller polemischer Ausfälle gegen die borniert Rückständigkeit der Lehrer und des Unterrichtsbetriebes, gegen die Nachlässigkeit der Eltern und die Methoden der Polizei. In einzelnen Szenen ließ Truffaut sich offen von filmischen Vorbildern inspirieren – von Morris Engels *The Little Fugitive* und Vigos *Zéro de conduite*, doch in der Analyse der Erwachsenenwelt drang er über Vigo hinaus. Die eklektische Gestaltung des Films, das Schwanken des Stils zwischen Dokumentarismus und Parodie, verlieh Truffauts Werk eigenen Charakter und unterstrich den autobiographischen Ton der Erzählung. Kein anderer Film der »Neuen Welle« war so sehr wie dieser von der lebendigen Erfahrung geprägt.

Truffauts spätere Filme gewannen an Subtilität der Gestaltung, erreichten aber nicht mehr die Authentizität und die Wirklichkeitsnähe von *Les Quatre cents coups*. In *Tirez sur le pianiste (Schießen Sie auf den Pianisten*, 1960) zeigt Truffaut sich vor allem als gewiegter Kenner der Filmgeschichte und speziell als Adept Hitchcocks. Der Film stellt seinen Helden, einen schüchternen und heruntergekommenen Pianisten, in eine absurde und tragische Kriminalaffäre hinein, mit der er eigentlich nichts zu tun hat, die aber dennoch seine Hoffnungen zerstört. In der komischen Charakterisierung vieler Personen – etwa der erfolglosen Gangster – und in der Ironisierung der filmischen Vorbilder distanzierte sich Truffaut aber zugleich wieder von der ernsten Konzeption seines Films; *Tirez sur le pianiste* oszillierte zwischen dem Schicksalsdrama, der Persiflage und der Milieustudie. Dieses Schwanken der Aspekte findet sich auch in *Jules et Jim (Jules und Jim*, 1962). Truffaut erzählt, wiederum mit manchen »Zitaten« und Ausflügen in die Filmgeschichte, den Roman einer »reinen Liebe zu dritt«; aber bei aller Sensibilität der Gestaltung, über die Truffaut in höherem Maße verfügt als jeder andere Regisseur der »Neuen Welle«, bleibt nicht verborgen, daß Ironie hier die Unentschiedenheit des Films gegenüber der Interpretation seiner Fabel kaschiert. Mißlungen scheint nicht zuletzt die Verquickung privater psychologischer Beziehungen, deren soziale Hintergründe im dunkeln bleiben, mit dem Zeitgeschehen – dem Ersten Weltkrieg und der Machtergreifung Hitlers, die in dokumentarischen Bildfolgen auf die Leinwand kommen.

Zu dem Episodenfilm *L'Amour à vingt ans* (*Liebe mit zwanzig*, 1962) steuerte Truffaut einen kurzen Sketch bei, der mit Ironie und Beobachtungsgabe die erfolglosen Werbungsversuche eines Halbwüchsigen bei einem älteren und überlegenen Mädchen schildert; im Mittelpunkt dieser Episode stand der inzwischen herangewachsene Hauptdarsteller aus *Les Quatre cents coups*.

Die Filme Claude Chabrols (geb. 1930) entspringen mehr als die Truffauts aus der Reflexion und dem Kalkül. Realistik begegnete man noch in seinem Erstlingswerk, *Le Beau Serge* (Der schöne Serge, 1958). Dies ist seit Renoirs *Toni* und Clouzots *Le Corbeau* der erste Film, der die französische Provinz ohne das herablassende Schmunzeln eines Pagnol zeigt und ihre authentischen grauen und monotonen Farbtöne zum Vorschein bringt. In *Les Cousins* (*Schrei, wenn du kannst*, 1959) suchte Chabrol ein Porträt der intellektuellen Boheme des pariser 16. Arrondissements zu geben, dem man in Details soziologischen Scharfblick attestieren muß. Freilich ist hier die Kritik nicht immer deutlich von der modischen Koketterie geschieden; wenn Chabrol einen seiner reichen Jünglinge sich während einer Party zum Spaß als deutschen Offizier verkleiden läßt, so berechtigt ihn ein solcher Einfall noch nicht, *Les Cousins* zum »antifaschistischen Film[4]« zu deklarieren, wie er es tat. Chabrol begnügt sich freilich nicht, die Welt zu beschreiben, in der er selbst lebt; er überrascht den Zuschauer mit melodramatisch wirkenden Exzessen und dem spektakulären Opfertod eines seiner Helden. Chabrol möchte als der Metaphysiker gelten, als welchen er in Kritiken und einer Monographie (gemeinsam mit Eric Rohmer) den englischen Regisseur Alfred Hitchcock gefeiert hat. Hitchcocks ironisches Spiel mit dem Fatalen führt Chabrol freilich mit grimmigem Ernst fort; er unterschiebt dem Handeln seiner Personen – so in *Le Beau Serge* – religiöse Motivationen.

Mit seinen weiteren Filmen erwies sich Chabrol im Grunde als geschäftstüchtiger Ausbeuter der durch die »Neue Welle« eröffneten Konjunktur; seine Filme gewannen dabei klischeehafte Züge. In *A Double tour* (*Schritte ohne Spur*, 1959) wird eine konventionelle Geschichte mit philosophischer Wichtigtuerei und einer sich raffiniert gebärdenden Kamera fürs Publikum schmackhaft gemacht. *Les Bonnes femmes* (*Die Unbefriedigten*, 1960) beschreibt das Dasein von vier Großstadtverkäuferinnen und analysiert ihre Beziehungen zum andern Geschlecht. In der Schilderung eines ihm fremden Milieus zeigte Chabrol Bemühung um Objektivität; andererseits widerstand er nicht der Versuchung, dem Geschehen melodramatische Wendungen mitzuteilen. In *Les Godelureaux* (*Speisekarte der Liebe*, 1961) zeichnet sich Chabrols Eingeständnis ab, nichts mehr zu sagen zu haben: er parodiert und travestiert nur mehr sämtliche Elemente seiner bisher gedrehten Filme. Die Welt der Playboys und Künstler erweist sich als Gefängnis, aus dem Chabrol nicht mehr auszubrechen vermag.

Von der Kritik kam auch Jean-Luc Godard (geb. 1930) zum Film. Der gebürtige Schweizer realisierte bereits in Genf einen Amateurfilm; zwischen 1957 und 1958 folgten in Frankreich drei Kurzfilme: *Tous les garçons s'appellent Patrick* (Alle Jungen heißen Patrick), *Charlotte et son Jules* (Charlotte und ihr Jules) sowie *Une His-*

toire d'eau (Eine Wassergeschichte). Es handelte sich um improvisierte, ironische Sketches, in deren Mittelpunkt jedesmal eine Liebesgeschichte stand; in Thema und Gestaltung nahmen sie bereits seinen ersten (und besten) Spielfilm vorweg: *A Bout de souffle* (Außer Atem, 1960). In diesem bediente sich Godard einer konventionellen Rahmenhandlung, die auf einem Kurzexposé von Francois Truffaut beruhte, um sie freilich anzufüllen mit persönlichen Ideen und Beobachtungen. Held des Films ist ein junger Gangster, der einen Polizisten ermordet hat und steckbrieflich gesucht wird; davon jedoch unbekümmert, beschäftigt er sich inzwischen mit einer früheren Freundin, einer amerikanischen Studentin, die in Paris lebt; die Polizei setzt sie unter Druck, und sie verrät ihren Freund, der wenig später auf der Straße erschossen wird. Godard gab *A Bout de souffle* eine formale Gestaltung, die alle etablierten Regeln, namentlich die des Filmschnitts, über den Haufen zu werfen schien. Aus bestimmten Szenen schnitt er einzelne Bilder heraus, so daß die Bewegungen ruckhaft und springend abliefen und der Eindruck eines fragmentarischen, auseinandergerissenen Geschehens entstand. Andererseits gelang es ihm, in den mit versteckter Kamera gefilmten Sequenzen pariser Straßenleben nahtlos in die Handlung zu integrieren und ihr so den Charakter der Authentizität zu geben. Was vor allem aber dem Film sein Interesse verleiht, das ist die Freimütigkeit seiner Dialoge: die Unterhaltungen zwischen dem Gangster Michel Poiccard, einem »tough guy« amerikanischer Provenienz, der es liebt, sich mit Humphrey Bogart zu identifizieren, und dem amerikanischen Collegegirl Patricia, dessen Properkeit und Voreingenommenheit der Film treffend fixiert, besitzen Brillanz und Echtheit; aus Gesprächswendungen, Gesten und Reaktionen der beiden spricht unmittelbar der Bewußtseinszustand der Jugend von 1960.

Wenn auch der optische und sprachliche Gestus von *A Bout de souffle* die Realität wenigstens in ihren äußeren Aspekten zu treffen scheint, so sind doch mehr traditionelle Elemente in diesen Film eingegangen, als es den Anschein hat. Vor allem in der Gestalt des Gangsters Michel lebt im Grunde der romantisch-anarchistische Außenseitertyp aus den Filmen Carné-Préverts wieder auf. Michel geht mit der Wirklichkeit keine Kompromisse ein: er tut, was ihm gefällt; seine Sprache kennt keine Metaphern. Im Auto über die Landstraßen Frankreichs jagend, ruft er aus »J'aime la France!«, und Interpretationsversuche Patricias vor einem Renoir-Druck schneidet er mit der Bemerkung ab: »J'ai dit – c'est pas mal.« In alledem verkörpert er keine Figur aus der Wirklichkeit, sondern einen Mythos; es verwundert nicht, daß nach *A Bout de souffle* unter der pariser Jugend ein wahrer »Belmondisme« ausgebrochen ist (nach dem Hauptdarsteller des Films, Jean-Paul Belmondo), wie die Zeitschrift *Express* berichtete [5]. Die Modernität dieses Films, so bestechend sie sich gibt, ist doch nur eine oberflächliche; dem Neuerertum Godards muß man skeptisch gegenüberstehen: es läßt sich im Grunde auf formale Tricks und einige soziologische Beobachtungen reduzieren.

Godards zweiter Film, *Le Petit soldat* (Der kleine Soldat, 1960), spielt in der Schweiz; er berichtet von einem Drama zwischen Agenten der FLN und einer französischen Terrororganisation. Der Film wurde wegen seiner Anspielungen auf den Algerien-Konflikt in Frankreich verboten, obwohl Godard, soweit dem – auch nur gekürzt erschienenen – Drehbuch zu entnehmen ist, keineswegs einen politisch »engagierten« Film beabsichtigte. Eine herbe Enttäuschung aber war Godards Komödie *Une Femme est une femme* (Eine Frau ist eine Frau, 1961). Godard bemühte sich, um keinen Preis »unoriginell« zu sein, reihte Anspielungen auf andere Filme und Regisseure aneinander und verstreute Scherze und Anekdoten; aber die zahlreichen Gags schlagen sich gegenseitig aus dem Felde, weil keine Idee da ist, die sie zusammenhält. Dieser Film Godards entspricht der Definition, die der französische Kritiker J. Siclier vom Manierismus der »Neuen Welle« gab[6]: »Untereinander durch Freundschaft, Verpflichtungen und gemeinsamen literarischen Geschmack verbunden, drehen diese Regisseure ihre Filme weniger, um ihre Ideen dem Publikum zu vermitteln, sondern um sich gegenseitig augenzwinkerndes Einverständnis zu signalisieren. Überladen mit Anspielungen, Hinweisen und Zitaten, die nur Eingeweihte verstehen können, sind diese Filme Bälle, die man sich von der einen Seite der Champs-Elysées zur anderen zuspielt.«

Philippe de Broca (geb. 1930) begann als Assistent von Truffaut und Chabrol; sein Debütfilm, *Les Jeux de l'amour* (*Liebesspiele*, 1960) war eine witzig-intelligente Komödie um einen jungen Mann, der nicht heiraten möchte, und ein Mädchen, das sich partout ein Kind von ihm wünscht. Doch de Brocas folgende Filme, obgleich ebenso witzig und bewegt in der Form, gewannen an Tiefe. In *Le Farceur* (*Wo bleibt da die Moral, mein Herr*, 1960) verbirgt sich unter der Heiterkeit eines scheinbar komödiantischen Geschehens Melancholie: Der Held des Films, der »Farceur«, macht eine Eroberung nach der anderen; Späße und Komplimente lassen sein Tun als gutgelauntes und harmloses Spiel erscheinen; doch bei diesem Spiel bleibt ein Opfer zurück: eine Frau, die nicht in die Spielregeln unverbindlicher Libertinage einstimmen mag. In *L'Amant de cinq jours* (*Liebhaber für fünf Tage*, 1961) ist eine gelangweilte Bürgerfrau einem phantasievollen Jüngling zugetan, bei dem sie jene schwärmerische Bewunderung findet, die ihr zu Hause nicht zuteil wird; als der Jüngling ihr aber seine Liebe erklärt und sie bittet, ihren Mann zu verlassen, bricht sie mit ihm: denn nur in der Flucht aus dem Alltag in eine irreale Phantasiewelt vermag sich für sie Liebe zu realisieren. De Broca hält in seinen Filmen fest, wie Libertinage, erotische Freizügigkeit und souveräne Lebensart doch nur die innere Beschädigung des Menschen, seine Leere und Hilflosigkeit maskieren. Das ist der Hintergrund von Bitterkeit, der in seinen von Rhythmus und ausgefeilter Charakterkomik getragenen Komödien aufscheint – den man freilich auch übersehen kann, so versteckt deutet er sich an.

Weniger kritisch und mehr zur Selbstgefälligkeit tendierend zeigte sich an einem ähnlichen Thema Jacques Doniol-Valcroze (geb. 1920) in *L'Eau à la bouche* (*Die Katze läßt das Mausen nicht*, 1960): In einem südfranzösischen Barockschloß treiben vornehme junge Damen und Herren elegante Libertinage; Doniol-Valcroze stilisierte das Geschehen zu einem tänzerischen Reigenspiel, das auf analytischen Tiefgang verzichtet. Um Analyse bemühen sich dagegen die Filme Pierre Kasts (geb. 1920), eines anderen ehemaligen Kritikers: *Le Bel âge* (*Man kann's ja mal versuchen*, 1960) will in drei Episoden, von denen indessen nur die erste (nach einer Novelle Moravias) wirklich zu fesseln vermag, das Verhältnis der Geschlechter in der Gegenwart untersuchen und ein »Heraufkommen des Matriarchats« konstatieren; *La Morte-saison des amours* (*Die tote Zeit der Liebe*, 1961) ist eine elegische Meditation um die Möglichkeit einer Liebe zu dritt – die da aufhört, wo Truffauts *Jules und Jim* beginnt. Aber so elegant und glatt wie die optische Form seiner Filme ist, so behende fließen die Aphorismen dahin, die Kasts Personen ohne Unterlaß von sich geben: der Glanz ihrer Redewendungen täuscht über deren Unverbindlichkeit hinweg; der Film tut, als sei das Programm der Helden – eine »aufgeklärte« Liebe ohne Besitzanspruch und unvernünftige Leidenschaft – bereits praktikabel; die Personen führen das Dasein von sozial Privilegierten, die niemals mit den Schwierigkeiten der Existenz in Konflikt kommen. Nicht nur bei Kast, sondern auch bei Doniol-Valcroze und anderen Regisseuren der »Neuen Welle«, die das Milieu reicher Playboys bevorzugen, deutet sich eine Renaissance klassischer Elemente der Traumfabrik unterm Deckmantel stilistischer Modernität an.

Stärker von literarischen Vorbildern – etwa Kafka – beeinflußt sind zwei andere Regisseure der »Neuen Welle«, die gleichfalls aus der Redaktion der *Cahiers du Cinéma* stammen und zwischen 1958 und 1960 ihre Debütfilme realisierten, die aber beide erst 1962 zur Aufführung kamen: Jacques Rivette (geb. 1928) und Eric Rohmer (geb. 1923). In Rivettes *Paris nous appartient* (Paris gehört uns) geht ein junges Mädchen dem rätselhaften Tod eines spanischen Flüchtlings nach und wird in ein undurchschaubares Labyrinth von Verschwörung und Verdacht hineingezogen. Was ihr zunächst als Konspiration einer neofaschistischen Geheimorganisation erscheint, erweist sich als Hirngespinst eines pathologischen Amerikaners. Das vertraute Bild der Plätze und Straßen von Paris verwandelt sich trotz der realistischen Bildgestaltung in ein Alptraum-Panorama. Eric Rohmers *Le Signe du lion* (Das Zeichen des Löwen) zeigt ebenfalls ein ungastliches und grausames Paris. Ein Amerikaner, der im Vertrauen auf eine erhoffte Erbschaft sein Geld verschwendet hat und sich dann um seine Hoffnung betrogen sieht, irrt durch die von der Augustsonne ausgedörrte Stadt und reibt sich wund an der Feindseligkeit, mit der ihm Menschen und Steine gleichermaßen begegnen.

Von der Gruppe der Exkritiker läßt sich im neuen französischen Film eine Reihe von Regisseuren unterscheiden, die ihre Schulung auf dem Gebiet des Kurzfilms erfuhr: hier sind vor allem die Namen Chris Marker, Georges Franju und Alain Resnais zu nennen. Sowohl ihr Alter wie die Themen ihrer Inspiration distanzieren die zum Spielfilm übergewechselten Dokumentaristen von Truffaut, Chabrol, Godard und deren Anhängern.

Chris Marker (geb. 1922), ursprünglich Romancier und Essayist, trat bisher nur mit Kurzfilmen auf. Zusammen mit Alain Resnais realisierte er den später verbotenen Dokumentarfilm über den Verfall der Negerkunst, *Les Statues meurent aussi* (Auch Statuen sterben, 1951). Es folgte eine Reihe von Dokumentarberichten über Reisen, die Marker unternahm: *Dimanche à Pékin* (Sonntag in Peking, 1956), *Lettre de Sibérie* (Brief aus Sibirien, 1958), der Israel-Film *Description d'un combat* (Beschreibung eines Kampfes, 1960) und der Kuba-Film *Cuba sí* (1961). Markers Filme lassen sich im Grunde auf kein bekanntes Genre festlegen – sie sind ebensosehr Dokumentarfilme wie filmische Essays, Geschichtswerke oder ideologische Studien, die gegen Vorurteile und Beschränktheit des Urteils kämpfen. Bemerkenswert ist in ihnen die vielseitige und neuartige Verwendung des Dialogs, der im Kontrast zum Bild steht und dem Film eigene Dimensionen hinzufügt, die Einschaltung verschiedener Zeitebenen in einen dokumentarischen Bericht sowie die Verwendung von Stehbildern; mit diesen Mitteln rückt Marker seine Zuschauer in die Distanz und regt sie zum Denken an. Jeder Film von Marker bewies eine solche Originalität der Form und Schärfe der kritischen Haltung, daß man in ihm eins der bedeutendsten Talente des modernen französischen Films erblicken muß.

Auf dem Gebiet des Kurzfilms vollbrachte auch Franju seine wesentlichsten Leistungen. Georges Franju (geb. 1912) galt jahrelang neben Resnais als der Meister des französischen Kurzfilms. Bei Franju vermischt sich sozialkritischer Aggressionswille mit einer Neigung zum Surrealismus und zur Ausmalung des Makabren. Der Surrealist Franju dominierte in einer eigenartigen Reportage aus den pariser Schlachthäusern, *Le Sang des bêtes* (Das Blut der Tiere, 1949), die der Düsterkeit des Themas einen paradoxen, zartlyrischen Reiz abgewann; der Sozialkritiker Franju sprach dagegen aus dem

Elia Kazan
On the Waterfront
(Faust im Nacken)

1954

Billy Wilder
**Sunset Boulevard
(Boulevard der Dämmerung)**
1950

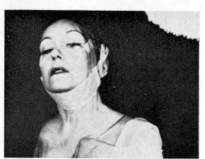

Fred Zinnemann
**High Noon
(Zwölf Uhr mittags)**
1952

Stanley Kubrick
**Paths of Glory
(Wege zum Ruhm)**
1957

Luis Buñuel
**Los Olvidados
(Die Vergessenen)**
1950

Satyajit Ray
**Pather Panchali
(Auf der Straße)**
1955

Akira Kurosawa
Rashomon
1950

Kenji Mizoguchi
**Ugetsu Monogatari
(Ugetsu – Erzählungen
unter dem Regenmond)**

1953

François Truffaut
Jules et Jim
(Jules und Jim)
1962

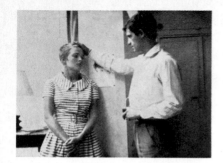

Jean-Luc Godard
**A bout de souffle
(Außer Atem)**
1960

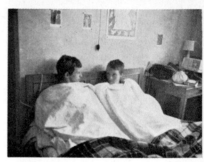

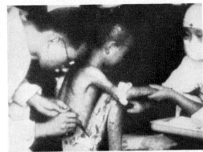

Alain Resnais
Hiroshima mon amour
1959

491

Florestano Vancini
**La Lunga notte del '43
(Die lange Nacht von 43)**
1960

Karel Reisz
**Saturday Night and Sunday Morning
(Samstagnacht bis Sonntagmorgen)**
1960

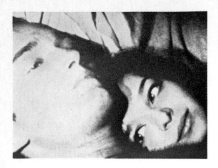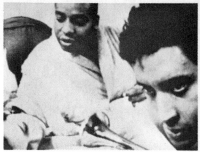

John Cassavetes
Shadows
(Schatten)
1960

Francesco Rosi
**Salvatore Giuliano
(Wer erschoß Salvatore G.?)**
1962

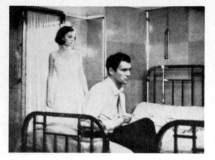

Louis Malle
Feu follet
(Irrlicht)
1963

sarkastischen Pamphlet über das Militärmuseum, *Hôtel des Invalides* (1951). Die Solidarität mit der hilflosen Kreatur, die Franjus Kurzfilme bewiesen, sein Sinn fürs Absurde und sein »schwarzer Humor« finden sich auch in seinem ersten Spielfilm, *La Tête contre les murs (Ein Schrei gegen Mauern*, 1958), der für die Geisteskranken Partei ergreift und gegen ihre unmenschliche Behandlung polemisiert, nebenbei aber die Grenzen der »gesunden« und »kranken« Welt unmerklich verfließen läßt. Die konventionelle und schematische Geschichte des Films stand allerdings nicht auf der Höhe seiner optischen Erfindung; vollends enttäuschte Franju in *Les Yeux sans visage (Das Schreckenshaus des Dr. Rasanoff*, 1960): seine Neigung zu poetisch makabren Schockbildern wurde hier zur Manier, die nur notdürftig eine klischeehafte Intrige zu drapieren vermochte. Es scheint, als ob Franju mit seinem Übertritt zum Spielfilm den Höhepunkt seiner Laufbahn überschritten hat.

Das gilt dagegen nicht für Alain Resnais. Resnais (geb. 1922) ist heute die bedeutendste und vielversprechendste Figur des modernen französischen Films; sein Werk steht über- und außerhalb der »Neuen Welle«. Schon vor seinem Debüt im Spielfilm hatte er bereits ein ganzes Kurzfilm-Œuvre von profilierter Eigenart geschaffen. Resnais, der zunächst an der pariser Filmhochschule, dem *IDHEC*, studierte, begann mit einer Serie von Kurzfilmen aus dem Bereich der bildenden Kunst: *Van Gogh* (1948), *Gauguin* (1950), *Guernica* (1950), *Les Statues meurent aussi* (Auch Statuen sterben, 1951). Schon hier zeigte sich Resnais' Streben, im künstlerischen Dokument die Spuren der Vergangenheit zu verfolgen: in *Van Gogh* ersteht aus den Bildern des Malers das Drama seines Lebens; *Guernica* ist weniger ein Film über Picasso als vielmehr über den Spanienkrieg, wozu auch das unterlegte Gedicht von Paul Eluard beiträgt. Das Thema der Erinnerung schlugen erst recht Resnais' folgende Dokumentarfilme an, der über die Nationalbibliothek, *Toute la mémoire du monde* (Alles Gedächtnis der Welt, 1956), und sein Film über die Welt der Konzentrationslager, der beste, der bisher über dies Thema entstand: *Nuit et brouillard* (Nacht und Nebel, 1955). Überlieferte Archivaufnahmen, vor allem die grauenhaften Dokumente über die Öffnung der Lager 1945, blendete Resnais in eine langsame Fahrt durch die erhaltenen Reste eines KZ ein; daß diese Partien in Farbe aufgenommen sind, verstärkt noch – im Kontrast zu den schwarz-weißen Wochenschauaufnahmen – ihre Ungeheuerlichkeit.

Ebenso wie *Nuit et brouillard* ist Resnais' erster Spielfilm, *Hiroshima, mon amour* (1959), ein Film über das Thema der Vergangenheit und der Erinnerung. In Japan begegnen sich eine Französin, die dort zu Filmaufnahmen weilt, und ein Japaner. Sie verlieben sich ineinander – aber in der Begegnung mit dem Japaner kommt der Französin ihre erste Liebe aus der Zeit der deutschen Besatzung wieder in den Sinn. Von neuem erlebt sie diese vergangene Episode; Gegenwart und Vergangenheit fließen zusammen. Resnais sondierte die Problematik des Erinnerns und Vergessens in der privaten Sphäre, der Erinnerung der Französin an das vergangene Erlebnis und den Krieg; zugleich aber setzte er sein Thema in Beziehung zu der Katastrophe von Hiroshima. Der brennende Appell, nicht zu vergessen, nicht zu glauben, alles geschehe immer nur in einem Land und zu einer Zeit – dieser Appell, der so unüberhörbar aus *Nuit et brouillard* sprach, ist auch in *Hiroshima, mon amour* lebendig. Die ganze Anfangssequenz des Films, sein »Prolog«, der von einem inneren Monolog der Heldin begleitet wird, besteht aus schockartigen Ineinanderblendungen von Liebesszenen und Wochenschauaufnahmen der Atomkatastrophe. Man sieht zwei sich umschlingende Körper. Gleich darauf folgen Aufnahmen aus dem Museum von Hiroshima, das die

Heldin besuchte; die Kamera schwenkt über Trümmerfelder und Verbandplätze und faßt Details des Grauens ins Auge. Letztlich fordern das Erlebnis der gegenwärtigen und vergangenen Liebe und das Erlebnis von Hiroshima zu der gleichen Frage heraus: Kann und darf man das, was unvergeßbar scheint, dennoch vergessen?

Mit *Hiroshima, mon amour* erschloß Resnais durch eine in dieser Folgerichtigkeit noch nicht angewendete Konzeption dem Film Ausdrucksmöglichkeiten, wie sie bisher dem modernen Roman vorbehalten schienen. *Hiroshima, mon amour* öffnete dem Film den ganzen Bereich der Bewußtseinsanalyse, der adäquaten Wiedergabe psychologischen Geschehens bis in seine kleinsten Verästelungen und Widersprüche. Dabei bewegt Resnais sich auf einer Ebene, die zur Vermittlung psychologischen Geschehens nicht mehr des traditionellen Umwegs über die Fabel bedarf: hier bieten Gedanken und Empfindungen gleichsam wie im Urzustand sich dar; man tritt ins Innere der Personen, ohne doch unkritisch sich mit ihnen identifizieren zu müssen. Die Verklammerung von realem und imaginärem Erleben, von Gegenwart und Vergangenheit kommt in ihrer autonomen Struktur, als fotografiertes Bewußtsein auf die Leinwand: ein Blick, eine Geste der Gegenwart zitiert ein Fragment aus tieferen Schichten des Gedächtnisses herbei, das als eingesprengtes Bild den Fluß der Erzählung unterbricht.

Die Dialektik von Vergessen und Erinnern, die schon das zentrale Thema von *Hiroshima, mon amour* bildete, wird in Resnais' nächstem Film, *L'Année dernière à Marienbad (Letztes Jahr in Marienbad*, 1961) von zeitkritischen und moralischen Implikationen zwar gereinigt, dafür aber schärfer und durchsichtiger formuliert. Das Drehbuch zu diesem Film schrieb der Romanautor Alain Robbe-Grillet, der als Wortführer der Schule des »Neuen Romans« hervorgetreten ist. In seinem Drehbuch scheint die Konzeption des Films bereits festgelegt; durch Resnais' Realisierung gewinnt sie aber jenen eigentümlichen Doppelcharakter von abstraktem Gleichnis und sinnlicher Exaltation, der den Film bestimmt. *L'Année dernière à Marienbad* löst die äußere Wirklichkeit in relativistische Fragmente auf, die sich zu einer Art »kubistischen« Bilds vieldeutiger Bezüge gruppieren. In den labyrinthartigen Gängen eines Barockschlosses, das ein Hotel zu sein scheint (aber auch eine Klinik sein mag), begegnen sich ein Mann und eine Frau. Der Mann versucht, in der Frau die Erinnerung an eine gemeinsame Vergangenheit zu wecken: angeblich seien sie sich vor einem Jahr schon einmal begegnet, hätten sich geliebt, ja eine gemeinsame Flucht geplant; die Frau jedoch leugnet diese Ereignisse. Bis ins kleinste Detail evoziert der Mann die Bilder der Vergangenheit, die der Film unchronologisch, gerade so, wie sie ins Bewußtsein hochgespült werden, in die Gegenwart einschachtelt. Ob aber diese Vergangenheit tatsächlich stattfand oder ob sie nicht vielmehr Wunschbild der Phantasie, Assoziation an gegenwärtiges Geschehen oder gar sekundenschnell verlaufender Traum ist, das läßt der Film bis zum Schluß offen. Für jede dieser Vermutungen ergeben sich scheinbare Anhaltspunkte. Dafür, daß alles nur Assoziation an die Gegenwart sei, sprechen die blitzschnellen Verschachtelungen fast gleichartiger Vorgänge, die zugleich in der Gegenwart und in der – prätendierten – Vergangenheit ablaufen. Auf die Hypothese des Traums deuten wieder die irrealen Schockbilder vom Übungsschießen der Schloßbesucher, von einer plötzlich umgebrochenen Parkmauer, von steif und isoliert im Raum stehenden Personen. Am Ende trifft der Film gegenüber diesen verschiedenen Möglichkeiten der Deutung keine Entscheidung; *L'Année dernière à Marienbad* ist nichts anderes als eine filmische Meditation über die Schwierigkeiten, eines Vorgangs objektiv Herr zu werden, der sich nur in der Totalität seiner widersprüchlichen Bezüge fassen läßt.

Außer Frage steht der exzeptionelle Rang dieses Films auf der formalen Ebene, die paradoxe Klarheit seiner Sprache, die Ausgewogenheit seiner Architektur. Im Gegensatz zu *Hiroshima, mon amour* freilich beschreibt *L'Année dernière à Marienbad* eine allen konkreten Bestimmungen entrückte Welt, in der die Personen wie im leeren Raum schweben und von ihrer Zukunft abgeschnitten sind; das hat dem Film den Vorwurf der Hermetik und des l'art pour l'art eingebracht. In der Tat führt das Geschehen dieses Films nicht unmittelbar über sich hinaus, sondern weist immer wieder auf die eigene Form zurück. Aber gerade die perspektivelose Welt aus *L'Année dernière à Marienbad*, in der sich die Menschen wie Gefangene bewegen, scheint ein metaphorisches und verschlüsseltes Abbild des heutigen Daseins zu enthalten.

In einem deutlichen Gegensatz zu den von den meisten Regisseuren der »Neuen Welle« vertretenen Tendenzen stehen die Filme von Jean Rouch (geb. 1917), denen man das Etikett *cinéma-vérité* (Film-Wahrheit) verliehen hat. Rouch bemüht sich in seinen Filmen um eine dokumentarische Wahrheitsfindung, die die Intervention des Regisseurs weitgehend ausschließt. Man hat Rouch verschiedentlich als Epigonen des sowjetischen Pioniers Dsiga Wertow bezeichnet; aber von Wertows Stil der *Kino-Prawda* (*cinéma-vérité* ist die wörtliche Übersetzung des russischen Terminus) unterscheidet sich der Rouchs durch ein geringeres Vertrauen auf den Automatismus des registrierenden Kino-Auges sowie durch eine stärkere Betonung des Interviews und der Improvisation, die Rouch zur künstlerischen Methode erhebt.

Rouch war ursprünglich Ethnologe; die Forschungsmethoden des Ethnologen verraten vor allem seine ersten Dokumentarfilme, die er im Auftrag des pariser Musée de l'Homme in Afrika drehte: *Les Fils de l'eau* (Die Söhne des Wassers, 1953), *Les Maîtres fous* (Die besessenen Herren, 1955) und *Moro Naba* (1959). Während diese Filme sich vornehmlich mit primitiven, wenig entwickelten Völkerschaften Afrikas beschäftigten, suchte er in *Moi, un noir* (Ich, ein Schwarzer, 1958) den Bewußtseinszustand derjenigen Schwarzen zu erforschen, die zum Proletariat der großen Städte gehören. In diesem Film bediente sich Rouch zum erstenmal seiner dokumentarisch-improvisatorischen Methode: die Kamera verfolgt die Erlebnisse mehrerer Schwarzer aus Treichville, einer Vorstadt von Abidjan, der Hauptstadt der Elfenbeinrepublik; später ließ Rouch vor den stumm ablaufenden Bildern des Films seine Akteure einen freien Kommentar zu ihren eigenen Erlebnissen improvisieren. Aus dem plötzlichen Wechsel von burlesken zu ernsten Episoden, aus der Spontaneität, mit der der Begleittext improvisiert wird, ergibt sich in *Moi, un noir* ein eindringliches Bild des an seiner Emanzipierung arbeitenden schwarzen Selbstbewußtseins.

In *La Pyramide humaine* (Die menschliche Pyramide, 1960) blieb Jean Rouch noch bei seinem bevorzugten Thema, dem Emanzipationsprozeß der schwarzen Bevölkerung Afrikas, machte aber die Improvisation vollkommen zur Grundlage des Films; *La Pyramide humaine* verstand sich als ein Experiment, dessen Folgen bei Drehbeginn noch keineswegs vorauszusehen waren. Die schwarz-weiß gemischte Klasse von Schülern und Schülerinnen eines französischen Gymnasiums in Afrika spielte vor der Kamera ihr gemeinsames Leben im Verlauf eines Schuljahres. Zu Beginn sieht man, wie Rouch das Projekt des Films mit den jugendlichen Interpreten diskutiert, und am Ende kommentieren sie selbst die Ereignisse. Der Überzeugungskraft des Films tat allerdings Abbruch, daß sich in die dokumentarisch festgehaltenen Ereignisse deutliche Züge einer erfundenen Spielhandlung mischen, die sogar melodramatische Wendungen nicht verschmäht. Hier wie in *Chronique d'un été* (Chronik eines Sommers, 1961), den Rouch in Frankreich drehte, war jedoch das Bestreben spürbar, die sonst übliche kinematographische Fiktion zurückzuweisen und den Zuschauer dem Entstehungsprozeß des Geschehens beiwohnen zu lassen; die »Wahrheit« sollte nicht als fertiges Resultat, sondern in ihrem Werden, ihrer Entwicklung auf die Leinwand gebracht werden. In *Chronique d'un été* unterhält sich der pariser Soziologe (und Filmtheoretiker) Edgar Morin vor der Kamera mit einem Kleinbürgerpaar, einem Arbeiter, einem Studenten, einer ehemaligen KZ-Insassin, und auch Schwarze tauchen wieder im Verlauf des Films auf. Die Gespräche gehen aus von der banalen Frage, ob man sich zu einem bestimmten Zeitpunkt an einem bestimmten Ort für glücklich halte. Wieder gelingt es Rouch in seinem Film, Augenblicke der Wahrheit zu fixieren, etwa wenn die Kamera die Verwirrung und Beschämung in den Gesichtern zweier junger Leute festhält, als sie die Bedeutung der eintätowierten KZ-Nummer auf dem Arm einer Frau erfahren. Aus der bohrenden Analyse intimen Denkens und Fühlens möchte Rouch Rückschlüsse ziehen auf die Bewußtseinsverfassung sozialer Gruppen. Dem stellt sich die willkürliche Beschränkung des interviewten Personenkreises entgegen; auch mischen sich in die objektive Analyse wieder Züge der Erfindung und der Fiktion: die Personen fangen vor der Kamera an zu »spielen«.

Trotzdem besitzt *Chronique d'un été* Faszinationskraft. Der Film erhebt seine eigene Herstellung zum Thema; über der Beschäftigung mit dem einzelnen bleibt doch die Realität mit ihren sozialen, psychologischen und ideologischen Konflikten das anvisierte Ziel. Darin gleichen Rouchs Filme denen der newyorker »Unabhängigen«, wie *Shadows, Come back, Africa* oder *The Savage Eye*. Die von Jean Rouch vertretene Richtung mag dem französischen Film eine frische Dosis Wirklichkeit injizieren und ihn davor bewahren, in den bequemen Formeln der »Neuen Welle« zu erstarren.

Kontinuität des Neorealismus

In Italien vollzieht sich der Übergang von der Generation der »etablierten« zu der der jungen Filmregisseure weitaus bruchloser als etwa in Frankreich. Während dort das Aufkommen der »Neuen Welle« mit einer Krise des traditionellen Films zusammenfällt, erscheinen in Italien die Werke der jungen Regisseure nahezu gleichzeitig mit den letzten Filmen von Visconti, Fellini, Antonioni. Die Filme der italienischen »Jungen« definieren sich nicht als Negation des Werks ihrer Vorgänger, sondern wurzeln im Gegenteil in gleichen oder ähnlichen Traditionen. Die realistische Grundströmung, die seit den Tagen des Neorealismus den italienischen Film beherrscht, manifestiert sich auch in den Werken der allerjüngsten Regisseure; teilweise läßt die Generation von 1960 sogar eine deutliche Rückkehr zu neorealistischen Positionen erkennen.

Der erste Vertreter einer neuen Filmgeneration, der sich im italienischen Nachwuchsfilm zu Worte meldete, war Francesco Maselli (geb. 1930); 1953 übernahm er die Episode der Catarina Rigogliosa in Zavattinis Chronik-Film *Amore in città*. Sein erstes selbständiges Werk war *Gli Sbandati* (Die Verirrten, 1954), ein Film, der gegen Ende des letzten Krieges die Söhne einer mit den Deutschen paktierenden Großgrundbesitzerin vor die Entscheidung stellt, entweder mit ihrem Milieu zu brechen und sich der Widerstandsbewegung anzuschließen oder aber den Weg des geringsten Widerstandes weiterzuverfolgen. Maselli wußte diesen Konflikt mit ungewöhnlicher Schärfe zu gestalten und bewies überdies hohes filmisches Talent. Bezeichnend war in Masellis Erstlingswerk die Rückwendung zur Thematik der ersten neorealistischen Filme. Die Konsequenz seines Debütfilmes vermochte Maselli allerdings später nicht fortzusetzen, weder in *La Donna del giorno* (Die Frau des Tages, 1956) noch in *I Delfini* (Die Thronerben, 1960). *I Delfini* zeichnet das »Süße Leben« der reichen Erben einer italienischen Mittelstadt von heute; doch durch eine allzu gefällige Gestaltung hat Maselli seinem Thema den Stachel gezogen.

Auch neuerdings beschäftigt sich eine ganze Anzahl junger italienischer Regisseure mit der Zeit des Faschismus und des Krieges; ihre Filme suchen Aufschluß darüber, wie es mit den Traditionen der Resistenza steht, die 1945 so viel versprachen und doch schon bald dem Vergessen verfielen. Ziel jener Filme, die sich wieder mit dem Problem des Widerstands auseinandersetzen, ist die Analyse des italienischen Verhaltens unterm Faschismus. Den Gründen für das Versagen des italienischen Bürgertums angesichts des Faschismus gehen Valerio Zurlini (geb. 1926) in *Estate violenta* (*Wilder Sommer*, 1960) und Florestano Vancini (geb. 1925) in *La Lunga notte del '43* (Die lange Nacht von 43, 1960) nach. *Estate violenta* erzählt eine Liebesgeschichte aus dem Milieu der Jeunesse dorée während des Krieges, die nur ihren Schallplatten Interesse abzugewinnen vermag; Held von *La Lunga notte del '43* ist ein bequemlicher Bürgerssohn, der die faschistischen Mörder seines Vaters später wieder zu seinen Freunden macht, weil es »sich so gehört«. Vancini lieferte das Musterbeispiel eines zeitgeschichtlichen Films: ohne aufgesetzte Rhetorik stellt er die stillschweigende Konspiration der Mörder von gestern mit den Erfolgreichen von heute vor Augen. In den Kreis dieser Filme, die die jüngste Vergangenheit analysieren, gehört auch des 1921 geborenen Gillo Pontecorvo Film *Kapò* (1960), der in einem deutschen Konzentrationslager spielt. Giuliano Montaldo (geb. 1931) verfolgt in *Tiro al piccione* (Taubenschießen, 1961) den Werdegang eines jungen Mannes, der freiwillig in eine Elitegruppe Mussolinis eintritt und erst allmählich den wahren Charakter faschistischer Herrschaft durchschauen lernt.

Aber auch bei jenen jungen Filmtalenten, die sich nicht direkt mit der Vergangenheit auseinandersetzen, läßt sich ein starkes Aufleben sozialer Themen feststellen. Elio Petri (geb. 1928) stellt in den Mittelpunkt von *L'Assassino* (Der Mörder, 1961) die Person eines renommiersüchtigen Schürzenjägers und gewandten Opportunisten, der vom Geld der anderen lebt. Eigentlich eine Antonioni-Figur, enthüllt er im Verlauf der Handlung seine ganze Kläglichkeit. Ermanno Olmi (geb. 1931), der schon mit mehreren Dokumentarfilmen hervortrat, schildert in seinem Erstlingsfilm *Il Posto* (Die Stelle, 1961), wie ein schüchterner junger Mann aus einem Vorort nach Mailand kommt, um sich bei einem Mammutkonzern um eine Stellung zu bewerben. Er muß die absurden Riten psychologischer Eignungstests über sich ergehen lassen; nach bestandener Prüfung erhält er einen Aushilfsposten; schließlich wird er endgültig in die Hierarchie der Angestellten eingegliedert. *Il Posto* ist fast eine Satire à la Gogol; der Film enthält zahlreiche treffende Beobachtungen aus dem Alltag des anonymen Bürobetriebes: die eifrige Reverenz, die Höhergestellten erwiesen wird; die monotonen Gespräche; die Sinnentleerung jeder Tätigkeit. Freilich bleibt Olmi im Grunde bei der Karikierung dieser Welt stehen.

Vielleicht das bedeutendste Talent unter den jungen Filmregisseuren Italiens ist Vittorio de Seta (geb. 1926). De Seta trat zunächst mit mehreren virtuos gestalteten Dokumentarfilmen über Sizilien hervor. Sein erster abendfüllender Film, *Banditi a Orgosolo* (Banditen in Orgosolo, 1961), ist weitgehend noch in dokumentarischem Stil gehalten und steht in der direkten Nachfolge von Viscontis *La Terra trema*. *Banditi a Orgosolo* spielt unter verarmten Schafhirten in Sardinien, die durch die Verständnislosigkeit der Behörden immer weiter in eine illegale, gesellschaftsfeindliche Existenz hineingetrieben werden. De Seta arbeitete ausschließlich mit Laiendarstellern; der Film zeugt in jedem Detail von Authentizität. Hier wird nichts arrangiert; die Tatsachen sprechen ihre eigene Sprache; Handlung und Umgebung formen ein bruchloses Ganzes. *Banditi a Orgosolo* gehört in seiner unprätentiösen Sachlichkeit und seiner kritischen Haltung zu den überzeugendsten Filmen, die Italien nach 1960 hervorgebracht hat. Der orthodox neorealistische Stil de Setas erscheint freilich eng an sein Thema gebunden. Aber das Interesse an den Problemen des unterentwickelten Südens ist in Italien weiterhin wach: Francesco Rosi, der bereits 1958 mit einem Spielfilm über die Diktatur neapolitanischer Gemüsegroßhändler hervortrat, *La Sfida* (Die Herausforderung), hat 1962 mit Laiendarstellern einen Film über den sizilianischen Banditen Giuliano gedreht: *Salvatore Giuliano*. Rosi gab seinem Film die Form einer Chronik, die vom Tode Giulianos ausgeht und in einer Reihe von Rückblenden die Geschichte des Banditen und der Organisation der Mafia zu rekonstruieren sucht. Zu Beginn besitzt der Film starke dokumentarische Beweiskraft; doch dann stehen die wirkungsvolle Fotografie und eine auf starke Kontraste zielende Schnittechnik allzusehr im Dienst reißerischer Spannung.

Freilich besitzt auch der junge italienische Film seine Routiniers und Kommerzialisten, zu denen man etwa Mauro Bolognini (geb. 1923) rechnen darf. Insgesamt aber scheint, als ob die neue Filmgeneration Italiens den Rückzug ins Private, der sich im Film vieler anderer Länder abzeichnet, kaum mitmacht, sondern ohne Konzessionen an die etablierten Mächte, nicht zuletzt im Sinne des Neorealismus, ihrer Gesellschaft den kritischen Spiegel vorzuhalten sucht.

Ein anderer junger Italiener, Marco Ferreri, arbeitet in Spanien. Hier hat das Auftreten von Bardem und Berlanga mehrere jüngere Talente ermutigt, sich kritisch mit der aktuellen Realität zu befassen. Eine neue Produktionsgesellschaft, *Films 59*, ließ Carlos Saura, einen Absolventen und Dozenten des Filminstituts, *Los Golfos* (1959), eine Chronik über das Leben von Jugendlichen in den Außenbezirken von Madrid, realisieren, ein bitteres, wenn auch noch unsicher gestaltetes Dokument. *Films 59* und *Uninci*, eine andere kleine Firma, für die Bardem arbeitet, holen auch Luis Buñuel in seine Heimat zurück, um ihn *Viridiana* drehen zu lassen.

Marco Ferreris bessere Filme, *El Pisito* (Die kleine Wohnung, 1959) und *El Cochecito* (Das Wägelchen, 1960), basieren beide auf Drehbüchern von Rafael Aszona. *Die kleine Wohnung* berichtet von dem makabren Manöver, das ein junges Paar veranstaltet, um zu einer Wohnung zu kommen: der junge Mann betört eine Greisin und heiratet sie; als sie stirbt, kann er die Wohnung behalten und die »richtige« Braut heiraten. In *Das Wägelchen* wünscht sich ein Greis einen Rollstuhl, weil er sich in der Gesellschaft einiger beinversehrter Freunde wohler fühlt als bei seinen egoistischen Familienangehörigen; als diese ihm die kostspielige Anschaffung verbieten, versucht er sie zu vergiften und das Geld zu stehlen. In beiden Filmen waltet ein grimmiger Humor, der vom Elend ihrer Helden nichts nachläßt. Er kristalliert sich in einigen Szenen von pittoresker Morbidität, wie dem fröhlichen Leichenbegängnis in *Die kleine Wohnung* und der Schlußszene von *Das Wägelchen*, in der der Greis in seinem Rollstuhl von einer Polizeieskorte auf schweren Motorrädern abgeführt wird.

Nach dem Skandal um Buñuels *Viridiana* gefährdet die abermals verschärfte Zensur die stets fragile Freiheit des spanischen Films aufs neue.

Die Regisseure des Free Cinema in England

Die Erneuerung des britischen Films um die Wende zu den sechziger Jahren bereitete sich, wie die des französischen, in den Redaktionen von Filmzeitschriften vor und kündigte sich in Kurzfilmen an. Die Organe des staatlich subventionierten *British Film Institute*, *Sight and Sound* und *Monthly Film Bulletin*, boten einer größeren Zahl junger Filmenthusiasten Gelegenheit, sich in der Kritik zu üben. Hier schrieben auch Lindsay Anderson (geb. 1923), ein in Indien geborener Schotte, Mitbegründer der kurzlebigen linksorientierten Filmzeitschrift *Sequence*, Karel Reisz (geb. 1926), ein gebürtiger Tscheche, von dem auch ein Buch über den Filmschnitt stammt, und Tony Richardson (geb. 1929), Kritiker und Bühnenregisseur. Ihre ersten Kurzfilme finanzierten sie zum Teil selbst, zum Teil half der Experimentierfonds des *British Film Institute*. In dessen Kino, dem *National Film Theatre*, wurde 1956 als *Free Cinema* ein erstes Programm von Kurzfilmen der jungen Regisseure präsentiert; ein weiteres folgte 1957.

Die besten dieser Filme setzten die Tradition Humphrey Jennings' und der Dokumentarfilmschule fort. Freilich nicht in der Weise, daß sie die Vorbilder kopierten: die Filme von Jennings waren aus der Emphase des Krieges, der nationalen Solidarität und des Widerstandes gegen die drohende deutsche Invasion entstanden. Das Klima der fünfziger Jahre, nach dem zwiespältigen Resultat des Labour-Experiments, inmitten der Tory-Restauration und angesichts des Suez-Abenteuers, forderte vom Dokumentarfilm eine andere Haltung. Lindsay Anderson zeichnete in *O Dreamland* (O Traumland, 1953) ein bestürzendes Bild der Vergnügungsparks an der englischen Südküste. In seinem späteren Film *Everyday Except Christmas* (Jeden Tag außer Weihnachten, 1957) beschrieb er den nächtlichen Betrieb auf dem Zentralgroßmarkt Covent Garden. Schließlich machte er sich mit *March to Aldermaston* (Marsch nach Aldermaston, 1959) zum Sprecher der Antiatombewegung. Karel Reisz und Tony Richardson beschrieben in *Momma Don't Allow* (Mama erlaubt's nicht, 1956) einen londoner Jazzklub. Auch in seinem mittellangen Dokumentarfilm *We Are the Lambeth Boys* (Wir sind die Jungen von Lambeth, 1958) befaßte Reisz sich mit den Freizeitunternehmungen von Jugendlichen. Jeder dieser Filme suchte die zeitgenössische Realität in einem kleinen Ausschnitt festzuhalten – Versuche zur großangelegten Synthese, wie Jennings, Rotha und Wright sie unternahmen, fehlen unter den Filmen des *Free Cinema*. Haltung und Stil der einzelnen Regisseure sind verschieden: Reisz erweist sich schon in seinen Dokumentarfilmen als sensibler Beobachter und Schilderer menschlicher Verhaltensweisen in der modernen Gesellschaft; er begegnet seinen jugendlichen Helden mit Sympathie; einfühlsam schildert er ihre Versuche, aus der Monotonie ihres Alltags auszubrechen. Andersons Filme beweisen größere Distanz; wo Reisz nur notiert, interpretiert er bereits. In *O Dreamland* und *Everyday Except Christmas* visiert er den Mechanismus der Institutionen an: des organisierten Vergnügens und der organisierten Arbeit. *March to Aldermaston* bekundet sein Vertrauen in die politische Aktion.

Die *Free Cinema*-Bewegung traf zeitlich mit dem Auftreten der »zornigen jungen Männer« in der Roman- und Bühnenliteratur zusammen. Ihr Bündnis resultierte in der Gründung der *Woodfall*-Produktion durch den Bühnenautor John Osborne. Diese Gesellschaft stellte ab 1958 mehrere Spielfilme her, in denen vor allem die Erneuerung des britischen Films sich manifestierte.

Der Erfolg der jungen Schriftsteller hatte zuvor bereits dazu geführt, daß Jack Clayton (geb. 1922), ein Produzent, als *Room at the Top* (*Der Weg nach oben*, 1958) einen Roman von John Braine verfilmte. Clayton hatte in eigener Regie erst einen Kurzspielfilm, *The Bespoke Overcoat* (Der Mantel), nach Gogol, hergestellt. In *Room at the Top* sucht ein junger, ehrgeiziger Buchhalter in einer nordenglischen Industriestadt durch eine Heirat in die bessere Gesellschaft aufzusteigen. Es gelingt ihm, aber er muß dafür mit der Vernichtung seines Gefühls bezahlen. Es war dies seit Jahren der erste englische Spielfilm, der sich der Realität mit offenen Augen näherte, wenn auch seine Handlung romanhaft und die Form konservativ blieb. Sein Publikumserfolg öffnete den Filmen von Richardson und Reisz den Weg.

Tony Richardsons Adaptation von Osbornes *Look Back in Anger* (*Blick zurück im Zorn*, 1959), der erste Film der *Woodfall*, machte die Bemühungen der jungen Autoren auch für die filmische Form fruchtbar. Richardson vermittelte seinem Film den Zorn des Jimmy Porter, der sich gegen ein Leben auflehnt, in dem selbst die Auflehnung ihren Sinn verloren hat. Ähnlich wie der Amerikaner Robert Aldrich und der Spanier J. A. Bardem, zwei andere Moralisten, bedient er sich bohrender Einstellungen und Bildfügungen: die Kamera vollführt komplizierte Bewegungen, die wechselnde Objekte in eine Einstellung zwingen, der Schnitt läßt Widersprüche aufeinanderprallen, der Ton wird gegen das Bild gesetzt. In *The Entertainer* (*Der Komödiant*, 1960) blieb Richardson seinem Autor treu. Der Film zeigt in Archie Rice, einem alternden Conférencier, dessen Überzeugung »Starkbier und hübsche Mädchen« heißt, ein Komplementärbild zu Jimmy Porter: Archie hat resigniert, aber er weiß, daß er mit seinem Zorn sich selbst aufgegeben hat. In seinen beiden Osborne-Filmen macht Richardson die Disharmonie des Daseins, das er schildert, unmittelbar deutlich. Das Milieu wird ins Bild hineingesaugt: die Dachwohnung Jimmy Porters, in der er zwischen Gitterbett und schräger Wand eingezwängt ist; das sonnenlose Strandbad, in dem Archie Rice fade Vergnügungen sucht.

Nach Hollywood engagiert, lieferte Richardson nur eine farblose Fleißarbeit: *Sanctuary* (*Geständnis einer Sünderin*, 1961), eine Faulkner-Adaptation, deren Drehbuch ohne seine Mitwirkung zustande kam. Mit *A Taste of Honey* (*Bitterer Honig*, 1961), der Verfilmung eines weiteren Bühnenstückes (von Shelag Delaney) aus dem Bereich der neuen englischen Literatur, knüpfte Richardson an seine früheren Filme an. Mit psychologischem Feingefühl und Sinn für die düstere Atmosphäre nordenglischer Industriestädte zeichnete er das Porträt eines Mädchens von »unordentlicher« Herkunft und ihrer Beziehungen zu einem jungen Homosexuellen.

Karel Reisz drehte nach dem Dokumentarfilm über die »Lambeth Boys« (nun gleichfalls für die *Woodfall*) *Saturday Night and Sunday Morning* (*Samstag nacht bis Sonntag morgen*, 1960) nach dem Roman eines anderen jungen Autors, Allan Sillitoe. Sein Held ist ein proletarischer Bruder des rebellischen Kleinbürgers Jimmy Porter. Er ist ein geschickter Arbeiter, aber er schuftet sich nicht kaputt; die Hauptsache ist ihm sein Vergnügen. Dazu gehören: der Kino-Abend mit dem Platz in der letzten Reihe, das Saufduell in der Kneipe, die Nächte mit der erfahrenen, um etliche Jahre älteren Frau eines Arbeitskollegen. Seine Revolte geht nicht hinaus über spontane Äußerungen des Unbehagens: ein scharfes Wort gegen seinen Vorgesetzten, einen Schuß aus dem Luftgewehr nach dem Hintern eines Klatschweibs, einen Steinwurf nach dem Schild eines Baugeschäfts, dem Symbol des Besitzes. Im Stil des Films erkennt man den sorgfältigen Beobachter sozialer und ideologischer Realitäten, als der Karel Reisz sich in seinen Kritiken, seinem Buch und seinen Dokumentarstudien gezeigt hatte. Er referiert Lebensumstände und Gebaren seines Helden präzis und nuanciert, ohne das intellektuelle Pathos Osbornes und Richardsons, dabei aber mit Wahrhaftigkeit in der Schilderung des industriellen Alltags und mit entschiedenem Engagement an der Sache des Individuums, das diesem Alltag unterworfen ist.

Die newyorker Schule

Im Laufe der fünfziger Jahre entfaltete im Schatten des »offiziellen« amerikanischen Films die unabhängige Produktion in New York eine unauffällige, aber beharrliche Aktivität, die um die Wende zu den sechziger Jahren mit dem fast gleichzeitigen Erscheinen mehrerer abendfüllender Werke auch ins Bewußtsein der Öffentlichkeit drang. Im Gegensatz zu den »Unabhängigen« Hollywoods, die ihre Filme für die Großverleiher herstellten und bis zu einem gewissen Grade auf den Markt ausrichteten, arbeiteten die Regisseure der Ostküste außerhalb des Systems der Filmwirtschaft. Sie fühlten sich nicht nur geographisch als Antipoden Hollywoods, sondern auch geistig. Die meisten von ihnen hatten in Filmklubs und Kunstkinos die Gelegenheit zum Studium der klassischen Filme und der neuen Tendenzen des europäischen Films ergriffen, die von Hollywood ignoriert wurden; ihre praktischen Kenntnisse erwarben sie bei der Herstellung von Dokumentar- und Experimentalfilmen. Einige hatten sich in der Zeitschrift *Film Culture* ein publizistisches Organ geschaffen, das ihnen schließlich auch die Möglichkeit zur Filmproduktion auf genossenschaftlicher Basis gab — das Debütwerk ihres Chefredakteurs Jonas Mekas, *Guns of the Trees* (Die Gewehre der Bäume, 1961), eine filmische Meditation über den Selbstmord und die Atomangst zu Gedichten von Alan Ginsberg, war das erste Ergebnis dieses Unternehmens. Diese Filme wurden ausnahmslos auf Schmalfilmmaterial gedreht und allenfalls später auf Normalformat umkopiert. Sie fanden durchweg nur eine nichtkommerzielle Verbreitung durch Filmklubs und Kunstkinos, ehe um 1960 die Verleiher auf sie aufmerksam wurden.

Die wichtigsten Traditionen dieser »newyorker Schule« bildeten die Dokumentar- und Experimentierfilmbewegungen, die ihr Zentrum ebenfalls im Osten hatten. Die Dokumentarfilmbewegung der New-Deal-Periode, repräsentiert durch Pare Lorentz, Paul Strand, Joris Ivens und Robert Flaherty, war zwar mit dem Kriegsende praktisch zum Erliegen gekommen, aber einige ihrer jüngeren Mitglieder suchten hartnäckig nach neuen Betätigungsmöglichkeiten. Sidney Meyers, ein Mitarbeiter der *Frontier Films* von Strand und Ivens, Cutter von *Native Land*, leitete mit *The Quiet One* die neue Periode des unabhängigen Films ein; der Autor des Kommentars zu *Native Land*, Ben Maddow, schrieb nach dem Kriege Drehbücher zu Hollywood-Filmen, so zu Clarence Browns *Intruder in the Dust* und zu John Hustons *Asphalt Jungle*, tat sich dann aber wieder mit Meyers zur Herstellung von *The Savage Eye* zusammen. Junge Filmenthusiasten, die nach dem Krieg ihre ersten, zumeist sehr kurzen Filme herstellten, wählten indessen nicht das Engagement des Dokumentarfilms, sondern die l'art-pour-l'art-Perspektive des Experimentierfilms. Einige Altmeister der europäischen Avantgarde der zwanziger Jahre hatten während der Nazi-Zeit in den USA Zuflucht gefunden und regten eine umfangreiche nichtkommerzielle Produktion von abstrakten, »absoluten« und surrealistischen Filmen, »Film Poems« und »Cineplastics« an, von denen die meisten mehr oder minder erfolgreich den alten Werken von Cocteau, Man Ray, Léger, Buñuel, Richter und Fischinger nacheiferten. Einige erforschten die Abgründe des eigenen Ichs mit den Mitteln der Psychoanalyse und in der Sprache des

Surrealismus. Bei der Cocteau-Schülerin Maya Deren sind die Bewegungen oft choreografisch, die Hintergründe wechseln kontinuierlich wie im Traum. In ihrer *Study in Choreography for a Camera* (Choreografische Studie für eine Kamera, 1945) beginnt ein Tänzer seinen Part in einer Waldlandschaft und setzt ihn, ohne Stil oder Rhythmus zu verändern, in einem Zimmer, einem Museumssaal und anderen Räumen fort. Sidney Peterson blendete in *Mr. Frenhofer and the Minotaur* (1951) eine Liebesgeschichte, Picassos *Minotaurus*-Blätter, Balzacs Erzählung *Das unbekannte Meisterwerk* und einen assoziativen Monolog übereinander, um den Eindruck einer »inneren Odyssee« ins Reich der Erinnerung oder des Unterbewußtseins hervorzubringen. James Broughton, der Einfallsreichste unter den amerikanischen Experimentalisten, faßte dasselbe Motiv, halb ironisch, in die Form einer slapstick comedy – in *Looney Tom, the Happy Lover* (1951) – oder eines animierten Familienalbums – in *Mother's Day* (Muttertag, 1948). Einige Veteranen formulierten mit *Dreams That Money Can Buy* (Träume zu verkaufen, 1948) ein Testament der alten Avantgarde. Sieben »Traumszenen« werden durch eine Rahmenhandlung zusammengehalten: 1. *Begierde:* Triebhemmung durch Tradition und Konvention, ein Lieblingsthema der Surrealisten, ironisch interpretiert von Max Ernst; 2. *Das Mädchen mit dem Serienherzen:* Fernand Légers Satire auf die standardisierte Liebe à l'américaine an Hand zweier Schaufensterpuppen; 3. *Ruth, Rosen und Revolver:* eine Satire auf die Neigung zur Selbstpreisgabe beim Kinobesucher, von Man Ray; 4. *Scheiben und Nackte, die eine Treppe herabsteigen:* Bewegungsstudien, die rotierende Scheiben und gespiegelte Akte kombinieren, von Marcel Duchamps; 5. *Zirkus* und 6. *Ballett:* Puppen und Mobiles von Alexander Calder im Wechselspiel mit ihren eigenen Schatten und Reflexen; 7. *Narcissus:* die symbolisch verschlüsselte Geschichte eines Mannes, der plötzlich seine »Anomalität« entdeckt, von Hans Richter. Jede Episode geht thematisch und formal zurück auf Altbekanntes, Légers Ballet mécanique von 1924, Duchamps' *Bild* von 1911, Calders *Puppen* von 1929. Originell ist der Film nur noch dort, wo er sich nicht mehr ganz ernst nimmt, wie bei Max Ernst, zum Mittel der Ironie wird, wie bei Léger, oder zum selbstvergessenen Spiel, wie bei Calder.

Mit *The Quiet One* (Der Stille, 1948) drehte Sidney Meyers (geb. 1894) seinen ersten Film, von dem alle späteren Werke der newyorker Schule direkt oder indirekt beeinflußt wurden. Der halbdokumentarische Spielfilm, dessen Drehbuch der Kritiker James Agee verfaßte, zeichnet das Porträt eines Negerjungen, der sich selbst überlassen bleibt und schließlich dadurch auf sich aufmerksam macht, daß er ein Ladenfenster einwirft. Die nuancierte Darstellung des psychologischen »Falls« ist eingelassen in eine Milieubeschreibung von außerordentlicher Authentizität: Meyers filmte lange Passagen in den Straßen von Harlem mit verdeckter Kamera, ein Verfahren, das Jean-Luc Godard später bei *A Bout de souffle* übernahm. Zehn Jahre nach *The Quiet One* drehte Meyers, zusammen mit Ben Maddow und Joseph Stick, *The Savage Eve (Das grausame Auge*, 1959). Hier mißlang die Integration von fiktiven und dokumentarischen Elementen. Der Rahmen, die Geschichte einer geschiedenen Frau, die alle »Tiefen des Daseins« durchmißt, ehe sie zu sich und ihren Mitmenschen zurückfindet, erscheint als fragwürdiger Vorwand für eine Anthologie autonomer Dokumentarsequenzen. Diese bilden, für sich genommen, eine vehemente, wenn auch undeutlich artikulierte Polemik gegen den »American Way of Life«: die brillanten Reportagen über Schönheitssalons, Warenhäuser, Verkehrsunfälle, Night Clubs, eine Weihnachtsfeier und eine Art Gesundbeter-Gottesdienst sind von einer Bitterkeit, die auch durch das versöhnliche Ende der Rahmenhandlung nicht aufgehoben wird.

Von *The Quiet One* ließ sich eine andere Gruppe zu ihrem ersten langen Film anregen. Der Autor Ray Ashley, der Fotograf Morris Engel und die Cutterin Ruth Orkin inszenierten gemeinsam *The Little Fugitive* (*Der kleine Ausreißer*, 1953). Auch dies ist die Geschichte eines Jungen: er läuft von daheim fort und erlebt in Coney Island, dem Strand und Rummelplatz von New York, sein erstes großes Abenteuer, das zugleich zur ersten Bewältigung von Aufgaben zwingt. Truffauts *Les Quatre cents coups* entstand spürbar unter dem Einfluß dieses Films. Morris Engel drehte später *Lovers and Lollipops* (Liebende und Lutschbonbons, 1955) und *Babies and Weddings* (Babys und Hochzeiten, 1956), den letzteren über das Leben eines Fotografen und seiner Freundin, bei denen die Einnahmen nie zur Legalisierung ihrer Beziehungen reichen. Die Elemente, die eine Handlung konstituieren sollen, sind hier zumeist recht privat, im improvisierten oder beiläufig beobachteten Detail teilt sich aber viel vom authentischen Leben New Yorks mit.

Lionel Rogosin unternahm es, mit dem mittellangen Film *On the Bowery* (1957) die »Bowery«, die berüchtigte Straße der Gescheiterten, zu schildern und hinter die zerklüfteten Gesichter des Elends zu blicken. Er erreichte es, daß die Bettler, Alkoholiker und Asylinsassen vor der Kamera ihren Alltag spielten, so daß er nicht auf glückliche Schnappschüsse angewiesen blieb. Zum erstenmal wandte sich hier ein Film der Unabhängigen ostentativ der Kehrseite der amerikanischen »Wohlstandsgesellschaft« zu, ohne seine kritisch-pessimistische Perspektive zu relativieren. Mit seinem zweiten Film, *Come Back Africa* (Komm zurück, Afrika, 1959), schuf Rogosin ein einmaliges Dokument über die Südafrikanische Union. Unter dem Vorwand, einen Musikfilm mit ausgelassenen und zufriedenen Negern drehen zu wollen, nahm er das Leben der Schwarzen unterm Diktat der »Apartheid«-Politik auf. Formal geriet der für den Vertrieb gewaltsam auf abendfüllende Länge gedehnte Film weniger einheitlich als *On the Bowery*. Dokumentarszenen, eine angedeutete Spielhandlung und eine im Fernsehstil arrangierte Diskussion zwischen schwarzen Intellektuellen sind meist nur lose miteinander verknüpft; trotzdem liefert der neorealistisch gestaltete Film ein bitter-polemisches und kompromißloses Bild der Rassenunterdrückung. Nur wenige andere Werke können es mit der Kraft seiner Schlußpassagen aufnehmen: der schwarze Protagonist des Films schlägt in ohnmächtigem Zorn mit der Faust auf den Tisch seiner Hütte; im Rhythmus seiner Schläge erscheinen blitzartig, aus immer größerer Entfernung gesehen, die düsteren Silhouetten von Johannesburg.

John Cassavetes (geb. 1929), Bühnen-, Fernseh- und Filmschauspieler (u. a. in Martin Ritts *The Edge of the City*), erreichte mit *Shadows* (*Schatten*, 1960) als erster den kommerziellen Durchbruch. In der von ihm und Bert Lane geleiteten Schauspielschule hatte Cassavetes nach der Methode des *Actor's Studio* unterrichtet: er hatte seine Schüler dazu angehalten, sich ganz und gar mit ihren Rollen zu identifizieren und die Erinnerung an eigene Erlebnisse in ihr Spiel einfließen zu lassen. In dieser Weise ließ er sie seinen Film Szene für Szene frei improvisieren. Die Handlung wurde nur in groben Zügen festgelegt: Ein junger Weißer verliebt sich in ein Mädchen, verführt es, zieht sich aber von ihr zurück, als er merkt, daß sie ein Mischling ist. Mehr als auf die Fabel ist der Film jedoch auf seine Hauptpersonen gestellt: jenes Mädchen und ihre beiden Brüder, von denen der eine von dunkler, der andere, wie das Mädchen, von heller Hautfarbe ist. Durch einige alltägliche Episoden – Partys, Ausstellungs- und Kneipenbesuche, Suche nach einem Job – hindurch scheint die psychische Drangsal der rassisch Diskriminierten um so deutlicher auf, als sie hier nicht als spektakulärer »Fall«, sondern als stündliche Erfahrung dargestellt wird. Seinen zweiten

Film, *Too Late Blues* (1961), drehte Cassavetes im Rahmen einer großen holly-
wooder Produktionsfirma; auch hier ging er von der Situation einer eng verbundenen
Gruppe – einer Jazz Combo – aus, verzichtete aber weitgehend auf die improvisatori
sche Methode, die *Shadows* seine Realistik mitgeteilt hatte.

Shirley Clarke, ursprünglich Tänzerin, dann Regisseurin mehrerer Kurzfilme, folgte
mit ihrem ersten Spielfilm, *The Connection* (Der Verbindungsmann, 1961), einem
Bühnenstück von Jack Gelber: In eine Versammlung von Rauschgiftsüchtigen haben
sich ein Filmregisseur und ein Kameramann Eingang verschafft; sie filmen mit zwei
Kameras die Veranstaltung, geraten dabei in eine Diskussion darüber, ob ihr Unternehmen moralisch überhaupt vertretbar sei, und der Regisseur bricht die Aufnahmen
ab. Der Film gibt vor, selbst das Ergebnis der Dreharbeiten zu sein, die er zum Gegenstand hat. Aber das dokumentarische Moment wird in Wahrheit simuliert, die »Fehler« der Aufnahmen und des Schnitts sind genau geplant. Was in den Filmen des
französischen *cinéma-vérité* zur Methode gehört: daß die sich selbst darstellenden Personen in die Diskussion über die Gestaltung des Films einbezogen werden und die
Regisseure nachträglich den Film besprechen – das wird in *The Connection* zum
Kunstgriff, der den Zuschauer zur kritischen Distanz anhält.

Von *The Quiet One* und *The Little Fugitive* zu *Shadows* und *The Connection* hat
die newyorker Schule eine Entwicklung durchlaufen. Die frühen Filme boten unprätentiöse Dokumentation und Analyse, die sich der Improvisation bediente, um der
Realität näherzukommen, als es die schwerfällige Apparatur des kommerziellen Spielfilms erlaubte. Sie beabsichtigten keineswegs, den Zuschauer zu schockieren; ihre
Kritik blieb beim Einzelfall und ließ der Hoffnung eine Chance: sowohl *The Quiet
One* als *The Little Fugitive* schließen damit, daß der kindliche Held mit der Erwachsenenwelt versöhnt wird. Die neueren Filme hingegen verstehen sich als Ausdruck
eines universalen Protests. Die Improvisation ist ihnen Mittel zum Affront: das bewußt Rohe, Unfertige, schlecht Gemachte soll dazu beitragen, »die Leute aufzuschrek-
ken aus ihrem Schlaf, aus ihrer Sattheit« (J. Mekas [7]). Der Gestus der Revolte bestimmt Spiel, Fotografie und Schnitt ebenso wie die Thematik und die erzählerische
Konzeption. Hier allerdings droht der Protest in sein Gegenteil umzuschlagen: in die
Apologie blinden Außenseitertums.

Nachwort zur Neuauflage 1973
von *Ulrich Gregor*

Elf Jahre nach ihrem ersten Erscheinen wird die *Geschichte des Films* noch einmal aufgelegt. Die Neuauflage ist das Ergebnis einer unverändert anhaltenden Nachfrage nach dem seit langem vergriffenen Buch. Diese fortbestehende Nachfrage hat wohl damit zu tun, daß auf dem deutschen Buchmarkt keine vergleichbare Geschichte des Films vorliegt, zumal keine in einem Band. Die letzten Neuerscheinungen der Filmliteratur haben sich nur wenig oder gar nicht mit Filmgeschichte beschäftigt, der Hauptakzent lag auf Monographien, auf Nachschlagewerken oder auf Anthologien bereits anderswo erschienener Artikel, auf Publikationen zu theoretischen, ästhetischen oder filmpolitischen Fragen. Je älter das Filmmedium wird, mit desto geringerer Wahrscheinlichkeit wird es noch jemand unternehmen, die »Geschichte des Films« oder »der Filmkunst« im umfassenden Sinne zu schreiben, weil die Schwierigkeiten eines solchen Unterfangens immer größer werden und kein Konsensus darüber besteht, ob ein oder zwei Autoren sich solches überhaupt allein zutrauen dürfen. Auch international besehen ist die Situation nicht anders. Die 1949 zuerst erschienene einbändige Filmgeschichte des inzwischen verstorbenen Georges Sadoul wird unentwegt in revidierter Form neu aufgelegt (inzwischen zum neunten Mal); Jerzy Toeplitz' jetzt mit ihrem ersten Band auch deutsch vorliegende Filmgeschichte ist die (bearbeitete) Übersetzung der polnischen Ausgabe von 1955/56. Die einzige echte Neupublikation der letzten Jahre stellt Jean Mitrys *Histoire du cinéma* dar, projektiert auf fünf Bände, von denen jedoch erst zwei erschienen sind.

Die Fehler und Schwächen aller vorliegenden Filmgeschichten (inklusive der unsrigen) sind offensichtlich. Auf der anderen Seite besteht ebenso offensichtlich ein Bedürfnis nach einer zusammenfassenden Filmgeschichte, die mehr ist als die Addition verschiedener Spezialveröffentlichungen. Fragen kann man allerdings, wieso denn die *Geschichte des Films* von Gregor/Patalas nunmehr in ihrer unveränderten Form nicht »revidiert« bzw. »auf den neuesten Stand gebracht« erscheint. Diese Frage ist berechtigt und verdient eine Erklärung.

Der Grund für die Entscheidung, es beim Nachdruck der Ausgabe von 1962 zu belassen, besteht, einfach gesagt, darin, daß die Schwierigkeiten einer Neubearbeitung oder Fortführung immens groß und praktisch kaum zu lösen sind. Keineswegs ist es damit getan, den Zeitraum 1962–1973 in entsprechend viele Kapitel aufzuteilen und an den vorhandenen Text einfach anzuhängen, in der Manier von Ergänzungskapiteln, wie es sie in der *Geschichte des modernen Films* gab (dieses Buch bestand aus den Abschnitten der *Geschichte des Films* ab 1940, vermehrt um einen Anhang, der – in der letzten Ausgabe – die Zeit bis 1968 behandelte). Tatsächlich müßte die Revision tiefer greifen. Sie müßte mindestens, um die Entwicklung bis zur Gegenwart richtig zu fundieren, bis in die Zeit nach 1945 reichen, von hier aus müßten neue filmhistorische »Einheiten« entwickelt, neue Verbindungen und Entwicklungslinien gezogen werden, ganz abgesehen von der Korrektur einzelner Irrtümer und Fehleinschätzungen. Aber selbst hier dürfte man nicht stehenbleiben, sondern man müßte auch die Geschichte des Films vor 1945 von heutigen Erkenntnissen und Erfahrungen aus überprüfen, verändern und in manchen Abschnitten sogar neu schreiben. Man müßte imgrunde noch einmal ganz von vorn anfangen und vielleicht sogar bis zur Vorgeschichte der kinematographischen Erfindungen zurückgehen. Und dies ist aus pragmatischen sowie prinzipiellen Gründen nicht zu verwirklichen, wobei auch die Frage der »Homogenität« eines Teams von zwei Autoren sich heute problematischer darstellt als vor zehn Jahren.

Wenn man sich heute noch einmal mit der Arbeit auseinandersetzt, die man vor zehn Jahren schrieb, so entsteht vor allem die Frage nach der Gültigkeit der damals gewählten Methode. Diese Frage ist weder pauschal zu bejahen nach zu verneinen. Auch jetzt noch möchte ich für die Legitimität einer Filmgeschichte plädieren, die, von einem Autor geschrieben, nicht vor der Schwierigkeit zurückscheut, Filmgeschichte als Ganzes zu überschauen, die nicht nach enzyklopädischer Vollständigkeit trachtet, sondern sich zur Subjektivität und zu Auslassungen bekennt, um dafür Persönlichkeit und Einheitlichkeit in Darstellung und Perspektive anzustreben. Die Alternative zu dieser Art von Arbeit ist die kollektiv geschriebene Filmgeschichte, die zwangsläufig auseinanderfallen muß in eine Vielzahl von Ansätzen, Methoden und Perspektiven, falls sie nicht überhaupt versucht, jegliche Meinungsäußerung und Bewertung zugunsten der Wissenschaftlichkeit und des Sammelns von Faktenmaterial zu unterdrücken (ganz davon abgesehen, daß es solch ein Kollektivwerk, dessen einzelne Teile jeweils von Spezialisten geschrieben werden müßten, bis heute nicht gibt). Der Hinweis auf die von einem Einzelnen nicht zu bewältigende Stoffülle, auf die Unüberschaubarkeit des Gesamtgebietes sind ja oft nur Ausdruck einer prinzipiellen Unsicherheit in der Bewertung historischer Phänomene, einer Abneigung, persönliche Deutungen und Bewertungen überhaupt zuzulassen. Gerade von solchen historischen Darstellungen, die aus der Perspektive eines einzelnen Autors geschrieben wurden, also von parteilichen, engagierten Werken, die oft bekämpft wurden, gingen die größten Anregungen aus. Als Beispiel seien die Werke Siegfried Kracauers genannt.

Natürlich werden die Mindestansprüche, die man an solche Arbeiten stellen muß, im Laufe der Zeit immer höher. Insofern war das Jahr 1962, als die *Geschichte des Films* zuerst erschien, vielleicht ein besonders glückliches Datum — sowohl gemessen an unserer eigenen wie der filmkulturellen Situation in der BRD, aber auch am damals erreichten Entwicklungsstand des internationalen Films. Denn damals erschien uns unsere kritische Plattform genügend sicher, glaubten wir keine übermäßigen Skrupel hinsichtlich unseres Vorgehens haben zu müssen (bzw. hielten die methodologischen Probleme durch das von uns gewählte Konzept für gelöst). Schließlich gab es auch im filmästhetischen oder filmpolitischen Bereich bis dahin keinen »Erdrutsch«, der einen zum Überdenken der gesamten eigenen Position verpflichtet hätte, wie man es von Entwicklungen in der zweiten Hälfte der Sechziger Jahre wohl behaupten kann.

Das Aufkommen des »politischen« Films, des Zielgruppenfilms, des Experimental- oder »Underground«-Films am Übergang von den Sechziger zu den Siebziger Jahren, das Erscheinen der Filme von Straub, Brakhage oder Oshima sind zum Beispiel Entwicklungen, die man nicht einfach in Form respektiver Kapitel bewältigen kann. Sie lassen neue, fundamentale Fragen entstehen, die sehr wohl auch an frühere und früheste Phänomene der Filmgeschichte gerichtet werden müssen.

In der *Geschichte des Films* wählten wir eine Darstellungsmethode, die Film als eine aus gesellschaftlichen Verhältnissen geborene und gesellschaftlich determinierte ästhetische Hervorbringung begreift, welche wieder in die Gesellschaft zurückwirkt. Ich bin nicht der Meinung, daß diese Methode (die wohl nur dort erkennbar wird, wo wir uns ausführlicher mit einzelnen Filmen oder dem Werk der bedeutenden Regisseure beschäftigen) heute falsch sei oder prinzipiell durch eine andere ersetzt werden müßte. Sie bedarf nur der Entwicklung und der Ergänzung. Sie kann sicher nicht immer in gleicher Weise angewendet werden. Nicht immer wird es angebracht sein, Filme ohne den Ansatz einer anderen Interpretation als bloßen Reflex einer außerhalb von ihnen bestehenden Wirklichkeit aufzufassen. Es gilt auch zu fragen, inwieweit Filme ihre eigene Realität erzeugen oder sich zum Ziel setzen, in die Realität einzugreifen. Andere Kategorien und Betrachtungsweisen sind zu finden, namentlich für die Filme solcher Regisseure, deren Werk in der letzten Zeit an Aktualität gewonnen hat (sagen wir, um einige Beispiele zu geben, die Filme Sternbergs, Dreyers oder Eisensteins). Aber die, wenn man will, »soziologisch fundierte« Betrachtungsweise ist nicht nur Ergänzung, sondern Fundament anderer Betrachtungsweisen. Auch und vor allem in dieser Hinsicht müssen die bedeutenden Filme befragt werden, gegenüber dieser Fragestellung gibt es keine »sakralen« Bereiche.

Aber nicht nur die Frage, wie man der ästhetischen oder strukturellen Eigenart von Filmen durch Interpretation gerecht werden kann, ist zu stellen. Es gibt auch ganz andere Untersuchungsgebiete und -Methoden, die Filmgeschichtsschreibung sich heute zueigen machen müßte. Stärker zu untersuchen wären z. B. im historischen Bereich die Mechanismen der Verbreitung von Filmen. Welche Filme wurden gezeigt und gesehen, welche anderen nicht und aus welchen Gründen nicht? Welche Filme fanden Resonanz beim Publikum und bei der Kritik, welche nicht, und warum nicht? Wir dürfen nicht einfach ausgehen vom »Material« der Filmgeschichte in Form einer bestimmten Zahl bekannter und wichtiger Filme, über die zu schreiben ist, wir müssen vielmehr nach den Filtern und Mechanismen fragen, die wirksam werden, bevor überhaupt das Material in Erscheinung tritt, das Bild einer Epoche sich formt. Die Fälle der Verstümmelung und Inhibierung von Filmen, an denen sich exemplarisch die realen Arbeitsbedingungen der Filmemacher zeigen, sind wichtig und müssen stärker hervorgehoben werden, man könnte sogar eine eigene Geschichte der verstümmelten und inhibierten Filme schreiben und wird sie eines Tages vielleicht auch schreiben. Auch mit jenen Institutionen, die Filmbildung und Primärinformationen über Filmgeschichte vermitteln, also den Filmarchiven, ihrer Effizienz oder Nichteffizienz müßte Filmgeschichtsschreibung sich kritisch befassen.

Alle diese neu aufgetauchten Fragen, neu gefundenen Kriterien, neu hinzugekommenen Erkenntnisse und Untersuchungsgebiete machen sicherlich eine größere Breite und Vielfalt der Darstellung erforderlich, als wir es 1962 leisten konnten. Ein Werk, das den skizzierten Anforderungen genügen und dazu die neu entdeckten Filmländer und neuen Gattungen des Films berücksichtigen wollte, müßte sicherlich etwa den dreifachen Umfang des vorliegenden Buches haben.

Wie lesen sich die eigenen Kapitel eines Buches, das man vor zehn Jahren schrieb? Manches empfindet man heute noch als zutreffend, anderes liest man mit Erstaunen und sogar Befremden. Oft wünscht man, das Nebensächliche besser vom Wichtigen getrennt zu haben. Ohne daß jetzt ein Katalog des Vergessenen oder falsch Bewerteten entworfen werden soll, drängen sich doch einige Bemerkungen auf.

Die wichtigsten der von mir behandelten Gebiete sind wahrscheinlich der sowjetische Stummfilm und der italienische Neorealismus (erst in zweiter Linie würde ich den französischen Film der Zwanziger und Dreißiger Jahre nennen). Eine eingehen-

dere Untersuchung von Theorie und Praxis des sowjetischen Stummfilms kann ent-
scheidendes Material zur heutigen filmtheoretischen Diskussion zutagefördern, unser
heutiges Filmverständnis klären oder vorantreiben. In dieser Perspektive würde ich
insbesondere die Abschnitte über Dsiga Wertow und Eisenstein, aber auch die über
Kuleschow und Kosinzew/Trauberg gerne verbreitert sehen (die Schreibung »Kosin-
zew« erscheint zutreffender als »Kosintzew«). Die Verbindungen zwischen Wertow
und den künstlerischen Theorien der damaligen Zeit (Futurismus, Konstruktivismus,
»Faktographie«) wären stärker herauszuarbeiten, die grundsätzliche Bedeutung von
Eisensteins Manifest *Montage der Attraktionen* für das Filmverständnis in der Sowjetunion der Zwanziger Jahre wäre hervorzuheben. Esther (oder Esfir) Schubs Filme,
so *Padenije dinastii Romanowych* (Der Fall der Romanov-Dynastie) und *Welikij putj*
(Der große Weg), beide aus dem Jahre 1927, seinerzeit von mir nur am Rande erwähnt,
verdienten eine eingehende Darstellung, denn auch sie waren entscheidende Beiträge
zur Entwicklung von Theorie und Praxis der Filmmontage, überdies bedründeten sie
ein neues Genre, den »Kompilationsfilm«, der gerade in unseren Jahren wieder besondere Aktualität gewonnen hat, wenn man an Michail Romms *Obyknowennyj faschism*
(Der gewöhnliche Faschismus, UdSSR 1965) denkt. Beim Übergang vom sowjetischen
Film der Zwanziger zu dem der Dreißiger Jahre wäre nicht nur auf den Sozialistischen
Realismus, sondern auch auf die von Schklowski initiierte Diskussion um »Poesie und
Prosa im Film« einzugehen. Alexander Medwedkins Klassiker *Stschastje* (Das Glück.
1935), eine der besten Filmsatiren überhaupt, blieb seinerzeit unerwähnt, weil mir
dieser Film erst 1965 in Moskau als »Entdeckung« vorgeführt und später auch im
Westen bekannt wurde. Schließlich wäre Ausführliches zu sagen über die Rekonstruktion von Eisensteins *Beshin ljug* (Die Beshin-Wiese) durch Naum Kleeman und Sergej
Jutkewitsch (1967), wie überhaupt über die Möglichkeit von Rekonstruktionen ver-
lorener, vernichteter oder nicht realisierter Filme (vielleicht wird es einmal die Rekonstruktion der integralen Fassung von Stroheims *Greed* als Fotofilm oder eine Rekonstruktion von Eisensteins *¡Que viva Mexico!* geben, nachdem das Negativ des Roh-
materials zu letzterem Film nun endlich in den Besitz des sowjetischen Filmarchivs
gelangt ist).

Dem italienischen Neorealismus müßte man wahrscheinlich kritischer gegenüber-
treten als früher, manche von dieser Bewegung herrührende Mythen mit einem Frage-
zeichen versehen und den Neorealismus genauer auf seine Methoden hin untersuchen
(die Frage wäre u. A. zu stellen, wie das dokumentarische Arbeitsprinzip neorealistischer Regisseure und Szenaristen mit dem Prinzip der Nachsynchronisation ihrer
Filme zu vereinen ist). Man müßte die Filme Rossellinis neu untersuchen und würde
wahrscheinlich dabei konstatieren, daß Rossellinis Methode keineswegs (wie von mir
früher behauptet) die eines »Beobachtens« ist, sondern daß seiner lakonischen Erzählweise, die jede emotionale Resonanz der Ereignisse abschneidet (der betont kurze,
fast abrupte Schluß von *Roma città aperta* und *Paisà*) durchaus eine Interpretation
der geschilderten Ereignisse in Richtung auf die ihnen immanente Tragik zugrunde-
liegt. Schließlich sollte man der Beobachtung nachgehen, daß von den Filmen Vittorio
de Sicas gerade der Realismus und Phantasie einander gegenüberstellende *Miracolo
a Milano* heute als der aktuellste und lebendigste erscheint, während man die sentimentalen Elemente in *Umberto D.* als störend empfindet.

Im Bereich des französischen Films müßte man ein eigenes Kapitel den frühen
Serienfilmen Louis Feuillades widmen, die sich heute als großartige Entwürfe eines
Kinos der Phantastik erweisen — leider sind sie, infolge fatal-ungünstiger Konstella-

tionen zwischen der Herstellerfirma und den Filmcharchiven, die noch Kopien der Filme besitzen, praktisch kaum zu sehen. Die frühen Tonfilme Renoirs, die mehr waren als »Gelegenheitsarbeiten«, gälte es ihrem wahren Rang gemäß darzustellen, so *La Nuit du carrefour* (1932) und *Madame Bovary* (1934).

Bestätigt hat sich der Rang der Filme Luchino Viscontis, vor allem von *Ossessione* (1942) und *La terra trema* (1948), und die diesen Filmen gewidmeten Passagen der *Geschichte des Films* rechne ich zu denjenigen, von denen man auch heute kein Wort abzustreichen braucht.

Zehn Jahre später
von *Enno Patalas*

Als Ulrich Gregor und ich, beide ca. 30, dieses Buch schrieben, hatten wir zehn Jahre Praxis als Kinogänger und Rezensenten hinter uns: die Fünfzigerjahre (vorher Kindheit und Schule im »Dritten Reich« und danach). Wir — das waren auch die Freunde, die alle indirekt an diesem Buch mitgeschrieben haben, vor allem Wilfried Berghahn und Theodor Kotulla, mit denen wir 1957 die Zeitschrift *Filmkritik* gründeten, und die anderen Mitarbeiter ihrer frühen Jahrgänge. Die Einmütigkeit unserer Urteile war so groß, daß wir die erste Person nur im Plural gebrauchten.

Noch einmal gut zehn Jahre, so viele wie dieses Buch diktiert haben, sind seit seinem ersten Erscheinen vergangen. Diese Sechzigerjahre haben den Blick auf den Film neu und anders, auch viel widersprüchlicher bestimmt als (für uns) die Fünfziger. Die Einmütigkeit des Urteilens in der ersten *Filmkritik*-Mannschaft ist längst dahin, auch die zwischen den Autoren dieses Buches. Als Scheidewasser wirkte zuerst die Neue Welle, wirkten vor allem die Filme Godards, bei uns diejenigen Straubs. Die neuen Filme veränderten auch den Blick auf die alten, zumal deren Rezeption bei uns nun anders möglich wurde.

Zu unseren Fünfzigerjahren gehörte auch, daß sie einen ständigen und intensiven Umgang mit der Vergangenheit des Films nicht erlaubten, anders als in Frankreich, wo eine Generation von Cineasten nach dem Kriege ebensoviel Filmerfahrung in der Cinémathèque sammeln konnte wie in den Premierenkinos. Uns hingegen setzte sich das Bild der Vergangenheit des Films nur zufällig und bruchstückhaft zusammen. Kaum eine einigermaßen geschlossene Retrospektive hatte es, als wir dieses Buch schrieben, in der Bundesrepublik gegeben. Die meisten der hier in Zusammenhängen besprochenen Filme hatten wir bei weit auseinanderliegenden Gelegenheiten gesehen, in den Filmclubs, bei deren Jahrestreffen, bei Besuchen im Ausland. Deshalb blieben sie vielfach pittoresk, was wir manchmal, statt die Rezepitonsbedingungen verantwortlich zu machen, die Filme entgelten ließen.

Den Hunger nach Synthese mußte die Literatur stillen. Unser Buch, gegen eine Mangelsituation geschrieben, wurde auch von ihr geprägt. Es ist selbst ein bißchen so, wie wir die Filme beschrieben: Ausdruck von Produktionsbedingungen, die in einer bestimmten Zeit gegeben waren. Ein Produkt der Fünfzigerjahre, wie es ähnlich auch die gleichzeitigen ersten Erzeugnisse des »Jungen deutschen Films« waren. Zu schreiben hatten wir begonnen in der Opposition gegen den westdeutschen Film der Adenauerjahre und die ihn begleitende Feuilletonkritik. Leitbilder bezogen wir vor allem aus dem italienischen Neorealismus, in dem wir die Auseinandersetzung mit den sozialen und politischen Aspekten der Gegenwart fanden, die der westdeutsche Film schuldig geblieben war. Sicherheit gaben uns Bücher wie Siegfried Kracauers *From Caligari to Hitler*, die die Filme als einen kollektiv verfaßten Kommentar zur Zeitgeschichte lasen. Kracauer, von dem Adorno sagte, sein Beispiel habe die deutsche Filmkritik erst aufs Niveau gebracht.

Aus dem Oktoberheft 1966 der *Filmkritik*, in einer Diskussion zu deren Selbstverständnis, die nun auch längst Vergangenheit ist: »Die Pioniere der *Filmkritik* versuchten zunächst einmal, aus dem Film ein ordentliches Objekt der Kunstbetrachtung zu machen, und zwar mit einer vorwiegend an der Soziologie orientierten Methode. Es war nur vernünftig, sich des Prestiges einer Wissenschaft zu bedienen, und es war naheliegend, auf Raster und ein Vokabular mit der Aura von Objektivität zurückzugreifen, um sich gegen subjektivistischen Schwulst abzusichern. Für die weitere Entwicklung dieser Betrachtungsweise war der Umstand nicht unerheblich, daß die ästhetische Relevanz der zur Debatte stehenden deutschen Filme so lächerlich gering war, daß eine für einen von ihnen geprägte Formel mit nahezu absoluter Sicherheit auf alle zutraf. Gegenbeispiel war der Neorealismus. Aber eben nur Gegenbeispiel ... Man empfand die (neorealistischen) Filme in ihrer Erscheinungsweise als wahr und richtig, als neu, einer bestimmten politischen Haltung adäquat, der geschichtlichen Stunde entsprechend. Aber den ästhetischen Prozeß, der sie zum richtigen Ausdruck machte, ließ man ununtersucht.«

In der Zeit, als dieses Buch entstand, im Märzheft 1961 der Filmkritik, formulierten Wilfried Berghahn und ich unsere Vorstellungen von einer »linken Filmkritik«:

Die herkömmliche, alte Kritik:	Die geforderte, neue Kritik:
identifiziert sich mit dem Film,	steht dem Film fordernd gegenüber,
betrachtet den Film als Anlaß,	betrachtet den Film als Aufgabe,
betrachtet den Film als Erlebnis,	verlangt vom Film ein Exempel,
sieht den Film als Ganzheit,	unterscheidet im Film verschiedene Einflüsse,
betrachtet den Film als Einzelfall,	verweist auf die Geschichte des Films,
sieht den Film als autonomes Kunstwerk,	betrachtet den Film als Ausdruck der Zeitströmungen,
interessiert sich mehr für die Form als die Aussage,	interessiert sich mehr für die Aussage als die Form,
sieht die Form als selbständige Qualität,	sieht die Form als einen Aspekt der Aussage,
steht außerkünstlerischen Intentionen indifferent gegenüber,	fragt nach außerkünstlerischen Absichten und Wirkungen,
interessiert sich nicht für die Wünsche des Publikums,	interessiert sich lebhaft für die Wünsche des Publikums,
hält das Publikum für verständnislos,	hält das Publikum für unverstanden,
betrachtet die Filmindustrie nur als Traumfabrik,	fragt, welche Beschaffenheit die Träume zeigen,
interessiert sich nicht für unkünstlerische Filme,	interessiert sich für jeden Film,
sieht nur die ausdrücklichen, ›manifesten‹ Aussagen,	fahndet nach ausdrücklichen, ›latenten‹ Aussagen,
zeichnet die Intentionen des Regisseurs nach,	deckt die Denkgewohnheiten des Regisseurs auf,
verlangt den ›unabhängigen‹ Regisseur,	hofft auf den seiner gesellschaftlichen Lage bewußten Film,
sieht nur das Resultat,	sieht auch die Produktionsbedingungen,
kritisiert nur den Film,	kritisiert die Gesellschaft, aus der der Film hervorgeht.«

Als ziemlich unspezifisch erscheint der Film in diesem Schema, beliebig austauschbar gegen andere Künste oder »Medien«. Auf seiner Besonderheit zu bestehen, das hieß uns gleich, ihn als »autonomes Kunstwerk« zu sehen, sich »mehr für die Form als die Aussage« zu interessieren, »die Form als selbständige Qualität« zu betrachten. Dagegen war uns der Film zuerst mal Formulierung — blinder »Ausdruck« im schlechten, bewußtes »Exempel« im guten Falle — für Tatsachen oder Einsichten, die unabhängig von ihm sein sollten, ihm vorausgehen sollten und auch anders zu fassen wären. Eine Bestätigung dessen, was auch andere Phänomene lehrten, erwarteten wir vom Film.

So sehr wir uns vom Idealismus der herkömmlichen Kritik abzusetzen versuchten, darin blieben wir Idealisten, daß wir uns das erkennende Subjekt autonom vom Gegenstand dachten. Der Kritiker sollte über ihn verfügen — »fordern«, »fahnden«, »aufdecken«. Offenheit dem Film gegenüber, die Bereitschaft, durch ihn sich verändern zu lassen, machten wir verdächtig als Haltung einer alten, überholten Kritik (»identifiziert sich«, »Film als Erlebnis«, »zeichnet die Intentionen des Regisseurs nach«). Zwar wünschten wir auch eine Kritik der Rezeption, wir »interessierten uns lebhaft für die Wünsche des Publikums«, aber uns selbst nahmen wir dabei aus. Jene Wünsche waren uns wieder nur blinder, ideologischer Ausdruck der sozialen Realität, den es zu durchschauen galt. Mit der subjektiven Erfahrung klammerten wir das Spezifische des Films aus.

Als Filmhistoriker glaubten Ulrich Gregor und ich nicht in eine andere Haut schlüpfen zu müssen, da wir auch für unsere Tageskritik Geschichtbsbewußtsein reklamierten. So kehren die Prämissen unserer Kritik, auch die uneingestandenen, in unserem Buch wieder. Die Entwicklung des Films beschreibt es in ihrer Abhängigkeit vom sozialen, wirtschaftlichen und politischen Geschehen der Zeit. Die Filmgeschichte, wie sie hier erzählt wird, begleitet isomorph die allgemeine Geschichte des 20. Jahrhunderts. Die Filme werden zurückgeführt auf die akuten Bedingungen, unter denen sie entstanden — inwiefern sie sie transzendieren, fragten wir nur ausnahmsweise. Je mehr ein Film oder die Filme eines Regisseurs den Bedingungen entsprachen, die zu einer bestimmten Zeit gegeben waren, desto relevanter erschienen sie uns. Was sich nicht plausibel festmachen ließ in einer eng definierten historischen Situation, das ignorierten wir wohl nicht unbedingt, aber wir beschrieben es meistens als seltsam geschichtslos oder kanzelten es gar als wirklichkeitsfremd ab (siehe meine Abschnitte über Sternberg, Ford; bezeichnend auch das Verdikt, das das Alterswerk der meisten Regisseure trifft).

Ich finde heute, daß wir so den Film ebenso verfehlt haben wie die Geschichte. Geschichte erscheint als die Chronik des öffentlichen Geschehens (oder des »veröffentlichten«: ein Buch von Journalisten). Daß diesem der Film sichtbarer und folgenschwerer ausgesetzt ist als die anderen Künste, dem Markt verpflichtet, von kollektiven Stimmungen abhängig, politischen Eingriffen unterworfen, das ließ uns seine epochalen Bedeutungen, die verdeckten und spezifischen, übersehen. Wir registrierten sorgfältig die temporären Schattierungen der Erscheinungen, aber nicht, wie sie wurzeln in Strukturen, die hinter die greifbaren Manifestationen der Geschichte zurückreichen. Etwa was an individueller historischer Prägung im Werk eines Autors steckt — darauf wird ganz ausnahmsweise, bei Griffith etwa, hingewiesen, und auch da bleibt es anekdotisch. Was an amerikanischer Geschichte, Geschichte des modernen Kapitalismus aufgehoben ist im amerikanischen Film, in seinen Genres, wie dem Western, dem Werk von Regisseuren wird Ford, Hawks, Walsh, dafür waren wir nicht empfänglich.

Wünschenswert erschiene mir heute eine Filmgeschichte, die überhaupt nicht chronologisch, horizontal vorginge, sondern vertikal, die die über achtzig Jahre verstreuten Erscheinungen wie gleichzeitige ansähe und ihre historischen Schichten und deren Verwerfungen aufdeckte.

Das Kino selbst und das Spezifische des Films als historisches Phänomen, was es notwendig machte und worin es Geschichte wurde, darauf haben wir uns nicht eingelassen. Deutlich zeigt das etwa die Vorstellung von der unbeflekten »Geburt des Films«, die am Anfang des Buches steht. Was es für den Film bedeutete, daß der Kinematograph eine Erfindung später Bürger war, die im Augenblick der Krise des bürgerlichen Realismus dessen Nachfolge antrat, wurde nicht gefragt. (Daß die Konstruktion des Kinematographen als Aufnahme- und Wiedergabeapparatur zugleich keineswegs technologisch bedingt war, zeigt der Umstand, daß Erfinder wie Muybridge nur die Analyse der Bewegungen, die die Trägheit der Netzhaut nicht zuließ, im Sinn hatten, aber nicht die Synthese der Phasenbilder, die Wiederherstellung des Augenscheins in seiner Fragwürdigkeit — mit ihr gehorchte der Film einem ideologischen Bedürfnis).

Nur so erklärt es sich, daß wir unkritisch die Ansicht wiederholten, der Film sei »zur Kunst (geworden), indem er über die bloße Reproduktion vorgegebener Bewegungsabläufe hinausging, ohne doch seine fotografische Natur zu verleugnen, indem er es lernte, den dargestellten Gegenstand durch die in der Natur des bewegten Bildes angelegten Mittel zu interpretieren« (S. 12). Die fotografische und kinematografische Technik galt für ästhetisch irrelevant und blieb ebenfalls ausgenommen vom Ideologieverdacht; auch dieser setzt ein bei den besonderen »Interpretationen«, die dem »dargestellten Gegenstand« zuteil werden. Nicht aber bei dem Versuch, das reproduzierte Abbild der Realität zur Basis ihrer »Interpretation« zu machen. Was die massenhafte fotografische Reproduktion der sichtbaren Welt für die herrschende Ideologie und die Ästhetik bedeutete, was es hieß, sie zur Basis einer künstlerischen Interpretation der Realität zu machen, danach fragten wir nicht.

Daß wir das Kino als unschuldige Reproduktion und Interpretation einer als »außerfilmisch« gedachten Realität gelten ließen und nicht als verändernden Eingriff sahen, als eine neue, spezifische Realität von relativer Autonomie, daß wir uns für diese Relationen nicht interessierten, das bestimmte unsere Perspektive auf die Vergangenheit des Films mehr als die orts- und zeitbedingte Unkenntnis von vielen Filmen und Regisseuren. Die Vorstellung von einem vermeintlich natürlichen »Realismus« des Films zieht sich durch die Kapitel des Buches, bestimmt seine Gegenstände und Urteile und ist die Ursache vieler Verdrängungen. Verkannt werden hauptsächlich die Filme, die gerade auf der Künstlichkeit des Reproduktionsvorgangs bestehen, seine Besonderheit und Materialität hervorkehren, statt sie in der scheinbaren Natürlichkeit des fotografischen Bewegungsbildes verschwinden lassen.

Nicht zufällig sind dies oft dieselben Filme, die sich der Fixierung auf eine bestimmte Dekade und deren »Geist« widersetzen und schon deshalb vom Raster unserer Betrachtungsweise nicht erfaßt werden. Geschichte des Films: man könnte sie verstehen als den Versuch, dem Gesetz Widerstand zu leisten, unter dem der Film angetreten ist, als seine praktische Kritik. So gesehen ist Geschichte des Films das, was bisher in den Filmgeschichten zu kurz kommt.

Von Geld ist die Rede, von wem noch?

Der Mann war Multimillionär . . .

... und nebenbei Politiker: eine kurze Zeit lang Gouverneur in California und lange Zeit Senator in Washington. Mit der Eisenbahn hatte er sein Vermögen verdient, und nun lebte er das Leben des Mannes, der sich alles leisten kann. Da er natürlich auch Sportsmann war, hielt er sich Pferde. Und er begann, sich für das Geheimnis der Gangart des Pferdes zu interessieren. Um diesem Geh-heimnis auf die Spur zu kommen, beauftragte er einen Ingenieur seiner Central Pacific railway, ein Verfahren zu ersinnen, womit der Ablauf des Pferdeganges auf fotografischen Platten festgehalten werden konnte. Man schrieb das Jahr 1872, der Film war noch nicht entdeckt. Der Ingenieur namens Isaacs bastelte eine ganze Batterie von Cameras zusammen, deren Verschlüsse elektrisch gesteuert wurden. Die Verschlußzeiten konnte er auf 1/2000 Sekunden verbessern. Die Aufnahmen selbst machte ein Fotograf namens Muybridge. Die fertigen Bilder erlaubten es erstmals, die Gangart des Pferdes genau zu studieren. (Nebenbei: Diese Bilderserie verhalf kurz darauf dem französischen Historienmaler Meissonier zu seinem Sieg über Mitglieder der Akademie, die ihn wegen vermeintlich unnatürlicher Haltung der Pferde auf seinen Schlachtengemälden angegriffen hatten. Und auch Edison wußte von dieser Bilderserie, bevor er sein Kinetoscop entwickelte.) Aber die Rede sollte eigentlich sein von jenem Sportsmann und Mäzen, der es sich Tausende kosten lassen konnte, um endlich in Ruhe betrachten zu können, wie ein Pferd rennt. Dieser Mann besaß im Santa Clara Tal in der Nähe von Palo Alto in California eine Farm, wo jene epochemachenden Pferde-Film-Bilder entstanden. Das freilich hätte nicht ausgereicht, den Namen des Mannes bis heute populär zu erhalten. Aber 12 Jahre nach jenen Aufnahmen starb der einzige Sohn dieses Mannes im Alter von 15 Jahren. Zu seinem Andenken stiftete der Vater seine Farm samt Ländereien und Staatspapieren im Wert von zusammen 30 Millionen Dollar und ließ auf dem Gelände eine Universität gründen, die bis heute den Namen jenes Eisenbahn-Magnaten der Nachwelt in Erinnerung bringt. Von wem war die Rede?

(Alphabetische Lösung: 19—20—1—14—6—15—18—4)

Anhang

Anmerkungen

1940–1949

1 Hans Hinterhäuser: *Italien zwischen Rot und Schwarz.* Stuttgart 1956. S. 181
2 Antonio Pietrangeli: *Verso un cinema italiano.* In *Bianco e Nero,* August 1942. Rom. Zit. bei Carlo Lizzani: *Le Cinéma italien.* Paris 1955. S. 130
3 Zit. bei Georges Sadoul: *Histoire générale du cinéma,* Bd. VI. Paris 1954. S. 111
4 In *Cinéma,* Nr. 173/74. Rom 1943
5 In *Cahiers du Cinéma,* Nr. 53. Paris 1955
6 In *Les Lettres françaises.* Paris 1952. Zit. bei Patrice-G. Hovald: *Le Néo-réalisme italien et ses créateurs.* Paris 1959. S. 132
7 Cesare Zavattini: *Alcune idee sul cinema.* In *Umberto D.* Milano/Roma 1953. S. 8
8 Cesare Zavattini, a. a. O. S. 5
9 In *Cahiers du Cinéma,* Nr. 2. Paris 1951
10 Pierre Leprohon: *Présences contemporaines – Cinéma.* Paris 1957. S. 392
11 Pierre Leprohon, a. a. O. S. 359
12 *Le Point du jour.* IDHEC, *Fiche filmographique* Nr. 64. Paris o. J.
13 Frédéric Laclos: *La Guerre et la paix.* In *Cahiers du Cinéma* Nr. 2. Paris 1951. S. 50
14 Le Veilleur in *Courrier Français du Sud-Quest,* 31. 5. 1947. Zit. in *Cinéaste,* Nr. 5. Göttingen o. J. S. 11
15 *Rotha on the Film,* a. a. O. S. 217
16 *Rotha on the Film,* a. a. O. S. 239
17 Rune Waldekrantz: *Swedish Cinema.* Stockholm 1959. S. 29
18 Zit. bei Jay Leyda: *Kino,* a. a. O. S. 371
19 Jay Leyda, a. a. O. S. 384
20 Marie Seton: *Sergei M. Eisenstein,* a. a. O. S. 460
21 Paul Babitsky/John Rimberg: *The Soviet Film Industry,* a. a. O. S. 302 ff.
22 *Agee on Film,* a. a. O. S. 88
23 Zit. bei André Bazin: *William Wyler ou le Janseniste de la mise en scène.* In *Qu'est-ce que le Cinéma?* Bd. I. Paris 1958. S. 155
24 André Bazin: *William Wyler . . .,* a. a. O. S. 168
25 Alfred Hitchcock: *Préface.* In *Cahiers du Cinéma,* Nr. 39. Paris 1954. S. 12

26 Dietrich Kuhlbrodt: *Alfred Hitchcock.* In *Filmkritik*, Bd. 5, Nr. 9 Frankfurt a. M. 1961. S. 431
27 André Bazin: *Le Mythe de Monsieur Verdoux.* In *Qu'est-ce que le cinéma?* Bd. III. Paris 1961
28 *Agee on Film*, a. a. O. S. 261
29 s. Anmerkung 34 (1930–1939)
30 Paul Rotha/Richard Griffith: *The Film Till Now*, a. a. O. S. 499
31 Georges Sadoul: *Geschichte der Filmkunst*, a. a. O. S. 224
32 Raymond Borde/Etienne Chaumeton: *Panorama du Film noir américain.* Paris 1955. S. 15

1950–1959

1 Luigi Chiarini: *Cinema quinto potere.* Bari 1954. S. 86
2 Raymond Borde/André Bouissy: *Le Néoréalisme italien – Une expérience de cinéma social.* Lausanne 1960. S. 72
3 Raymond Borde/André Bouissy, a. a. O. S. 9
4 Amédée Ayfre: *Néoréalisme et phénoménologie.* In *Cahiers du Cinéma*, Nr. 17. Paris 1952
5 Zit. bei Raymond Borde/André Bouissy, a. a. O. S. 87
6 *Miracle à Milan. IDHEC, Fiche filmographique* Nr. 47. Paris o. J. S. 10
7 Zit. bei Patrice-G. Hovald: *Le Néo-réalisme italien et ses créateurs*, a. a. O. S. 146
8 Zit. bei Cecilia Mangini: *Le Cas Fellini.* In *Cinéma 55*, Nr. 3. Paris 1955. S. 32
9 Renzo Renzi: *Federico Fellini.* Bologna 1956. S. 36
10 Geneviève Agel: *Les Chemins de Fellini.* Paris 1956. S. 20
11 Zit. bei Geneviève Agel, a. a. O. S. 94
12 Guido Aristarco: *Storia delle teoriche del film.* Torino 1960. S. 42 f.
13 Theodor Kotulla: *Der Geist des Widerstands.* In *film 56*, Nr. 3. Frankfurt a. M. 1956. S. 146
14 Jacques Siclier: *Nouvelle vague?* Paris 1961. S. 45
15 Pierre Kast: *Les Plaisirs de l'artillerie.* In *Cahiers du Cinéma*, Nr. 36. Paris 1954. S. 48
16 Alexandre Astruc: *La Caméra-stylo.* In *L'Écran français*, Nr. 144. Paris 1948
17 Gavin Lambert: *The Man in the White Suit.* In *Sight and Sound*, Bd. 21, Nr. 2. London 1951. S. 78
18 Gavin Lambert: *Notes on the British Cinema.* In *The Quarterly of Film, Radio and Television*, Bd. XI, Nr. 1. Los Angeles 1956. S. 9
19 Eric Rohmer: *Le Septième sceau.* In *Arts*, Nr. 667. Paris 1959
20 Jacques Siclier: *Ingmar Bergman.* Paris 1960. S. 29
21 Theodor Kotulla: *Das siebente Siegel.* In *Filmkritik*, Bd. 6, Nr. 2. Frankfurt a. M. 1962. S. 74
22 W. Sutyrin in *Iskusstwo Kino, Moskau 1947. Zitiert bei Philippe Sabant: La Crise de scénarios en URSS.* In *Cahiers du Cinéma*, Nr. 16. Paris 1952. S. 39
23 W. Sutyrin, a. a. O. S. 42
24 Wsewolod Pudowkin/Michail Romm/Alexander Dowshenko/Lew Kuleschow u. a.: *Der sowjetische Film*, a. a. O. S. 52
25 Zit. bei Philippe Sabant: *La Crise de scénarios en URSS.*, a. a. O. S. 36
26 Zit. bei Philippe Sabant, a. a. O. S. 36
27 In *Arts*, 7. 12. 1955. Paris
28 In *Ostprobleme*, Nr. 2/26. Bonn 1956. S. 885 ff.
29 Jerzy Plazewsky: *Le Jeune cinéma polonais*, II. In *Cahiers du Cinéma*, Nr. 82. Paris 1958. S. 33
30 Hermann Axen: *Für den Aufschwung der fortschrittlichen deutschen Film-*

kunst. In *Neues Deutschland*, 18. 9. 1952. Berlin

31 *An Encounter with John Huston.* In *Film Culture*, Bd. 2. Nr. 2 (8). New York 1956. S. 1

32 Robert Warshow: *Helden aus dem goldenen Westen*, a. a. O. S. 646

33 Etienne Chaumeton: *L'Œuvre de Vincente Minnelli.* In *Positif*, Nr. 12, Lyon 1956. S. 40

34 Jean-Pierre Coursodon/Yves Boisset: *20 ans de cinéma américain.* Paris 1961. S. 55

35 *Dictionnaire des réalisateurs américains contemporains.* In *Cahiers du Cinéma*, Nr. 54. Paris 1955. S. 58

36 Jonas Mekas: *Cinema of the New Generation.* In *Film Culture*, Nr. 21. New York 1960. S. 7

37 Reinold E. Thiel: *Puppen- und Zeichenfilm.* Berlin 1960. S. 15

38 Zit. in *Luis Buñuel. Premier Plan*, Nr. 13. Lyon 1960. S. 74

39 Zit. bei Joseph L. Anderson/Donald Richie: *The Japanese Film.* New York 1960². S. 377

40 Zit. bei Joseph L. Anderson/Donald Richie, a. a. O. S. 380

41 Wilfried Berghahn: *Die sieben Samurai.* In *Filmkritik*, Bd. 6, Nr. 8. Frankfurt a. M. 1962. S. 356

Seit 1960

1 André Bazin: *Le Journal d'un curé de campagne et la stylistique de Robert Bresson.* In *Qu'est-ce que le cinéma?* Bd. II. Paris 1959. S. 33 ff.

2 François Truffaut: *Une certaine tendence du cinéma français.* In *Cahiers du Cinéma*, Nr. 31. Paris 1954. S. 15 ff.

3 Zit. bei Jacques Siclier: *New Wave and French Cinema.* In *Sight and Sound*, Bd. 30, Nr. 3. London 1961. S. 116

4 *Clefs pour Claude Chabrol.* In *cinéma*, Nr. 64. Paris 1962. S. 9

5 *Naissance du Belmondisme.* In *L'Express*, Nr. 468. Paris 1960

6 Jacques Siclier: *Nouvelle vague?*, a. a. O. S. 111

7 Zit. in *Neue Wege? In Cinema*, Nr. 28. Zollikon 1961. S. 357

Bibliographien

Das folgende Verzeichnis erhebt keinen Anspruch auf Vollständigkeit. Es führt nur solche Arbeiten auf, die den Autoren nützlich waren und die sie dem Leser für eine weitere Beschäftigung mit dem Thema empfehlen.
Für die Taschenbuchausgabe wurde die Bibliographie um deutschsprachige Filmtitel erweitert, die seit 1962 erschienen und im Handel sind. Sie sind an der zusätzlichen Angabe des Verlagsnamens kenntlich.

Bibliographien/Allgemeine Filmliteratur/ Anthologien/Lexika/Geschichte des Films
Siehe Band 1

Monographien

Aldrich – Micha, René: *Robert Aldrich.* Brüssel 1957
Antonioni – Carpi, Fabio: *Michelangelo Antonioni.* Parma 1958
– Leprohon, Pierre: *Michelangelo Antonioni.* Paris 1961
– Thirard, Paul-Louis: *Michelangelo Antonioni.* Lyon 1960
– Thirard, Paul-Louis: *Michelangelo Antonioni.* Turin 1959
Asquith – Noble, Peter: *Anthony Asquith.* London 1952
Bardem – Oms, Marcel: *Juan Bardem.* Lyon 1962
Becker – Queval, Jean: *Jacques Becker.* Paris 1962
Bergman – Béranger, Jean: *Ingmar Bergman et ses films.* Paris 1959
– Burvenich, Jos: *Ingmar Bergman.* Brüssel 1960
– Donner, Jörn: *Djävulens ansikte.* Stockholm 1962
– Siclier, Jacques: *Ingmar Bergman.* Paris 1960
– Guyon, François D.: *Ingmar Bergman.* Lyon o. J.
Bresson – Agel, Henri: *Robert Bresson.* Brüssel 1957
– Agel, Henri: *Robert Bresson ou l'enfer du style.* Paris o. J.
– Briot, René: *Robert Bresson.* Paris 1957
– Sémolué, Jean: *Bresson.* Paris 1959
Buñuel – Buache, Freddy: *Luis Bunuel.* Lyon 1960
– Jansen, Peter W./Wolfram Schütte: *Luis Buñuel.* (Reihe Film, 6/Reihe Hanser, 191). Hanser Verlag, München 1975
– Kyrou, Ado: *Luis Bunuel.* Paris 1962
– Moullet, Luc: *Luis Bunuel.* Brüssel 1957
Capra – Griffith, Richard: *Frank Capra.* London o. J.
Carné – Landry, Bernard-G.: *Marcel Carné.* Paris 1952
– Meillant, Jacques: *Marcel Carné.* London 1950
– Queval, Jean: *Marcel Carné.* Paris 1952
Chabrol – Jansen, Peter W./Wolfram Schütte: *Claude Chabrol.* (Reihe Film, 5/Reihe Hanser, 190). Hanser Verlag, München 1975
Chaplin – Huff, Theodore: *Charlie Chaplin.* New York 1951
– Leprohon, Pierre: *Charlie ou la naissance d'un mythe.* Paris 1936
– Mitry, Jean: *Charlot ou la »fabulation« chaplisque.* Paris 1957
– Payne, Robert: *The Great God Pan.* New York 1952
– Sadoul, Georges: *Vie de Charlot.* Paris 1952 (deutsch: *Das ist Chaplin.* Wien 1953)

– Tichy, Wolfram: *Charlie Chaplin*. (rowohlts monographien, 219). Rowohlt Taschenbuch Verlag GmbH, Reinbek bei Hamburg 1974
– Viazzi, Glauco: *Chaplin e la critica*. Bari 1955
Clair – Bourgeois, Jacques: *René Clair*. Genf 1949
– Charensol, Georges: *René Clair et les Belles-de-Nuit*. Paris 1953
– Charensol, Georges/Roger Régent: *Un Maître de cinéma – René Clair*. Paris 1952
– de la Roche, Catherine: *René Clair*. London 1958
– Mitry, Jean: *René Clair*. Paris 1960
– Salachas, Gilbert: *René Clair*. Brüssel 1957
– Viazzi, Glauco: *René Clair*. Rom 1946
Clément – Siclier, Jacques: *René Clément*. Brüssel 1958
Clouzot – Bianchi, Pietro: *Henri-Georges Clouzot*. Parma 1961
– Chalais, François: *H.-G. Clouzot*. Paris 1950
Cocteau – Cocteau, Jean: *Entretiens autour du cinématographe*. Paris 1951 (deutsch: *Gespräche über den Film*. Eßlingen 1953)
– Simon, Karl Günter: *Jean Cocteau oder Die Poesie im Film*. Berlin 1958
Dassin – Ferrero, Adelio: *Jules Dassin*. Parma 1961
de Sica – Agel, Henri: *Vittorio de Sica*. Paris 1955
– Bazin, André: *Vittorio de Sica*. Parma 1953

Disney – Gromo, Mario: *L'Arte di Walt Disney*. Torino 1960
Dreyer – Neergard, Ebbe: *Carl Dreyer*. London 1950
– Sémolné, Jean: *Dreyer*. Paris 1962
– Trolle, Börge: *The Art of Carl Dreyer*. Kopenhagen 1955
Eisenstein – Charrière, Jacques/Abraham Segal: *S. M. Eisenstein*. Wasmuth Verlag, Tübingen 1973
– Eisenstein, Sergej M.: *Erinnerungen*. (Sammlung Cinema, 5). Verlag Die Arche, Zürich 1970
– Mitry, Jean: *S. M. Eisenstein*. Paris 1955
– Seton, Marie: *Sergej M. Eisenstein*. London 1952
– Sklovskij, Viktor: Ejzenstejn. (das neue buch, 55). Rowohlt Taschenbuch Verlag GmbH, Reinbek bei Hamburg 1974
– Sudendorf, Werner/Naum, J. Klejmann/Hans-Joachim Schlegel: *Sergej M. Eisenstein*. (Reihe Hanser, 157). Hanser Verlag, München 1975
– Toeplitz, Jerzy/Sergej Jutkewitsch u. a.: *Sergej Eisenstein, Künstler der Revolution*. Berlin 1960
– Weise, Eckhard: *Sergej Eisenstein*. (rowohlts monographien, 233). Rowohlt Taschenbuch Verlag, Reinbek bei Hamburg 1975
Fellini – Agel, Geneviève: *Les Chemins de Fellini*. Paris 1956
– Renzo, Renzi: *Federico Fellini*. Bologna 1956
Feyder – Feyder, Jacques/Françoise Rosay: *Le Cinéma notre métier*. Genf 1944
Flaherty – Griffith, Richard: *The World of Robert Flaherty*. London 1953
– Gobetti, Paolo: *Robert Flaherty*. Turin 1960
– Gromo, Mario: *Robert Flaherty*. Parma 1952
Ford – Kezich, Tullio: *John Ford*. Parma 1958
– Mitry, Jean: *John Ford*. 2 Bde. Paris 1954
Franju – Buache, Freddy: *Georges Franju*. Lyon 1959
Grémillon – Agel, Henri: *Jean Grémillon*. Brüssel 1958
– Kast, Pierre: *Jean Grémillon*. Lyon 1960
Hitchcock – Amengual, Barthélémy / Raymond Borde: *Alfred Hitchcock*. Lyon 1960
– Truffaut, François: *Mr. Hitchcock, wie haben Sie das gemacht?* Hanser Verlag, München 1973 und Heyne Verlag, München 1975 (Heyne-Non-Fiction, 7004).

– Rohmer, Eric/Claude Chabrol: *Hitchcock.* Paris 1957
Huston – Allais, Jean-Claude: *John Huston.* Lyon 1960
– Davay, Paul: *John Huston.* Brüssel 1957
Ivens – Joris Ivens: *Die Kamera und ich. Autobiographie eines Filmers.* (das neue buch, 47). Rowohlt Taschenbuch Verlag GmbH, Reinbek bei Hamburg 1974
Jennings – Grierson, John u. a.: *Humphrey Jennings.* London o. J.
Keaton – Jansen, Peter W./Wolfram Schütte: *Buster Keaton.* (Reihe Film, 3/Reihe Hanser, 182) Hanser Verlag, München 1975
Lattuada – de Sanctis, Filippo: *Alberto Lattuada.* Parma 1961
Lewis – Jerry Lewis: *Wie ich Filme mache. The Total Film-Maker.* Hanser Verlag, München 1974 und Rowohlt Taschenbuch Verlag GmbH, Reinbek bei Hamburg 1976 (rororo 1927)
McLaren – Gianni Rondolino: *Norman McLaren.* Turin o. J.
Mack Sennett – Davide Turconi: *Mack Sennett.* Rom 1961
Méliès – Bessy, Maurice/Lo Duca: *Georges Méliès, mage.* Paris 1945
– Ford, Charles: *Georges Méliès, mage.* Paris 1945
– Sadoul, Georges: *Georges Méliès.* Paris 1961
Minnelli – de la Roche, Catherine: *Vincente Minnelli.* Petane (Neu-Seeland) 1959
Ophüls – Beylie, Claude: *Max Ophuls.* Brüssel 1958
– Ophüls, Max: *Spiel im Dasein.* Stuttgart 1959
– Roud, Richard: *Max Ophuls.* London 1958
Pastrone – Sadoul, Georges u. a.: *Omaggio a Giovanni Pastrone.* Turin 1960
Prévert – Jacob, Guy/André Heinrich/Bernard Chardère: *Jacques Prévert.* Lyon 1960
– Queval, Jean: *Jacques Prévert.* Paris 1956
Pudowkin – Marjamow, A.: *Pudowkin – Kampf und Vollendung.* Berlin 1954
Renoir – Jean Renoir: *Mein Leben und meine Filme.* Piper Verlag, München 1975
Renoir – Davay, Paul: *Jean Renoir.* Brüssel 1957
– *Jean Renoir.* Lyon 1962
Resnais – Delahaye, Michel/Henri Colpi: *Hiroshima Resnais.* Lyon 1959
– Pingaud, Roger: *Alain Resnais.* Lyon 1961
Rossellini – Hovald, Patrice-G.: *Roberto Rossellini.* Brüssel 1958
– Mida, Massimo: *Roberto Rossellini.* Parma 1961[2]
Stroheim – *Erich von Stroheim (1885–1957).* Rom 1959
– Bergut, Bob: *Eric von Stroheim.* Paris 1960
– Casiraghi, Ugo: *Umanità di Stroheim.* Mailand 1945
– Marion, Denis: *Erich von Stroheim.* Brüssel 1959
Truffaut – Jansen, Peter W./Wolfram Schütte: *François Truffaut.* (Reihe Film, 1/Reihe Hanser, 174). Hanser Verlag, München 1974
– Noble, Peter: *Hollywood Scapegoat.* London 1950
Tati – Agel, Geneviève: *Hulot parmi nous.* Paris 1955
– Louis, Théodore: *Jacques Tati.* Brüssel 1959
Vadim – Mardore, Michel: *Roger Vadim.* Lyon 1959
Vigo – Gomés, P. E. Salés: *Jean Vigo.* Paris 1957
– *Jean Vigo.* Lyon 1961 Visconti – Aristarco, Guido: *Luchino Visconti.* Parma 1958
– Castello, Giulio Cesare u. a.: *Luchino Visconti.* Parma 1958
– Jansen, Peter W./Wolfram Schütte: *Luchino Visconti.* (Reihe Hanser, 181). Hanser Verlag, München 1975
Welles – Allais, Jean-Claude: *Orson Welles.* Lyon 1961
– Cocteau, Jean/André Bazin: *Orson Welles.* Paris 1950
– Fowler, Roy Alexander: *Orson Welles.* London 1946
– Noble, Peter: *The Fabulous Orson Welles.* London 1956
Wertow – Abramow, N./Dsiga Wertow/Esther Schub u. a.: *Dsiga Wertow, Publizist und Poet des Dokumentarfilms.* Berlin 1960

Wilder – del Buono, Oreste: *Billy Wilder*. Parma 1958
Wyler – Shibuk, Charles: *William Wyler*. New York 1957

Zeitschriften

L'Age du cinéma. Paris 1951
Bianco e Nero. Rom 1937–1943, seit 1948
Cahiers du Cinéma. Paris seit 1951
Chaplin. Stockholm seit 1959
Cinema. Rom 1936–1943, 1948–1952
Cinéma 55, 56, 57, 58, 59, 60, 61, 62. Paris seit 1954
Cinema Nuovo. Mailand seit 1952
Close up. Riant Chateau 1927–1933
L'Écran français. Paris 1946–1953
film 56.. Frankfurt (Main) 1956
F. Frankfurt (Main) 1958
Film Culture. New York seit 1955
filmforum. Emsdetten 1951–1960
Film-Front. Stockholm 1953–1956
Filmkritik. Frankfurt (Main) 1957–1969, München seit 1970
Filmkunst. Wien 1949–1954
Film Quarterly. Los Angeles seit 1958 (früher: *Hollywood Quarterly*, 1945–1951,
   und *The Quarterly of Film, Radio and Television*, 1951–1957)
Films and Filming. London seit 1954
Films in Review. New York seit 1952
Iskusstwo Kino. Moskau seit 1936
Kosmorama. Kopenhagen seit 1954
Monthly Film Bulletin. London seit 1934
Positif. Lyon/Paris seit 1951
Rivista del cinema italiano. Mailand 1952–1955
Sequence. Oxford 1946–1952
Sight and Sound. London seit 1938
La Revue du Cinéma. Paris 1930–1932, 1946–1949

Register

Alle Ziffern bis 220 verweisen auf Band 1

Personenregister

Kursive Ziffern weisen auf Abbildungen hin.

Firmenregister

In diesem Register sind Produktions- und Verleihfirmen, Institute, Behörden, Clubs, Theater, Schulen, Zeitungen, Zeitschriften usw. zusammengefaßt.

Register der deutschen Filmtitel
Dieses Register enthält sowohl die Titel deutscher Filme als auch die Verleih-
und übersetzten Titel ausländischer Filme. Bei Titeln, die im Original englisch,
französisch oder italienisch sind, wird die deutsche Fassung des Titels im
allgemeinen nur einmal nachgewiesen, und zwar an der Stelle, wo der betreffende Film ausführlich behandelt wird. Weitere Stellen sind sodann unter dem
englischen, französischen oder italienischen Originaltitel nachzuschlagen. Kursive Ziffern weisen auf Abbildungen hin.
In dieses Register sind auch die Titel von Romanen, Dramen, Essays usw.
aufgenommen worden.

Register der fremdsprachigen Filmtitel

Dieses Register enthält die Originaltitel ausländischer Filme. Sind die Originaltitel nicht englisch, französisch oder italienisch, so werden sie im allgemeinen nur einmal nachgewiesen, und zwar an der Stelle, wo der betreffende Film ausführlich behandelt wird. Weitere Stellen sind unter den Übersetzungen der Titel ins Deutsche nachzuschlagen. Kursive Ziffern weisen auf Abbildungen hin.

In dieses Register sind auch die Titel von Romanen, Dramen, Essays usw. aufgenommen worden.

547

Fotonachweis
Für Band 1 und 2

Die Fotos stellten freundlicherweise zur Verfügung: Kunstgewerbemuseum der Stadt Zürich (229), National Film Library, London (46), Sammlung Patalas, München (15), Lars Looschen, München (12), Sammlung Karkosch, München (7), Neue Filmkunst, Göttingen (50), Europa Filmverleih, Hamburg (32), Atlas Filmverleih, Düsseldorf (19), Constantin Filmverleih, München (14), Goldeck Filmverleih, Frankfurt (12), neue filmform, München (12), Rank Filmverleih, Hamburg (7), Warner Bros. Filmverleih, Frankfurt (7), Ajace Film/Euro International Films, Rom (6), beta film, London (6), United Artists Filmverleih, Frankfurt (6), Universal Filmverleih, Frankfurt (6), Lehmacher, Filmverleih, Düsseldorf (5), ringpress, München (4).

Tafelverzeichnis

Film lexikon

Film als Kunst
Film als Unterhaltung
Film als Sprache
Film als Mythos
Film als Ware
Film als Handwerk
Film als Technik
Film als Industrie
Alles über Film

Herausgegeben
von Liz-Anne Bawden
Edition der
deutschen Ausgabe
von Wolfram Tichy

Taschenbuchausgabe
in 6 Bänden
rororo handbuch
6234/DM 54,–
Jeder Band ist auch
einzeln zum Preis von
DM 10,80 erhältlich

Das rororo Filmlexikon erfaßt in 3000 Stichwortartikeln das Medium weltweit und in allen seinen Aspekten – als Kunstform und Unterhaltungsware, als Technologie und Industrie – von den Anfängen bis heute. Kein anderes Nachschlagewerk in deutscher Sprache bietet dem Filminteressierten mehr Informationen.

Die **Bände 1–3** behandeln
– etwa 800 Filme mit künstlerischer, kommerzieller oder historischer Bedeutung

– Bewegungen, Stile und Genres, wichtige theoretische und kritische Arbeiten, gesellschafts-politische Rahmenbedingungen (Zensur, Propaganda)
– Produktionsfirmen und Filmländer
– technische Entwicklungen und Verfahren

Die **Bände 4–6** beschreiben die wichtigsten Personen der Filmgeschichte und -gegenwart:
– Schauspieler, Regisseure, Kameraleute
– Produzenten, Kritiker,

Theoretiker
– Drehbuchautoren, Komponisten, Designer.

Bibliographische Hinweise zu jedem Stichwort und ein umfassendes Sach- und Filmregister mit allen erwähnten Filmen nach Verleih- und Originaltitel sowie ein vollständiges Personenregister machen das Lexikon auch zu einem Arbeitsbuch für alle, die sich mit Film professionell befassen.